Rich Dad's Guide to Investing

부자 아빠의
투자 가이드

부자 아빠 가난한 아빠

Rich Dad's Guide to Investing

by Robert T. Kiyosaki with Sharon L. Lechter

Original edition was published by Tech Press, Inc.

Rich Dad's Guide to Investing

부자 아빠의
투자 가이드

부자 아빠 가난한 아빠 

로버트 기요사키/샤론 레흐트 · 형선호 옮김

차례

제4부

부자 아빠의 투자 가이드 3단계

—강력한 사업체를 만들 수 있는 방법을 알아야 한다

제5부

부자 아빠의 투자 가이드 4단계

—궁극적인 투자가가 되어야 한다

제6부

부자 아빠의 투자 가이드 5단계

—용기 있는 자만이 부자가 될 수 있다

투자에 대한 부자 아빠의 조언

영화판에서는 10%의 배우들이 전체 돈의 90%를 번다.
또한 10%의 운동 선수들이 전체 돈의 90%를 벌고
음악가들도 마찬가지다.
이와 같은 〈90 : 10〉 논리는 투자 세계에도 적용된다.
즉 전체 투자가의 10%가 전체 돈의 90%를 소유한다.

전체 인구의 10%가 전체 돈의 90%를 소유한다

대부분의 우리는 〈80 : 20〉 논리에 대해 알고 있다. 그러니까 우리 성공의 80%는 우리 노력의 20%에서 비롯된다. 이탈리아의 경제학자 빌프레도 파레토가 1897년에 처음 지적한 이 논리는 〈최소 노력의 원칙〉으로도 알려져 있다.

부자 아버지는 모든 분야의 전반적인 성공에서 〈80 : 20〉 논리의 유효함을 인정했다. 하지만 돈에 대해서만큼은 그렇지 않았다. 돈에 대해서 그분은 〈90 : 10〉 논리를 믿었다. 부자 아버지는 전체 인구의 10%가 전체 돈의 90%를 갖고 있다고 지적했다. 그분은 다음과 같은 점을 지적했다. 영화 세계에서 10%의 배우들이 전체 돈의 90%를 번다. 그리고 10%의 운동 선수들이 전체 돈의 90%를 벌고 음악가들의 10%도 그러하다. 이와 같은 〈90 : 10〉 논리는 투자 세계에도 적용된다. 그래서 투자가들에 대한 그분의 충고는 다음과 같은 것이었다. 〈평균적인 보통의 투자가가 되지는 마라.〉《월 스트리트 저널》의 기사는 최근에 그분의 견해를 확인했다. 그 기사는 미국 내 모든 기업 주식의 90%를 전체 인구의 10%의 사람들이 갖고 있다고 언급했다.

이 책은 그 10%의 일부 투자가들이 어떻게 전체 부의 90%를 얻었는지, 그리고 당신도 어떻게 그런 일을 할 수 있는지 설명한다.

머리말

부자 투자가 vs. 일반 투자가

나는 부자 아버지를 부자 투자가로 만든 것은
돈이 아니었음을 알게 되었다.
나는 은행에 있는 돈의 양이 아닌, 우리의
사고 방식이 우리를 부자로 만든다는 것을 알게 되었다.
내가 이 책에서 당신에게 전달하고 싶은 것은
바로 부자 투자가들의 사고 방식이다.

일반 투자가는 되지 말라

미국 증권 거래 위원회(SEC)는 〈인정받는 투자가〉를 다음과 같이 규정하고 있다.

——연간 수입이 20만 달러를 넘는 사람
——부부의 연간 수입이 30만 달러를 넘는 사람
——순재산이 1백만 달러를 넘는 사람

미국 증권 거래 위원회가 이런 규정을 만든 것은 일반 투자가들을 세상에서 가장 나쁘고 가장 위험한 일부 투자로부터 보호하기 위해서였다. 그런데 문제는, 이런 투자 규정으로 인해 일반 투자가들은 세상에서 가장 좋은 일부 투자에 접근조차할 수 없다는 것이다. 이것도 하나의 이유가 되어 부자 아버지는 일반 투자가에게 다음과 같이 충고한다. 〈일반적인 보통의 투자가가 되지는 말아라.〉

아무것도 없는 상태에서 시작하다

이 책은 내가 1973년에 베트남에서 돌아오는 것에서 시작된다. 나는 그때 일년만 있으면 해병대에서 전역할 예정이었다. 그래서 나는 일년만 있으면 일자리도 없고, 돈도 없고, 자산도 없게 될 상황이었다. 이 책은 바로 그런 상태, 그러니까 아무것도 없는 무에서 시작하는 상황에서부터 시작된다.

이 책을 쓰는 것은 하나의 도전이었다. 나는 이 책을 네 번이나 고쳐 썼다. 최초의 원고는 증권 거래 위원회의 〈인정받는 투자가〉 수준, 즉 최소한의 연간 소득이 20만 달러인 사람들을 대상으로 하는 수준에서 시작되었다. 이 책이 처음 완성되었을 때, 공동 저자인 샤론이 부자 아버지의 〈90 : 10〉이라는 돈의 논리를 나에게 상기시켰다. 그녀는 이렇게 얘기했다. 「이 책은 부자들의 투자에 관한 것이지만, 실제로는 전체 인구의 10% 미만이 일년에 20만 달러 이상을 법니다. 사실 나는 전체 인구의 3% 미만만이 인정받는 투자가의 자격을 갖출 만큼 충분한 돈을 번다고 생각해요」 그래서 우리는 이 책이 부자들이 하는 투자에 대해 알려주면서 동시에 투자할 돈이 있든 없든 투자를 하고자 하는 사람들 모두를 포함하는 것이 되도록 애를 썼다. 그렇게 하는 것은 힘든 일이었으며, 그래서 이 책을 네 번이나 고쳐 써야만 했다.

이 책은 가장 기초적인 투자가 수준에서 시작해 가장 능숙한 투자가 수준까지 소개한다. 이 책은 〈인정받는 투자가〉 수준에서 시작하지 않고 1973년부터 시작한다. 왜냐하면 그때 나에게는 일자리도 없었고, 돈도 없었고, 자산도 없었기 때문이다. 우리 가운데 그런 경험을 한 사람은 많을 것이다. 그 당시 나에게 있던 것은 언젠가 부자가 될 것이라는, 부자들이 하는 투자를 할 자격이 있는 투자가가 될 것이라는 꿈뿐이었다. 부자들이 하는 투자에 대해서는 들은 사람도 거의 없고, 경제 신문에 소개된 적도 거의 없고, 투자 컨설턴트들이 상품으로 판 적도 거의 없다. 이 책은 나에게 꿈과, 부자들이 하는 투자를 나도 할 수 있도록 안내해 준 부자 아버지의 조언밖에 없을 때부터 시작된다.

따라서 당신에게 투자할 돈이 거의 없건 투자할 돈이 아주 많건, 혹은 당신이 투자에 대해서 아는 것이 거의 없건 아는 것이 아주 많건, 이 책은 당신에게 흥미로울 것이다. 이 책은 아주 복잡한 주제를 가능한 한 쉽게 쓴 책이다. 이 책은 갖고 있는 돈이 얼마이건 더 현명한 투자가가 되는 데 관심이 있는 모든 사람들을 위한 책이다.

이 책이 투자에 관한 당신의 첫번째 책이라 해도, 그리고 이 책이 너무 복잡할 것이라는 걱정이 들더라도 걱정하지 말기 바란다. 샤론과 내가 당신에게 요구하는 것은 열린 마음으로 이 책을 처음부터 끝까지 읽고 배우겠다는 의지를 갖는 것이다. 이해가 가지 않는 부분이 있을 때는 그냥 단어들만 읽으면서 끝까지 계속 읽길 바란다. 설사 모든 것을 이해하지 못한다 해도 끝까지 읽어나가면, 당신은 현재 시장에서 투자하고 있는 많은 사람들보다 투자에 대해서 더 많은 것을 알게 될 것이다. 사실 당신은 이 책을 읽음으로써 투자 조언을 하고 그 대가로 돈을 받는 많은 사람들보다 투자에 대해서 더 많이 알게 될 것이다. 이 책은 간단한 것에서 시작해 정교한 곳까지 들어가며, 그러면서도 너무 자세하거나 복잡하지 않게 설명할 것이다. 여러 면에서 이 책은 간단하게 시작해 명료하게 계속되며, 그러면서도 일부 아주 정교한 투자 전략들을 소개한다. 이 책은 부자 아버지가 한 젊은 사람을 인도한 이야기이다. 그 과정에서 부자 아버지는 그림들과 도표들을 사용해 종종 혼란스런 투자의 세계를 쉽게 설명한다.

돈의 〈90 : 10〉 원칙

부자 아버지는 이탈리아의 경제학자 빌프레도 파레토의 〈80 : 20〉이라는 원칙을 높이 평가했다. 그 논리는 〈최소 노력의 원칙〉으로도 알려져 있다. 그러나 부자 아버지는 돈에 대해서는 〈90 : 10〉의 원칙이 더 적절하다고 생각했다. 그러니까 전체 사람들의 10%가 전체 돈의 90%를 번다는 규칙이다.

《월 스트리트 저널》의 1999년 9월 13일자 기사는 돈의 〈90 : 10〉의 원칙에 대한 부자 아버지의 견해를 확인했다. 그 기사에는 이렇게 적혀 있었다.

일반 대중이, 이발사와 구두닦이 소년들까지 투자 조언을 하는 그 모든 상황에도 불구하고, 주식 시장은 여전히 엘리트 그룹의 특권으로 남아 있다. 자료 분석이 가능한 가장 최근 연도인 1997년에는 전체 가구의 43.3%만이 주식을 갖고 있었다. 이들 중에서 대부분의 포트폴리오는 비교적 규모가 작은 것이었다. 모든 주식의 90%는 가장 부유한 10%의 가구가 소유하고 있었다. 결론적으로 말해서, 상위 10%는 1997년에 미국 전체 자산의 73%를 보유했고, 이것은 1983년의 68%에서 증가한 것이다.

다시 말해, 오늘날 많은 사람들이 투자를 하고 있기는 해도, 부자들은 계속해서 더 부자가 되고 있다. 주식에 관한 한 돈의 〈90 : 10〉의 논리는 진실을 담고 있다.

개인적으로 나는 걱정을 하고 있다. 왜냐하면 미래의 삶을 투자에 의존하는 가정들이 점점 더 늘고 있기 때문이다. 그런데 문제는, 투자하는 사람들은 점점 더 늘고 있는데 투자를 제대로 아는 투자가들은 거의 없다는 점이다. 혹시라도 시장이 무너지면, 이 모든 새로운 투자가들은 어떻게 될 것인가? 정부는 우리의 저축이 끔찍한 손실을 입는 것은 보호하지만 우리의 투자는 보호하지 않는다. 그래서 내가 「일반 투자가에게 어떤 충고를 하시겠습니까?」라고 물었을 때 부자 아버지는 이렇게 대답한 것이었다. 「절대 일반적인 보통의 투자가가 되지는 말아라」

일반 투자가가 되지 않으려면

나는 불과 열두 살이었을 때 투자에 대해 많은 것을 알게 되었다. 그전까지는 투자라는 것이 내 머리에 제대로 자리잡지 못했다. 야구와 축구는 내 마음에 있었지만 투자는 아니었다. 나는 그 단어를 듣기는 했었다. 하지만 나는 그 세상에 별다른 관심을 갖지 않았다. 그러다가 나는 투자의 힘을 보게 되었다. 나는 내가 부자 아버지라 부르는 사람과 그분의 아들이자 내 가장 친한 친구인 마이크와 함께 작은 해변가를 걷던 일을 기억한다. 부자 아버지는 자신의 아들과 나에게 자신이 막 구입한 땅을 보여주고 있었다. 비록 나는 열두 살에 불과했지만 부자 아버지가 막 구입한 것이 그 지역에서 가장 값이 나가는 부동산 중의 하나였음을 알고 있었다. 나는 비록 어렸지만 그 앞에 모래사장이 있는 해변가의 땅은 해변이 없는 땅보다 더 값이 나간다는 것 정도는 알고 있었다. 내 첫번째 생각은 이런 것이었다.「마이크의 아버지는 어떻게 저렇게 비싼 땅을 살 수 있을까?」나는 그곳에 서 있었다. 파도가 내 맨발을 씻고 있었다. 나는 내 진짜 아버지와 나이가 같은 그 남자를 보고 있었다. 그 남자는 자신의 삶에서 가장 큰 투자를 하고 있는 중이었다. 나는 그 사람이 어떻게 그런 땅을 살 수 있는지 놀라움을 금치 못했다. 나는 알고 있었다. 내 진짜 아버지는 훨씬 더 많은 돈을 버는 사람이라는 것을. 그분은 보수가 높은 공무원으로 마이크의 아버지보다 더 많은 봉급을 받고 있었다. 하지만 나는 또 알고 있었다. 내 진짜 아버지는 절대로 바닷가의 땅을 살 수는 없다는 것을. 그렇다면 어떻게 마이크의 아버지는 그 땅을 살 수 있는데 내 진짜 아버지는 살 수 없는 것일까? 나는 내가 〈투자〉라는 단어에 들어 있는 힘을 인식한 순간 전문적인 투자가로서의 내 경력이 시작된 것임을 거의 알지 못했다.

부자 아버지와 그분의 아들인 마이크와 함께 그 해변가를 걸은 지 40년쯤 지난 후에, 이제는 사람들이 내가 그날 묻기 시작했던 바로 그런 질문들을 나에게 묻고 있다. 내가 가르치는 투자 강좌들에서, 사람들은 내가 부자 아버지에게 묻기 시작했던 비슷한 질문들을 나에게 묻고 있다. 이를테면 다음과 같은 질문들이다.

―「나는 가진 돈이 없는데 어떻게 투자할 수 있나요?」

―「나에게는 투자할 1만 달러가 있습니다. 어디에 투자하면 좋겠습니까?」

―「당신이 추천하는 투자 대상은 부동산입니까, 뮤추얼 펀드입니까, 아니면 주식입니까?」

―「내가 돈이 없어도 부동산이나 주식을 살 수 있습니까?」

―「돈이 있어야 돈을 벌 수 있지 않습니까?」

―「투자는 위험하지 않습니까?」

―「당신은 어떻게 낮은 위험으로 그렇게 높은 수익을 올립니까?」

―「내가 당신과 함께 투자할 수 있습니까?」

오늘날 점점 더 많은 사람들이 투자라는 단어에 숨어 있는 힘을 깨닫기 시작하고 있다. 많은 사람들이 그런 힘을 어떻게 얻을 수 있는지 알아내려 한다. 이 책을 읽고 나면 당신은 이런 질문들의 상당수에 답을 얻게 될 것이다. 그리고 답을 얻지 못하더라도 자신에게 맞는 답을 찾도록 자극을 받게 될 것이다. 40여 년 전에 부자 아버지가 나에게 해주었던 가장 중요한 것은 투자라는 주제에 대해 내 호기심을 자극한 것이다. 나는 호기심을 느끼지 않을 수 없었다. 내 가장 친한 친구의 아버지가, 적어도 봉급 기준으로는 내 진짜 아버지보다 돈을 적게 벌었던 사람이 부자들만이 할 수 있는 투자를 하는 것을 보았기 때문이다. 나는 부자 아버지에게 내 진짜 아버지에게는 없는 힘이 있음을 알았고, 나도 그런 힘을 갖고 싶었다.

많은 사람들은 이런 힘을 두려워하며 그 힘에서 멀어지려 한다. 많은 사람들은 심지어 그 힘의 희생자가 되기도 한다. 그러나 나는 그 힘에서 도망가려 하지 않았다. 나는 〈부자들은 가난한 사람들을 착취한다〉, 혹은 〈투자는 위험한 것이다〉, 혹은 〈나는 부자가 되는 것에 관심이 없다〉라고 비난하는 대신에 호기심을 느꼈다. 바로 이와 같은 호기심과 그 힘을 얻으려는 욕망, 그러니까 지식과 능력을 얻으려는 욕망이 나로 하여금 탐색과 배움의 길을 걷도록 만들었다.

우리를 부자로 만드는 것은
은행에 있는 돈의 양이 아닌, 우리의 사고 방식이다

당신은 이 책에서 당신이 원하는 그 모든 기술적 답을 얻을 수 없을지도 모른다. 그렇지만 당신은 가장 부자가 되어 자수성가한 많은 사람들이 어떻게 돈을 벌었고 엄청난 재산을 얻었는지 통찰력을 얻을 수 있다. 나는 그때 열두 살의 나이에 그 해변가에 서 있었다. 나는 그렇게 서서 부자 아버지가 새로 얻은 부동산을 보고 있었다. 그리고 나는 우리집에서는 존재하지 않는 가능성의 세상을 알게 되었다. 나는 부자 아버지를 부자 투자가로 만든 것은 돈이 아니었음을 알게 되었다. 나는 부자 아버지의 생각은 내 진짜 아버지의 생각과 거의 정면으로 반대되는 것이고 종종 상치되는 것임을 알게 되었다. 나는 부자 아버지의 사고 방식을 알아야만 그분과 같은 경제적 힘을 가질 수 있음을 알게 되었다. 나는 그분처럼 생각하면 영원히 부자가 될 것임을 알게 되었다. 나는 그분처럼 생각하지 않으면 나에게 아무리 많은 돈이 있어도 결코 부자가 될 수 없음을 알게 되었다. 부자 아버지는 그 지역에서 가장 값비싼 토지의 하나에 투자했으며, 당시에 그분에게는 돈이 없었다. 나는 은행에 있는 돈의 양이 아니라 사고 방식이 우리를 부자로 만든다는 것을 알게 되었다. 샤론과 내가 이 책에서 당신에게 전달하고 싶은 것은 바로 이와 같은 부자 투자가들의 사고 방식이다. 그래서 우리는 이 책을 네 번이나 고쳐 썼다.

성공적인 투자가가 되려면 먼저 사업을 알아야 한다

나는 40여 년 전에 그 해변가에 서 있으면서 마침내 용기를 내어 부자 아버지에게 이렇게 물었다. 「어떻게 이렇게 값비싼 바닷가의 땅을 10에이커나 사실 수 있나요? 우리 아버지는 그렇게 할 수 없는데요?」 그 말을 듣고 부자 아버지는 내 어깨에 손을 얹으면서 나에게 답을 주었다. 나는 그 답을 한번도 잊은 적이 없다. 내 어깨에 손을 얹은 채 부자 아버지는 몸을 돌려 해변가를 걷기 시작했다. 그러고는 나에게 〈돈〉과 〈투자〉에 대해 자신이 생각하는 근본적인 방식을 부드럽게 설명하기 시작했다. 그분의 대답은 이렇게 시작되었다. 「나도 이 땅을 살 수가 없단다. 하지만 내 사업은 이 땅을 살 수가 있지」 우리는 그날 한 시간 동안 해변가를 걸었다. 부자 아버지를 사이에 두고 마이크와 내가 양쪽에서 걸었다. 그리고 부자 아버지의 투자 수업이 시작되었다.

몇 년 전에 나는 호주의 시드니에서 3일 간의 투자 강좌를 진행했다. 첫째날과 그 다음날의 절반을 나는 사업을 일으키는 세부 사항에 관해 토론하며 보냈다. 마침내 당혹감에 젖은 어떤 참석자가 손을 들고 이렇게 얘기했다. 「나는 투자에 대해 배우려고 이곳에 왔습니다. 그런데 왜 사업에 관한 이야기만 하시는 겁니까?」

나는 이렇게 대답했다. 「두 가지 이유가 있습니다. 첫번째 이유는, 우리는 궁극적으로 사업에 투자하기 때문입니다. 당신이 주식에 투자할 때 당신은 결국 사업에 투자하는 것입니다. 당신이 부동산에 투자할 때, 이를테면 아파트 건물에 투자할 때도 당신은 사업에 투자하는 것입니다. 당신이 채권을 살 때도 당신은 사업에 투자하는 것입니다. 성공적인 투자가가 되려면 먼저 사업을 잘 알아야 합니다. 두번째 이유는, 가장 좋은 투자 방법은 당신의 사업체가 당신을 대신해 투자를 하게 하는 것입니다. 가장 나쁜 투자 방법은 개인으로 투자하는 것입니다. 일반적인 보통의 투자가는 사업에 대해서는 거의 모른 채 개인 자격으로 투자합니다. 그렇기 때문에 나는 투자 강좌에서 사업에 대해 그렇게 많은 시간을 쓰는 것입니다」 그렇기 때문에 이 책에서도 사업을 분석하는 것은 물론 사업을 일으키는 것과 사업을 통해 투자를 하는 것에 대해서도 시간을 쓸 것이다. 왜냐하면 부자 아버지는 나에게 그렇게 투자하도록 가르쳤기 때문이다. 그분은 40년 전에 나에게 이렇게 얘기했다. 「나도 이 땅을 살 수가 없단다. 하지만 내 사업은 이 땅을 살 수가 있지」 다시 말해 부자 아버지의 규칙은 이런 것이었다. 「내 사업이 나에게 투자를 하게 해준다. 대부분의 사람들이 부자가 아닌 이유는 사업의 소유주가 아닌 개인 자격으로 투자하기 때문이지」 이 책에서 당신은 전체 주식의 90%를 소유하는 10%의 사람들이 왜 사업의 소유주로서 자신들의 사업을 통해 투자하는지, 그리고 당신도 어떻게 하면 그렇게 할 수 있는지 보게 된다.

그 강좌가 끝날 무렵 그 사람은 내가 왜 사업에 대해 그렇게 많은 시간을 썼는지 이해했다. 강의가 진행되면서 그 사람과 그 밖의 다른 참석자들은 세상에서 가장 부자인 사람들은 투자를 하지 않는다는 점을, 대부분의 그 〈90 : 10〉 투자가들은 스스로 자신들의 투자를 만들었음을 알기 시작했다. 우리 주위에 겨우 20대에 불과한 억만장자들이 있는 이유는 그들이 투자를 했기 때문이 아니다. 그들은 수백만의 사람들이 사고 싶어하는 투자, 다시 말해서 사고 싶어하는 사업을 만들었다.

나는 거의 매일같이 사람들이 이렇게 말하는 것을 듣는다. 「나에게는 수백만 달러를 벌어줄 좋은 아이디어가 있습니다」 아쉽게도 대부분의 이런 창의적 아이디어는 큰 재산으로 이어지지 않는다. 이 책의 후반부는 그 10%의 부자들이 어떻게 자신들의 아이디어를 다른 투자가들이 투자하는 수백 만 달러, 혹은 수십 억 달러의 사업으로 만드는지에 초점을 맞출 것이다. 그렇기 때문에 부자 아버지는 투자할 사업을 분석하는 것은 물론 사업을 일으키는 것에 대해서도 나에게 가르치는 데 그렇게 많은 시간을 소비했다. 따라서 당신에게 당신을 부자로 만들 것 같은 아이디어가 있다면, 이 책의 후반부는 당신을 위한 것이다.

사고, 갖고, 오르기만을 기도한다

부자 아버지는 투자는 각각의 서로 다른 사람들에게 각각의 서로 다른 다양한 의미를 갖는다고 지적했다. 나는 종종 사람들이 이렇게 말하는 것을 듣는다.

——「나는 회사의 주식 500주를 주당 5달러에 샀다. 그런데 주가가 15달러까지 올라갔다. 나는 주식을 팔아 일주일 만에 5천 달러를 벌었다」

——「내 남편과 나는 낡은 집을 사서 고친 후에 이익을 남기고 판다」

——「나는 현물의 선물 거래를 한다」

——「나는 통장에 백만 달러 이상을 갖고 있다」

——「은행에 있는 돈은 안전하다」

——「나는 다각화된 포트폴리오를 갖고 있다」

——「나는 장기적인 관점에서 투자한다」

부자 아버지는 이렇게 얘기했다. 「투자는 각각의 사람들마다 다른 의미로 받아들여진다」 위의 얘기들은 다양한 유형의 투자 상품과 절차들을 의미한다. 하지만 부자 아버지는 그런 식으로 투자하지 않았다. 그분은 대신에 이렇게 얘기했다.

대부분의 사람들은 진정한 의미에서 투자가가 아니다. 대부분의 사람들은 투기꾼 혹은 도박꾼들이다. 대부분의 사람들은 〈사서, 갖고, 가격이 오르기만을 기도하는 사고 방식〉을 갖고 있다. 대부분의 투자가들은 시장이 오르기를 바라면서 살고 시장이 무너질까 봐 두려워하며 산다. 진정한 투자가는 시장이 오르든 무너지든 상관없이 돈을 번다. 그들은 이기든 지든 상관없이 돈을 번다. 일반 투자가는 그렇게 하는 법을 모른다. 그래서 그런 투자가들은 10%의 돈만을 버는 90%의 범주에 들어가고 만다.

사고, 갖고, 기도하는 것 그 이상이 필요하다

투자는 부자 아버지에게 단순히 사고, 갖고, 기도하는 것 그 이상을 의미했다. 이 책은 다음과 같은 주제들을 다루고 있다.

1. 투자가들이 지켜야 할 열 가지 기본 사항을 알려준다. 많은 사람들은 투자가 위험한 것이라고 얘기한다. 하지만 부자 아버지는 이렇게 얘기했다. 「투자는 위험한 것이 아니다. 자기 통제에서 벗어나는 것이 위험한 것이다」 이 책은 위험을 줄이고 수익을 늘리기 위해 투자가로서 지켜야 할 열 가지 기본 사항을 소개한다.

2. 내가 무일푼에서 시작해 많은 돈을 투자하는 단계까지 나를

인도한 부자 아버지의 수업 내용을 소개한다. 그 첫번째 단계는 내 마음이 부자 투자가가 되도록 준비시킨 것이다. 이것은 자신감을 갖고 투자하고 싶은 모든 사람에게 간단하면서도 아주 중요한 내용이다.

3. 다양한 투자가들이 세법을 각각 어떻게 활용하는지 소개한다. 『부자 아빠 가난한 아빠 2』에서 나는 사업 세계에서 발견되는 네 유형의 사람들을 다루었다. 그들은 다음과 같다.

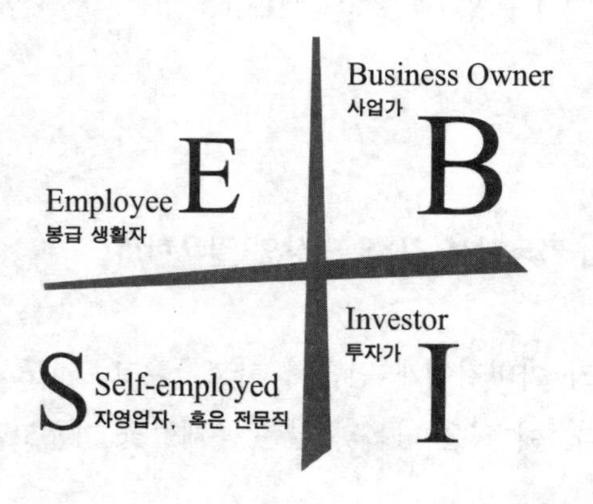

내가 〈B〉 사분면에서 투자하도록 부자 아버지가 촉구한 이유는 〈B〉 사분면에서 투자하면 세법이 더 유리하기 때문이다. 부자 아버지는 늘 이렇게 얘기했다. 「부자가 되고 싶다면 부자들이 이용하는 것과 같은 세법을 활용해야 한다」 10%의 사람들이 대부분의 재산을 잘 관리하는 한 가지 이유는 그 10%의 사람들만이 어떤 세법을 사용할지 알기 때문이다.

다시 말해, 전체 투자가들의 10%가 전체 돈의 90%를 버는 이유는 그들 10%만이 어떻게 네 가지 다양한 사분면에서 투자해 다양한 세금 혜택을 받을 수 있는지 알기 때문이다. 하지만 일반 투자가는 종종 단 하나의 사분면에서만 투자한다.

4. 진정한 투자가는 왜 돈을 버는지, 그리고 어떻게 시장이 상승하건 무너지건 상관없이 돈을 버는지 소개한다.

5. 전통적 투자가와 기술적 투자가들의 차이를 소개한다.

6. 『부자 아빠 가난한 아빠 2』에서 나는 여섯 단계의 투자가(제1단계 : 투자할 돈이 전혀 없는 사람, 제2단계 : 돈을 빌려 신나게 쓰기만 하는 사람, 제3단계 : 저축만 하는 사람, 제4단계 : 영리한 척하는 투자가, 제5단계 : 장기적인 투자가, 제6단계 : 능숙한 투자가)들을 소개했다. 이 책은 마지막 두 단계의 투자가들에서 시작해 그들을 다음과 같은 유형의 투자가들로 세분한다.

——인정받는 투자가
——자격 있는 투자가
——능숙한 투자가
——내부 투자가
——궁극적인 투자가

이 책을 다 읽으면 당신은 각각의 투자가들 사이의 다양한 기술과 그에 필요한 교육적 요건을 알게 될 것이다.

7. 많은 사람들은 이렇게 얘기한다. 「내가 돈을 많이 벌면 돈 문제는 끝날 것입니다」 그들이 알지 못하는 것은 돈이 너무 많은 것도 돈이 부족한 것만큼 큰 문제라는 사실이다. 이 책에서 당신은 두 가지 유형의 돈 문제에 대해 배우게 된다. 그중 하나는 돈이 충분치 못한 문제이다. 그리고 다른 하나는 돈이 너무 많은 문제이다. 사람들은 돈이 너무 많은 것이 어떻게 큰 문제가 될 수 있는지 제대로 알지 못한다.

그렇게도 많은 사람들이 많은 돈을 벌었다가 빈털터리가 되는 한 가지 이유는 돈이 너무 많은 문제를 제대로 다루지 못하기 때문이다.

이 책에서 당신은 돈이 부족한 문제를 어떻게 다루는지, 많은 돈을 번 후에 돈이 너무 많은 문제를 어떻게 다루는지 배우게 된다. 다시 말해, 이 책은 돈을 많이 버는 법만 알려주는 것이 아니라, 보다 더 중요한 어떻게 그 돈을 보존하는지도 알려준다. 부자 아버지는 이렇게 얘기했다. 「돈을 많이 벌어도 결국 다 잃는다면 무슨 소용이 있겠니?」

주식 중개인으로 일하는 내 친구는 전에 이렇게 얘기했다. 「일반 투자가는 시장에서 돈을 벌지 못한다구. 그렇다고 그들이 반드시 돈을 잃는다는 뜻은 아니야. 다만 그들은 돈을 벌지 못할 뿐이지. 나는 너무도 많은 투자가들이 돈을 벌었다가 다음해에 모두 돌려주는 것을 보았다」

8. 어떻게 하면 부자들이 하는 투자를 시작하기 위한 최소한의 소득 수준인 20만 달러보다 더 많은 돈을 벌 수 있을까. 부자 아버지는 이렇게 얘기했다. 「돈은 관점에 불과하다. 부자가 되려는 사람

은 20만 달러를 많은 돈으로 생각하지 않는다. 부자 투자가가 되려면 인정받는 투자가의 자격을 얻기 위해 필요한 최소한의 20만 달러를 새발의 피로 보아야 한다」 그래서 이 책의 첫번째 단계는 아주 중요하다.

9. 이 책의 첫번째 단계는 자신을 정신적으로 부자 투자가가 되도록 준비하는 단계이다. 이 단계에서는 각 장의 말미에 자신의 투자 지수(Invest Quotient)를 알아볼 수 있는 짧은 퀴즈가 소개되어 있다.

이 질문들은 간단한 것이지만 당신이 생각하도록, 혹은 사랑하는 사람들과 당신의 답을 의논할 수 있도록 만들기 위한 것이다. 부자 아버지가 나에게 물었던 이 퀴즈들은 내가 그 동안 찾고 있던 답들을 찾도록 도왔다. 다시 말해, 투자와 관련해 내가 찾고 있던 많은 답들은 이미 내 안에 있었던 것이다.

〈90 : 10〉의 투자가들은 어떻게 다른가

이 책의 가장 중요한 한 가지 측면은 일반 투자가와 〈90 : 10〉 그룹에 속하는 10%의 투자가 사이의 〈정신적인 차이〉이다. 부자 아버지는 종종 이렇게 얘기했다. 「부자가 되고 싶다면 다른 사람들이 하는 일을 알아내 그 정반대로 하면 된다」 당신은 이 책을 읽으면서 전체 돈의 90%를 버는 10%의 투자가들과 전체 돈의 10%만 버는 90%의 투자가들 사이의 차이는 그들이 무엇에 투자하는가가 아닌, 그들의 서로 다른 생각에 있음을 알게 될 것이다. 예를 들면 다음과 같은 것이다.

——대부분의 투자가들은 이렇게 얘기한다. 〈위험을 안지 말라.〉
하지만 부자 투자가들은 위험을 안는다.

——대부분의 투자가들은 이렇게 얘기한다. 〈분산 투자를 해라.〉
하지만 부자 투자가는 분산 투자를 하지 않고 한 곳에 집중 투자해라.

——일반 투자가는 부채를 줄이려고 애를 쓴다.
하지만 부자 투자가는 자신들에게 유리하게 부채를 늘린다.

——일반 투자가는 비용을 줄이려고 애를 쓴다.
하지만 부자 투자가는 어떻게 비용을 늘려 더 부자가 되는지 알고 있다.

——일반 투자가는 일자리를 갖고 있다.
하지만 부자 투자가는 일자리를 만든다.

——일반 투자가는 열심히 일한다.
하지만 부자 투자가는 점점 덜 일하면서 점점 더 많이 번다.

부자 투자가 vs. 일반 투자가

따라서 이 책을 읽을 때 한 가지 중요한 측면은 당신의 생각이 언제 부자 아버지의 생각과 반대로 가고 있는지 확인하는 것이다. 부자 아버지는 이렇게 얘기했다. 「부자가 되는 사람이 그렇게도 적은 한 가지 이유는 그들이 한 가지 사고 방식에 얽매여 있기 때문이다. 그들은 생각하거나 무엇을 하는 방법이 하나밖에 없다고 생각한다. 일반 투자가는 〈안전하게 하면서 위험을 안지 말자〉고 생각한다. 그러나 부자 투자가는 어떻게 능력을 높여 더 많은 위험을 안을 수 있는지에 대해서도 생각해야 한다」 부자 아버지는 이와 같은 사고를 〈동전의 양쪽 면 생각〉이라고 불렀다. 그분은 또 이렇게 얘기했다. 「부자 투자가는 일반 투자가보다 더 탄력적인 생각을 해야만 한다. 예를 들어, 일반 투자가와 부자 투자가 모두 안전에 대해서는 생각해야 하지만, 부자 투자가는 또 어떻게 더 많은 위험을 안는지에 대해서도 생각해야 한다. 일반 투자가는 부채를 줄이는 것에 대해 생각하지만, 부자 투자가는 어떻게 부채를 늘릴 수 있는지에 대해 생각한다. 일반 투자가는 시장이 무너질까 봐 두려워하며 살지만, 부자 투자가는 시장이 무너질 것을 기다리며 산다. 이것은 일반 투자가들에게는 상충되는 얘기로 들릴 수도 있지만, 바로 이와 같은 상충하는 상황이 부자 투자가를 더욱 부자로 만드는 것이다」

이 책을 읽으면서 일반 투자가들과 부자 투자가들 사이의 생각이 서로 상충하는 부분에 유념하라. 부자 아버지는 이렇게 얘기했다. 「부자 투자가는 모든 동전에 양쪽 면이 있음을 잘 알고 있다. 반면에 일반 투자가는 한쪽 면만 본다. 그리고 이들은 한쪽 면만 보기 때문에 계속해서 부자가 되지 못하고 부자 투자가는 계속 부자로 남는 것이다」 이 책의 후반부는 동전의 다른 면에 관한 것이다.

투자에 대한 부자 아버지의 관점

이 책은 단순히 투자, 화끈한 조언, 혹은 마술의 공식에 관한 책이 아니다. 이 책을 쓴 한 가지 주요 목적은 당신에게 투자에 관해 색다른 관점을 제공하기 위한 것이다. 그것은 내가 1973년에 베트남에서 돌아와 부자 투자가로서 투자를 시작하기 위해 내 자신을 준비하는 것부터 시작한다. 부자 아버지는 1973년에 자신이 갖고 있던 그와 같은 금융적 힘, 내가 열두 살의 나이에 처음 알게 된 그 힘을 어떻게 얻을 수 있는지 나에게 가르치기 시작했다. 나는 40여 년 전에 그 바닷가에 서서 부자 아버지의 투자를 바라보고 있었다. 그때 나는 투자에 관한 한 부자 아버지와 가난한 내 진짜 아버지와의 차이는 단순히 그분들이 얼만큼의 투자 자금을 갖고 있는지보다 훨씬 더 깊은 것임을 알게 되었다. 그와 같은 차이는 먼저 일반 투자가 이상이 되고자 하는 깊은 욕망에서 발견된다. 당신에게 그런 욕망이 있다면 이 책을 계속해서 읽어보길 바란다.

제1부

돈에 대한 〈90 : 10〉 원칙

—인구의 10%가 90%의 돈을 소유한다

제1장

당신은 투자가가 될 정신적 준비가 되어 있는가

이 책은 투자가에 관한 책이다.
그것도 능숙한 투자가가 되는 길에 관한 책이다.
집에도 부자들, 가난한 사람들, 중산층을 위한
집이 각각 따로 있듯이, 투자에도 각자에게 맞는 투자가 있다.
부자들이 하는 투자 전략을 따라서 투자하고 싶다면 부자 이상이 되어야 한다.
그냥 투자하는 부자가 아니라 능숙한 투자가가 되어야 한다.

1973년에 나는 베트남전 참전을 끝내고 고향으로 돌아왔다. 나는 고향 근처 하와이의 해병대 기지에 배속된 것을 다행으로 생각했다. 나는 해병대 항공 기지에 도착한 후 친구인 마이크에게 전화를 걸었다. 우리는 내가 부자 아버지라고 부르는 마이크의 아버지와 함께 점심을 먹기로 약속했다. 마이크는 새로 태어난 아기와 자신의 새 집을 보여주고 싶어 안달했다. 그래서 우리는 다가오는 토요일에 마이크의 집에서 점심을 먹기로 합의했다. 마이크의 리무진이 우중충한 회색빛의 독신 장교 숙소에 있는 나를 데리러 왔을 때, 나는 우리가 1965년에 함께 고등학교를 졸업한 후 얼마나 많은 것이 변했는지 깨닫기 시작했다.

「고향에 온 것을 환영한다」 마이크가 말했다. 나는 바닥에 대리석이 깔린 아름다운 마이크의 집 현관으로 걸어 들어갔다. 마이크는 7개월 된 아들을 안고 환한 미소를 짓고 있었다. 「무사히 돌아와서 기쁘구나」

「그래 너를 다시 만나 정말 기쁘다」 나는 그렇게 대답하면서 마이크 뒤쪽으로 아름다운 하와이의 바다를 바라보았다. 파란 바닷물이 그의 집 앞에 있는 하얀 모래사장을 만지고 있었다. 마이크의 집은 너무나도 훌륭했다. 그 집은 열대 지방의 일층짜리 저택으로 하와이의 과거와 현재의 우아함과 매력을 모두 갖고 있었다. 예쁜 페르시아 양탄자, 화분에 담긴 녹색의 키 큰 식물, 그리고 커다란 수영장이 있었다. 수영장의 한쪽 편으로는 바다가 보이고 있었다. 우아하고 개방적인 섬 생활의 모든 특성을 보여주는 그 집은 내가 소망하는 하와이의 아름다운 집과 꼭 들어맞았다.

「인사해, 내 아들 제임스야」 마이크가 말했다.

「아,」 나는 놀란 목소리로 대답했다. 아마 나는 입을 다물지 못했을 것이다. 그런 상태로 나는 몽환 속에 빠져들며 그 집의 아름다움에 도취되었다. 「정말로 귀여운 아이구나」 나는 작은 아기를 볼 때 사람들이 하는 얘기를 했다. 나는 순진하게 나를 바라보는 어린 아기의 얼굴을 보면서 그곳에 서 있었다. 하지만 나의 마음은 아직도 충격에서 헤어나오지 못하고 있었다. 8년 동안 변한 것이 너무나도 많았다. 나는 낡은 막사에서 군대 생활을 하고 있었다. 나는 할 일 없이 술이나 마시는 지저분한 세 젊은 조종사들과 방을 함께 쓰고 있었다. 그런데 마이크는 수백만 달러짜리 저택에서 아름다운 아내와 새로 태어난 아기와 함께 살고 있었다.

「안으로 들어와라」 마이크가 말했다. 「아버지와 코니가 뜰에서 우리를 기다리고 있어」

점심은 기가 막혔고 가정부가 서빙을 했다. 나는 그곳에 앉아 음식과 경치를 마음껏 즐겼다. 그러다가 나는 지저분한 장교 식당에서 저녁을 먹고 있을 세 동료들을 생각했다. 그날은 토요일이었기 때문에 기지의 점심은 샌드위치와 수프만 나왔을 것이다.

환담과 옛날 얘기가 끝난 후에 부자 아버지가 말했다. 「너도 보다시피 마이크는 사업에서 나오는 수익을 아주 멋지게 투자했다. 우리는 지난 2년 동안 내가 처음 20년 동안 번 것보다 더 많은 돈을 벌었다. 처음의 백만 달러가 가장 힘들다는 얘기에는 상당한 진실이 있다」

「사업이 잘되고 있나 보죠?」 내가 물었다. 그들의 재산이 그렇게 금방, 그렇게 많이 불어난 것을 더 알고 싶었다.

「아주 잘되고 있지」 부자 아버지가 말했다. 「새로 투입된 비행기들이 전세계에서 엄청나게 많은 관광객들을 이곳 하와이로 실어오고 있단다. 그러니 사업이 잘될 수밖에 없지. 하지만 우리의 진짜 성공은 사업보다 투자에서 나오고 있다. 그리고 마이크가 그 투자를 책임지고 있단다」

「축하한다」 내가 마이크에게 말했다. 「잘했다」

「그래, 고맙다」 마이크가 말했다. 「하지만 그 모든 공이 내 것은 아니야. 사실은 아버지의 투자 방식이 효과를 내고 있는 셈이지. 나는 그냥 사업과 투자에 대해 아버지가 그 동안 가르쳐주신 것을 하고 있을 뿐이야」

「이제 그 효과가 나타나는 거지」 내가 말했다. 「네가 이렇게 부유한 동네에서 산다니 믿을 수가 없다. 우리가 어렸을 때를 기억하니? 그때 우리는 서핑 보드를 들고 해변으로 가기 위해 집들 사이를 여기저기 달리곤 했던 가난한 꼬맹이들이었지」

마이크가 소리내어 웃었다.「그래, 기억하구말고. 그리고 돈만 많고 인정은 없는 그 부자 노인들에게 쫓기던 것도 기억나지. 이제는 내가 인정 없는 부자 노인이 되어 아이들을 쫓고 있지. 우리가 이런 곳에서 살 거라고 누가 생각이나……?」

그러다가 마이크가 갑자기 말을 끊었다. 자신이 무슨 말을 하고 있는지 깨달았기 때문이다. 자기는 이곳에 살고 있지만, 나는 섬의 다른 쪽에 있는 우중충한 군대 막사에서 살고 있음을 깨달은 것이다.

「미안하구나」 마이크가 말했다.「나는 그냥…… 그냥……」

「미안하게 생각할 필요 없어」 나는 그렇게 말하면서 싱긋 웃었다.「네가 잘돼서 나도 기분이 좋다. 이렇게 부자가 되고 성공해서 나도 기분이 좋아. 너에게는 그럴 권리가 있어. 그 동안 시간을 내서 사업을 배웠으니까 말이야. 나는 2년 후에 군대에서 제대해. 해병대와의 계약이 끝나면 말이야」

부자 아버지가 마이크와 나 사이의 긴장감을 알아채고 어색함을 깨뜨리기 위해 말을 했다.「그리고 마이크는 나보다도 더 잘했다. 나는 마이크가 자랑스럽다. 나는 내 아들과 며느리가 자랑스럽다. 둘은 멋진 팀이고 자신들이 갖고 있는 모든 것을 힘들게 얻었다. 이제 베트남에서 돌아왔으니 다음에는 로버트 네 차례다」

아버님이 하는 투자를 따라서 해도 되나요?

「저는 정말로 아버님을 따라서 투자하고 싶습니다」 나는 열성적으로 대답했다. 「저는 베트남에 있을 때 3천 달러를 저축했습니다. 저는 그것을 쓰기 전에 빨리 투자하고 싶습니다. 제가 아버님이 하시는 투자를 따라서 하면 안 될까요?」

「글쎄, 너에게 괜찮은 주식 중개인을 소개시켜 주마」 부자 아버지가 말했다. 「그 사람이 너에게 좋은 조언을 줄 것이고, 어쩌면 화끈한 조언을 줄지도 모르지」

「아닙니다, 아니에요」 내가 말했다. 「저는 아버님이 투자하는 것에 투자하고 싶습니다. 부탁입니다. 우리들은 오랫동안 알고 지내지 않았습니까? 저는 아버님이 늘 무언가를 하거나 무언가에 투자한다는 것을 알고 있습니다. 저는 주식 중개인에게 가고 싶지 않습니다. 저는 아버님과 마이크의 투자에 동참하고 싶습니다」

잠시 침묵이 흐르는 가운데, 나는 부자 아버지와 마이크의 대답을 기다렸다. 침묵이 긴장으로 변하고 있었다.

「제가 잘못 말한 것이라도 있나요?」 마침내 내가 물었다.

「아니」 마이크가 말했다. 「아버지와 나는 두어 가지 신나는 새 프로젝트에 투자하고 있어. 하지만 내가 볼 때 너는 먼저 주식 중개인에게 전화해서 그 사람과 투자를 시작하는 게 제일 좋을 것 같다」

다시 침묵이 흘렀다. 들리는 소리라곤 탁자를 치우면서 접시들과 그릇들이 부딪치는 소리뿐이었다.

「이해를 못하겠습니다」 내가 말했다. 나는 마이크보다는 부자 아버지에게 몸을 돌리면서 다시 얘기했다. 「그 동안 저는 마이크와 아버님이 사업을 키우는 것을 옆에서 지켜보았습니다. 저는 거의 무보수로 일을 했습니다. 저는 아버님의 조언에 따라 대학에 갔습니다. 그리고 아버님이 얘기하신 대로 젊은 사람으로서 조국을 위해 싸웠습니다. 이제 저는 충분히 성장했고 마침내 투자할 돈을 모았습니다. 그런데 제가 마이크와 아버님과 함께 투자하고 싶다고 말할 때 왜 망설이시는 겁니까? 저는 이해를 못하겠습니다. 왜 저를 냉대하시는 겁니까? 왜 저를 멀리하시는 겁니까? 제가 아버님처럼 부자가 되는 것을 원하지 않습니까?」

「우리가 너를 냉대하는 게 아니야」 마이크가 대답했다. 「그리고 우리는 너를 절대로 멀리하지도 않고 네가 부자가 되는 것을 바라지 않는 것도 아니야. 다만 이제는 상황이 달라졌을 뿐이야」

「너는 부자가 아니기 때문에 우리가 하는 투자를 따라할 수 없어」 마이크가 부드럽고 조용하게 말했다.

마이크의 말이 내 가슴을 찔렀다. 그는 내 가장 친한 친구였다. 그래서 나는 마이크가 그런 말을 하는 것이 얼마나 힘든지 알고 있었다. 그리고 마이크는 가능한 한 부드럽게 얘기했지만, 그의 말은 여전히 비수처럼 내 가슴을 찔렀다. 나는 돈 문제로 인한 우리들 사이의 격차가 얼마나 큰지 알기 시작했다. 마이크의 아버지와 나의 아버지 모두 무일푼에서 시작했다. 하지만 마이크와 마이크의 아버지는 엄청난 재산을 모았다. 나의 아버지와 나는 아직도 그들 말마따나 다른 곳에 속해 있었다. 나는 아름다운 해변이 있는 이 큰 집이 나에게는 아직도 먼 곳에 있는 것임을 알 수 있었다. 그리고 우리들 사이의 거리는 아주 멀었다. 나는 의자에서 몸을 뒤로 젖히며 팔짱을 끼고 깊은 생각에 잠겼다. 나는 그곳에 앉아 조용히 고개를 끄덕이며 우리들 삶의 그 순간을 요약했다. 우리 둘 모두 스물다섯 살이었지만 여러 면에서 마이크는 나를 경제적으로 25년 정도 앞서 가고 있었다. 내 진짜 아버지는 공무원 자리에서 사실상 해고되어 52세의 나이에 아무것도 없이 다시 시작하고 있었다. 그리고 나는 아직 시작도 하지 않았다.

「괜찮으니?」 부자 아버지가 부드럽게 물었다.

「예, 괜찮아요」 내가 대답했다. 나는 내 자신과 내 가족에게 애처로움을 느끼면서 받은 마음의 상처를 감추려고 기를 썼다.「그냥 생각에 잠겨 사색을 하고 있었어요」 나는 그렇게 말하면서 억지로 미소를 지어 보였다.

방안은 조용했다. 파도소리와 시원한 바닷바람이 아름다운 집으로 들어왔다. 마이크와 부자 아버지, 그리고 나는 그곳에 앉아 있었다. 그 동안에 나는 새로운 사실과 현실에 적응하려 애썼다.

「그러니까 제가 부자가 아니기 때문에 아버님과 마이크와 함께 투자할 수 없군요」

부자 아버지와 마이크가 고개를 끄덕였다.「어떤 경우에는 그렇지」 마이크가 덧붙였다.

「그럼, 일반 대중은 어디에 투자하죠?」

「깨끗하게 처리된 투자에 하지」

부자 아버지가 말했다.「내가 너에게 얘기를 하는 동안 계속 웃는 이유는 큰 그림의 아이러니를 보기 때문이다. 사람들은 부자가 되고 싶기 때문에 투자를 한다. 하지만 그들은 부자가 아니기 때문에 부자가 될 수 있는 것들에 투자를 할 수가 없지. 오직 부자들만이 부자들이 하는 투자에 투자할 수 있다. 그래서 부자들은 더 부자가 되는 거지. 내가 볼 때 그것은 아이러니다」

「하지만 왜 그런 식으로 되는 거죠?」 내가 물었다. 「그것은 부자들이 자신들을 가난한 사람들과 중산층으로부터 보호하기 위한 건가요?」

「아니, 꼭 그렇지는 않아」 마이크가 대답했다. 「내가 볼 때 그것은 가난한 사람들과 중산층 사람들이 자신들로부터 보호하기 위한 거야」

「왜 그렇게 얘기하는 거죠?」 내가 물었다.

「왜냐하면 좋은 거래보다는 나쁜 거래가 훨씬 더 많기 때문이지. 잘 모르는 사람에게는 (좋은 것이든 나쁜 것이든) 모든 거래가 같은 것으로 보이지. 상당한 정도의 교육과 경험이 있어야 더 정교한 투자를 좋은 투자와 나쁜 투자로 구분할 수 있지. 능숙한 투자가가 되려면 무엇이 좋은 투자와 나쁜 투자를 만드는지 아는 능력이 필요하단다. 그런데 대부분의 사람들은 그와 같은 교육과 경험이 없지」

부자 아버지는 또 이렇게 물었다. 「네가 해병대 조종사로서 정부에서 받는 보수가 얼마나 되니?」

「저는 베트남에서 비행 수당과 전투 수당을 포함해 일년에 1만2천 달러 가량을 받았습니다. 여기 하와이에서는 얼마를 받을지 모르겠습니다. 어쩌면 생활 수당을 받을지도 모릅니다. 하지만 그것은 많은 액수가 아닐 거예요. 그리고 그것은 하와이에서의 생활비를 충당하지 못할 거구요」

「그러니까 네가 모은 3천 달러도 상당한 것이구나」 부자 아버지가 그렇게 말하면서 내 기분을 북돋우려 애를 썼다. 「너는 거의 네 총수입의 25%를 저축했구나」

나는 고개를 끄덕였지만 이른바 인정받는 투자가가 되려면 아직도 멀었다는 것을 깨달았다. 미국의 대통령도 이미 부자가 아닌 한 봉급만으로는 그런 자격을 얻을 수 없었다.

「그러면 저는 어떻게 해야 하나요?」 마침내 내가 물었다. 「그냥 제 3천 달러를 아버님께 드리고 아버님이 그것을 아버님의 돈과 합쳐 나중에 수익이 생기면 나눌 수는 없나요?」

「그렇게 할 수도 있다」 부자 아버지가 말했다. 「하지만 나는 그것을 권유하고 싶지 않다. 어쨌든 너에게는 권유하고 싶지 않다」

「왜죠?」 내가 물었다. 「왜 저에게는 아니죠?」

「너는 이미 경제와 금융에 대해 상당한 금융적 교육 기반을 갖고 있다. 그래서 너는 단순히 인정받는 투자가가 되는 것 이상으로 될 수 있다. 원한다면 너는 능숙한 투자가가 될 수도 있다. 그러면 너는 상상도 못할 만큼 많은 재산을 모을 게다」

「인정받는 투자가요? 능숙한 투자가요? 그 둘은 무엇이 다른가요?」 내가 물었다. 이제는 다시 희망이 생기는 것 같았다.

「좋은 질문이야」 마이크가 미소를 지으며 얘기했다. 그는 자기 친구가 울적함에서 빠져나오는 것을 감지했다.

「인정받는 투자가는 그 정의상 돈이 있기 때문에 자격이 있는 사람이지. 그래서 인정받는 투자가는 종종 자격 있는 투자가로 불린단다」 부자 아버지가 설명했다. 「하지만 돈만으로는 능숙한 투자가의 자격을 얻을 수가 없지」

「그럼 무엇이 다른가요?」 내가 물었다.

「글쎄다. 너는 어제 신문에서 할리우드의 유명한 배우가 투자 사기로 수백만 달러를 잃었다는 기사를 읽었니?」 부자 아버지가 물었다.

「예, 읽었습니다. 그 사람은 수백만 달러를 잃었을 뿐 아니라, 그 투자에 사용된 미납 소득에 대해 세금도 내야 한다고 했습니다」

「그래. 그것은 인정받는 투자가와 자격 있는 투자가의 한 예이다」 부자 아버지가 말했다. 「하지만 단지 돈이 있다고 해서 능숙한 투자가가 되는 것은 아니다. 그렇기 때문에 우리는 종종 의사, 변호사, 연예인, 그리고 프로 스포츠 선수 같은 고소득 인사들이 잘못된 투자에서 그렇게도 자주 돈을 잃는 것을 보게 된다. 그들은 돈은 있지만 능숙함은 부족하다. 그들은 돈은 있지만 안전하게만 투자하고, 높은 수익을 올리는 방법은 알지 못한다. 그 모든 투자가 그들에게는 같은 것으로 보인다. 그들은 좋은 투자와 나쁜 투자를 분간하지 못한다. 그들 같은 사람들은 깨끗하게 처리된 투자에만 투자하거나 전문적인 자금 관리자를 고용해 대신 투자하게 해야만 한다」

「그럼, 능숙한 투자가는 어떻게 정의내릴 수 있나요?」

「능숙한 투자가는 세 가지 〈E〉를 알고 있다」 부자 아버지가 말했다.

「세 가지 〈E〉요?」 내가 다시 물었다. 「그게 뭔데요?」

부자 아버지는 다음의 단어들을 적었다.

——교육(Education)

——경험(Experience)

——충분히 넉넉한 현금(Excessive cash)

「이것들이 세 가지 〈E〉란다」 부자 아버지가 그렇게 말하면서 고개를 들었다. 「그 세 가지 항목을 달성하면 능숙한 투자가가 될 수 있다」

「그리고 많은 사람들은 올바른 교육은 받았지만 경험은 부족하다. 그들은 현실 생활의 경험이 없기 때문에 종종 넉넉한 현금이 부족하다」

「이런 사람들은 종종 우리 같은 사람들의 설명을 들을 때 〈나도 압니다〉라고 얘기하지. 하지만 그들은 안다고만 하면서 하지는 않지」 마이크가 덧붙였다. 「우리의 은행가는 늘 아버지와 내가 하는 것을 〈나도 압니다〉라고 얘기하지만, 어떤 이유에서인지 그 사람은 자신이 안다고 주장하는 것을 하지 않지」

「그래서 너희 은행가에게는 넉넉한 현금이 없는 거구」 내가 말했다.

부자 아버지와 마이크가 고개를 끄덕였다.

다시 침묵이 흐르면서 대화가 끊어졌다. 우리 세 사람은 각자의 생각에 깊이 빠졌다. 나는 팔짱을 낀 채 앉아서 시리도록 파란 하와이의 바다를 바라보았다. 나는 마이크의 아름다운 집에서 삶의 다음번 방향을 숙고했다. 나는 부모님이 바라던 대로 대학을 졸업했고, 군대 생활은 이제 곧 끝날 것이다. 얼마 후면 나는 자유의 몸이 되어 나에게 가장 잘 맞는 삶의 길을 선택할 것이다.

「무엇을 생각하고 있니?」 부자 아버지가 나에게 물었다.

「앞으로 무엇이 되고 싶은지 생각하고 있었습니다」 내가 대답했다.

「앞으로 무엇이 되고 싶은데?」 마이크가 물었다.

「아마도 능숙한 투자가가 되어야 할 것 같아」 내가 조용히 대답했다. 「그것이 무엇이건」

「잘 선택한 것 같다」 부자 아버지가 말했다. 「너는 이미 멋진 출발을 했다. 금융에 대한 교육 기반을 갖고 있으니 말이다. 이제는 경험을 쌓을 때가 되었다」

「언제 제가 두 가지 모두를 충분히 갖게 되었는지 어떻게 알 수 있나요?」 내가 물었다.

「언제든지 너에게 넉넉한 현금이 있을 때지」 부자 아버지가 미소를 지었다.

그 말과 함께 우리 모두는 소리내어 웃으면서 물잔을 들고 건배를 했다. 「넉넉한 현금을 위해」

그러자 부자 아버지가 이렇게 건배했다. 「그리고 능숙한 투자가가 되는 것을 위해」

「능숙한 투자가가 되는 것과 넉넉한 현금을 위해」 나는 조용히 혼자서 건배했다. 나는 내 머릿속에서 울리는 그 단어들을 좋아했다.

마이크가 리무진 기사를 호출했다. 그리고 나는 우중충한 독신장교 숙소로 돌아가 앞으로 무엇을 할 것인지 생각했다. 나는 이제 성인이었고 부모님의 기대를 충족시켰다. 나는 부모님의 바람대로 대학을 졸업했고 베트남에 가서 조국을 위해 싸웠다. 이제는 내 스스로 나 자신을 위해 무엇을 하고 싶은지 결정할 때가 되었다. 능숙한 투자가가 되기 위해 공부한다는 생각이 나를 매료시켰다. 나는 부자 아버지와 공부를 계속하면서 필요한 경험을 얻을 수 있었다. 이번에는 부자 아버지가 성인이 된 나를 인도할 것이다.

그로부터 20년 후

1993년에 이르러 부자 아버지의 재산은 아이들, 손주들, 그리고 미래의 후손들에게 나누어졌다. 다음 백여 년 동안 그분의 후손들은 돈에 대해 걱정할 필요가 없을 것이다. 마이크는 가장 중요한 자산인 사업을 물려받았고, 아주 멋지게 일을 처리해서 자기 아버지의 제국을 날로 성장시켰다. 그 제국은 부자 아버지가 거의 백지 상태에서 일으킨 것이다. 나는 그것의 시작과 성장을 평생 동안 지켜보았다.

나는 10년이면 할 수 있다고 생각했던 것을 달성하는 데 20년이 걸렸다. 다음과 같은 얘기에는 나름의 진실이 있다. 〈처음 백만 달러가 가장 힘든 것이다.〉

돌이켜보면 백만 달러를 버는 것은 그렇게 어렵지 않았다. 나에게 어려웠던 것은 그 백만 달러를 보존하고 그 돈이 나를 위해 열심히 일하게 만드는 것이었다. 그렇지만 나는 1994년에 47세의 나이로 은퇴할 수 있었고, 경제적 자유와 삶을 즐길 충분한 돈을 갖게 되었다.

알고 보니 은퇴는 나에게 흥미를 주지 못했다. 내가 흥미를 느꼈던 것은 마침내 능숙한 투자가로서 투자할 수 있다는 점이었다. 마이크 측과 함께 투자할 수 있다는 것은 달성할 가치가 있는 목표였다. 1973년의 그날, 마이크와 부자 아버지가 나는 부자가 아니기 때문에 그들과 함께 투자할 수 없다고 말했던 그날은 내 인생의 전환점이었다.

다음에 드는 것은 이른바 〈인정받는 투자가〉와 〈능숙한 투자가〉들이 하는 투자들의 목록이다.

——사모(private placement)

——부동산 조합과 유한 파트너십

——상장 전 공모주

——IPO(초기 공모로, 기업 공개를 말한다. 하지만 IPO는 모든 투자가들에게 가능하지만 대개는 쉽게 접근할 수 없다.)

——비우량 금융

——합병 및 인수

——창업 대출

——헤지 펀드

이런 투자들은 일반적인 보통의 투자가에게는 너무 위험한 것이다. 그렇다고 반드시 투자 자체가 위험하다는 뜻은 아니다. 그보다는 일반 투자가에게는 필요한 교육, 경험, 그리고 넉넉한 자본이 없기 때문에 위험한 것이다.

오늘날 나는 능숙한 투자가로서 그런 벤처들에 투자하고 있다. 상황을 제대로만 알면 위험은 아주 낮으며 잠재적인 수익은 엄청날 수 있다. 부자들은 종종 이와 같은 투자 대상들에 돈을 투자한다.

물론 나도 나름의 손해를 보기는 했지만, 성공한 투자의 수익이 엄청나서 그런 손해를 보상하고도 남았다. 내가 이런 투자들을 좋아하는 이유는 이것들이 더 흥미롭고 더 도전적이기 때문이다. 이것들은 단순하게 주식을 사고 파는 것이 아니다. 그런 투자는 능숙한 투자가의 투자 대상이 아니다. 능숙한 투자가가 하는 투자는 자본주의의 심장에 아주 가까운 것이다. 사실 그런 투자들의 일부는 벤처 자본 투자로 일반 투자가에게는 너무 위험한 것이다. 그렇기는 해도 투자 자체가 위험한 것이기보다 일반 투자가의 교육, 경험, 그리고 넉넉한 현금의 부족이 위험한 것이다.

능숙한 투자가의 길

이 책은 반드시 투자에 관한 책은 아니다. 이 책은 오히려 투자가에 관한 책이며, 능숙한 투자가가 되는 길에 관한 책이다. 이 책은 당신이 세 가지 〈E〉를 얻기 위한 길을 찾는 것에 관한 책이다.

『부자 아빠 가난한 아빠 1』은 내가 어렸을 때 밟은 교육적 길에 관한 책이다. 『부자 아빠 가난한 아빠 2』는 내가 젊은 성인으로서 1973년부터 1994년까지 밟은 교육적 길에 관한 책이다. 이 책은 과거의 모든 내 삶의 경험에서 비롯된 교훈들에 바탕하고 있으며, 그런 교훈들을 세 가지 〈E〉로 바꾸어서 당신에게 능숙한 투자가가 되는 길을 제시하고 있다.

1973년에 나에게는 투자할 돈이 3천 달러밖에 없었다. 그리고 나에게는 교육과 현실 생활에서의 경험이 전혀 없었다. 하지만 나는 1994년에 이르러 능숙한 투자가가 되어 있었다.

20여 년 전에 부자 아버지는 이렇게 얘기했다.「집에도 부자들, 가난한 사람들, 그리고 중산층을 위한 집이 있듯이, 투자에도 각자에게 맞는 투자가 있다. 부자들이 하는 투자 전략을 따라서 투자하고 싶다면 부자 이상이 되어야 한다. 그냥 투자하는 부자가 아니라 능숙한 투자가가 되어야 한다」

부자 아버지의 투자 가이드 5단계

부자 아버지는 자신의 투자 가이드를 다섯 단계로 나누었다. 그리고 그 다섯 단계에 대해 각 단계마다 질문을 했다. 그 질문을 당신에게 똑같이 해보겠다.

——당신은 투자가가 될 정신적 준비가 되어 있는가?

——당신은 어떤 유형의 투자가가 되고 싶은가?

——당신은 어떻게 강력한 사업을 일으킬 것인가?

——능숙한 투자가는 누구인가?

——당신은 부자가 될 기회를 놓치지 않을 용기가 있는가?

이 책은 안내서로 쓴 책이다. 이 책은 당신에게 구체적인 답들을 주지 않는다. 이 책의 목적은 당신이 어떤 질문들을 물을지 이해하는 것을 돕는 데 있다. 이 책이 그렇게 한다면 소기의 목적을 달성하는 것이다. 부자 아버지는 이렇게 얘기했다. 「어떤 사람이 능숙한 투자가가 되도록 우리가 가르칠 수는 없다. 하지만 그 사람은 능숙한 투자가가 되도록 배울 수는 있다. 그것은 자전거 타기를 배우는 것과 비슷하다. 나는 네가 자전거를 타도록 가르칠 수가 없다. 하지만 너는 자전거를 타도록 배울 수는 있다. 자전거 타기를 배우려면 위험과 수많은 시행착오를 겪고, 적절한 안내가 필요하다. 투자에 대해서도 같은 얘기를 할 수 있다. 위험을 안고 싶지 않다는 것은 배우고 싶지 않다는 뜻이다. 그리고 네가 배우고 싶지 않으면 나는 너를 가르칠 수가 없다」

이 책은 사실 투자보다 배움에 관한 책이다. 이 책은 투자에 대한 기본을 배우려는 사람들, 돈을 버는 빠른 길을 찾기보다 스스로의 길을 찾아가는 사람들을 위한 책이다.

이 책은 부자 아버지가 말하는 부자로 가는 발전의 다섯 단계에 관한 책이다. 그 다섯 단계는 그분도 거쳤고 나도 지금 거치고 있는 중이다. 당신은 이 책을 읽으면서 부자 아버지의 다섯 단계가 세상에서 가장 부자인 사업가들과 투자가들이 엄청난 부자가 되기 위해 거쳤던 단계들과 같은 것임을 알게 될 것이다. 마이크로소프트 창업자인 빌 게이츠, 미국에서 가장 부유한 투자가인 워렌 버펫, 그리고 GE사의 창업자인 토머스 에디슨——이들 모두가 그와 같은 다섯 단계를 거쳤다. 이 다섯 단계는 오늘날 인터넷이나 닷컴 세대의 젊은 신흥 갑부들이 아직도 20대와 30대인 지금 거치고 있는 단계들이다. 다만 차이가 있다면, 지금은 〈정보 시대〉이기 때문에, 이들 젊은 갑부들은 같은 단계들을 더 빠르게 거쳤다는 점이다……. 그리고 당신도 그렇게 할 수 있다는 점이다.

당신은 혁명에 동참하고 있는가

엄청난 재산을 갖고 있는 거대한 가문들이 산업 혁명 시대에 탄생했다. 오늘날의 정보 혁명 시대에도 같은 일이 일어나고 있다.

흥미롭게도 오늘날 우리 주위에는 20대, 30대, 혹은 40대의 자수성가한 신흥 갑부들이 무척 많다. 하지만 우리 주위에는 또 40대가 넘은 나이에 연봉 5만 달러짜리 일자리를 구하려고 기를 쓰는 사람들도 많다. 이렇게 큰 차이가 나타나는 한 가지 이유는 산업 시대에서 정보 시대로의 이행 때문이다. 우리가 산업 시대로 이행할 때, 헨리 포드나 토머스 에디슨 같은 억만장자들이 탄생했다. 오늘날 우리는 정보 시대로 이행하고 있다. 이런 변화 속에서 빌 게이츠, 마이클 델, 그 밖의 인터넷 회사 창업자들은 젊은 신흥 갑부가 되고 있다. 이것은 시대의 변화에서 나타나는 힘이다. 지금은 산업 시대에서 정보 시대로 변하고 있다. 흔히 말하기를, 시대를 만난 아이디어만큼 강력한 것은 없다고 한다. 그리고 아직도 낡은 생각을 하는 사람만큼 못난 사람도 없다고 한다.

이 책은 당신에게 낡은 생각들을 버리면서 돈을 버는 새로운 생각들을 찾게 할지도 모른다. 이 책은 또 당신의 삶에서 인식의 전환을 가져올지도 모른다. 이 책은 산업 시대에서 정보 시대로의 변화만큼이나 혁명적인 변화에 관한 책일지도 모른다. 이 책은 당신이 삶의 새로운 경제적 길을 찾도록 할지도 모른다. 이 책은 직원이나 자영업자보다 사업가나 투자가의 입장에서 생각하도록 만들지도 모른다.

나는 각 단계들을 거치는 데 여러 해가 걸렸다. 그리고 아직도 그것들을 거치는 중이라 할 수 있다. 이 책을 읽은 후에 당신은 이 책에서 말하는 다섯 단계를 거치겠다고 결심할지도 모른다. 혹은 이런 단계들이 자신에게는 맞지 않는 것이라고 결정할지도 모른다. 그 단계들을 시작하기로 결정했을 때, 얼마나 빨리 그 단계들을 거칠지는 당신에게 달려 있다. 이 책은 금방 부자가 되는 것에 관한 책이 아님을 기억하라. 그와 같은 단계들을 거치겠다는 결심은 첫 번째 단계에서 시작된다. 즉, 정신적 준비의 단계이다.

당신은 투자가가 될 정신적 준비가 되어 있는가

부자 아버지는 종종 이렇게 얘기했다. 「돈은 우리가 원하는 대로 된다」

그 말의 뜻은 돈은 우리의 마음, 우리의 생각에서 나온다는 것이다. 어떤 사람은 이렇게 얘기한다. 「돈을 벌기가 어렵다」 그러면 돈은 벌기가 어려울 것이다. 어떤 사람은 이렇게 얘기한다. 「나는 절대 부자가 되지 못할 거야」 혹은 「부자가 되는 것은 정말 어려워」 그러면 그 사람은 그렇게 될 것이다. 어떤 사람은 이렇게 얘기한다. 「부자가 되는 유일한 방법은 열심히 일하는 거야」 그러면 그 사람은 열심히 일해야 할 것이다. 어떤 사람은 이렇게 얘기한다. 「나는 돈이 많이 생기면 은행에 넣을 거야. 왜냐하면 나는 그 돈을 어떻게 할지 모르니까」 그러면 정말로 그렇게 될 것이다. 얼마나 많은 사람들이 그런 생각을 하면서 그렇게 하는지 알면 당신은 놀랄 것이다. 그리고 어떤 사람은 이렇게 얘기한다. 「투자는 위험한 거야」 그러면 투자는 위험한 것이 된다. 부자 아버지는 이렇게 얘기했다. 「돈은 우리가 원하는 대로 된다」

부자 아버지는 나에게 이렇게 경고했다. 「능숙한 투자가가 되는 데 필요한 정신적 준비는 에베레스트 산을 오르거나 성직자가 되는 데 필요한 정신적 준비와 비슷한 것일 게다」 그것은 일종의 농담이었다. 하지만 그분은 내가 그것을 가볍게 여기지 말라고 얘기한 것이다. 부자 아버지는 나에게 이렇게 얘기했다. 「너는 내가 했던 것처럼 시작하고 있다. 너는 돈이 거의 없는 상태에서 시작하고 있다. 너에게 있는 것은 부자가 되겠다는 꿈과 희망뿐이다. 그런 꿈을 꾸는 사람은 많지만 실제로 달성하는 사람은 별로 없다. 열심히 생각하고 정신적으로 준비해라. 왜냐하면 너는 이제 극소수의 부자들만이 투자하는 방식으로 투자하는 법을 배울 것이기 때문이다. 너는 밖에서가 아닌 안에서 투자 세계를 보게 될 것이다. 훨씬 더 쉬운 삶의 길과 더 쉬운 투자의 길이 있다. 따라서 곰곰이 생각하고 이것이 네 삶의 길이라고 결정하면 준비를 해라」

제2장

투자가가 되기 위한 기초 수업

투자에 관한 부자 아버지의 수업은
다섯 단계로 진행되었고, 각각의 단계는
나를 더 높은 수준으로 끌어올렸다.
그 가르침들은 투자가가 되기 위해 정신적으로 준비하는 것과
자신을 통제하는 것부터 시작되었다.
왜냐하면 바로 그곳에서 투자가 시작되기 때문이다.
투자는 결국 자신을 통제하는 것에서 시작하고 끝이 난다.

그날 밤 우중충한 회색빛 장교 숙소로 돌아오는 것은 아주 힘든 일이었다. 그날 오전에 그곳을 떠날 때는 그렇게 힘이 들지 않았다. 하지만 마이크의 새 집에서 점심을 먹고 돌아온 후에 그 장교 숙소는 낡고 지겨운 곳으로 보였다.

예상했던 대로 세 동료들은 맥주를 마시면서 TV를 보고 있었다. 곳곳에 피자 상자와 맥주캔들이 널려 있었다. 그들은 내가 함께 쓰는 거실을 지나갈 때 별 얘기를 하지 않았다. 그들은 그냥 TV 수상기만 쳐다보고 있었다. 나는 내 방으로 들어가 문을 닫았다. 나는 각자에게 개인적인 방이 있는 것을 다행으로 생각했다. 나에게는 생각할 것이 많았기 때문이다.

부자들이 하는 투자

그날 밤 나는 많은 것을 생각했다. 하지만 내가 특히 흥미를 느낀 생각은 부자들만을 위한 투자가 따로 있고 모두를 위한 투자가 따로 있다는 생각이었다. 나는 어렸을 때 부자 아버지를 위해 일할 때 그분의 얘기는 온통 사업을 키우는 것에 관한 얘기였음을 기억했다. 하지만 이제 그분은 부자가 되었기 때문에 온통 투자에 관한 얘기만을 했다. 그것은 부자들을 위한 투자였다. 그날 점심 때 그분은 이렇게 얘기했다.「내가 사업을 키우는 유일한 이유는 그래야만 부자들이 하는 투자에 투자할 수 있기 때문이다. 내가 사업을 키우는 유일한 이유는 그래야만 내 사업이 자산을 살 수 있기 때문이다. 내 사업이 없으면 나도 부자들이 하는 투자 전략을 따라 투자를 할 수가 없다」

부자 아버지는 이어서 직원이 어떤 투자를 사는 것과 사업체가 어떤 투자를 사는 것 사이의 차이를 강조했다. 그분은 이렇게 얘기했다.「대부분의 투자는 내가 직원으로서 그것을 살 때 너무 비싸다. 하지만 내 사업이 나를 위해 그것들을 사면 훨씬 더 가능하다」 나는 그분의 그 말이 무엇을 뜻하는 것인지 잘 몰랐다. 하지만 나는 그런 구분이 중요함은 알 수 있었다. 나는 이제 그 차이가 무엇인지 알아내고 싶어 죽을 지경이었다. 부자 아버지는 상법과 세법을 연구했고 그것들을 유리하게 활용해 많은 돈을 버는 방법을 발견했다. 나는 그날 밤, 아침이 되면 부자 아버지에게 빨리 전화하고 싶어서 잠을 이루지 못했다. 그리고 나는 조용한 음성으로 나에게 이렇게 얘기했다.「부자들의 투자」

부자 아버지의 투자 수업이 시작되다

다음날 그분에게 전화를 했을 때, 부자 아버지는 나에게 어린 시절에 나에게 해주었던 그 수업을 다시 해줄 준비가 되어 있었다. 부자 아버지는 이제 사업은 모두 마이크에게 넘기고 반쯤 은퇴한 상태였다. 그분은 매일 골프를 치는 것 말고 무언가 다른 것을 찾고 있었다.

젊었을 때 나는 돈에 관해 어떤 아버지의 말을 들어야 할지 알지 못했다. 그분들은 돈에 대해서는 같은 얘기를 하지 않았고, 내가 나중에 무엇이 될 것인지에 관해 같은 조언을 주지는 않았다. 이제 나는 부자 아버지와 가난한 아버지가 선택한 길의 결과를 비교할 수 있었다.

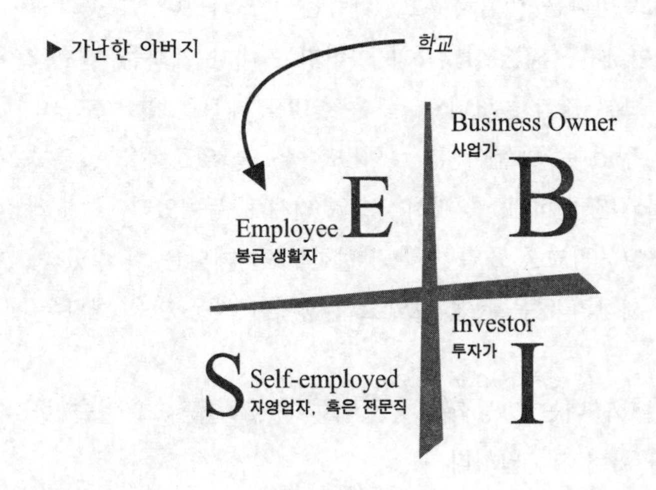

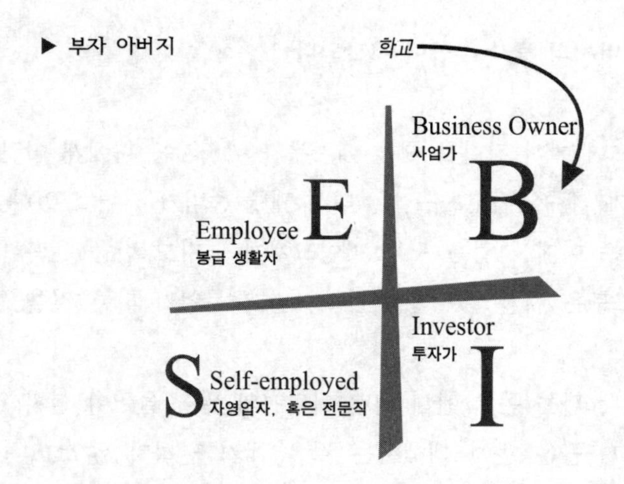

마이크가 제국의 운영으로 바쁘게 지내는 동안, 부자 아버지와 나는 와이키키 해변에 있는 호텔에서 점심을 먹고 있었다. 햇살은 따뜻했고, 바다는 아름다웠고, 바람은 부드러웠다. 그곳의 분위기는 천국이나 다름없었다. 부자 아버지는 내가 제복을 입고 걸어오는 것을 보고 깜짝 놀랐다. 그분은 한번도 제복을 입은 모습의 나를 본 적이 없었다. 그분이 본 나의 모습은 늘 일상복을 입은 꼬마였다. 이를테면 반바지, 청바지, 혹은 티셔츠 등이었다. 그분은 마침내 내가 고등학교를 졸업한 후 장성한 것을 깨달은 것 같았다. 그분은 내가 세상의 많은 것을 보았고 전쟁에서 싸운 것을 깨달은 것 같았다.

「그러니까 너는 고등학교를 졸업한 후로 줄곧 그 일을 한 거구나」 부자 아버지가 말했다.

나는 고개를 끄덕이면서 이렇게 얘기했다. 「뉴욕에서 4년 동안 사관학교에 다녔고, 해병대에서 다시 4년 동안 복무했습니다. 앞으로 일년 더 남았습니다」

「그럼, 너는 내년에 복무 기간이 끝나면 무엇을 할 계획이냐?」

「글쎄요, 제 친구 셋은 항공사에서 조종사 일자리를 제안받았습니다. 지금은 취직이 쉽지 않지만 자신들이 아는 연줄을 소개시켜 주겠다고 얘기하더군요」

「그럼, 너는 항공기를 조종할 생각이냐?」 부자 아버지가 물었다.

나는 천천히 고개를 끄덕였다. 「글쎄요, 그것이 제가 그 동안 한 일이니까요. 보수도 괜찮고 혜택도 좋지요. 게다가 제가 받은 비행 훈련은 아주 치열한 편이었거든요」 내가 말했다. 「나는 전투기를 몬 후에 아주 괜찮은 조종사가 되었습니다. 일년 동안 작은 비행기를 몰고 좀더 경험을 쌓으면 큰 비행기도 몰 수 있을 겁니다」

「그럼, 너는 그 일을 할 생각이냐?」 부자 아버지가 물었다.

「아닙니다」 내가 대답했다. 「제 아버지에게 일어났던 일 때문에, 그리고 마이크의 새 집에서 점심을 먹은 후에는 그렇지 않습니다. 저는 그날 밤잠을 이루지 못하면서 아버님이 투자에 대해 말씀하신 것을 생각해 봤습니다. 저는 항공사에서 일자리를 얻으면 언젠가 인정받는 투자가가 될 수도 있음을 깨달았습니다. 하지만 저는 그 수준은 결코 넘지 못할 수도 있음을 깨달았습니다」

부자 아버지는 말없이 앉아 아주 천천히 고개를 흔들었다. 「그러니까 내 말이 정곡을 찔렀구나」

「정확하게 정곡을 찔렀습니다」 내가 대답했다. 「저는 어렸을 때 아버님이 주신 그 모든 교훈을 곰곰이 생각했습니다. 이제 저는 어른이 되었고, 그 교훈들은 저에게 새로운 의미를 갖게 되었습니다」

「그러면 너는 무엇을 기억하느냐?」 부자 아버지가 물었다.

「저는 아버님이 저의 시간당 임금 10센트를 가져가시면서 공짜로 일하게 만드신 것을 기억합니다」 내가 대답했다. 「저는 봉급에 중독되지 말라는 그 교훈을 기억했습니다」

부자 아버지가 소리내어 웃으면서 이렇게 얘기했다. 「그것은 아주 힘들게 얻은 교훈이었다」

「예, 그렇습니다」 내가 대답했다. 「하지만 아주 멋진 교훈이었습니다. 저희 아버지는 아버님에게 정말로 화가 나셨습니다. 하지만 이제 그분은 봉급도 없이 살려 애쓰는 사람이 되었습니다. 차이가 있다면 저희 아버지는 쉰두 살에 그 교훈을 얻었고, 저는 아홉 살에 그 교훈을 얻었습니다. 마이크의 집에서 점심을 먹은 후에, 저는 봉급이 필요하다는 이유 때문에 평생 안정적인 일자리에 매달리지는 않겠다고 맹세했습니다. 그렇기 때문에 저는 항공사에서 일자리를 얻을 것 같지가 않습니다. 그리고 그렇기 때문에 저는 지금 이곳에서 아버님과 점심 식사를 하고 있습니다. 저는 돈이 저를 위해 일하게 만들라는, 그래야 평생 돈을 위해 일하지 않을 수 있다는 아버님의 교훈을 생각하고 있습니다. 하지만 이번에는 어른인 저에게 교훈을 주시기 바랍니다. 그 교훈을 더 자세히, 그리고 더 분명히 가르쳐주시기 바랍니다」

「그러면 내 첫번째 교훈은 무엇이었느냐?」 부자 아버지가 물었다.

「부자들은 돈을 위해 일하지 않는다는 것입니다」 내가 즉시 대답했다. 「그들은 돈이 그들을 위해 일하게 하는 법을 알고 있습니다」

부자 아버지가 얼굴에 환한 미소를 지었다. 그분은 내가 어렸을 때 자신의 이야기를 잘 들었음을 알고 있었다. 「아주 잘했다」 부자 아버지가 말했다. 「그리고 그것은 투자가가 되는 바탕이다. 투자가들이 하는 일은 돈이 그들을 위해 일하게 만드는 것이다」

「그리고 그것은 제가 배우고 싶은 것입니다」 내가 조용히 얘기했다. 「저는 아버님이 알고 있는 것을 배우고 싶으며 가능하면 제 아버지께도 알려드리고 싶습니다. 그분은 지금 아주 힘든 상황에 있습니다. 그분은 쉰두 살의 연세에 처음부터 다시 시작해야만 합니다」

「나도 알고 있다」 부자 아버지가 말했다. 「나도 알고 있어」

그렇게 햇살이 따뜻한 날, 시리도록 파란 바다에서 서퍼들이 아름다운 파도를 타고 있을 때, 투자에 관한 부자 아버지의 수업은 시작되었다. 그 수업들은 다섯 단계로 되어 있었고, 각각의 단계는 나를 더 높은 수준으로 끌어올렸다. 그것들은 내가 부자 아버지의 사고 방식과 그분의 투자 계획을 이해하도록 도왔다. 그 가르침들은 정신적으로 준비하는 것과 자신을 통제하는 것부터 시작되었다. 왜냐하면 바로 그곳에서 투자가 시작되기 때문이다. 투자는 결국 자신을 통제하는 것에서 시작하고 끝이 난다.

부자 아버지의 투자 계획에서 〈첫번째 단계〉의 투자에 대한 수업은 실제로 투자를 시작하기 전에 필요한 정신적 준비에 관한 것이다. 1973년의 그날 밤에 우중충한 숙소의 잠자리에 누워서, 나는 정신적인 준비를 하기 시작했다. 마이크는 운이 좋아서 엄청난 재산을 모은 아버지가 있었다. 나는 그렇게 운이 좋지 못했다. 여러 면에서 마이크는 나보다 50년을 앞서 있었다. 나는 아직 시작도 하지 못했다. 그날 밤에 나는 정신적인 준비를 하면서, 가난한 아버지가 선택한 안정적인 일자리와 부자 아버지가 선택한 부자가 되기 위한 기초 공사를 하는 것을 사이에 두고 결정을 해야만 했다. 바로 그곳에서 투자 과정이 정말로 시작되며 투자에 관한 부자 아버지의 가르침이 시작된다. 그것은 아주 개인적인 결정에서 시작된다. 부자, 가난한 사람, 혹은 중산층이 되겠다는 정신적인 선택이다. 그것은 중요한 결정이다. 왜냐하면 당신이 어떤 경제적 삶의 길을 선택하건, 그때부터 삶의 모든 것이 변할 것이기 때문이다.

제2부

부자 아빠의 투자 가이드 1단계

—투자는 자신을 통제하는 것에서 시작되고 끝이 난다

제3장

투자를 하는 이유부터 결정해야 한다

내 가난한 아버지는 〈안정〉을 첫번째 우선 순위로 정했고,
부자 아버지는 〈부자가 되는 것〉을 첫번째 우선 순위로 정했다.
당신은 투자를 시작하기 전에
투자를 하는 우선 순위부터 정해야 한다.

이제 부자 아버지의 투자에 관한 수업이 시작되었다.

「사람들이 투자를 하는 이유는 투자를 하는 다음의 세 가지 이유 때문이다」 그것들은 다음과 같다.

1 안정
2 편안함
3 부자가 되는 것

부자 아버지는 계속해서 얘기했다. 「세 가지 모두 중요한 것이다. 하지만 사람들의 삶이 달라지는 것은 그런 선택들의 우선 순위

에 의해서다」 그분은 다시 이렇게 얘기했다. 즉, 대부분의 사람들은 돈과 투자에 대한 선택을 정확하게 앞의 순서대로 한다. 다시 말해, 돈에 관한 결정에 있어서 그들의 첫번째 선택 사항은 〈안정〉이고, 두번째 선택 사항은 〈편안함〉이고, 세번째 선택 사항은 〈부자가 되는 것〉이다. 그렇기 때문에 대부분의 사람들은 〈안정적인 일자리〉를 가장 우선적으로 생각한다. 그들은 안정적인 일자리나 직업을 가진 후에 〈편안함〉에 초점을 맞춘다. 그리고 대부분의 사람들에게 〈부자가 되는 것〉은 마지막 선택 사항이다.

1973년 그날, 부자 아버지는 이렇게 얘기했다. 「대부분의 사람들은 부자가 되는 꿈을 꾸지만, 그것은 그들의 첫번째 선택 사항이 아니다」 그분은 계속해서 이렇게 얘기했다. 「미국에서 백 사람 가운데 한 사람만이 부자인 이유는 이와 같은 선택의 우선 순위 때문이다. 대부분의 사람들은, 부자가 되는 것이 편안함을 방해하거나 그들을 불안하게 만들면, 부자가 되는 것을 포기한다. 그렇기 때문에 그렇게도 많은 사람들이 화끈한 단 하나의 투자 조언을 원하는 것이다. 안정과 편안함을 첫번째와 두번째 선택 사항으로 삼는 사람들은 빨리 부자가 될 수 있고, 위험이 없고, 편안한 길을 찾는다. 몇몇 사람들은 운이 좋은 투자에서 부자가 되기도 하지만, 그것도 결국에는 모두 잃는 경우가 많다」

부자가 될 것인가, 행복한 사람이 될 것인가

사람들은 종종 이렇게 얘기한다. 「나는 부자가 되기보다 마음 편히 행복하게 사는 것이 더 좋다」 이런 얘기는 늘 나에게 이상하게 들렸다. 나는 부자이기도 했고 가난하기도 했기 때문이다. 그리고 두 경우 모두에서 나는 행복하기도 했고 불행하기도 했다. 나는 사람들이 왜 〈행복〉과 〈부자가 되는 것〉 사이에서 반드시 선택을 해야 한다고 생각하는지 도무지 이해가 안 간다.

나는 이 교훈을 생각할 때 이런 생각이 든다. 즉, 사람들은 사실상 이렇게 얘기하는 것이다. 「나는 부자가 되기보다 안정과 편안함을 느끼고 싶다」 사람들이 그렇게 생각하는 이유는, 불안함이나 불편함을 느낄 때 그들은 행복하지 못하기 때문이다. 내 경우에는 부자가 되기 위해 기꺼이 불안함과 불편함을 느끼려 했다. 나는 부자이기도 했고 가난하기도 했으며 행복하기도 했고 불행하기도 했다. 하지만 나는 가난하면서 불행할 때가 부자이면서 불행할 때보다 훨씬 더 불행했다.

나는 또 다음과 같은 얘기도 이해할 수가 없다. 「돈이 있다고 행복해지는 것은 아니다」 그런 얘기에는 나름의 진실이 있지만, 나는 늘 돈이 있을 때 더 좋은 기분을 느꼈다. 어느 날 나는 청바지 주머니에서 10달러짜리 지폐를 발견했다. 그것은 10달러에 불과했지만, 나는 그것을 발견했을 때 기분이 아주 좋았다. 나는 늘 내가 돈을 내야 하는 청구서를 받을 때보다 돈을 받을 때 기분이 더 좋았다. 적어도 나는 돈에 대해 그런 경험을 하고 있다. 나는 돈이 들어올 때 행복하며 돈이 나를 떠날 때 슬프다.

1973년의 그때 나는 내 우선 순위를 이런 순서로 정했다.

1 부자가 되는 것

2 편안함

3 안정

앞에서도 얘기했듯이, 돈과 투자에 관한 세 가지 선택 사항 모두 중요한 것이다. 그것들을 어떤 순서로 놓느냐는 아주 개인적인 결정으로, 투자를 시작하기 전에 반드시 해야 하는 것이다. 내 가난한 아버지는 〈안정〉을 첫번째 우선 순위로 정했고, 부자 아버지는 〈부자가 되는 것〉을 첫번째 우선 순위로 정했다. 투자를 시작하기 전에 당신의 우선 순위를 정하는 것은 아주 중요하다.

✎ 나의 투자지수(Invest Quotient) 테스트

부자가 되는 것, 편안함, 그리고 안정은 사실 개인적인 핵심 가치들이다. 어느 하나가 다른 하나보다 더 나은 것은 아니다. 그렇지만 어떤 핵심 가치가 자신에게 가장 중요한 것인지 선택하는 것은 자신이 선택하는 삶에 장기적으로 상당한 영향을 끼칠 때가 많다. 그렇기 때문에 어떤 핵심 가치가 자신에게 가장 중요한지 아는 것은 무척 중요하며, 특히 돈과 재정적 계획에 있어서는 더욱 그러하다.

다음의 퀴즈에 각자 자신의 경우를 생각해 보면서 풀어보자.

1 돈과 투자에 대한 위의 세 가지 선택 사항 중 어떤 것이 자신에게 가장 중요한지 순서대로 나열해 보자.

1 ____________________

2 ____________________

3 ____________________

어떤 사람들은 자신의 진짜 감정을 알아내기 위해 애를 써야 할지도 모른다. 배우자나 스승과 진지하게 얘기를 나누어라. 그리고 자신의 〈좋은 점〉과 〈나쁜 점〉의 목록을 만들어라. 자신의 개인적 우선 순위가 어떠한지 알면 나중에 잘못된 결정으로 후회하면서 잠 못 이루는 일은 없을 것이다.

돈의 〈90 : 10〉의 논리가 적용되는 한 가지 이유는 사람들의 90%는 부자가 되는 것보다 편안함과 안정을 선택하기 때문인지 모른다.

제4장

돈에 관한 두 가지 세상을 보아야 한다

부자 아버지의 투자에 관한 두번째 수업은
양쪽 세상 모두를 보도록 정신적으로 훈련시키는 것이다.
즉, 돈이 충분치 않은 세상과 돈이 너무 많은 세상 말이다.

내 부자 아버지와 가난한 아버지의 가장 큰 차이 가운데 하나는 그들이 어떤 종류의 세상을 보는가였다. 가난한 아버지는 늘 돈이 부족한 세상만을 보았다. 그와 같은 시각은 다음과 같은 그분의 말에 반영되어 있었다.「너는 돈이 나무에서 떨어진다고 생각하니?」혹은「너는 내가 돈으로 만들어져 있다고 생각하니?」혹은「나는 그럴 형편이 되지 못한다」

나는 부자 아버지와 시간을 보내면서 그분은 전혀 다른 세상을 보고 있음을 깨닫기 시작했다. 그분은 돈이 너무 많은 세상을 볼 수 있었다. 그와 같은 시각은 그분의 다음과 같은 말에 반영되어 있었다.「돈에 대해 걱정하지 말아라. 우리가 올바른 일을 하면 늘 충분한 돈이 따르기 마련이다」 혹은 「돈이 없다고 해서 자신이 원하는 것을 얻지 못해서는 안 된다」

1973년에 부자 아버지는 자신의 교훈들 가운데 하나를 설명하면서 이렇게 얘기했다. 「오직 두 종류의 돈 문제밖에 없다. 하나는 돈이 충분치 않은 것이고, 다른 하나는 돈이 너무 많은 것이다. 너는 어떤 종류의 돈 문제를 원하느냐?」

나는 투자에 관한 내 강좌들에서 이 주제에 대해 많은 시간을 쓴다. 대부분의 사람들은 충분치 않은 돈이 문제인 가정 출신이다. 돈은 아이디어에 불과하기 때문에, 당신의 아이디어가 돈이 충분치 않은 것이라면, 그때는 그것이 당신의 현실이 될 것이다. 나는 두 아버지 덕분에 두 세상 모두를 볼 수 있었기 때문에 다음과 같은 이점을 갖고 있었다. 즉, 나는 두 종류의 문제 모두를 볼 수 있었다. 그리고 정말이지, 둘 모두 문제이다. 내 가난한 아버지는 늘 돈이 충분치 않은 문제들을 갖고 있었고, 부자 아버지는 늘 돈이 너무 많은 문제를 갖고 있었다.

부자 아버지는 정말로 이렇게 믿고 있었다. 즉, 가난한 사람들이 계속해서 가난한 이유는 그것이 그들이 아는 유일한 세상이기 때문이다. 부자 아버지는 종종 이렇게 얘기했다. 「네 안에 있는 돈에 관한 네 현실이 무엇이건, 그것은 네 밖에 있는 돈의 현실이 된다. 네가 네 밖의 현실을 바꾸려면 먼저 돈에 관한 안쪽의 현실을 바꿔야만 한다」

부자 아버지는 자신이 보는 〈돈이 부족하게〉 되는 일부 원인은 사람들의 태도 차이라고 얘기했다. 그분은 이렇게 설명했다.

——우리가 더 많은 안정을 원할수록 우리 삶은 돈이 더 부족하게 된다.

——우리가 더 경쟁적일수록 우리 삶은 돈이 점점 더 부족하게 된다. 그렇기 때문에 사람들은 일자리와 일터에서의 승진을 놓고 경쟁하며 학교에서 점수를 놓고 경쟁한다.

——더 많은 풍요로움을 얻으려면 더 많은 기술이 필요하고 더 창의적이며 협조적이 되어야 한다. 창의적이고, 좋은 금융 및 사업 기술들이 있고, 협조적인 사람들은 경제적 풍요로움이 늘어나는 삶을 산다.

나는 이와 같은 태도의 차이들을 두 아버지에게서 볼 수 있었다. 내 진짜 아버지는 늘 나에게 안전하게 살고 안정을 추구하라고 얘기했다. 반면에 부자 아버지는 나에게 기술들을 개발하고 창의적이 되라고 얘기했다. 이 책의 후반부는 당신의 창의적인 아이디어를 활용해 결핍의 세상이 아닌 풍요로움의 세상을 만드는 법에 관한 것이다.

토론 중에 부자 아버지는 동전을 꺼내 이렇게 얘기했다. 「어떤 사람은 이렇게 얘기한다. 〈나는 그럴 형편이 되지 못한다.〉 그렇게 얘기하는 사람은 동전의 한쪽 면만 보는 것이다. 대신에 우리는 이렇게 얘기해야 한다. 〈어떻게 하면 그럴 형편이 될 수 있을까?〉 그럴 때 우리는 동전의 다른쪽 면도 보기 시작한다. 문제는, 다른쪽 면을 볼 때도 사람들은 눈으로만 그것을 본다는 것이다. 그렇기 때문에 가난한 사람들은 부자들이 하는 것을 겉으로는 보지만 부자들이 마음속에서 하는 것은 보지 못한다. 동전의 다른쪽 면도 보고 싶다면 부자들의 마음속에서 어떤 일이 일어나고 있는지 보아야 한다」이 책의 후반부는 부자들의 마음속에서 어떤 일이 일어나고 있는지에 관한 것이다.

1980년대 후반에 부자 아버지는 사업에서 손을 떼고 자신의 제국을 마이크에게 넘겼다. 그런 후에 그분은 나를 불러 간단한 만남을 가졌다. 그 만남이 시작되기 전에 그분은 3천9백만 달러의 현금이 들어 있는 은행 통장을 나에게 보여주었다. 깜짝 놀라는 나를 보면서 부자 아버지는 이렇게 얘기했다.「이것은 한 은행에만 있는 것이다. 내가 사업에서 손을 뗀 것은 여러 은행에서 현금을 빼내 더 생산적인 투자들로 옮기는 데만도 너무 많은 시간이 걸리기 때문이다. 나는 이제 이 일만 하면서도 매년 더 흥미로움을 느끼고 있다」

만남이 끝날 때 부자 아버지가 말했다.「나는 여러 해 동안 이 많은 돈을 만들어내는 엔진을 키우도록 마이크를 훈련시켰다. 이제 나는 사업에서 은퇴했고, 내가 키운 그 엔진은 마이크가 운영하고 있다. 내가 자신감을 갖고 은퇴할 수 있는 이유는 마이크가 그 엔진을 운영할 수 있을 뿐 아니라 그것이 고장나면 고칠 수도 있기 때문이다. 대부분의 부잣집 아이들이 부모의 돈을 잃는 이유는 그들이 엄청난 재산 속에서 자라기는 했어도 엔진을 키우거나 그것이 고장난 후에 고치는 법을 제대로 배우지 못했기 때문이다. 사실은 너무 많은 부잣집 아이들이 부모가 애써 키운 엔진을 망가뜨리고 있단다. 그들은 동전의 부자쪽 면에서 자랐지만 그쪽 면으로 가는 데 필요한 것은 제대로 배우지 못했다. 내 안내를 받아 너는 그쪽 면으로 옮겨가서 그곳에 머물 수 있는 기회를 잡을 것이다」

내가 내 자신에 대해 스스로 가장 통제를 해야 하는 부분은 돈에 대한 나의 내적인 현실을 깨는 것이었다. 나는 끊임없이 스스로에게 이렇게 상기시켜야만 했다. 〈돈이 너무 많은 세상도 있어.〉 왜냐하면 나는 마음과 영혼 속에서 종종 가난한 사람처럼 느꼈기 때문이다.

내가 가슴과 위장에서 공포감이 엄습하는 것을 느낄 때마다, 그러니까 돈이 충분치 않을 것이라는 두려움에서 비롯되는 공포감을 느낄 때마다, 부자 아버지는 나에게 이렇게 얘기하도록 훈련시켰다. 「두 종류의 돈 문제가 있다. 하나는 돈이 충분치 않은 문제이고, 다른 하나는 돈이 너무 많은 문제이다. 너는 어떤 문제를 원하느냐?」

나는 무조건 믿으면 된다고 생각하는 그런 사람들 가운데 한 사람이 아니다. 내가 스스로 그렇게 물은 것은 돈에 관해 내가 물려받은 관점과 싸우기 위해서였다. 일단 마음이 진정되면, 나는 이어서 내 마음에게 그때 경제적으로 나에게 도전하는 어떤 것이든 그 해결책을 찾기 시작하라고 요구했다. 해결책에 포함될 수 있는 것은 새로운 해답을 찾거나, 새로운 조언가들을 찾거나, 혹은 내가 취약한 어떤 주제에 관한 강좌에 참석하는 것 등이었다. 내가 그런 공포감과 싸운 주요 목적은 마음을 진정시켜서 다시 앞으로 나아가기 위한 것이었다.

그 후 나는 많은 사람들이 돈에 대한 공포심 때문에 좌절하고 삶에서 수동적으로 되는 것을 목격했다. 그래서 그들은 돈과 위험에 대해 늘 두려움을 느꼈다. 두려움이나 의심 같은 감정들은 낮은 자부심과 자신감의 부족으로 이어진다.

부자 아버지의 투자에 관한 두번째 수업은 돈이 충분치 않은 세상과 돈이 너무 많은 세상 모두를 보도록 정신적으로 훈련시키는 것이다. 나중에 부자 아버지는 금융 계획의 중요성을 설명했다. 부자 아버지는 돈이 충분치 않을 때에도 금융 계획이 있어야 하고 돈이 너무 많을 때도 금융 계획이 있어야 한다고 굳게 믿었다. 그분은 이렇게 얘기했다.「돈이 너무 많을 때 너에게 계획이 없으면, 그때 너는 모든 돈을 잃고 네가 아는 유일한 세상으로 돌아가게 된다. 즉, 인구의 90%가 알고 있는 세상, 그러니까 돈이 충분치 않은 세상으로 돌아가게 된다」

더 많은 안정을 찾을수록 기회는 더 적게 온다

부자 아버지는 이렇게 얘기했다.「사람들이 더 많은 안정을 찾을수록 그들의 삶에서 돈은 더더욱 부족하게 된다. 안정과 돈의 부족은 손에 손을 잡고 간다. 그렇기 때문에 일자리의 안정이나 보장을 추구하는 사람들은 종종 자신들의 삶에서 풍요로움이 부족한 사람들이다. 돈의 〈90 : 10〉의 원칙에 현실성이 있는 한 가지 이유는 대부분의 사람들은 더 많은 경제적 기술을 추구하기보다 더 많은 안정을 추구하면서 살아가기 때문이다. 경제적 기술이 많을수록 우리는 삶에서 더 많은 풍요로움을 갖게 된다」

바로 〈돈〉과 〈투자〉에 대한 이와 같은 기술이 부자 아버지에게 돈이 거의 없었음에도 하와이에서 가장 소중한 땅의 일부를 얻게 하는 힘을 주었다. 바로 이와 같은 기술은 사람들에게 기회를 잡아 그것을 수백만 달러의 현금으로 만들 수 있는 힘을 준다. 대부분의 사람들은 기회를 볼 수가 있다. 그들은 다만 그런 기회를 돈으로 만들지 못할 뿐이다. 그리고 그렇기 때문에 그들은 종종 한층 더 많은 안정을 추구한다. 부자 아버지는 또 이렇게 얘기했다.「어떤 사람이 더 많은 안정을 추구할수록 그 사람은 주위에 널려 있는 기회들을 더 적게 보게 된다. 그들은 동전의 한쪽 면만 보면서 다른쪽 면은 결코 보지 못한다. 그렇기 때문에 그들은 더 많은 안정을 추구할수록 동전의 다른쪽 면의 기회를 보지 못하게 된다. 유명한 야구 선수 요기 베라는 언젠가 이렇게 얘기했다.「열 번 중에서 일곱 번만 스트라이크 아웃을 당하면 〈명예의 전당〉에 들어갈 수 있다」 다시 말해, 만일 그가 자신의 선수 생활에서 1천 번을 때린다면, 그리고 그 중에서 7백 번만 스트라이크 아웃을 당한다면, 그는 〈명예의 전당〉에 들어갈 수 있는 것이다. 요기 베라의 이야기를 읽은 후에 부자 아버지는 이렇게 말했다.「대부분의 사람들은 너무 안정만 바라기 때문에 단 한번의 스트라이크 아웃도 피하려 하면서 평생을 살아간다」

✎ 나의 투자지수(Invest Quotient) 테스트

나는 세상은 돈이 충분치 않다고 여기는 가정에서 자라났다. 따라서 내 개인적인 도전은 계속해서 나에게 이렇게 상기시키는 것이었다. 〈또다른 종류의 세상이 있다. 나는 열린 마음을 유지하면서 두 가지 가능성 모두의 세상을 보아야 한다.〉

다음 질문에 〈예〉, 〈아니오〉로 답하여 자신의 생각을 점검해 보라.

1 당신은 돈의 두 가지 세상이 존재할 수 있다고 생각할 수 있는가?

예 ______ 아니오 ______

2 당신이 현재 돈이 충분치 않은 세상에서 살고 있다면, 당신은 돈이 너무 많은 세상에서 사는 가능성을 생각할 의사가 있는가?

예 _____ 아니오 ______

제5장

투자는 혼란스러울 수밖에 없다

투자 관련 방송 프로그램을 지켜보면,
어떤 전문가는 이렇게 얘기한다.
「시장은 과열되어 있습니다.
앞으로 한 달만 있으면 시장은 무너질 것입니다」
그런데 10분 후에 또다른 전문가가 나와 이렇게 얘기한다.
「시장은 지금보다 더 올라갈 수밖에 없습니다.
시장은 절대로 무너지지 않습니다」

어느 날 내가 부자 아버지의 사무실에서 기다리고 있었을 때 부자 아버지는 전화로 얘기하고 있었다. 그분은 다음과 같은 것들을 얘기했다. 「그러니까 당신은 오늘 롱 포지션이군요」, 「프라임이 떨어지면 스프레드는 어떻게 될까요?」, 「알았소, 알았다구, 이제는 왜 당신이 그 포지션을 유지하기 위해 옵션을 사는지 이해한다구」 「그 주식은 쇼트 포지션이라구? 왜 풋 옵션이 아닌 쇼트 포지션을 갖는 거지?」

부자 아버지가 수화기를 내려놓은 후에 내가 말했다. 「무슨 얘기를 하시는 건지 통 알 수가 없네요. 투자는 너무 혼란스러운 것 같습니다」

부자 아버지가 미소를 지으면서 대답했다. 「내가 얘기했던 것은 사실 투자가 아니었다」

「투자가 아니었다구요? 그럼 무엇이었나요? TV나 영화에서 투자가들이 얘기하는 것처럼 얘기하시던데요」

부자 아버지가 껄껄 웃으면서 말했다. 「우선 먼저, 투자는 각각의 사람들에게 각각의 다양한 의미를 갖는다. 그래서 투자는 그렇게도 혼란스러워 보이는 거다. 대부분의 사람들이 얘기하는 투자는 사실 투자가 아니다. 사람들은 다른 것들을 얘기하면서 같은 것을 얘기한다고 착각하곤 하지」

「뭐라구요? 사람들이 다른 것들을 얘기하면서 같은 것을 얘기한다고 착각한다구요?」

다시 부자 아버지가 껄껄 웃었다. 그렇게 수업은 또 시작되었다.

투자는 각각의 사람들에게 각각의 다양한 의미를 갖는다

부자 아버지는 그날 수업을 시작하면서 주요 논점을 반복해서 강조했다. 투자는 각각의 다양한 사람들에게 각각의 다양한 의미를 갖는다. 다음에 드는 것은 이 중요한 수업의 일부 요점들이다.

각각의 사람들이 각각의 다양한 것들에 투자한다

부자 아버지는 투자 대상에 대한 가치의 일부 다양한 측면을 설명했다.

—어떤 사람들은 대가족에 투자한다. 대가족은 부모 세대가 늙으면 자식들로부터 보호받을 수 있는 하나의 방법이다.
—사람들은 좋은 교육, 안정적인 일자리, 그리고 복지 혜택들에 투자한다. 그들은 개인적으로, 혹은 시장에 제공하는 기술 때문에 소중한 자산이 된다.
—어떤 사람들은 외적인 자산에 투자한다. 미국에서는 인구의 45% 가량이 기업의 주식을 갖고 있다. 이런 수치는 점점 늘고 있는데, 안정적인 일자리와 종신 고용이 점점 덜 보장되고 있기 때문이다.

다양한 투자 상품

다음에 드는 것은 일부 다양한 종류의 투자 상품들이다.

—주식, 채권, 뮤추얼 펀드, 부동산, 보험, 현물, 저축, 수집품, 귀금속, 헤지 펀드 등등

각각의 이 그룹들은 이어서 하부 그룹들로 나눠질 수 있다. 주식을 예로 들어보자.

—주식

보통주/우선주/보증서가 있는 주식/소형주/블루칩 주식/전환주/기술적인 주식/산업적인 주식/그 밖에 등등

—부동산

단독 주택/상업용 사무실/상가/다가구/창고/나대지/그 밖에 등등

—뮤추얼 펀드

지수 펀드/공격적 성장형 펀드/업종 펀드/소득 펀드/폐쇄형 펀드/균형적 펀드/지방 정부 공채 펀드/국가 펀드/그 밖에 등등

많은 다양한 투자 상품들은 각각 다른 목적을 갖고 있다. 이것도 이유가 되어 투자는 그렇게도 혼란스러운 것이다.

다양한 투자 절차

부자 아버지는 〈절차〉라는 단어를 사용해 이런 투자 상품들을 사고, 팔고, 거래하고, 보유하는 기술, 방식, 혹은 공식을 표현했다. 다음에 드는 것은 일부 다양한 유형의 투자 절차들이다.

——사고, 갖고, 기도한다(롱 포지션)

——사고 판다(거래)

——판 후에 산다(쇼트 포지션)

——옵션을 사고 판다(거래)

——평균 원가법(롱 포지션)

——중개(브로커)

——저축(모은다)

많은 투자가들을 그들의 절차와 상품에 따라 아래와 같이 분류할 수 있다.

——나는 주식을 거래한다.

——나는 부동산을 사고 판다.

——나는 귀한 동전을 수집한다.

——나는 현물의 선물 옵션을 거래한다.

——나는 데이 트레이딩을 한다.

——나는 은행에 있는 돈을 믿는다.

이것들 모두 다양한 유형의 투자가, 상품, 전문 분야, 그리고 투자 절차를 보여준다. 이것들 모두가 투자의 혼란스러움을 가중시킨다. 왜냐하면 투자라는 깃발 아래 그들은 사실 이런 사람들이기 때문이다.

도박꾼/투기꾼/거래인/저축하는 사람/몽상가/패배자

이들 가운데 많은 이들은 자신을 투자가라고 부르며, 사실 기술적으로 그들은 투자가라고 할 수도 있다. 그래서 투자는 한층 더 혼란스러운 것이 된다.

어떤 사람도 모든 것에 전문가가 될 수는 없다

「투자는 각각의 다양한 사람들에게 각각의 다양한 의미를 갖는다」 부자 아버지는 또 이렇게 얘기했다. 「어떤 사람도 모든 것에 대해서 전문가가 될 수는 없다. 투자 상품들은 아주 다양하고 투자 절차들도 아주 다양하다」

모두에게 편견은 있다

주식을 잘하는 사람은 이렇게 말할 것이다. 「주식이야말로 최고의 투자이다」 부동산을 좋아하는 사람은 이렇게 말할 것이다. 「부동산은 모든 부의 원천이다」 금을 싫어하는 사람은 이렇게 말할 것이다. 「금은 한물간 현물이다」

게다가 절차의 편견까지 더해지면 정말로 혼란스럽게 된다. 어떤 사람들은 이렇게 얘기한다. 〈다각화를 하라. 모든 계란을 한 바구니에 담지 말라.〉 그리고 미국 최고의 투자가인 워렌 버펫 같은 사람은 이렇게 얘기한다. 〈다각화를 하지 말라. 모든 계란을 한 바구니에 담고 그 바구니를 세심하게 지켜보라.〉

이른바 전문가들의 이 모든 개인적 편견은 투자와 관련된 혼란만 가중시킨다.

시장은 같아도 방향은 다르다

이와 같은 혼란을 한층 더 가중시키는 것은 시장의 방향과 세상의 미래에 대해 모두가 나름의 견해를 갖고 있다는 사실 때문이다. 투자 관련 방송 프로그램을 지켜보면, 어떤 전문가는 이렇게 얘기한다.「시장은 과열되어 있습니다. 앞으로 한 달만 있으면 시장은 무너질 것입니다」그런데 10분 후에 또다른 전문가가 나와 이렇게 얘기한다.「시장은 지금보다 더 올라갈 수밖에 없습니다. 시장은 절대로 무너지지 않습니다」

늘 시장에 늦게 들어온다

내 친구 하나는 최근에 이렇게 물었다.「나는 화끈한 주식에 대한 애기를 듣고 내가 그것을 살 때면 이미 주가가 떨어진단 말야. 그래서 나는 늘 뜨거운 인기 주식을 천장(天障)에서 사고, 내가 산 후 하루가 지나면 주가는 떨어지기 시작하지. 왜 나는 늘 파티에 지각하는 것일까?」

내가 종종 듣는 또다른 불만은 이런 것이다.「주가가 떨어져서 나는 그 주식을 팔았단 말야. 그런데 다음 날이 되면 다시 올라간다구. 왜 그런 일이 일어날까?」

나는 이것을 〈파티에 지각하는 현상〉, 혹은 〈너무 일찍 파는 현상〉이라고 부른다. 어떤 것이 인기가 있거나 지난 2년 동안 최고의 펀드로 평가되었기 때문에 그것에 투자하는 것의 문제는 진짜 투자가들은 이미 그 투자에서 돈을 벌고 빠져나왔다는 점이다. 그들은 일찌감치 그곳에 들어갔고 천장에서 빠져나왔다. 나는 누군가 이렇게 말하는 것을 들을 때보다 더 당혹스러운 때가 없다. 「나는 그것을 주당 2달러에 샀는데 지금은 주당 35달러입니다」 이와 같은 이야기는 나에게 도움은커녕 당혹감만 안겨준다. 그래서 나는 금방 부자가 되었거나 시장에서 순식간에 돈을 벌었다는 그런 이야기를 들을 때 그곳에서 나와 듣지 않으려고 한다. 왜냐하면 그와 같은 이야기는 투자에 관한 이야기가 아니기 때문이다.

이래서 투자는 혼란스럽다

부자 아버지는 종종 이렇게 얘기했다. 「투자가 혼란스러운 이유는 그것이 너무나 큰 주제이기 때문이다. 주위를 둘러보면 사람들이 많은 다양한 것들에 투자하고 있음을 알 수 있다. 가정용품들을 한 번 봐라. 그것들 모두가 사람들이 투자하고 있는 기업들의 제품이다. 우리는 사람들이 투자하고 있는 전력 회사에서 전기를 받고 있다. 일단 이것을 이해하면, 다음에는 자동차, 휘발유, 타이어, 좌석 벨트, 와이퍼, 점화 플러그, 도로, 도로 위의 차선, 우리가 마시는 청량음료, 우리 집에 있는 가구, 우리가 물건을 사러 가는 쇼핑센터, 사무실 건물, 은행, 호텔, 비행기, 공항에 있는 양탄자 등을 봐라. 이런 것들이 그곳에 있는 이유는 그런 문명의 이기들을 우리에게 공급하는 사업이나 건물에 누군가 투자하고 있기 때문이다. 사실은 이것이 바로 투자의 본질이다」

부자 아버지는 종종 투자에 관한 자신의 수업을 이런 얘기로 끝맺었다. 「투자가 대부분의 사람들에게 그렇게도 혼란스런 주제인 이유는 대부분의 사람들이 투자라고 부르는 것이 사실은 투자가 아니기 때문이다」

다음 장에서 부자 아버지는 그런 혼란을 줄이고 진정한 투자를 보여주기 위해 나를 안내한다.

✎ 나의 투자지수(Invest Quotient) 테스트

투자는 엄청나게 큰 주제로서 아주 많은 사람들이 아주 다양한 견해를 갖고 있는 것이다. 다음 질문에 자신의 생각을 표시해 보자.

1 당신은 투자가 각각의 다양한 사람들에게 각각의 다양한 의미를 갖는다고 생각하는가?

예 ______ 아니오 ______

2 당신은 어떤 사람도 투자에 관한 모든 것을 알 수는 없다고 생각하는가?

예 ______ 아니오 ______

3 당신은 사람마다 좋은 투자와 나쁜 투자에 대한 견해가 다르고, 양쪽 모두에 일리가 있다고 생각하는가?

예 ______ 아니오 ______

4 당신은 투자에 대해 열린 마음을 갖고 그것에 관한 다양한 견해에 귀를 기울일 의사가 있는가?

예 ______ 아니오 ______

5 당신은 이제 특정한 상품이나 절차에 집중하는 것이 반드시 좋은 투자가 아닐 수도 있음을 알게 되었는가?

예 ______ 아니오 ______

6 당신은 어떤 사람에게는 좋은 투자 상품이 당신에게는 나쁠 수도 있다고 생각하는가?

예 ______ 아니오 ______

제6장

투자는 상품이나 절차가 아닌 계획이다

너무도 많은 투자가들이 하나의 투자 상품과
하나의 투자 절차에만 얽매여 있다.
어떤 사람은 주식에만 투자하고,
어떤 사람은 부동산에만 투자한다.
단 하나의 투자 수단에만 얽매이게 되면,
그 사람은 모든 다양한 투자 수단과
절차들을 보지 못하게 된다.

나는 종종 다음과 같은 질문을 듣는다. 「나에게는 투자할 돈 1만 달러가 있습니다. 내가 어디에 투자해야 좋을까요?」

그러면 나는 거의 언제나 이렇게 대답한다. 「당신에게는 투자에 대한 계획이 있습니까?」

몇 달 전에 나는 샌프란시스코에 있는 라디오 방송국에 출연했다. 그 프로는 투자에 관한 것이었고 아주 유명한 그 지역의 주식 중개인이 진행했다. 투자 조언을 원하는 어떤 청취자가 전화를 걸었다. 「나는 마흔두 살입니다. 나는 좋은 직장에 다니고 있지만 돈은 없습니다. 어머니에게 집이 한 채 있는데 그것은 큰 재산입니다. 어머니의 집은 시가 80만 달러 가량 되고 융자금은 10만 달러에 불과합니다. 어머니는 그 집을 담보로 돈을 빌려 나에게 투자 자금으로 줄 수 있다고 합니다. 당신은 내가 어디에 투자해야 한다고 생각합니까? 주식에 투자해야 합니까, 아니면 부동산에 투자해야 합니까?」

이번에도 내 대답은 같은 것이었다. 「당신에게는 투자에 대한 계획이 있습니까?」

「나에게는 계획이 필요 없습니다」 그 사람이 대답했다. 「내가 원하는 것은 어디에 투자할지 알려달라는 것입니다. 나는 부동산이 더 좋은지 주식이 더 좋은지 당신의 생각을 듣고 싶습니다」

「나도 당신이 원하는 것이 그것이라는 건 알고 있습니다……. 하지만 당신에게는 계획이 있습니까?」 나는 최대한 예의를 차리면서 다시 물었다.

「나에게는 계획이 필요 없다고 얘기하지 않았습니까?」 그 사람이 말했다. 「나는 어머니가 돈을 줄 거라고 당신에게 얘기했습니다. 그래서 나에게는 돈이 있습니다. 그렇기 때문에 나에게는 계획이 필요 없습니다. 나는 투자할 준비가 되어 있습니다. 내가 알고 싶은 것은 어느 시장이 더 좋은지에 관한 당신의 생각뿐입니다. 주식 시장입니까, 아니면 부동산 시장입니까? 나는 또 어머니의 돈에서 얼마를 내 집에 써야 하는지도 알고 싶습니다. 이 지역에서는 집값이 너무도 빠르게 올라가고 있습니다. 그래서 나는 더 이상 기다릴 수가 없습니다」

나는 전술을 바꾸기로 결심하고 이렇게 물었다. 「당신이 마흔두 살이고 좋은 직장이 있다면 왜 돈이 없는 겁니까? 그리고 당신이 어머니의 소중한 돈을 잃으면 어머니는 어떻게 되는 거죠? 그리고 당신이 직장을 잃거나 시장이 무너지면, 또 당신이 산 집을 팔 수 없을 때도 여전히 새 집을 살 수 있습니까?」

40만 명으로 추산되는 청취자들에게 그 사람이 이렇게 대답했다. 「그것은 당신과 상관없는 일입니다. 나는 당신이 투자가라고 생각했습니다. 당신이 나에게 투자 조언을 하기 위해 내 사생활을 캐물을 필요는 없습니다. 그리고 어머니 얘기는 들먹이지 마십시오. 내가 원하는 것은 투자 조언이지 개인적인 조언이 아닙니다」

투자 조언은 개인적인 조언이다

내가 부자 아버지에게서 배운 가장 중요한 교훈 하나는 이것이었다. 「투자는 상품이나 절차가 아닌 계획이다」 그분은 계속해서 이렇게 얘기했다. 「투자는 아주 개인적인 계획이다」

투자에 관해 그분은 이렇게 질문했다. 「너는 왜 그렇게도 다양한 종류의 승용차와 트럭들이 있는지 아니?」

나는 잠시 그 질문에 대해 생각한 후 이렇게 대답했다. 「제가 볼 때 그것은 너무나도 다양한 종류의 사람들이 있고 그 사람들에게는 서로 다른 욕구가 있기 때문인 것 같습니다. 혼자 사는 사람은 커다란 9인승 승합차가 필요하지 않을 수도 있지만, 아이가 다섯인 가족은 그것이 필요할 겁니다. 그리고 농부는 2인승 스포츠카보다 픽업 트럭을 원할 겁니다」

「맞았다」 부자 아버지가 말했다. 「그리고 그런 이유로 투자 상품들은 종종 〈투자 차량(investment vehicle: 투자 수단)〉으로 불린다」

「그것들이 〈차량〉으로 불린다구요?」 내가 다시 물었다. 「왜 투자 차량이라고 하죠?」

「왜냐하면 그것들은 다양한 차량이기 때문이다」 부자 아버지가 말했다. 「그렇게도 다양한 투자 상품, 즉 투자 차량들이 있는 이유는 아주 다양한 사람들이 아주 다양한 욕구를 갖고 있기 때문이다. 아이가 다섯인 가족은 혼자 사는 사람이나 농부와 다른 욕구가 있는 것처럼 말이다」

「하지만 왜 〈차량〉이라고 부르죠?」 내가 다시 물었다.

「왜냐하면 차량이라는 것은 우리를 〈A〉 지점에서 〈B〉 지점으로 갖다놓기 때문이지」 부자 아버지가 말했다. 「투자 상품 혹은 차량도 우리를 현재의 경제적 상태에서 우리가 원하는 경제적 상태로 갖다 놓는 것이기 때문이지」

「그렇기 때문에 투자는 계획인 거군요」 나는 그렇게 말하면서 조용히 고개를 끄덕였다. 이제야 이해가 되기 시작했다.

「투자는 여행 계획과 같은 것이다. 가령 하와이에서 뉴욕까지 가는 여행을 한다고 생각해 보자. 그러면 당연히 자전거나 자동차로는 갈 수가 없을 것이다. 하와이에서 뉴욕까지 가려면 바다를 건너야 하기 때문에 배나 비행기가 필요할 거다」

「그리고 일단 육지에 도착하면 걷거나, 자전거를 타거나, 자동차, 기차, 혹은 버스로 가거나, 혹은 비행기를 타고 뉴욕까지 갈 수 있죠」 내가 덧붙였다. 「그것들 모두 서로 다른, 다양한 운송 수단들이죠」

부자 아버지가 고개를 끄덕였다. 「그리고 어느 하나가 반드시 다른 하나보다 나은 것은 아니다. 시간이 많고 정말로 시골을 보고 싶다면, 그때는 걷거나 자전거를 타는 것이 가장 좋겠지. 뿐만 아니라, 그렇게 하면 여행이 끝났을 때 훨씬 더 건강해질 거고. 하지만 내일까지 뉴욕에 도착해야 한다면, 그때는 당연히 비행기로 뉴욕까지 가는 것이 시간을 맞출 수 있는 가장 좋고 유일한 선택이지」

「너무도 많은 사람들이 하나의 제품, 가령 주식에 초점을 맞추고, 그런 후에 하나의 선택, 가령 거래에 초점을 맞추지만, 그들에게는 사실 계획이 없다, 그런 얘기인가요?」 내가 물었다.

부자 아버지가 고개를 끄덕였다. 「대부분의 사람들은 자신들이 생각하는 투자를 통해서 돈을 벌려 한다. 하지만 거래는 투자가 아니다」

「그것이 투자가 아니면 무엇인가요?」 내가 물었다.

「그것은 그냥 거래지」 부자 아버지가 말했다. 「그리고 거래는 절차이거나 기술이다. 주식을 거래하는 사람은 집을 사서 고친 후에 이익을 남기고 파는 사람과 크게 다르지 않다. 한 사람은 주식을 거래하는 것이고, 다른 한 사람은 부동산을 거래하는 것이다. 그것은 여전히 거래이다. 사실 거래는 아주 오래 된 것이다. 낙타들이 이국적인 물건들을 싣고 사막을 건너 유럽의 소비자들에게 갔다. 따라서 장사꾼도 일종의 거래를 하는 것이다. 그리고 거래도 하나의 직업이다. 하지만 그것은 내가 말하는 투자가 아니다」

「아버님이 말하는 투자는 계획이죠. 지금 있는 곳에서 앞으로 있고자 하는 곳으로 갖다놓는 계획이죠」 나는 그렇게 말하면서 부자 아버지의 구분을 이해하려고 최선을 다했다.

부자 아버지는 고개를 끄덕이면서 이렇게 얘기했다. 「나도 그런 구분이 다소 지나칠 수 있다는 것은 알고 있다. 하지만 나는 투자에 관한 그 모든 혼란을 줄이기 위해 애쓰는 것이다. 매일같이 나는 자신들이 투자하고 있다고 생각하는 사람들을 만나지만, 그들은 헛수고를 하고 있다. 그들은 말하자면 원을 그리며 외바퀴수레를 밀고 있는 것이다」

투자 수단은 하나보다 다수가 필요하다

앞장에서 나는 다양한 투자 상품과 절차들 중에서 몇 개를 소개했다. 매일같이 더 많은 것들이 만들어지고 있다. 너무도 많은 사람들이 너무도 다양한 욕구를 갖고 있기 때문이다. 사람들은 자신들의 개인적인 투자 계획을 분명히 해야만 한다. 그렇지 않으면 이 모든 다양한 상품과 절차들은 부담스럽고 혼란스러운 것이 되고 만다.

부자 아버지는 외바퀴수레를 선택의 수단으로 사용해 많은 투자가들을 묘사했다. 「너무도 많은 투자가들이 하나의 투자 상품과 하나의 투자 절차에 얽매여 있다. 예를 들어, 어떤 사람은 주식에만 투자할 수도 있고, 어떤 사람은 부동산에만 투자할 수도 있다. 그 사람은 그런 투자 수단에 얽매이게 되며, 그 결과 그 사람은 그 모든 다양한 투자 수단과 절차들을 보지 못하게 된다. 그 사람은 그 하나의 외바퀴수레의 전문가가 되어 영원히 원을 그리며 그것을 밀게 된다」

어느 날 부자 아버지가 투자가들과 그들의 외바퀴수레를 지적하며 웃고 있을 때, 나는 더 분명히 얘기해 달라고 부탁해야만 했다. 그분은 이렇게 대답했다. 「어떤 사람들은 한 가지 유형의 상품과 하나의 절차에 전문가가 된다. 나는 그것을 외바퀴수레에 얽매이는 것이라고 얘기한다. 외바퀴수레는 나름대로 역할을 한다. 그것은 많은 현금을 운반한다. 하지만 그것은 여전히 외바퀴수레이다. 진정한 투자가는 수단이나 절차에 얽매이지 않는다. 진정한 투자가는 자신만의 계획이 있으며 투자 수단과 절차들에 대해 복수의(multiple) 선택권을 갖고 있다. 진정한 투자가가 원하는 것은 〈A〉 지점에서 〈B〉 지점으로 원하는 시간대에 안전하게 이동하는 것뿐이다. 진정한 투자가는 외바퀴수레를 소유하거나 밀고 싶어하지 않는다」

나는 여전히 혼란스러움을 느끼며 더 자세히 설명해 달라고 부탁했다. 「들어보거라」 부자 아버지가 다소 당혹스러워하며 얘기했다. 「나는 하와이에서 뉴욕까지 가고자 할 때 많은 수단들에 대한 선택권을 갖고 있다. 나는 그것들을 반드시 소유하려 하지 않는다. 나는 그것들을 이용하려 할 뿐이다. 나는 비행기에 탑승할 때 그것을 조종하려 하지 않는다. 나는 그것과 사랑에 빠지려 하지 않는다. 나는 다만 내가 있는 곳에서 내가 가려는 곳으로 이동하고 싶을 뿐이다. 나는 공항에 내릴 때 택시를 이용해 호텔까지 가고자 한다. 일단 내가 호텔에 도착하면, 포터가 짐수레를 사용해 내 짐을 호텔 로비에서 내 방으로 옮겨준다. 나는 그 짐수레를 소유하거나 밀려고 하지 않는다」

「그러면 차이점이 뭐죠?」 내가 물었다.

「자신이 투자가라고 생각하는 많은 사람들은 투자 수단에 얽매여 있다. 그들은 주식이나 부동산을 좋아해야만 그것들을 투자 수단으로 사용할 수 있다고 생각한다. 그래서 그들은 자신들이 좋아하는 투자를 찾으며 결국 계획을 짜지는 못한다. 이런 투자가들은 결국 원을 그리며 여행하게 되고, 그래서 〈A〉 지점에서 〈B〉 지점까지 이동하지 못하게 된다」

「그러니까 아버님은 탑승하는 비행기와 반드시 사랑에 빠지지는 않으며, 마찬가지로 주식이나 채권, 뮤추얼 펀드, 혹은 사무용 건물과도 반드시 사랑에 빠지지는 않는군요. 그것들은 모두 수단에 불과하니까요. 원하는 곳으로 가기 위한 수단에 불과하니까요」

부자 아버지가 고개를 끄덕였다. 「나는 그런 수단들의 가치를 인정하고, 사람들이 그런 수단들을 보살핀다고 믿는다. 다만 나는 그런 수단들에 얽매이지 않을 뿐이다」

「사람들이 자신들의 투자 수단에 얽매이면 어떻게 되나요?」

「사람들은 자신들의 투자 수단이 유일한 수단, 혹은 가장 좋은 수단이라고 생각한다. 나는 주식에만 투자하는 사람, 혹은 뮤추얼 펀드나 부동산에만 투자하는 사람들을 알고 있다. 내가 외바퀴수레에 얽매인다고 얘기한 것은 바로 그런 뜻이다. 그와 같은 생각이 반드시 잘못되었다는 말은 아니다. 다만 그들은 종종 자신들의 계획보다 그런 수단에만 초점을 맞춘다. 그래서 그들은 투자 상품을 사고, 갖고, 팔아서 많은 돈을 벌 수도 있지만, 그 돈이 그들을 그들이 가고자 하는 곳으로 데려가는 것은 아닐 수도 있다」

「그러니까 나에게 필요한 것은 〈계획〉이군요」 내가 말했다. 「그러면 계획이 내가 필요로 하는 다양한 유형의 투자 수단들을 결정하게 되는군요」

부자 아버지는 고개를 끄덕이면서 이렇게 얘기했다. 「사실 계획을 짜기 전에는 투자를 하지 말아야 한다. 투자는 계획임을, 상품이나 절차가 아님을 늘 기억해야 한다. 이것은 아주 중요한 교훈이다」

✎ 나의 투자지수(Invest Quotient) 테스트

우리는 집을 짓기 전에 대개 설계사를 불러서 계획을 짜도록 한다. 어떤 사람이 그냥 아무나 불러서 계획도 없이 집을 짓기 시작하면 어떻게 되는지 상상할 수 있겠는가? 그런데 많은 사람들의 집에서는 그런 일이 일어나고 있다.

부자 아버지는 내가 〈돈〉과 〈투자〉에 대한 계획을 짜도록 인도했다. 그것은 반드시 쉬운 과정은 아니었다. 그것은 또 처음에는 이해가 되지 않았다. 하지만 얼마 후에 나는 내가 경제적으로 어디에 있는지, 그리고 어디로 가고 싶은지 분명히 알 수 있게 되었다. 일단 그것을 알게 되자 계획을 짜는 과정은 더 쉬워졌다. 다시 말해, 나에게 가장 어려웠던 부분은 내가 원하는 것을 알아내는 것이었다. 따라서 이번 질문은 다음과 같은 것이 된다.

1 당신은 시간을 투자해서 당신이 지금 경제적으로 있는 곳과 장래에 있고 싶은 곳을 알아낼 의사가 있는가? 그리고 당신은 그곳에 가기 위해 어떻게 계획을 짤 것인지 생각할 의사가 있는가? 그리고 계획이 진정한 계획이 되려면 종이에 적어 누군가에게 보여줄 수 있어야 함을 늘 기억할 것인가?

예 ______ 아니오 ______

2 당신은 적어도 한 사람의 전문적인 금융 컨설턴트를 만나 그 사람의 조언이 당신의 장기적인 투자 계획에 어떤 도움을 줄 수 있는지 알아볼 의사가 있는가?

예 ______ 아니오 _______

당신은 둘 혹은 셋의 금융 컨설턴트를 만나 〈돈〉과 〈투자〉에 대한 그들의 접근법이 어떻게 다른지 알아볼 수도 있을 것이다.

제7장

부자가 되기 위한 계획 vs. 가난해지기 위한 계획

가능한 빨리 삶의 계획을 짜는 것은 중요하다.
젊은 사람들의 문제는 늙는 것이 무엇인지 모른다는 것이다.
늙는 것이 어떤 것인지 안다면
자신의 경제적 삶을 다르게 계획할 텐데 말이다.

「대부분의 사람들은 가난한 사람이 될 계획을 갖고 있다」

「뭐라구요?」 내가 믿지 못하겠다는 표정으로 물었다. 「왜 그런 애기를 하십니까? 그리고 어떻게 그런 애기를 할 수 있습니까?」

「나는 사람들이 하는 애기를 귀담아들을 뿐이다」 부자 아버지가 말했다. 「어떤 사람의 과거, 현재, 그리고 미래를 보고 싶으면 그 사람이 하는 애기를 귀담아들으면 된다」

우리가 하는 〈말〉의 힘

부자 아버지는 투자에 관한 그날 수업이 끝났을 때 나에게 숙제를 내주었다. 「우리가 다시 만나기 전에 네가 네 아버지를 저녁 식사에 초대했으면 좋겠다……. 길고 오랜 저녁 식사에 말이다. 그리고 저녁을 먹으면서 네 아버지가 사용하는 단어들에 세심한 관심을 기울이기 바란다. 네 아버지가 하시는 말을 들은 후에 그 말들이 전하는 메시지에 관심을 기울이기 바란다」

그로부터 일주일쯤 후 부자 아버지와 나는 다시 만났다. 「그래, 네 아버지와의 저녁 식사는 어땠니?」 부자 아버지가 물었다.

「흥미로웠습니다」 내가 대답했다. 「저는 제 아버지가 선택한 단어들과 그런 단어들의 의미, 혹은 그곳에 숨어 있는 생각에 깊은 관심을 기울였습니다」

「그러면 너는 어떤 얘기를 들었니?」

「이런 얘기를 들었습니다. 〈나는 절대 부자가 되지 못할 것이다.〉」 내가 말했다. 「하지만 저는 자라면서 늘 그런 얘기를 들었습니다」

「그러니까 전에도 이미 그런 얘기를 들었다는 말이구나?」

나는 고개를 끄덕이면서 이렇게 얘기했다. 「아주 많이 들었습니다. 반복해서 여러 번 들었죠」

「그 밖에 또 어떤 얘기를 반복해서 들었니?」

「〈너는 돈이 나무에서 저절로 뚝 떨어진다고 생각하니?〉, 〈너는 내가 돈으로 만들어져 있다고 생각하니?〉, 〈부자들은 나 같은 사람들을 상관하지 않는다〉, 〈돈은 벌기에 힘든 것이다〉, 〈나는 부자가 되기보다 차라리 행복을 택하겠다〉」 내가 대답했다.

「이제 너는 내가 한 그 얘기를 이해할 수 있니? 그러니까 사람들이 자주 사용하는 말을 귀담아들으면 그들의 과거, 현재, 그리고 미래를 볼 수 있다는 얘기 말이다」 부자 아버지가 말했다.

나는 고개를 끄덕이면서 이렇게 얘기했다. 「그리고 저는 또다른 것도 알게 되었습니다」

「그래? 그것이 무엇이냐?」 부자 아버지가 물었다.

「아버님이 쓰시는 말은 사업가와 투자가들이 쓰는 말입니다. 제 아버지가 쓰시는 말은 학교 교사들이 쓰는 말입니다. 아버님이 사용하는 단어들은 〈시가 비율〉, 〈금융 레버리지〉, 〈EBIT〉, 〈도매 물가 지수〉, 〈이윤〉 혹은 〈현금흐름〉 같은 것입니다. 하지만 제 아버지가 사용하는 단어들은 〈시험 점수〉, 〈문법〉, 〈문학〉, 〈정부 보조금〉 혹은 〈임기〉 같은 것입니다」

부자 아버지가 미소를 지으면서 이렇게 얘기했다. 「돈이 있어야 돈을 벌 수 있는 것은 아니다. 부자인 사람과 가난한 사람의 차이는 그들이 사용하는 말에 있다. 어떤 사람이 부자가 되기 위해 할 필요가 있는 것은 자신의 경제적 어휘를 늘리는 것뿐이다. 그리고 다행히도 대부분의 어휘들은 공짜이다」

1980년대에 나는 창업과 투자를 가르치면서 많은 시간을 보냈다. 그 시기에 나는 사람들이 쓰는 말과 그들의 단어들이 어떻게 경제적인 성공과 연관이 있는지 알게 되었다. 사람들이 경제적으로 점점 더 성공하기 위해서는 특정한 주제에 관한 어휘를 점점 더 늘려야만 한다. 예를 들어, 나는 임대 사업 같은 작은 부동산 거래에 투자할 때는 그 분야에 관한 어휘를 늘렸다. 이어서 나는 비공개 기업들에 투자하기 시작할 때 그 분야의 어휘를 늘린 후에야 편안한 마음으로 그런 회사들에 투자할 수 있었다.

학교에서 변호사들은 법률 용어를 배우고, 의사들은 의학 용어를 배우고, 교사들은 교사들의 용어를 배운다. 우리가 학교를 졸업할 때 투자, 금융, 돈, 회계, 상법, 그리고 세법 관련 용어를 배우지 못했다면, 편안한 마음으로 투자하는 것은 어려울 것이다.

따라서 당신은 이 책을 읽을 때 우리가 사용하는 다양한 단어과 말들을 제대로 이해하기 바란다. 그리고 부자와 가난한 사람들의 한 가지 근본적인 차이는 그들이 사용하는 말과 어휘임을 늘 기억하라……. 그리고 그 말들은 공짜임을 기억하라.

가난해지기 위한 계획

부자 아버지의 이 말을 들은 후에 나는 다른 사람들이 주로 쓰는 말을 듣기만 해도, 왜 대부분의 사람들이 무의식적으로 가난해지기 위한 계획을 갖고 있는 것인지 알 수 있었다. 오늘날 나는 사람들이 이렇게 얘기하는 것을 종종 듣는다. 「내가 은퇴하면 내 소득은 줄어들 거야」 그리고 정말로 그렇게 된다.

사람들은 또 종종 이렇게 얘기한다. 「내가 은퇴한 후에는 내 욕구도 줄어들 거야. 그러니까 나는 돈이 더 적게 있어도 된다구」 하지만 그들이 종종 인식하지 못하는 것은, 어떤 비용은 실제로 줄어들기는 해도 다른 비용은 오히려 늘어난다는 사실이다. 그리고 종종 이런 비용은 (이를테면 그들이 늙었을 때 필요한 양로원 비용은)

아주 큰 것이다. 노인들을 위한 양로원 비용은 한 달에 5천 달러에 달한다. 이것은 오늘날 많은 사람들의 한 달 소득보다 많은 것이다.

어떤 사람들은 또 이렇게 얘기한다.「나에게는 계획이 필요 없다. 나에게는 직장에서 주는 퇴직 연금과 의료 보험이 있으니까」자신의 경제적 계획을 세운다는 것은 투자를 시작하기 전에 중요한 것이다. 왜냐하면 많은 다양한 경제적 욕구를 고려해야 하기 때문이다. 이와 같은 욕구에 포함되는 것은 대학 교육, 은퇴, 의료 비용, 그리고 장기적인 의료 혜택 등이다. 종종 크고 절박한 이런 욕구들을 제대로 충족시키려면 주식과 채권이나 부동산이 아닌 상품들, 이를테면 보험 상품이나 그 밖의 여러 투자 수단들에 투자하는 것이 필요하다.

늙는 것이 어떤 건지 안다면 경제적 계획을 세울 것이다

나는 돈에 관한 글로 사람들을 교육시켜 그들의 장기적인 경제적 성공을 도우려 한다.

나는 종종 내 강좌의 학생들에게 이렇게 얘기한다.「반드시 계획을 세워야 합니다. 먼저, 당신의 계획은 부자가 되기 위한 것인지, 아니면 가난한 사람이 되기 위한 것인지 자문해 보세요. 당신의 계획이 가난한 사람이 되기 위한 것이라면, 당신은 나이가 들수록 점점 더 경제적으로 여유 있는 세상을 찾는 데 어려움을 느낄 겁니다」

부자 아버지는 여러 해 전에 나에게 이렇게 얘기했다.「젊은 사람들의 문제는 늙는 것이 무엇인지 모른다는 것이다. 늙는 것이 어떤 것인지 안다면 자신의 경제적 삶을 다르게 계획할 텐데 말이다」

늙는 것에 대비한 계획

가능한 빨리 삶의 계획을 짜는 것은 중요하다. 내가 내 강좌에서 이 얘기를 할 때, 대부분의 학생들은 고개를 끄덕인다. 누구도 계획의 중요성에 대해서는 부인하지 않는다. 문제는, 실제로 그렇게 하는 사람들이 거의 없다는 것이다.

대부분의 사람들은 경제 계획을 작성할 필요가 있다는 데 동의하지만, 시간을 내서 그렇게 하는 사람은 거의 없다. 나는 이것을 알고 나서 무언가를 하기로 결심했다. 나는 어떤 강좌에서 강의 시작 한 시간 전에 천으로 된 끈을 찾아 그것을 여러 길이로 잘랐다. 나는 학생들에게 그중에서 하나를 집어 양쪽 끝을 발목에 묶으라고 얘기했다. 그런 후에 나는 또 하나의 끈을 주면서 그것으로 목을 감은 후에 다시 발목에 묶으라고 얘기했다. 그 결과 학생들은 발목에 끈이 묶여 제대로 걷지 못했고, 몸은 똑바로 서는 것이 아니라 45도 가량 각도로 구부려야 했다.

학생들 가운데 하나가 이것이 새로운 형태의 중국식 물고문이냐고 물었다. 나는 아니라고 대답했다. 「나는 그냥 여러분을 미래 속으로 데려갈 뿐입니다. 그 끈들은 이제 늙는 것이 무엇인지를 보여주는 겁니다」

학생들이 천천히 신음소리를 내었다. 몇몇 사람은 상황을 이해하기 시작했다. 호텔 직원들이 곧 긴 탁자 위에 점심을 갖다놓기 시작했다. 점심 메뉴는 샌드위치, 샐러드, 그리고 음료수였다. 문제는, 샌드위치는 포개져 있지 않았고, 빵은 잘라져 있지 않았고, 샐러드는 만들어져 있지 않았고, 음료수는 분말을 물에 타서 섞어야만 했다. 학생들은 이제 나이가 들어 몸이 굽은 채 직접 점심을 준비해야만 했다. 다음 두 시간 동안 학생들은 기를 쓰면서 빵을 자르고, 샌드위치를 포개고, 샐러드를 만들고, 음료수를 섞었다. 그들은 자리에 앉고, 음식을 먹고, 뒤처리를 했다. 당연히 많은 학생들은 그 두 시간 동안에 화장실에도 가야만 했다.

그 두 시간이 지난 후에 나는 학생들에게 이렇게 물었다. 「이제 잠시 시간을 내서 당신들의 삶을 위한 돈에 관한 계획을 적어 보겠습니까?」 학생들은 하나같이 그러겠다고 대답했다. 그들은 삶에 대한 관점이 바뀐 후에 경제 계획의 중요성에 대해서 새로운 시각을 갖게 되었다.

부자 아버지는 이렇게 얘기했다. 「많은 사람들의 문제는 그들은 은퇴할 때까지만을 계획한다는 것이다. 은퇴에 대비한 계획만으로는 충분치가 않다. 우리는 은퇴 이후를 위해서도 계획을 짜야 한다. 그리고 부자인 사람들은 적어도 자기 이후의 3대를 위해 계획을 짜야 한다. 그렇지 않으면 우리가 이 세상을 떠난 후에 돈도 떠날 수 있다. 그리고 지구를 떠나기 전에 돈에 대한 계획을 짜지 않으면, 그 돈은 정부가 가져갈 것이다」

✎ 나의 투자지수(Invest Quotient) 테스트

우리는 많은 경우에 우리의 깊은 생각들에 세심한 관심을 기울이지 않는다. 부자 아버지는 이렇게 얘기했다. 「우리의 삶을 결정하는 것은 우리가 큰 소리로 얘기하는 것이 아니다. 가장 큰 힘을 갖고 있는 것은 우리가 자신에게 속삭이는 것이다」

따라서 이번 질문은 다음과 같은 것이 된다.

1 당신의 계획은 부자가 되기 위한 것인가, 아니면 가난한 사람이 되기 위한 것인가?

부자 ______ 가난한 사람 ______

2 당신은 자신의 깊고 조용한 생각들에 종종 더 많은 관심을 기울일 의사가 있는가?

예 ______ 아니오 ______

3 당신은 시간을 투자해서 경제 용어를 배울 의사가 있는가? 일주일에 하나씩 새로운 경제 용어를 배우겠다는 첫번째 목표는 괜찮은 것이다. 그냥 단어 하나를 찾아 사전을 뒤져보고, 그 단어에 대한 하나 이상의 정의를 찾아보고, 그 단어를 그 주에 문장 속에서 사용하겠다는 마음을 가질 것인가?

예 ______ 아니오 ______

부자 아버지는 종종 이렇게 얘기했다. 「말은 생각으로 이어지고, 생각은 현실로 이어지고, 현실은 우리의 삶이 된다. 부자인 사람과 가난한 사람의 가장 중요한 차이는 그들이 사용하는 말이다. 어떤 사람의 외적인 현실을 바꾸고 싶다면 먼저 그 사람의 내적인 현실을 바꿀 필요가 있다. 그렇게 하려면 무엇보다 그 사람이 사용하는 말을 바꾸고 개선시켜야만 한다. 사람들의 삶을 바꾸고 싶다면 먼저 그들의 말을 바꾸어야 한다. 그리고 다행히도 우리가 쓰는 말은 공짜이다」

제8장

부자가 되는 것은 단순하고 지루한 과정이다

인간은 금방 지루함을 느끼고
무언가 더 흥미롭고 재미있는 것을 찾으려 한다.
그렇기 때문에 백 명 중에서 세 명만이 부자가 되는 것이다.
그들은 처음에는 계획을 따르지만 곧 지루함을 느끼게 된다.
그래서 그들은 부자가 되지 못한다.
그들은 부자가 되는 간단하고 단순한 계획을
따르는 지루함을 견디지 못한다.

내 친구인 톰은 훌륭한 주식 중개인이다. 톰은 종종 이렇게 얘기한다. 「슬프게도 열 사람의 투자가들 중에서 아홉 사람은 돈을 벌지 못한다」 톰은 계속해서 이렇게 설명한다.

「그렇다고 그 열 사람의 투자가들 중에서 아홉 사람이 반드시 돈을 잃는 것은 아니다. 다만 그들은 돈을 벌지 못할 뿐이다」

부자 아버지도 나에게 비슷한 얘기를 했다. 「스스로 투자가라고 생각하는 대부분의 사람들은 돈을 벌었다가 일주일 후에 돌려주게 된다. 그래서 그들은 돈을 잃는 것은 아니지만 돈을 버는 것도 아니다. 그럼에도 그들은 스스로 투자가라고 생각한다」

몇 년 전에 부자 아버지는 이렇게 설명했다. 즉, 사람들이 생각하는 투자는 사실 할리우드 스타일의 투자인 경우가 많다. 일반적인 사람들은 종종 객장의 거래인들이 거래가 시작되면 〈사자/팔자〉 주문을 외치는 모습이나, 큰손들이 단 한 번의 거래에서 수백만 달러를 버는 모습이나, 혹은 주가가 폭락해서 투자가들이 건물에서 뛰어내리는 모습을 상상한다. 부자 아버지에게 그것은 투자가 아니었다.

나는 어떤 프로에서 워렌 버펫이 인터뷰하는 장면을 본 기억이 난다. 그 인터뷰에서 워렌 버펫은 이렇게 얘기했다.「내가 객장에 가는 유일한 이유는 누가 멍청한 짓을 하려 하는지 보기 위해서입니다」버펫은 이어서 이렇게 설명했다. 즉, 그는 TV에서 투자 도사들의 조언을 듣거나 보거나 주가의 오르내림을 지켜보면서 투자에 대한 정보를 얻지는 않는다. 사실 그가 하는 투자는 이른바 투자에 관한 뉴스 중 돈을 버는 사람들과 주식 판촉자들의 그 모든 선전과 소음이 들리지 않는 먼 곳에서 하는 것이었다.

투자는 사람들이 생각하는 것과는 다르다

몇 년 전에 부자 아버지는 나에게 이렇게 설명했다. 즉,「투자는 대부분의 사람들이 생각하는 그것과는 다르다」그분은 이렇게 얘기했다.「많은 사람들은 투자가 극적으로 전개되는 흥미로운 과정이라고 생각한다. 많은 사람들은 투자가 엄청난 위험과 행운, 그리고 타이밍과 화끈한 조언을 포함하는 것이라고 생각한다. 어떤 사람들은 자신들이 이 신비스러운 〈투자〉라는 것에 대해 아는 것이 별로 없음을 인식한다. 그래서 그들은 자신들보다 더 많이 알 것으로 기대되는 누군가에게 자신들의 믿음과 돈을 맡긴다. 그 밖에 많은 투자가들은 자신들이 다른 사람들보다 아는 것이 많음을 입증하고 싶어한다. 그래서 그들은 투자를 하면서 자신들이 시장을 이길 수 있음을 입증하려 한다. 그러나 많은 사람들은 이것이 투자라고 생각하지만, 그것은 내가 생각하는 투자가 아니다. 내가 생각하는 투자는 계획이다. 그것은 종종 부자가 되기 위한 지루하고 거의 기계적인 과정이지」

「부자가 되기 위한 지루하고 거의 기계적인 과정이란 게 무슨 뜻인가요?」

「그것이 바로 내가 얘기한 것이고 내가 뜻하는 것이다」 부자 아버지가 말했다. 「투자는 단순한 하나의 계획이다. 그 계획은 공식들과 전략들로 구성되어 있다. 그것은 부자가 되기 위한 하나의 시스템이다. 그리고 그 결과는 거의 보장되는 것이다」

「부자가 되는 것을 보장하는 계획이라구요?」 내가 물었다.

「나는 거의 보장되는 것이라고 얘기했다」 부자 아버지가 말했다. 「늘 나름의 위험은 있지」

「그렇다면 투자는 반드시 위험하고 흥미로운 것은 아니라는 말인가요?」

「그렇다」 부자 아버지가 말했다. 「물론 그렇게 되기를 원하거나 투자는 그래야 한다고 생각하지 않을 경우에 하는 말이다. 하지만 나에게 있어 투자는 빵을 굽는 것처럼 단순하고 지루한 과정이다. 개인적으로 나는 위험을 아주 싫어한다. 나는 다만 부자가 되고 싶을 뿐이다. 그래서 나는 단순하게 그런 계획, 혹은 공식을 다루기만 한다. 나에게는 그것이 투자의 전부이다」

「그럼 투자가 단순하게 어떤 공식을 따르는 것이라면, 왜 그렇게도 많은 사람들이 그런 공식을 따르지 않는 거죠?」 내가 물었다.

「그건 나도 모른다」 부자 아버지가 말했다. 「나도 종종 스스로 그런 질문을 했다. 나도 왜 백 명 중에서 세 명만이 부자인지 궁금하게 생각했다. 우리 모두에게 부자가 될 기회가 있다는 개념으로 세워진 이 세상에서 부자가 되는 사람이 그렇게도 적은 이유는 무엇일까? 나는 부자가 되고 싶었다. 하지만 나에게는 돈이 없었다. 그래서 나로서는 부자가 되는 계획, 혹은 공식을 찾아 그것을 따르는 것이 당연한 일이었다. 이미 누군가 다른 사람이 그 길을 제시했는데 왜 굳이 스스로 계획을 짜려 하겠니?」

「그건 저도 모르겠습니다」 내가 말했다. 「아마 저는 그것이 공식임을 몰랐던 것 같습니다」

부자 아버지가 다시 말했다. 「나는 이제 대부분의 사람들이 단순한 계획을 따르는 것을 왜 그렇게도 어려워하는지 알게 되었다」

「왜 그런 거죠?」 내가 물었다.

「왜냐하면 부자가 되기 위한 단순한 계획을 따르는 것은 지루하기 때문이지」 부자 아버지가 말했다. 「인간은 금방 지루함을 느끼고 무언가 더 흥미롭고 재미있는 것을 찾으려 한다. 그렇기 때문에 백 명 중에서 세 명만이 부자가 되는 것이다. 그들은 처음에는 계획을 따르지만 곧 지루함을 느끼게 된다. 그래서 그들은 더 이상 계획을 따르지 않고 금방 부자가 되는 마술의 길을 찾게 되지. 그들은 지루함과 흥미로움, 그리고 또다시 이어지는 지루함의 과정을 평생 동안 반복한다. 그래서 그들은 부자가 되지 못한다. 그들은 부자가 되는 간단하고 단순한 계획을 따르는 지루함을 견디지 못한다. 대부분의 사람들은 투자를 통해서 부자가 될 수 있는 무언가 마술 같은 것이 있다고 생각한다. 혹은 그것이 복잡한 계획이 아니면 좋은 계획이 아니라고 생각한다. 내 말을 믿어라. 투자에 관해서는 단순한 것이 복잡한 것보다 더 낫다」

「그럼 아버님은 어디에서 그런 공식을 찾았나요?」 내가 물었다.

「모노폴리 게임을 하면서였다」 부자 아버지가 말했다. 「대부분의 우리는 어렸을 때 모노폴리 게임을 한 적이 있다. 차이가 있다면, 나는 어른이 된 후에도 그 게임을 계속했다. 내가 몇 년 전에 마이크와 너와 함께 몇 시간 동안 모노폴리 게임을 하곤 하던 것을 기억하니?」

나는 고개를 끄덕였다.

「그리고 그 간단한 게임이 가르치는 엄청난 재산의 공식을 기억하니?」

나는 다시 고개를 끄덕였다.

「그러면 그 간단한 공식과 전략은 무엇이니?」 부자 아버지가 물었다.

「녹색 집 넷을 산다, 그런 후에 녹색 집 넷을 빨간 호텔과 교환한다였죠」 나는 그렇게 말하면서 어렸을 때의 기억들을 떠올렸다. 「아버님은 가난하고 이제 막 시작하던 시기에 반복해서 이렇게 얘기했습니다. 즉, 현실 생활에서 모노폴리 게임을 하는 것이 아버님이 하시는 일이라고 말입니다」

「그리고 나는 그랬다」 부자 아버지가 말했다. 「내가 너에게 현실 생활에서 내 녹색 집들과 빨간 호텔들을 보여준 것을 기억하니?」

「예, 기억합니다」 내가 대답했다. 「저는 아버님이 정말로 현실 생활에서 그 게임을 하는 것을 알고 깜짝 놀랐습니다. 저는 그때 열두 살에 불과했지만 아버님에게 모노폴리는 게임 이상이었음을 알고 있었습니다. 다만 저는 그 간단한 게임이 아버님에게 부자가 되기 위한 전략, 혹은 공식을 가르치고 있음은 깨닫지 못했습니다. 저는 그것을 그런 식으로 보지 않았습니다」

「일단 그 공식, 그러니까 녹색 집 넷을 사서 빨간 호텔 하나와 바꾸는 그 과정을 배운 후에, 그 공식은 자동적인 것이 되었다. 나는 자면서도 그것을 할 수 있을 것 같았고, 실제로 그런 적이 많았던 것 같았다. 나는 많은 생각 없이도 그것을 자동적으로 할 수 있었다. 나는 10년 동안 단순하게 그 공식을 따랐다. 그러다가 어느 날 깨어보니 부자가 되어 있었다」

「그것만이 계획의 일부였나요?」 내가 물었다.

「그렇지는 않다. 하지만 그 전략은 내가 따랐던 간단한 공식들 가운데 하나였다. 내 경우에는 복잡한 공식은 따를 필요가 없었다. 그것을 배운 후에 자동적으로 할 수 없다면 그것을 따를 필요가 없다. 간단한 전략을 따르기만 하면 되는 것이다」

투자 계획은 간단할수록 좋다

부자 아버지는 여러 해 전에 나에게 이렇게 얘기했다. 「너를 부자로 만들어줄 공식을 찾아 그것을 따라해라」 나는 종종 사람들이 나에게 와서 그들이 주식을 5달러에 사서 30달러에 팔았다는 이야기를 할 때면 현기증을 느낀다. 내가 현기증을 느끼는 이유는 그런 종류의 이야기는 그들의 계획, 그들의 성공과는 상관없는 것이기 때문이다.

그와 같은 조언과 현금 이야기는 부자 아버지가 나에게 들려주었던 그 이야기를 상기시킨다. 그분은 이렇게 얘기했다.「많은 투자가들은 시골로 드라이브를 가는 가족과 비슷하단다. 차를 몰던 그들 앞에 갑자기 도로에서 뿔이 엄청나게 큰 몇몇 사슴들이 나타난다. 그러면 대개는 이렇게 소리친다. 〈저 큰 사슴들을 좀 보라구.〉 사슴들은 본능적으로 도로에서 뜀을 뛰며 근처의 숲속으로 들어간다. 운전자는 차를 돌려 숲속으로 사슴들을 따라간다. 숲속으로 난 길은 거칠고 험난하다. 가족들은 운전자에게 차를 멈추라고 소리친다. 그러다 갑자기 그 자동차는 둑을 넘어 그 밑에 있는 물 속으로 떨어진다. 이 이야기는 우리가 간단한 계획을 더 이상 따르지 않고 큰 돈을 좇기 시작할 때 어떤 일이 일어나는지를 보여준다」

✎ 나의 투자지수(Invest Quotient) 테스트

나는 어떤 사람이 이런 얘기를 할 때마다 몸을 움츠린다.「돈이 있어야 돈을 벌 수 있습니다」 내가 움츠리는 이유는 부자 아버지가 이렇게 얘기했기 때문이다.「너는 로케트 과학자가 되지 않아도 부자가 될 수 있다. 너에게는 대학 교육, 보수가 높은 일자리, 혹은 시작할 어떤 돈도 필요하지 않다. 너에게 필요한 것이라곤 네가 원하는 것을 알고, 계획을 짜고, 그것을 고수하는 것뿐이다」 다시 말해, 그 일에 필요한 것은 작은 원칙뿐이다. 그런데 문제는, 돈과 관련해서 작은 원칙은 종종 구하기 힘든 필수품이기도 하다.

「우리가 만난 적(敵)은 바로 우리였다」 이 말은 나에게 딱 들어맞는 것이다. 나는 부자 아버지의 말을 귀담아듣고 내 공식을 그냥 따르기만 했다면 훨씬 더 나은 결과를 보았을 것이다.

따라서 이번 질문은 다음과 같은 것이 된다.

1 당신은 당신의 경제적 목표를 달성하기 위한 계획의 일부로서 간단한 공식을 찾아 경제적 목표를 달성할 때까지 그것을 고수할 준비가 되어 있는가?

예 _____ 아니오 _____

제9장

자신에게 맞는 투자 계획을 찾아야 한다

내 계획에서 변하지 않는 것은
내가 궁극적으로 삶에서 원하는 것이다.
삶은 잔인한 교사다.
삶은 당신에게 먼저 벌을 준 후에 교훈을 준다.
나는 많은 실수와, 배움과 경험, 승리와 패배,
그리고 고점과 저점을 통해 성장했고 지식과 지혜를 얻었다.
따라서 나는 늘 발전하며 내 계획도 늘 발전한다.

「어떻게 하면 나에게 맞는 투자 계획을 찾을 수 있을까요?」 나는 종종 그런 질문을 받는다. 그때마다 나는 다음과 같이 단계적으로 하라고 애기한다.

——첫째, 시간을 내라. 그리고 지금까지의 삶에 대해 조용히 생각하라. 며칠 동안 조용히 생각하라. 필요하면 몇 주 동안이라도 생각하라.

——둘째, 그와 같은 조용한 시간에 이렇게 자문하라. 「나는 삶이라는 이 선물로 무엇을 하고 싶은가?」

——셋째, 한동안은 누구와도 얘기하지 말라. 적어도 당신이 원하는 것을 확실히 알 때까지는 얘기하지 말라. 사람들은 종종 당신이 원하는 것이 아닌, 그들이 원하는 것을 강요하는 때가 많다. 당신의 깊은 내적 꿈들을 가장 많이 죽이는 것은 다음과 같이 얘기하는 친구들과 가족들이다. 「멍청한 짓 하지 마라」 혹은 「너는 그것을 할 수 없어」 혹은 「나는 어떡하라구?」

기억하라. 빌 게이츠는 20대에 5만 달러로 시작해서 재산이 9백억 달러인 세계 최고의 부자가 되었다. 다행히도 그는 자신이 삶에서 무엇을 할 수 있는지 다른 사람들의 생각을 물어보지 않았다.

——넷째, 금융 컨설턴트에게 전화를 걸어라. 모든 투자 계획은 금융 계획에서 시작된다. 그 컨설턴트의 말이 마음에 들지 않으면 다른 컨설턴트를 찾아라. 당신은 가족 중 누군가 병에 걸리면 이 병원 저 병원, 이 의사 저 의사를 찾아다니며 여러 의견을 구하곤 한다. 그렇다면 왜 경제적인 문제나 금융상의 문제에 대해서는 많은 의견을 구하지 않는가? 금융 컨설턴트들은 여러 유형이 있다. 당신이 경제적 계획을 작성하는 데 도움을 줄 수 있는 컨설턴트를 선택하라.

당신에게 맞는 투자 계획을 어떻게 찾을 것인가

나에게는 서른 살 전에 백만장자가 되겠다는 목표가 있었다. 그것은 내 계획의 최종 결과였다. 문제는, 나는 그것을 달성한 후에 즉시 모든 돈을 잃고 말았다는 것이다. 그래서 나는 내 계획에 결함이 있음을 발견했지만, 내 전반적인 계획은 변하지 않았다. 내 계획을 달성한 후에 돈을 잃고 나서, 나는 그런 경험에서 배운 것을 바탕으로 계획을 수정해야만 했다. 그런 후에 나는 다시 계획을 세웠는데, 이번에는 마흔다섯 살이 될 때까지 경제적 자유를 얻고 백만장자가 되는 것이었다. 나는 마흔일곱 살이 되었을 때 그 새로운 목표를 달성했다.

요컨대, 내 계획은 여전히 같은 것이다. 다만 나는 점점 더 많은 것을 배우면서 계획을 개선할 뿐이다.

그러면 어떻게 당신의 계획을 찾을 것인가?

우선, 현실적인 목표를 세워라. 내가 5년 안에 백만장자가 되겠다는 목표를 세운 것은 그것이 나에게는 현실적이었기 때문이다. 그것이 현실적이었던 이유는 부자 아버지가 나를 인도했기 때문이다. 하지만 부자 아버지가 인도했다고 하더라도, 반드시 내가 실수에서도 자유로웠던 것은 아니었다. 그리고 나는 실수를 많이 했다. 그래서 나는 그렇게도 빨리 돈을 잃고 말았다. 이미 얘기했듯이, 내가 부자 아버지의 계획을 그냥 따르기만 했다면 삶은 더 쉬웠을 것이다. 그러나 나는 젊었기 때문에 내 방식대로 처리해야만 했다.

따라서 현실적인 목표들을 세우고, 그런 후에 교육과 경험이 늘어남에 따라 그런 목표들을 개선하거나 추가해라. 먼저 걷기 시작한 후에 그 다음에 뛰기 시작해야 가장 좋은 것임을 명심하라.

자신의 계획을 찾으려면 먼저 행동을 하라. 컨설턴트에게 전화를 걸고, 현실적인 목표를 세워라. 당신이 변하면서 목표도 변할 것임을 인식하라. 하지만 당신의 계획을 고수하라. 대부분의 사람들에게 궁극적인 계획은 경제적 자유를 찾는 것이다. 즉, 매일같이 돈을 위해 일하는 힘든 생활에서 자유로워지는 것이다.

두번째 단계는 투자는 팀 경기임을 아는 것이다. 나는 이 책에서 내 팀의 중요성을 자세히 설명할 것이다. 너무나도 많은 사람들이 스스로 무언가를 해야만 한다고 생각하는 경향이 있다. 글쎄, 물론 스스로 해야만 하는 일들도 있을 것이다. 하지만 때로는 팀이 필요한 경우도 있다. 당신은 금융 지능의 도움을 받아 언제 스스로 하고 언제 도움을 청해야 하는지 알 수 있다.

돈에 관해서 많은 사람들은 종종 혼자 고민하고 침묵 속에서 고생한다. 그들의 부모 역시 그랬을 가능성이 높다. 당신의 계획이 발전하면서 당신은 팀의 새로운 멤버들을 만나게 될 것이다. 그리고 그들은 당신이 경제적 꿈을 실현하는 데 도움을 줄 것이다. 당신 팀의 멤버들에는 금융 컨설턴트, 은행가, 회계사, 변호사, 중개인, 성공한 스승 등이 포함될 것이다.

기억하라. 팀 멤버를 찾는 것은 사업 파트너를 찾는 것과 아주 비슷하다. 그들은 가장 중요한 사업, 즉 당신의 삶이라는 사업을 수행하는 데 파트너의 역할을 한다.

✎ 나의 투자지수(Invest Quotient) 테스트

사실 내 계획은 변하지 않았지만, 그럼에도 그것은 여러 면에서 극적으로 변했다고 볼 수 있다. 내 계획에서 변하지 않는 것은 내가 시작한 곳과 내가 궁극적으로 삶에서 원하는 것이다. 나는 많은 실수와, 배움과 경험, 승리와 패배, 그리고 고점과 저점을 통해 성장했고 지식과 지혜를 얻었다. 따라서 나는 늘 발전하며 내 계획도 늘 발전한다.

어떤 사람은 이렇게 얘기했다. 〈삶은 잔인한 교사이다. 삶은 당신에게 먼저 벌을 준 후에 교훈을 준다.〉 우리가 좋아하건 싫어하건, 그것은 진정한 배움의 과정이다. 대부분의 우리는 이렇게 얘기하곤 한다.「내가 지금 아는 것을 그때도 알았더라면 내 인생은 달라졌을 텐데」 사실 내 경우에는 내 계획을 따라 여행하는 동안 그런 일이 일어났다. 그래서 내 계획은 기본적으로는 같은 것이지만 아주 다른 것이기도 하다. 왜냐하면 나도 다른 사람이기 때문이다. 나는 이제는 20년 전에 했던 것을 하지는 않을 것이다. 그렇지만 내가 20년 전에 한 것을 그때 하지 않았다면, 나는 지금 있는 곳에 있지 않을 것이고 지금 내가 아는 것을 알지 못할 것이다. 예를 들어, 나는 이제 20년 전에 했던 방식으로 사업을 운영하지 않을 것이다. 하지만 나는 첫번째 사업에서 실패하고 그 잔해에서 일어서려고 기를 썼기 때문에 더 나은 사업가가 될 수 있었다. 그래서 나는 서른 살이 되기 전에 백만장자가 되겠다는 내 목표를 달성하기는 했지만, 돈을 잃었기 때문에 오늘날 백만장자가 되었다. 그리고 그 모든 것은 계획을 따른 결과였다. 다만 내가 원했던 것보다 조금 더 오래 걸렸을 뿐이다.

그리고 투자에 관해서 나는 순조롭게 진행된 투자들에서보다 잘못된 투자들, 그러니까 돈을 잃었던 투자들에서 더 많은 것을 배웠다. 부자 아버지는 이렇게 얘기했다. 즉, 나에게 열 개의 투자가 있다면, 그중에서 세 개는 순조롭게 진행될 것이고 금융상의 홈런이 될 것이다. 그렇지만 나는 세 개의 홈런에서보다 두 개의 실패에서 더 많이 배울 것이다. 사실 그 두 개의 실패는 내가 다음번에 더 쉽게 홈런을 치도록 만드는 것이다. 그리고 그것은 모두 계획의 일부이다.

따라서 이번 질문은 다음과 같은 것이 된다.

1 당신은 간단한 계획에서 시작해 그것을 여전히 간단하게 만들면서도 계속해서 배우고 발전시킬 의사가 있는가? 다시 말해, 계획 자체는 바꾸지 않으면서도 계획에 따라 자신을 바꿀 의사가 있는가?

예 _____ 아니오 _____

제10장

부자가 되려면 세 가지 계획을 세워야 한다

삶에서 가능한 것들이 있음에도 자신들을 싸게 파는
사람들을 보는 것보다 더 비극적인 것은 없다.
그들은 알뜰하게 살려고 애쓰면서 한푼이라도 아끼고 저축하려 한다.
하지만 그것은 영리한 것이 아니라 경제적으로 속박하는 것이다.
대부분의 사람들은 경제적 무지 속에서 정신적으로 갇힌 채 살아간다.

우리는 제3장에서 투자를 하는 데는 세 가지 이유가 있다고 배웠다. 그 세 가지 이유는 다음의 것이었다.

1 안정

2 편안함

3 부자가 되는 것

이것들은 아주 중요한 개인적 선택 사항들이고 가볍게 여겨서는 안 되는 것들이다.

1973년에 베트남에서 돌아왔을 때 부자 아버지는 나에게 이렇게 물었다. 「너는 안정과 편안함, 부자가 되는 것 중에서 무엇을 가장 원하느냐?」

내 안의 깊은 곳에서 그 답은 당연히 〈부자가 되는 것〉이었다. 그것은 몇 년 동안 변한 적이 없었다. 그렇지만 그와 같은 욕망과 가치는 우리 집안 내에서는 상당히 억압되었다. 우리 가족에게는 일자리와 경제적 안정이 가장 우선이었다. 그리고 부자들은 사악하고 무식한 욕심쟁이로 여겨졌다. 내가 자란 집안에서 돈은 식사 시간에 언급되지 않았다. 왜냐하면 그것은 깨끗치 못한 주제, 지적인 토론의 가치가 없는 주제였기 때문이다. 하지만 그때 나는 스물다섯 살이 되었기 때문에 개인적인 진실을 드러낼 수 있었다. 나는 내 목록에서 안정과 편안함의 핵심 가치는 첫번째 우선 순위가 아님을 알고 있었다. 나에게는 부자가 되는 것이 첫번째 핵심 가치였다.

부자 아버지는 이어서 내 금융적인 핵심 가치들을 순서대로 나열하라고 얘기했다. 내가 작성한 목록은 다음과 같은 순서로 되어 있었다.

1 부자가 되는 것

2 편안함

3 안정

부자 아버지는 내 목록을 보면서 이렇게 얘기했다. 「좋다. 그럼 첫번째 단계는 경제적으로 안정되기 위한 금융 계획을 작성하는 것이다」

「뭐라구요?」 내가 물었다. 「방금 얘기했잖습니까? 저는 부자가 되고 싶다구요. 그런데 왜 안정을 위한 계획을 짜야 하는 거죠?」

부자 아버지가 소리내어 웃었다. 「내가 생각했던 대로구나」 그분이 말했다. 「이 세상에는 너처럼 부자가 되는 것만을 원하는 사람들이 무척 많다. 문제는, 대부분의 그런 사람들은 경제적 안정과 편안함을 이해하지 못하기 때문에 성공하지 못한다. 몇몇 사람들은 성공하기도 하지만, 부자가 되려다가 삶을 망가뜨린 사람들이 너무도 많다. 그들은 무모함으로 삶을 망가뜨린다. 바로 너 같은 사람들이지」

나는 그곳에 앉아 비명을 지르고 싶었다. 평생 동안 나는 가난한 아버지와 함께 살았다. 그분은 무엇보다 안정을 우선적으로 생각하는 분이었다. 이제 나는 마침내 나이가 차서 가난한 아버지의 가치들에서 빠져나올 수 있었다. 그런데 이제 부자 아버지는 같은 얘기를 하고 있었다. 나는 비명을 지르고 싶었다. 나는 부자가 되고 싶었다. 내가 원하는 것은 안정이 아니었다.

그로부터 3주일이 지나서 나는 다시 부자 아버지와 얘기할 수 있었다. 나는 무척 속이 상해 있었다. 내가 떨어져 나오려고 기를 쓴 모든 것을 그분은 다시 내 앞에 갖다놓았다. 마침내 나는 마음을 가라앉히고 다시 가르침을 받으려 했다.

「이제 귀담아들을 준비가 되었느냐?」

나는 고개를 끄덕이면서 이렇게 얘기했다. 「준비는 되었지만 그렇게 내키는 것은 아닙니다」

「첫번째 단계는,」 부자 아버지가 수업을 시작했다. 「내 금융 컨설턴트에게 전화를 걸어라. 그리고 이렇게 얘기해라. 〈저는 평생의 경제적 안정을 위해 금융 계획을 작성하고 싶습니다.〉」

「알겠습니다」 내가 말했다.

「두번째 단계는,」 부자 아버지가 말했다. 「기본적인 경제적 안정을 위한 금융 계획을 작성한 후에 나에게 전화를 걸어라. 그러면 그때 검토해 보자. 오늘 수업은 이것으로 끝이다. 잘 가거라」

다시 한 달이 지난 후에 나는 그분에게 전화를 걸었다. 나는 계획을 작성했고 그것을 그분에게 보여드렸다. 「좋구나」 그분은 그렇게만 얘기했다. 「그것을 따르겠느냐?」

「그럴 것 같지 않습니다」 내가 말했다. 「그것은 너무 지루하고 기계적입니다」

「그런 계획은 원래 그래야만 한다」 부자 아버지가 말했다. 「그것은 기계적이고, 자동적이고, 지루한 것이어야 한다. 하지만 나는 네가 그것을 따르도록 만들 수는 없다. 나는 네가 그렇게 하도록 권유할 수 있을 뿐이다」

나는 마음을 진정시키면서 이렇게 얘기했다. 「이제는 뭘 해야 하죠?」

「이제는 너의 개인적인 조언가를 찾고, 경제적으로 편안함을 느끼기 위한 금융 계획을 작성해라」 부자 아버지가 말했다.

「그러니까 조금 더 공격적이고 장기적인 경제적 계획 말인가요?」

「바로 그렇다」 부자 아버지가 말했다.

내가 말했다. 「그것이라면 하고 싶군요」

「됐다. 그런 계획이 준비되면 전화를 걸어라」

그로부터 4개월이 지난 후에 나는 다시 부자 아버지와 만날 수 있었다. 이번 계획은 그렇게 쉽지는 않았다. 혹은 내가 생각했던 것만큼 쉽지는 않았다. 나는 틈나는 대로 부자 아버지에게 전화를 걸어 내용을 확인했다. 하지만 그럼에도 그 계획은 내가 원했던 것보다 더 오래 걸렸다. 그렇기는 해도 그 과정은 아주 소중한 것이었다. 왜냐하면 나는 다양한 조언가들과 얘기를 나누면서 엄청나게 많은 것을 배웠기 때문이다. 나는 이제 부자 아버지가 나에게 가르치려 했던 개념들을 더 잘 이해하기 시작했다. 내가 배운 교훈은 내가 분명하지 않으면 조언가도 명확하게 이끌어줄 수 없기 때문에 나를 도울 수가 없다는 것이었다.

마침내 나는 부자 아버지와 만나 내 금융 계획을 보여드릴 수가 있었다. 「됐다」 부자 아버지는 그렇게만 얘기했다. 그분은 자리에 앉아 내 계획을 보다가 이렇게 질문했다. 「그러면 너는 네 자신에 대해서 무엇을 배웠니?」

「제가 삶에서 진정으로 원하는 것이 무엇인지 알아내는 것은 그렇게 쉽지 않음을 배웠습니다. 왜냐하면 오늘날 우리에게는 너무도 많은 선택들이 있기 때문입니다. 그리고 너무도 많은 선택들이 흥미롭게 보이기 때문입니다」

「아주 좋구나」 부자 아버지가 말했다. 「그리고 그렇기 때문에 너무도 많은 사람들이 오늘날 일자리를 옮기고 사업을 바꾸고 있다. 하지만 그들은 자신들이 경제적으로 가고자 하는 곳에 도달하지 못하고 있다. 그래서 그들은 종종 가장 중요한 자산인 시간을 낭비하며, 별계획 없이 삶에서 방황하고 있다. 그들은 지금 하는 일에 만족할 수도 있지만, 자신들이 무엇을 놓치고 있는지 제대로 알지 못한다」

「정말 그렇습니다」 내가 동의했다. 「이번에는 그냥 안정을 추구하는 대신에 제가 정말로 삶에서 원하는 것이 무엇인지 생각해야만 했습니다. 그리고 놀랍게도 전에는 결코 떠오르지 않았을 생각들을 알아봐야만 했습니다」

「이를테면?」 부자 아버지가 물었다.

「그러니까, 제가 정말로 삶에서 편안함을 느끼고 싶다면, 그때는 제가 삶에서 무엇을 갖고 싶은지 생각해야만 합니다. 예를 들면, 먼 곳으로 가는 여행이나 멋진 자동차, 화려한 휴가, 좋은 옷, 혹은 큰 집 같은 것입니다. 저는 생각을 미래로 확장시켜야 하며, 제가 삶에서 무엇을 원하는지 알아내야만 합니다」

「그러면 너는 무엇을 알아내었니?」 부자 아버지가 물었다.

「저는 안정만을 위한 계획을 갖고 있기 때문에 안정은 아주 쉬운 것임을 알아냈습니다. 하지만 저는 진정한 편안함이 무엇을 뜻하는지 알지 못했습니다. 그래서 저에게 안정은 쉬운 것이고, 편안함의 규정은 더 어려운 것입니다. 그리고 저는 이제 부자가 무엇을 뜻하는 것인지, 그리고 어떻게 부자가 되는 계획을 짤 수 있는지 빨리 알고 싶습니다」

「그래, 좋구나」 부자 아버지가 말했다. 「아주 좋구나」 이어서 그분은 이렇게 얘기했다. 「너무도 많은 사람들이 〈분수 이하로 살아야 한다〉거나 〈어려운 때를 대비해 저축해야 한다〉고 생각하며 살고 있다. 그들은 자신들의 삶에서 무엇이 가능한지 결코 알지 못한다. 그래서 사람들은 돈을 낭비하고, 호사스런 여행을 하거나 멋진 자동차를 사면서 빚을 지고, 그런 후에 죄의식을 느낀다. 그들은 시간을 내서 좋은 경제적 계획이 있기만 하면 경제적으로 무엇이 가능할 수 있는지 생각하지 못한다. 그리고 그것은 시간 낭비다」

「바로 그런 일이 일어났습니다」 내가 말했다. 「저는 조언가들과 만나고 무엇이 가능한지 토론하면서 많은 것을 배웠습니다. 저는 제가 자신을 값싸게 팔고 있음을 배웠습니다. 사실 저는 몇 년 동안 천장이 낮은 집으로 걸어 들어가는 기분이었습니다. 저는 한푼이라도 아끼고, 저축하고, 안정을 추구하고, 분수 이하로 살려고 애썼습니다. 이제 저는 편안함과 관련해 무엇이 가능한지에 대한 계획이 있기 때문에 〈부자〉라는 단어의 뜻을 규정하는 데 더 흥미로움을 느낍니다」

「좋다」 부자 아버지가 미소를 지으면서 얘기했다. 「늘 젊게 사는 방법은, 자라서 무엇이 되고 싶은지 결정하고, 그런 후에 계속해서 자라는 것이다. 삶에서 가능한 것들이 있음에도 자신들을 싸게 파는 사람들을 보는 것보다 더 비극적인 것은 없다. 그들은 알뜰하게 살려고 애쓰면서 한푼이라도 아끼고 저축하려 한다. 그러면서 그들은 그것이 영리한 짓이라고 생각한다. 하지만 그것은 영리한 것이 아니라 경제적으로 속박하는 것이다. 그리고 그것은 그들이 더 나이를 먹으면서 삶에서 보이는 자세와 그들의 얼굴에서 나타난다. 대부분의 사람들은 경제적 무지 속에서 정신적으로 갇힌 채 살아간다. 그래서 그들은 동물원의 작은 우리에 갇힌 사자들처럼 보이기 시작한다. 그들은 그냥 왔다갔다하면서 그들이 전에 알았던 삶은 어떻게 된 것인지 의아하게 생각한다. 사람들이 시간을 내서 금융 계획을 짜는 법을 배우면서 발견할 수 있는 가장 중요한 것들 가운데 하나는 자신들의 삶에서 경제적으로 무엇이 가능한지 알아내는 것이다. 그리고 그것은 아주 소중한 것이다.

그 계속적인 계획의 과정은 또 나를 젊게 유지시킨다. 나는 종종 왜 내가 시간을 들여 더 많은 사업, 투자, 그리고 돈벌이에 열중하는지 질문을 받는다. 그 이유는 그렇게 하면 기분이 좋아지기 때문이다. 물론 나는 그런 일을 하면서 많은 돈을 번다. 그렇지만 내가 그런 일을 하는 것은 돈을 벌면 젊음과 활력을 유지할 수 있기 때문이다. 우리는 위대한 화가에게 이제는 성공했으니 그림을 그만 그리라고 얘기할 수는 없다. 마찬가지로 나도 사업을 키우고, 투자를 하고, 더 많은 돈을 버는 일을 그만둘 수가 없다. 화가들이 그림을 그리는 것은 젊음과 활력을 유지하기 위해서인 것처럼, 나도 그래서 내가 하는 일을 한다」

「그러니까 시간을 내서 다양한 수준의 다양한 계획을 짜라는 것은 제 삶에서 경제적으로 가능한 것이 무엇인지 알아내라는 뜻인가요?」 내가 물었다.

「바로 그렇다」 부자 아버지가 말했다. 「그렇기 때문에 계획을 짜야 하는 것이다. 삶이라는 이 엄청난 선물에서 무엇이 가능할 수 있는지 더 많이 알아낼수록 너는 늘 젊게 살 수가 있다. 안정만을 위해서 계획을 짜는 사람, 혹은 〈은퇴하면 내 소득은 줄어들 것이다〉라고 말하는 사람들은 더 많은 것이 아닌 더 적은 것의 삶을 계획하는 것이다. 조물주는 우리에게 무한한 풍요로움의 삶을 선물로 주었다. 그런데 왜 더 적은 것을 갖는 계획으로 자신을 제한하려 하니?」

부자 아버지와 그곳에 앉아 있으면서 내 마음은 가난한 아버지에게로 향하기 시작했다. 나는 그분이 마음의 상처를 입고 다시 삶을 시작하기 위해 고생하고 있음을 알고 있었다. 나는 그분과 함께 앉아 돈에 대해 내가 알고 있는 몇 가지를 그분에게 보여드리려고 애쓴 적이 많았다. 하지만 우리는 대개 언쟁을 하곤 했다. 우리가 그렇게 언쟁을 한 것은 서로가 다른 핵심 가치들을 갖고 있는 상태에서 얘기했기 때문이었을 것이다. 하나는 안정이었고 다른 하나는 부자가 되는 것이었다. 나는 아버지를 무척 사랑했지만, 돈과 재산, 그리고 풍요라는 주제는 우리가 함께 얘기할 수 있는 주제가 아니었다. 마침내 나는 아버지가 당신의 삶을 살도록 놔두고 나는 내 삶을 사는 데 집중하기로 결심했다. 대신에 나는 아버지의 장점만을 사랑하면서 내가 생각하는 그분의 약점에 대해서는 얘기하지 않기로 결심했다. 어쨌거나 사랑과 존경심은 돈보다 훨씬 더 중요한 것이니까.

✎ 나의 투자지수(Invest Quotient) 테스트

돌이켜보면 내 진짜 아버지는 안정적인 일자리를 통한 경제적 안정만을 위한 계획을 갖고 있었다. 문제는, 그분의 계획은 그분이 상사에 대항해서 공직에 출마했을 때 실패했다는 것이다. 그분은 자신의 계획을 갱신하지 못했고 계속해서 안정만을 위한 계획을 갖고 있었다. 다행히도 그분은 경제적 안정의 욕구를 연금, 사회 보장 제도, 그리고 의료 보험으로 해결할 수 있었다. 그와 같은 안전망이 아니었다면 그분은 경제적으로 더 심각한 고생을 했을 것이다.

두 가지 생활 방식 모두에 금융 계획이 필요하다. 아쉽게도 대부분의 사람들은 돈이 충분치 않은 세상을 위한 계획만을 갖고 있다. 경제적 풍요로움의 세상도 가능한데 말이다. 그것에 필요한 것은 계획일 뿐이다.

따라서 이번 질문은 다음과 같은 것이 된다.

당신은 다음과 같은 것을 위한 경제적 계획을 갖고 있는가?

1 안정 : 예 _____ 아니오 _____

2 편안함 : 예 _____ 아니오 _____

3 부자가 되는 것 : 예 _____ 아니오 _____

세 가지에 대한 계획 모두 중요하다는 부자 아버지의 말씀을 기억하기 바란다. 하지만 안정과 편안함은 여전히 부자가 되는 것보다 앞서는 것이다. 부자가 되는 것이 당신의 첫번째 선택이라 해도 말이다. 요컨대, 당신이 부자가 되고 싶다면 세 가지 계획 모두가 필요하다. 편안함을 위해서는 두 가지 계획만 있으면 된다. 그리고 안정을 위해서는 한 가지 계획만 있으면 된다. 백 명 가운데 세 명만 부자라는 사실을 기억하라. 대부분은 하나 이상의 계획을 갖고 있지 못하다. 많은 사람들은 어떤 종류의 경제적 계획도 갖고 있지 못하다.

제11장

각각의 투자 계획에는 가격이 있다

많은 사람들이 부자가 되고 싶어한다.
혹은 부자들이 하는 투자를 따라하고 싶어한다.
하지만 대부분은 시간을 투자하려 하지 않는다.
그렇기 때문에 백 명 가운데 세 명만이 부자인 것이다.
그리고 그 세 명 중에서 한 명은 그 돈을 물려받은 사람이다.

「부자가 되기 위한 계획과 나머지 두 핵심적 가치들, 그러니까 안정과 편안함을 위한 계획의 차이는 무엇입니까?」 내가 물었다.

「그 차이는 가격이다」 부자 아버지가 말했다. 「부자가 되기 위한 계획과 나머지 두 가지 사이에는 엄청난 가격 차이가 있다」

「그러면 부자가 되기 위한 투자 계획에는 더 많은 돈이 필요하다는 뜻인가요?」 내가 물었다.

「글쎄, 대부분의 사람들에게는 그 가격이 돈으로 측정되는 것 같다. 하지만 더 자세히 보면 그 가격은 돈으로 측정되는 것이 아님을 알 수 있다. 그것은 사실 시간으로 측정된다. 그리고 시간과 돈 중에서 더 소중한 자산은 시간이다」

나는 얼굴을 찡그리면서 부자 아버지의 얘기를 이해하려 애썼다. 「그 가격이 시간으로 측정된다니 그게 무슨 뜻입니까? 예를 들어주시죠」

「만일 내가 LA에서 뉴욕까지 가고자 한다면, 버스로 가는 비용은 얼마나 들겠니?」

「잘 모르겠습니다. 아마 100달러가 채 안 될 겁니다」 내가 대답했다. 「저는 LA에서 뉴욕까지 버스로 간 적이 없습니다」

「나도 그런 적은 없다」 부자 아버지가 말했다. 「그러면 비행기로 LA에서 뉴욕까지 가는 데는 얼마나 들겠니?」

「이번에도 잘 모르겠습니다. 하지만 아마 500달러쯤 될 것 같습니다」 내가 대답했다.

「상당히 비슷하다」 부자 아버지가 말했다. 「그럼 이렇게 물어보자. 왜 그런 가격 차이가 나느냐? 어느 경우에건 LA에서 뉴욕까지 갈 수는 있다. 그런데 왜 더 많은 돈을 내고 비행기로 가느냐?」

「아, 알겠습니다」 그제야 나는 부자 아버지가 무엇을 얘기하려는지 알 수 있을 것 같았다. 「더 많은 돈을 내고 비행기로 가는 것은 시간을 절약하기 때문입니다」

「시간을 절약하기보다 시간을 사는 것이라고 생각해라. 시간은 소중한 것이라고, 그래서 가격이 있는 것이라고 생각하기 시작하면 더 부자가 될 수 있다」

나는 앉아서 조용히 생각했다. 나는 아직 부자 아버지의 얘기를 정확히 이해하지 못했다. 하지만 그것이 그분에게 중요한 것임은 알 수 있었다. 나는 무언가 얘기를 하고 싶었지만 무슨 말을 해야 할지 몰랐다. 나는 시간이 소중하다는 것은 이해하고 있었지만 그것에 가격이 있다고는 전혀 생각하지 못했다. 그리고 시간은 절약하는 것이 아니라 사는 것이라는 생각은 부자 아버지에게는 중요한 것이었지만 나에게는 아직 중요한 것이 아니었다.

마침내 내 정신적인 싸움을 감지한 부자 아버지가 이렇게 얘기했다.「틀림없이 너희 집에서는 〈절약〉이나 〈저축〉이라는 단어를 많이 사용할 게다. 틀림없이 너희 어머니는 쇼핑을 가면 돈을 절약하려 애쓴다고 얘기하실 게다. 그리고 너희 아버지는 얼마나 많은 돈을 저축하고 있는지가 중요한 것이라고 생각하실 게다」

「예, 그렇습니다」 내가 대답했다.「그러면 아버님께는 그것이 무슨 의미를 갖습니까?」

「글쎄, 사람들은 절약하려고 애를 쓸 수도 있지만 사실은 시간을 낭비하고 있는 거다. 나는 사람들이 백화점에서 몇 달러를 절약하기 위해 몇 시간을 소비하는 것을 본 적이 많다. 그들은 돈을 절약할 수도 있지만 돈 대신 시간을 낭비하는 것이다」

「하지만 절약은 중요한 것이 아닌가요?」 내가 물었다.「절약해서 부자가 될 수 있지 않나요?」

「나는 절약이 중요하지 않다고 얘기하는 것이 아니다」 부자 아버지가 말했다.「그리고 당연히 절약해서 부자가 될 수도 있다. 다만 나는 사실은 가격이 시간으로 측정된다고 얘기할 뿐이다」

「이렇게 생각해 보자」 부자 아버지가 말했다.「우리는 절약해서 부자가 될 수 있다. 하지만 그렇게 하려면 무척 오랜 시간이 걸린다. 그것은 마치 약간의 돈을 절약하려고 LA에서 뉴욕까지 버스로 가는 것과 같다. 그렇지만 진짜 가격은 시간으로 측정되는 것이다. 다시 말해, 비행기로 가면 500달러에 다섯 시간이 걸리지만, 버스로 가면 100달러에 5일이 걸리는 것이다. 가난한 사람들은 가격을 돈으로 측정하고, 부자들은 시간으로 측정한다」

「가난한 사람들은 돈보다 시간이 많기 때문에 버스로 가는 건가요?」 내가 물었다.

「그것도 이유의 일부이다」 부자 아버지가 그렇게 말하면서 고개를 저었다. 그것은 우리의 대화가 흘러가는 방향을 부자 아버지가 좋아하지 않는다는 뜻이었다.

「아니면 그들은 시간보다 돈을 더 소중히 여기기 때문인가요?」 내가 다시 물었다.

「조금 더 낫다」 부자 아버지가 말했다. 「사람들은 돈이 적을수록 돈에 더 집착한다. 나는 돈이 많은 가난한 사람들을 많이 만났다」

「돈이 많은 가난한 사람들요?」 내가 물었다.

「그렇다」 부자 아버지가 말했다. 「그들이 돈이 많은 가난한 사람들인 이유는, 돈에 무언가 마술의 가치가 있는 것처럼 돈에 집착하기 때문이다. 그래서 그들은 돈은 많지만 마치 돈이 없는 것처럼 가난하다」

「그래서 가난한 사람들은 종종 부자들보다 더 돈에 집착하나요?」 내가 물었다.

「나는 돈은 교환의 매개일 뿐이라고 생각한다. 사실 돈 자체는 별로 가치가 없다. 그래서 나는 돈이 생기자마자 무언가 가치가 있는 것으로 교환하고 싶어한다. 그러나 돈에 필사적으로 집착하는 사람들은 거의 가치도 없는 것들에 돈을 쓴다. 그래서 그들은 가난하다. 그리고 그들은 힘들게 번 돈을 헛되이 쓰고 만다」

「그래서 그들은 돈에 더 많은 가치를 두는군요」

「그렇다」 부자 아버지가 말했다. 「많은 경우에 가난한 사람들과 중산층 사람들이 고생하는 이유는 돈 자체에 너무도 많은 중요성을 부여하기 때문이다. 그래서 그들은 돈에 집착하고, 돈을 위해 힘들게 일하고, 알뜰하게 살려고 애를 쓰고, 세일할 때 쇼핑을 하고, 최대한 많이 절약하기 위해 기를 쓴다. 이런 사람들은 이렇게 해서 부자가 되려 한다. 하지만 결국에는 돈은 많을지 몰라도 여전히 인색한 사람으로 남는다」

「근검 절약도 필요한 것이기는 하다. 하지만 오늘 우리가 얘기하는 것은 부자가 되기 위한 계획과 나머지 두 계획들 사이의 차이에 관한 것이다」

「그리고 그 차이는 가격이라구요?」 내가 반복해서 말했다.

「그렇다」 부자 아버지가 말했다. 「그리고 대부분의 사람들은 그 가격이 돈으로 측정된다고 생각한다」

「하지만 아버님은 그 가격이 시간으로 측정된다고 얘기하는 거죠?」 나는 그렇게 반문하면서 부자 아버지의 생각을 조금씩 이해하기 시작했다. 「왜냐하면 시간은 돈보다 더 중요하니까요」

부자 아버지가 고개를 끄덕이면서 다시 얘기했다. 「많은 사람들은 부자가 되고 싶어한다. 혹은 부자들이 하는 투자를 따라하고 싶어한다. 하지만 대부분은 시간을 투자하려 하지 않는다. 그렇기 때문에 백 명 가운데 세 명만이 부자인 것이다. 그리고 그 세 명 중에서 한 명은 그 돈을 물려받은 사람이다」

「우리는 기계적인 시스템 혹은 계획을 사용해 안정과 편안함에 투자할 수 있다. 사실 나는 대부분의 사람들에게 그것을 권유한다. 그냥 일만 하면서 돈은 전문적인 관리자나 기관들에 맡겨 장기적으로 투자하는 것이다. 이런 방식으로 투자하는 사람들은 자신이 월가의 타잔이라고 생각하는 사람보다 더 잘될 것이다. 계획을 따르면서 꾸준히 돈을 맡기는 프로그램은 대부분의 사람들에게 가장 좋은 방식이다」

「하지만 부자가 되고 싶다면 돈보다 더 소중한 무언가에 투자해야 하고, 그것은 바로 시간이죠. 이번 수업에서 지금까지 아버님이 제게 이해시키려 했던 것이 그것 아닌가요?」

「네가 그 내용을 반드시 이해하도록 만들고 싶었다」 부자 아버지가 말했다.

「대부분의 사람들은 부자가 되고 싶어하지만 먼저 시간을 투자할 의사는 없다. 그들은 확실한 조언이나 금방 부자가 되는 요령만을 찾는다. 혹은 기본적인 사업 기술도 없이 서둘러 사업을 시작한다. 그래서 모든 소규모 사업들의 95%는 처음 5년에서 10년 사이에 실패하고 만다」

「사람들이 간단한 장기적 계획을 따르기만 하면 쉽게 백만장자가 될 수 있다. 하지만 대부분의 사람들은 시간을 투자하려 하지 않는다. 대신에 그들은 금방 부자가 되려 한다」

「그렇기 때문에 돈으로 가득 찬 세상에서 큰돈을 버는 사람들이 그렇게도 적은 것이다. 그렇기 때문에 인구의 90%는 돈이 너무 많은 문제가 아니라, 돈이 충분치 않은 문제를 갖고 있다. 돈과 투자에 대한 그들의 생각이 바로 그들의 돈 문제를 야기한다. 그들은 몇몇 단어, 몇몇 생각을 바꾸기만 하면 된다. 그러면 그들의 경제적인 세상은 마술처럼 바뀔 것이다. 하지만 대부분의 사람들은 일하느라 너무 바빠 시간이 없다. 많은 사람들은 이렇게 얘기한다. 〈나는 투자를 배우는 데 관심이 없어요. 나는 그런 주제에는 흥미가 없습니다.〉 하지만 그들이 보지 못하는 것은, 그렇게 말함으로써 그들은 돈의 노예가 되고 돈을 위해 일하면서 돈이 삶을 지배하게 만들고 알뜰하게 분수 안에서만 살게 된다. 그러면서 그들은 약간의 시간을 투자해 계획을 따르면 돈이 대신 일하게 만들 수 있음을 전혀 알지 못한다」

「그러니까 시간은 돈보다 더 중요하다는 거죠?」 내가 말했다.

「나에게는 그렇다」 부자 아버지가 말했다.「따라서 네가 부자 투자가 수준으로 나아가고 싶다면, 너는 다른 두 수준에서 그러는 것보다 훨씬 더 많은 시간을 투자해야만 한다. 대부분의 사람들은 시간을 투자하지 않기 때문에 안정과 편안함을 벗어나지 못한다. 나중에 그들을 보게 되면, 빈털터리가 된 채 거의 성공했을 뻔한 거래나 전에 갖고 있던 돈에 대해서만 얘기한다. 결국 그들은 말년에 시간도 없고 돈도 없다」

「그러니까 이제는 더 많은 시간을 투자할 때가 되었죠. 특히 저는 부자로 투자하고 싶으니까」 나는 그렇게 말하면서 시간도 없고 돈도 없는 늙은이가 된다는 생각에 몸을 떨었다. 그들은 술이나 마시면서 거의 될 뻔했던 거래들을 읊조린다. 나는 이미 그와 같은 투자가들을 만나 본 적이 있었다. 시간도 없고 돈도 없는 사람을 보는 것은 즐거운 일이 아니었다.

안정과 편안함의 수준에서 투자하는 것은 가능한 기계적이고 공식적으로 한다는 것을 의미한다. 당신은 그저 자신의 돈을 전문적인 (바라건대 믿을 수 있는) 관리자들에게 맡기면 된다. 그리고 그들은 당신의 계획을 따르기만 하면 된다. 당신이 일찍 시작하고 별들이 당신 위에서 빛난다면, 무지개의 끝에는 금 단지가 있을 것이다. 이런 투자는 간단할 수 있고 또 간단해야 한다.

그렇지만 조심할 것이 하나 있다. 삶에서 위험이 없는 것은 없다. 다만 저위험이 있을 뿐이며, 투자는 그와 같은 것이 되어야 한다. 따라서 당신이 금융상의 운영에 대해 확신하지 못하고 그쪽 사람들이나 그쪽 업계를 신뢰하지 못하면, 당신은 훨씬 더 많은 조사를 해야만 한다.

자신의 감정과 본능에 충실한 것은 중요한 일이다. 하지만 그것들이 당신의 전체적인 삶을 움직이도록 놔둬서는 안 된다. 따라서 이와 같은 불안감을 떨칠 수 없다면 더 조심스럽게 투자해야 한다. 하지만 늘 가격을 기억해야 한다. 즉, 더 안정적인 투자에서 돈을 버는 데는 더 많은 시간이 걸린다. 따라서 늘 맞바꿈이 있는 것이다. 혹은 사람들이 하는 말처럼 〈공짜 점심 같은 것은 없다〉. 모든 것에는 가격이 있으며, 투자 세상에서 그런 가격은 시간과 돈 모두로 측정된다.

일단 경제적 안정과 편안함을 위한 투자 계획이 마련되면, 그때는 친구에게서 듣는 우량 주식들에 더 잘 투자할 수 있게 된다. 금융 상품의 세상에서 투자를 하는 것은 재미있는 일이다. 하지만 그런 일은 책임감 있게 해야만 한다. 시장에는 사실상 도박성에 중독된 투자가들이 너무도 많다.

사람들은 나에게 이런 질문들을 한다.「당신은 어떤 주식에 투자하고 있습니까?」그럴 때 나는 이렇게 대답한다.「나는 주식을 고르지 않습니다. 그 일은 전문적인 자금 관리자들이 대신 해줍니다」

그러면 그들은 종종 이렇게 얘기한다.「나는 당신이 전문적인 투자가인 줄 알았습니다」

그러면 나는 이렇게 대답한다.「그렇습니다. 하지만 나는 대부분의 사람들이 투자하는 방식으로 투자하지 않습니다. 나는 부자 아버지가 가르쳐준 투자 방식으로 투자를 합니다」

나는 개인적으로, 그리고 적극적으로 부자 투자가들이 하는 방식을 따라 투자를 하려 한다. 이 수준의 투자 게임을 하거나 투자를 하는 사람들은 극소수에 불과하다. 이 책의 남은 부분은 그런 수준의 투자, 부자 아버지가 나에게 가르친 그런 투자를 다루게 된다.

따라서 이번 질문은 다음과 같은 것이 된다.

1 당신은 안정과 편안함에 대한 경제적 욕구를 해결하기 위한 투자 계획을 마련할 의사가 있는가?

예 _____ 아니오 _____

2 당신은 부자 수준, 즉 부자 아버지가 하는 수준의 투자를 배우기 위해 시간을 투자할 의사가 있는가?

예 _____ 아니오 _____

당신이 자신의 답을 확신하지 못하고 어느 수준의 각오가 있어야만 부자 아버지의 투자를 할 수 있는지 알고 싶다면, 이 책의 남은 부분에서 나름의 통찰력을 얻을 수 있을 것이다.

제12장

투자는 위험한 것이 아니다, 단지 위험하다고 느낄 뿐

투자 세계는 프로 풋볼 게임과 비슷하다.
TV에서는 해설가들이 블루칩 거인들의 싸움을 경기마다 설명한다.
열광하는 관중들은 입장권 대신 주식을 사면서
자신들이 좋아하는 팀을 응원한다.
대부분의 사람들이 스포츠 세계와 투자 세계의 경기장에서
보지 못하는 것은 장막 뒤에서 일어나고 있는 일이다.

사람들은 세 가지 주요 이유 때문에 〈투자는 위험하다〉고 얘기한다.

첫째, 그들은 투자가가 되기 위한 훈련을 받지 않았다. 대부분의 사람들은 학교에서 투자에 관한 훈련을 받지 않았다.

둘째, 대부분의 투자가들은 통제력이 없거나 부족하다. 부자 아버지는 이런 예를 사용했다. 「자동차 운전은 위험한 것이다. 하지만 정말로 위험한 것은 운전대에서 손을 놓고 차를 운전하는 것이다」 이어서 그분은 이렇게 얘기했다. 「투자에 관해서 대부분의 사람들은 운전대에서 손을 놓고 운전을 한다」 이 책의 첫번째 단계는 투자를 하기 전에 자신을

통제하는 것이다. 당신에게 계획과 약간의 원칙, 그리고 나름의 결심이 없다면, 나머지 통제들은 별 의미가 없을 것이다.

셋째, 사람들이 투자는 위험하다고 말하는 이유는 대부분의 사람들은 사업체의 내부에서가 아닌 외부에서 투자하기 때문이다. 대부분의 우리는 진짜 거래를 원할 때 그 사업체의 내부에 있어야만 우리 모두는 거래가 이뤄지는 곳이 내부임을 알고 있다. 투자 세상 역시 다르지 않다. 마이클 더글러스는 「월가」라는 영화에서 악역으로 연기하면서 이렇게 얘기했다. 〈당신은 내부에 있지 않으면 외부에 있는 것이다.〉

합법적 투자

이 책이 진행되는 동안에도 현금을 낳는 많은 황금 거위들이 도살당할 수도 있다. 내부 투자는 그런 것들 가운데 하나이다. 현실 세계에는 합법적인 내부 투자가 있고 불법적인 내부 투자가 있다. 이것은 중요한 구분이다. 뉴스에 등장하는 것은 불법적인 내부 투자이다. 하지만 현실 세계에는 뉴스에 등장하지 않는 합법적 내부 투자가 더 많다. 그리고 내가 얘기하는 것은 이런 유형의 내부 투자이다.

부자 아버지의 계획

부자 아버지는 이렇게 얘기했다.「안정과 편안함의 수준에서 투자할 때는 그 사업체의 외부에서 투자하는 것이 가장 좋다. 그렇기 때문에 우리는 우리보다 내부에 더 가까운 전문가에게 돈을 맡기는 것이다. 하지만 부자가 되고 싶다면 대부분의 사람들이 돈을 맡기는 전문가보다 그 사업체의 내부에 더 가까워야만 한다」

그리고 그것은 부자가 되기 위한 그분의 계획에서 가장 핵심적인 것이다. 그분은 바로 그런 일을 했고 그런 일을 했기 때문에 부자가 되었다. 내가 그분의 계획을 따르려면 일반 투자가보다 훨씬 더 많은 시간을 투자해야만 했다. 그리고 이 책의 남은 부분은 사실 그것에 관한 것이다. 이 책은 어떻게 해야 외부에서 내부로 이동할 수 있는지에 관한 것이다.

결정을 하기 전에

많은 사람들은 단지 그 사업체의 내부로 들어가기 위해 그렇게 많은 시간을 투자하고 싶어하지 않는다. 하지만 당신이 결정을 하기 전에, 그리고 부자 아버지의 계획에 대해 좀더 자세히 들어보기 전에, 나는 당신에게 투자에 관한 아주 단순화된 시각을 제공하고 싶다. 당신이 이 책을 몇 장 더 읽은 후에 투자 위험을 줄여서 더 성공적인 투자가가 되는 몇 가지 새로운 방법을 배웠으면 좋겠다. 설사 당신이 내부 투자가가 되고 싶지 않다 해도 말이다. 앞에서도 얘기했듯이, 투자는 아주 개인적인 주제이다. 그리고 나는 그런 현실을 전적으로 존중한다. 많은 사람들은 부자 아버지와 내가 그랬던 것처럼 투자라는 주제에 시간을 투자하려 하지 않는다.

✎ 나의 투자지수(Invest Quotient) 테스트

투자는 여러 면에서 프로 스포츠와 비슷하다. 프로 풋볼 게임을 예로 들어보자. 슈퍼볼이 열리면 전세계가 시청한다. 운동장에는 선수, 관중, 머리 위의 비행선, 치어리더, 장사꾼, 혹은 스포츠 해설가들이 있다. 그리고 집에서 TV로 경기를 지켜보는 관중들도 있다.

오늘날 많은 투자가들에게 투자 세계는 프로 풋볼 게임과 비슷하다. 등장하는 인물들도 비슷하다. TV에서는 해설가들이 블루칩 거인들의 싸움을 경기마다 설명한다. 열광하는 관중들은 입장권 대신 주식을 사면서 자신들이 좋아하는 팀을 응원한다. 치어리더들도 있다. 그들은 주가가 왜 올라갈 것인지 얘기한다. 혹은 주가가 떨어지면 다시 오를 것이라는 새로운 희망으로 분위기를 돋운다. 점수를 기록하는 사람들도 있다. 우리는 그들을 주식 중개인(브로커)이라 부른다. 그들은 우리에게 전화로 주가를 알려주고 우리의 베팅을 기록한다. 우리는 신문에서 스포츠면을 읽는 대신에 경제면을 읽는다. 심지어는 암표상 같은 사람들도 있다. 하지만 그들은 늦게 온 사람들에게 높은 가격으로 입장권을 팔지는 않는다. 그들은 내부의 게임에 더 가까이 가려는 사람들에게 높은 가격으로 금융상의 조언표를 판다. 다음에는 핫도그 장사꾼들도 있다. 그들은 금융 세계에서 위장약을 판다. 그리고 경기가 끝난 후에 청소를 하는 사람들도 있다. 그리고 당연히 집에서 시청하는 사람들도 있다.

대부분의 사람들이 스포츠 세계와 투자 세계의 경기장에서 보지 못하는 것은 장막 뒤에서 일어나고 있는 일이다. 그리고 그 사업체의 두 경우 모두 게임 뒤에 숨어 있는 사업이다. 어쩌면 당신은 가끔씩 소유주를 볼 수도 있다. 마찬가지로 당신은 기업의 CEO나 사장을 볼 수도 있다. 하지만 그들은 대표일 뿐 진정한 사업 대상은 아니다. 그래서 부자 아버지는 이렇게 얘기했다.「사업 뒤에 숨어 있는 사업이 진짜 게임이다. 누가 게임에서 이기건, 혹은 시장이 어느 방향으로 가건(오르건 내리건) 상관없이 돈을 버는 것은 바로 사업 뒤에 숨어 있는 사업이다. 그런 사업이 게임의 입장권을 판매한다. 그것은 입장권을 사지는 않는다」 부자 아버지가 나에게 가르친 투자 게임은 이것이었다. 그리고 이 책의 남은 부분은 그것에 관한 것이다. 그것은 세상에서 가장 부자인 사람들을 탄생시키는 투자 게임이다.

따라서 이번 질문은 다음과 같은 것이 된다.

1 당신은 자신을 통제할 준비가 되어 있는가?

예 _____ 아니오 _____

2 당신은 내부자로서 성공적인 투자가가 되기 위한 교육과 경험을 얻기 위해 시간을 투자할 의사가 있는가?

예 _____ 아니오 _____

제13장

어느 쪽에 앉고 싶은지 결정해야 한다

열심히 일해서 돈을 모으는 사람들은
종종 투자는 위험한 것이라고 생각한다.
어떤 것이 위험하다고 생각하는 사람들은
종종 새로운 것을 배우는 것도 피하려 한다.
그래서 그들은 동전의 다른쪽 면을 제대로 보지 못한다.

왜 투자는 위험하지 않은가

부자 아버지는 이렇게 얘기했다. 「열심히 일해서 돈을 모으는 것은 안정과 편안함을 위해서 중요한 것이다. 하지만 부자가 되고 싶다면 열심히 일해서 돈을 모으기만 해서는 안 될 것이다. 게다가 열심히 일해서 돈을 모으는 사람들은 종종 〈투자는 위험하다〉라고 말하는 사람들이다」

부자 아버지가 마이크와 나에게 열심히 일해서 돈을 모으는 것은 그분이 부자가 된 방식이 아니라는 것을 상기시킨 데는 여러 가지 이유가 있었다. 그분은 열심히 일해서 돈을 모으는 것은 일반 대중에게는 좋은 것이지만 부자가 되고자 하는 사람에게는 그렇지 않음을 알고 있었다.

그분이 부자가 되는 다른 길을 찾으라고 권유한 데는 세 가지 이유가 있었다. 그 세 가지 이유는 다음과 같다.

첫째, 그분은 이렇게 얘기했다.

「열심히 일해서 돈을 모으는 사람들이 부자가 되는 데 어려움을 겪는 이유는 자신들의 몫 이상으로 많은 세금을 내기 때문이다. 정부는 이런 사람들에게 그들이 벌 때, 그들이 모을(저축할) 때, 그들이 소비할 때, 그리고 그들이 죽을 때도 세금을 매긴다. 부자가 되고 싶다면 단순하게 열심히 일해서 돈을 모으는 것보다 더 많은 금융 지혜가 필요하다」

부자 아버지는 계속해서 이렇게 얘기했다. 「우리가 1천 달러를 저축할 때, 정부는 이미 자신들의 몫을 세금으로 챙겼다. 따라서 1천 달러를 저축하려면 1,300달러 혹은 그 이상이 필요할 것이다. 그리고 그 1천 달러도 즉시 인플레로 가치가 떨어지고 만다. 그 1천 달러는 매년 가치가 떨어지게 된다. 우리가 지급받는 얼마 안 되는 이자도 세금과 인플레로 깎이고 떨어진다. 그래서 가령 우리의 은행이 5%의 이자를 지급하고, 인플레는 4%로 진행되고, 세금은 그 이자의 30%에 해당할 때, 우리는 결국 손해를 보게 된다」 그렇기 때문에 부자 아버지는 열심히 일해서 돈을 모으는 것은 부자가 되기 위한 힘든 방법이라고 생각했다.

두번째 이유는 이런 것이었다.

「열심히 일해서 돈을 모으는 사람들은 종종 투자는 위험한 것이라고 생각한다. 어떤 것이 위험하다고 생각하는 사람들은 종종 새로운 것을 배우는 것도 피하려 한다」

세번째 이유는 이런 것이었다.

「열심히 일해서 돈을 모으고 투자는 위험한 것이라고 생각하는 사람들은 동전의 다른쪽 면을 제대로 보지 못한다」

이번 장에서는 투자가 왜 반드시 위험한 것은 아닌지를 다룰 것이다.

내가 열두 살에서 열다섯 살 사이였을 때, 부자 아버지는 자신의 회사에서 일자리를 찾는 사람들을 면접하는 동안 내가 그분 쪽에 앉도록 했다. 그분이 그 모든 면접을 하는 오후 4시 반에, 나는 커다란 갈색 나무 탁자 뒤에서 그분 옆에 있는 의자에 앉아 있곤 했다. 맞은쪽 편에는 면접받는 사람을 위한 나무 의자가 하나 있었다. 그분의 비서가 면접자들을 한 사람씩 그 커다란 방으로 안내하면서 그 텅 빈 외로운 의자에 앉도록 지시했다.

나는 다 큰 어른들이 시간당 1달러의 임금과 최소한의 혜택만을 지급하는 일자리를 찾는 것을 지켜보았다. 나는 비록 십대에 불과했지만 하루에 8달러의 임금으로는 부자는커녕 가족 부양조차 어려울 것임을 알고 있었다. 나는 또 대학을 졸업한, 몇몇 경우에는 박사 학위까지 받은 사람들이 부자 아버지에게 월급이 5백 달러도 되지 않는 관리직이나 기술직을 요청하는 것도 보았다.

부자 아버지는 그런 면접들을 하기 전이나 하는 도중, 혹은 한 후에도 나에게 얘기를 하지 않았다. 마침내 나는 열다섯 살이 되었을 때 그 탁자 뒤에 앉는 것에 지루함을 느끼며 그분에게 이렇게 물었다.「왜 제가 이곳에 앉아 사람들이 일자리를 찾는 것을 지켜보도록 하시는 거죠? 저는 배우는 것도 없고 이제는 점점 더 지루함을 느낍니다. 게다가 일자리와 돈이 너무도 필요한 어른들을 보는 것은 고통스런 일이에요. 그들 중에는 정말로 절박한 사람들도 있습니다. 그들은 아버님이 새로 일자리를 주지 않는 한 지금의 일자리를 그만둘 수가 없습니다. 그들 중에서 일부는 봉급이 없으면 3개월도 버티지 못할 거예요. 그리고 그들 중에서 일부는 아버님보다 더 나이가 많은데도 돈은 전혀 없는 것 같아요. 그들은 왜 그렇게 된 거죠? 왜 아버님은 제가 이것을 보도록 하시는 겁니까? 저는 아버님과 이 일을 할 때마다 마음이 아픕니다. 저는 그들이 일자리를 찾는데는 아무 상관이 없습니다. 하지만 제가 그들의 눈에서 볼 수 있는 돈에 대한 절박함은 정말로 제 마음을 아프게 합니다」

부자 아버지는 잠시 탁자 앞에 조용히 앉아 생각을 정리했다.「나는 네가 그런 질문을 할 때까지 기다렸다」그분이 말했다.「나도 마음이 아프다. 그래서 나는 네가 더 나이가 들기 전에 이것을 보도록 하는 것이다」부자 아버지는 노란색 메모지를 집어들고 〈현금흐름 사분면〉을 그렸다.

「너는 이제 막 고등학교에 입학했다. 너는 곧 자라서 무엇이 될 것인지에 관한 아주 중요한 결정들을 내리게 될 것이다. 아직 그런 결정들을 내리지 않았다면 말이다. 나는 네 아버지가 너에게 대학을 졸업해서 보수가 높은 일자리를 얻으라고 권유한다는 것을 알고 있다. 네 아버지의 조언대로 할 때 너는 이 방향으로 가게 될 것이다」그러면서 부자 아버지는 사분면의 〈E〉와 〈S〉 쪽으로 화살표를 그렸다.

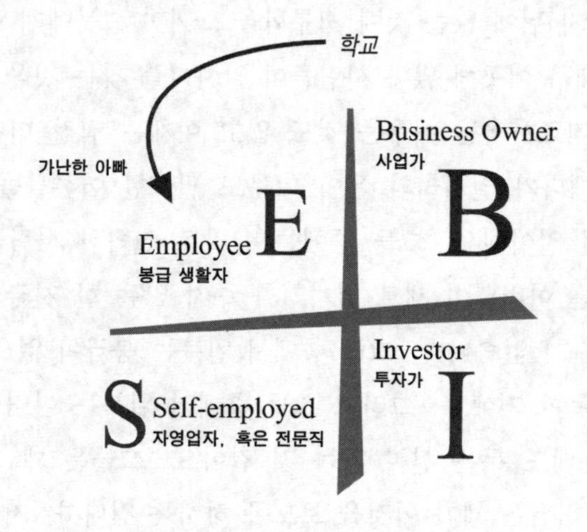

「내 말을 들을 때 너는 사분면의 오른쪽에 속하는 사람이 되기 위한 공부를 하게 될 것이다」 그러면서 부자 아버지는 사분면의 〈B〉와 〈I〉 쪽으로 화살표를 그렸다.

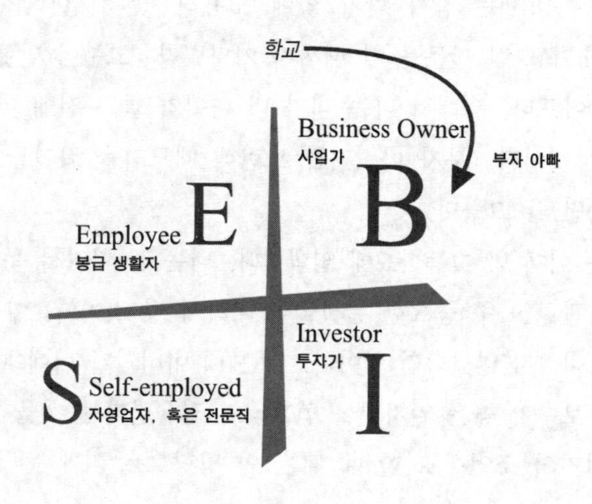

「아버님은 지금까지 제게 여러 번 이것을 보여주시고 얘기했습니다」 내가 조용히 대답했다. 「왜 계속해서 이것을 보여주시는 것입니까?」

「왜냐하면 네가 네 아버지의 얘기를 듣게 되면 얼마 안 가서 탁자의 맞은편에 있는 그 외로운 나무 의자에 앉게 될 것이기 때문이다. 하지만 내 얘기를 듣게 되면 너는 탁자의 내쪽 편에 있는 이 나무 의자에 앉게 될 것이다. 너는 고등학교에 들어가면서 의식적이건 무의식적이건 이런 결정을 내리게 된다. 내가 너를 탁자의 내쪽 편에 앉힌 이유는 서로 다른 관점이 있음을 알라는 뜻에서다. 그렇다고 탁자의 한쪽 편이 다른쪽 편보다 더 낫다고 얘기하는 것은 아니다. 어느 편이건 나름대로 장점과 단점이 있다. 다만 나는 이제 네가 어느쪽 편에 앉고 싶은지 선택하기를 바랄 뿐이다. 왜냐하면 네가 오늘부터 공부하는 것이 탁자의 어느쪽 편에 서게 될지를 정하게 될 것이기 때문이다. 너는 탁자의 〈E〉와 〈S〉편에 서고 싶으냐, 아니면 〈B〉와 〈I〉편에 서고 싶으냐?」

그로부터 10년 후

1973년에 부자 아버지는 내가 열다섯 살 때 나누었던 그 얘기를 다시 상기시켰다. 「너는 내가 너에게 탁자의 어느쪽 편에 서고 싶은지 물었던 것을 기억하니?」 부자 아버지가 말했다.

나는 고개를 끄덕이면서 이렇게 대답했다. 「그때 누가 안정적인 일자리와 종신 고용의 옹호자인 저희 아버지가 50세의 나이에 다시 탁자의 맞은편에 앉게 될 것이라고 예견할 수 있었겠습니까? 저희 아버지는 40세 때 승승장구하셨지만 불과 10년 후에 모든 것을 잃었습니다」

「글쎄, 너희 아버지는 아주 용기 있는 분이시다. 아쉽게도 그분은 이런 일에 대비해 계획을 짜지 않았고, 그래서 이제는 경제적으로뿐만 아니라 직업적으로도 고통을 당하고 계시다. 그분이 빨리 변하지 않으면 상황은 더 나빠질 수도 있다. 너희 아버지가 계속해서 안정적인 일자리에 대한 과거의 믿음을 유지한다면, 그분은 아마도 삶의 마지막 시기를 낭비하게 될 것이다. 나로서는 지금 네 아버지를 도울 수는 없지만 너를 인도할 수는 있다」

「그러니까 아버님은 탁자의 어느쪽 편에 앉을 것인지 선택하라고 얘기하시는 거죠?」 내가 말했다. 「항공사에서 조종사의 일자리를 선택할 것인지, 아니면 제 자신의 길을 걸을 것인지?」

「꼭 그렇지는 않다」 부자 아버지가 말했다. 「이 수업에서 내가 원하는 것은 너에게 무언가를 일깨우는 것뿐이다」

「그것이 무엇인데요?」 내가 물었다.

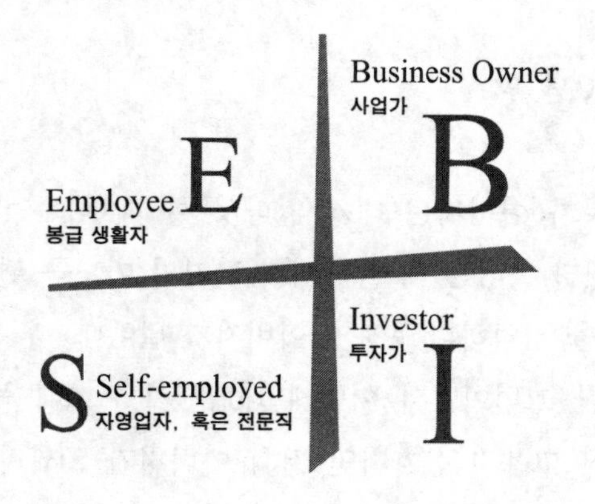

「너무도 많은 젊은 사람들이 사분면의 한쪽 면에만 초점을 맞춘다. 대부분의 사람들은 어렸을 때 이런 질문을 듣는다. 〈너는 나중에 커서 뭐가 되고 싶니?〉 그러면 대부분의 아이들은 다음과 같은 대답들을 한다. 〈소방수〉, 혹은 〈발레리나〉, 혹은 〈의사〉, 혹은 〈교사〉」

「그러니까 대부분의 아이들은 사분면의 〈E〉와 〈S〉를 선택하는군요」 내가 덧붙였다.

「그렇다」 부자 아버지가 말했다. 「그리고 투자가 사분면인 〈I〉 사분면은 나중에야 생각을 하는 경향이 있다. 그것을 생각이라도 하는 사람들은 말이다. 많은 가정에서 〈I〉 사분면을 생각하는 유일한 경우는 부모들이 이렇게 말할 때이다. 〈좋은 복지 혜택과 퇴직 연금 제도가 튼튼한 일자리를 얻어야 한다.〉 다시 말해, 자신의 장기적인 투자 욕구를 회사가 책임지도록 하라는 말이다. 그렇지만 그런 상황은 지금 빠르게 변하고 있다」

「왜 그렇게 얘기하시는 거죠?」 내가 물었다. 「왜 그것이 변하고 있다고 얘기하시는 거죠?」

「우리는 지금 글로벌 경제 시대로 진입하고 있다」 부자 아버지가 말했다. 「기업들은 글로벌 경제에서 경쟁하려면 비용을 줄여야만 한다. 그리고 그들의 주요 비용들 가운데 하나는 직원들에게 제공하는 혜택들과 직원들의 퇴직을 위한 기금이다. 내 말을 명심해야 한다. 앞으로 몇 년만 지나면 기업들은 직원들의 퇴직을 위한 투자 책임을 직원들에게 이전시키기 시작할 것이다」

「그러니까 사람들은 앞으로 고용주나 정부에 의존하는 대신에 스스로 연금을 마련해야 한다는 말인가요?」 내가 물었다.

「그렇다. 그런 문제는 가난한 사람들에게 가장 극심해질 것이다.

그리고 내가 걱정하는 사람들은 바로 그런 사람들이다」 부자 아버지가 말했다.

「그러면 저는 어떻게 해야 하죠?」 내가 물었다.

「다른 사분면이 아닌 〈I〉 사분면을 가장 중요한 사분면으로 만들어라. 나중에 자라서 투자가가 되는 길을 선택해라. 너는 돈이 대신 일하게 함으로써 네가 일하고 싶지 않을 때나 혹은 일할 수 없을 때 일을 하지 않을 수도 있다. 너는 50세의 나이에 네 아버지처럼 되고 싶지는 않을 것이다. 네 아버지처럼 나이가 든 후에 다시 처음부터 시작하면서 어느 사분면에서 가장 많은 돈을 벌 수 있는지 알아내려 하면서 평생 봉급 생활자들이 속해 있는 〈E〉 사분면에 갇혔음을 깨닫고 싶지는 않을 것이다」 부자 아버지가 말했다.

「너는 어떻게 모든 사분면에서 활동할 수 있는지 배우고 싶을 것이다. 탁자의 양쪽 편 모두에 앉을 수 있게 되면 너는 동전의 양쪽 면 모두를 볼 수 있을 것이다」

아이들을 어떻게 가르쳐야 할까

부자 아버지는 나에게 이렇게 설명했다. 즉, 부자들과 가난한 사람들의 한 가지 차이점은 부모들이 아이들에게 집에서 가르치는 것에서 비롯된다. 그분은 이렇게 얘기했다. 「마이크는 이미 열다섯 살이 되었을 즈음에 20만 달러가 넘는 개인적 투자 포트폴리오를 갖고 있었다. 하지만 너에게는 아무것도 없었다. 너에게 있는 것이라곤 학교에 가서 좋은 혜택이 있는 일자리를 얻으라는 얘기뿐이었다.

네 아버지는 그것이 중요한 것이라고 생각했지」

부자 아버지는 자신의 아들인 마이크는 고등학교를 졸업하기 전에 투자가가 되는 법을 알고 있었다고 나에게 상기시켰다.「나는 마이크가 어떤 길을 선택하든 간섭하지 않으려고 애를 썼다. 나는 마이크가 자신의 관심 분야를 따르기를 원했다. 설사 그것이 내 사업을 넘겨받는 것이 아니라 해도 말이다. 하지만 마이크가 선택한 것이 경찰관이든, 정치인이든, 혹은 시인이든, 나는 내 아들이 먼저 투자가가 되기를 원했다. 투자가가 되는 법을 배우면 그때까지 어떤 방식으로 돈을 벌건 훨씬 더 부자가 될 수 있기 때문이다」

✎ 나의 투자지수(Invest Quotient) 테스트

산업 시대의 고용 규칙은 이런 것이었다. 즉, 회사가 당신을 평생 동안 고용하면서 당신이 더 이상 일을 못하게 되면 당신의 투자 욕구를 책임졌다. 다시 말해, 당신은 봉급 생활자가 속하는 〈E〉 사분면에만 초점을 맞추면 되었고, 그러면 당신의 회사가 투자가들이 속하는 〈I〉 사분면을 책임져 주었다. 그런 상황은 특히 우리 부모들의 세대에게 아주 편안한 것이었다. 왜냐하면 그들은 끔찍한 전쟁과 대공황을 경험했기 때문이다. 그와 같은 사건들은 그분들의 정신적 자세와 경제적 우선 순위에 엄청난 영향을 끼쳤다. 많은 사람들은 아직도 그런 자세로 살고 있으며, 그들은 그와 같은 자세를 자신들의 아이들에게도 가르친다.

다행히도 〈I〉 사분면은 책임감을 배우는 데 아주 멋진 사분면이다. 왜냐하면 자유는 그 사분면에서 나오기 때문이다.

따라서 이번 질문은 다음과 같은 것이 된다.

1 당신에게 가장 중요한 사분면은 어느 사분면인가?

E(봉급 생활자)______ S(자영업자 혹은 전문직 종사자)______

B(사업가)______ I(투자가)______

2 당신은 궁극적으로 탁자의 어느쪽 편에 앉을 계획인가?

____

나는 두번째 질문을 하면서 답을 제시하지 않았다. 그것은 이와 같은 현상 때문이다. 즉, 아마도 당신은 어떤 주요 기업이 수천 명의 직원들을 해고하겠다고 발표하면 종종 주가가 올라가는 것을 보았을 것이다. 그것은 탁자의 양쪽 편에 관한 한 가지 예이다. 어떤 사람이 다른쪽 편으로 이동하면, 세상에 대한 그 사람의 관점도 변하게 된다. 그리고 어떤 사람이 사분면을 이동하면, 그것이 정신적이고 감정적인 것에 불과하더라도, 그때는 종종 충성심도 변하게 된다. 그리고 나는 이와 같은 변화가 시대의 변화, 즉 산업 시대의 사고 방식에서 정보 시대의 사고 방식으로의 변화로 야기되는 것이라고 믿는다. 그리고 이것은 기업과 그 기업의 리더들에게 가장 큰 도전을 야기시킨다. 흔히 말하듯이 〈규칙들은 이제 막 변하기 시작했을 뿐이다〉.

제14장

투자의 기본 규칙 일곱 가지

진짜 투자가는 무슨 상황이 발생하든 〈대비〉한다는 것이다.
하지만 가짜 투자가는 무엇이 언제 일어날 것인지 〈예측〉하려 애쓴다.

어느 날 나는 내 인생의 경제적 진행 상황에 대해 당혹감을 느끼고 있었다. 나는 이제 4개월만 있으면 군대에서 제대해 민간인으로 돌아갈 예정이다. 나는 이미 항공사에 조종사 일자리를 얻으려는 시도를 중단한 상태였다. 나는 1974년 6월 사업의 세계로 들어가기로 결정하고, 내가 사업가들이 속한 〈B〉 사분면에서 무언가를 해낼 수 있는지 보기로 했다. 그것은 어려운 결정이 아니었다. 부자 아버지가 나를 인도할 것이기 때문이었다. 하지만 경제적으로 성공해야 한다는 압박감이 나를 짓눌렀다. 나는 경제적으로 너무 뒤처져 있다는, 특히 마이크와 비교할 때 더 그렇다는 기분을 느꼈다.

부자 아버지와 만났을 때 나는 그런 내 생각과 당혹감을 얘기했다. 「저는 두 가지 계획을 마련했습니다. 하나는 기본적인 경제적 안정을 갖겠다는 계획이고, 다른 하나는 더 공격적인 것으로 경제적 안락함을 느끼겠다는 투자 계획입니다. 하지만 그런 계획들이 성공한다 해도 그런 속도로는 아버님과 마이크처럼 부자가 될 수는 없을 겁니다」

부자 아버지는 내 말을 듣고 싱긋 웃었다. 그분은 조용히 미소를 지으면서 이렇게 얘기했다. 「투자는 경주가 아니다. 너는 다른 사람들과 경쟁하는 것이 아니다. 더 많은 돈을 벌기 위해 네가 해야 할 일은 그냥 더 좋은 투자가가 되는 데 초점을 맞추는 것뿐이다. 그렇게 하면서 투자가로서 경험과 교육을 쌓아가는 데 집중해야 한다. 그러면 너는 엄청난 재산을 모을 수 있다. 네가 원하는 것이 빨리 부자가 되거나 마이크보다 더 많은 돈을 갖는 것뿐이라면, 그럴 경우 너는 실패할 가능성이 높다. 약간의 비교와 경쟁은 괜찮은 것이다. 하지만 이런 과정의 진짜 목표는 네가 더 나은 투자가가 되는 것이다. 그 밖의 어떤 것도 어리석고 위험한 것이다」

나는 그곳에 앉아 고개를 끄덕이면서 조금 더 기분이 좋아졌다. 나는 그때 더 많은 돈을 벌고 더 큰 위험을 안으려고 애쓰기보다 더 열심히 공부하는 데 집중하기로 결심했다. 그것이 더 올바른 길인 것 같았고, 덜 위험한 길인 것 같았다. 게다가 그것은 돈도 덜 드는 길이었다. 그리고 나는 그 당시에 돈이 많지 않았다.

마이크는 투자를 시작한 지 15년 후에 이제는 상당한 투자 포트폴리오를 갖게 되었다. 그리고 나보다 몇 년 더 많은 투자 경험을 갖게 되었다. 나는 스물다섯 살의 나이에 투자라는 게임의 기본을 막 배우기 시작하고 있었다.

내가 이 얘기를 하는 이유는, 당신이 몇 살이든, 어떤 것(특히 게임)의 기본을 배우는 것은 중요하기 때문이다. 대부분의 사람들은 나름의 골프 레슨을 받아 기본을 배운 후에 골프를 한다. 하지만 아쉽게도 대부분의 사람들은 힘들게 번 돈을 투자하기 전에 투자의 간단한 기본조차 배우지 않는다.

투자의 기본들

「이제는 너의 두 계획, 안정을 위한 계획과 편안함을 위한 계획이 마련되었으니 나는 너에게 투자의 기본 규칙들을 설명하겠다」 부자 아버지가 말했다. 그러면서 그분은 이렇게 얘기했다. 즉, 너무도 많은 사람들이 첫번째 두 계획을 마련하지도 않은 채 투자를 시작한다. 그리고 그것은 그분이 보기에 위험한 것이다. 부자 아버지는 이렇게 얘기했다. 「그와 같은 두 가지 계획을 확실하게 마련하면, 그때는 다양한 투자 수단들을 활용해 더 매력적인 기술들을 시험하고 배울 수 있다. 그래서 나는 네가 시간을 갖고 그와 같은 두 가지 투자 계획을 마련할 때까지 기다렸다. 그래야만 내가 수업을 계속할 수 있기 때문이다」

투자의 첫번째 규칙

「투자의 첫번째 기본 규칙은 자신이 어떤 종류의 소득을 위해 일하고 있는지 늘 알고 있는 것이다」 부자 아버지가 말했다.

여러 해 동안 부자 아버지는 늘 마이크와 나에게 세 가지 종류의 소득이 있다고 얘기했다.

—근로 소득

이 소득은 대개 일자리나 그 밖의 어떤 노동에서 발생한다. 가장 흔한 형태로는 봉급에서 얻는 소득을 들 수 있다. 이것은 또 세금이 가장 높은 소득이기도 하다. 그래서 이것은 재산을 형성하기에는 가장 힘든 소득이다. 당신이 아이들에게 〈좋은 일자리를 얻으라〉고 얘기할 때, 당신은 그 아이들에게 근로 소득을 위해 일하라고 얘기하는 것이다.

—투자 소득

이 소득은 대개 주식, 채권, 또는 뮤추얼 펀드 같은 서류상의 자산(paper asset)에서 비롯되는 것이다. 투자 소득은 단연코 가장 대중적인 형태의 소득이다. 그 이유는 간단하다. 서류상의 자산은 다른 자산들보다 관리와 유지가 훨씬 더 쉽기 때문이다.

—비활성 소득

이 소득은 대개 부동산에서 비롯되는 소득이다. 이 소득은 또 특허나 라이센스 계약 등의 로열티에서 비롯되기도 한다. 그렇지만 비활성 소득의 80% 가량은 부동산에서 비롯된다.

내 두 아버지들 사이의 한 가지 지속적인 대립은 부모가 아이에게 무엇을 말해야 하는지에 관한 것이다.

그때만 해도 나는 두 아버지가 무슨 얘기를 하는 것인지, 혹은 두 분 철학의 차이점이 무엇인지 제대로 알지 못했다. 그러다가 나는 스물다섯의 나이에 조금 더 잘 이해하기 시작했다. 내 아버지는 52세의 나이에 처음부터 다시 시작해야만 했다. 그러면서 그분은 근로 소득에 초점을 맞추었다. 그분은 평생 그렇게 해야 한다고 생각했다. 반면에 부자 아버지는 부자가 되어 삶을 즐겼다. 그 이유는 간단했다. 그분에게는 세 가지 종류의 소득 모두 아주 많았다.

투자의 두번째 규칙

「투자의 두번째 기본 규칙은 최대한 효과적으로 근로 소득을 투자 소득이나 비활성 소득으로 바꾸는 것이다」

「그리고 그것은 투자가가 해야 할 사실상의 전부이다. 이것보다 더 기본적인 규칙은 없다」

「하지만 어떻게 그렇게 할 수 있죠?」 내가 물었다. 「저에게는 아직 그 돈이 없는데 어떻게 그 돈을 얻을 수 있죠? 제가 돈을 잃으면 어떻게 되죠?」 나는 계속해서 물었다.

「어떻게, 어떻게, 어떻게?」 부자 아버지가 말했다. 「너는 마치 옛날 영화에 나오는 인디언 추장처럼 말하는구나」

「하지만 그것들은 현실적인 문제입니다」 내가 칭얼거렸다.

「나도 그것들이 현실적인 문제라는 것은 알고 있다. 하지만 지금은 그냥 기본들만 이해했으면 좋겠다. 〈어떻게〉에 대해서는 나중에 설명하겠다. 됐느냐? 그리고 부정적인 생각들을 조심해라. 위험은는 투자의 일부분이고, 삶에서도 그러하다. 너무 부정적이고 위험을 피하는 사람들은 대부분의 기회에서 스스로 물러난다. 부정적인 생각과 위험에 대한 두려움 때문에 말이다. 알겠느냐?」

나는 고개를 끄덕였다.「우선 기본부터 익혀라」

투자의 세번째 규칙

「투자의 세번째 기본 규칙은 근로 소득을 안전하게 유지하는 것이다. 그렇게 하기 위해서는 근로 소득을 비활성 소득이나 투자 소득으로 바꿔줄 수 있는 안전한 상품을 사야 한다」

「안전한 상품으로 안전을요?」 내가 물었다.「너무 혼란스럽습니다. 그럼 자산과 부채는 어떻게 된 건가요?」

「좋은 질문이다」 부자 아버지가 말했다.「나는 이제 네 어휘를 확장시키고 있다. 이제는 네가 자산과 부채라는 간단한 개념을 넘어설 때가 되었다. 사실 대부분의 사람들은 그런 개념조차 제대로 모르지만 말이다. 어쨌든 내가 여기서 말하는 요점은, 모든 증권(securities)이 반드시 자산은 아니라는 점이다. 많은 사람들은 그렇게 생각하지만 말이다」*

---

* 여기서 용어를 정리할 필요가 있다. 지금 이 부분에서 언급되는 안전, 안전한 상품, 그리고 증권은 모두 원서의 〈secure〉와 〈security〉를 번역한 말이다. 아울러 〈secure〉는 지금까지 줄곧 나왔던 〈안정〉의 원어라는 점도 밝혀둔다. 지금 이 부분에서는 사실 번역이 무척 곤란하다. 간단히 말하면 안정 혹은 안전을 위해 안정적인 상품을 사라는 얘기인데, 원어에서는 〈secure〉를 위해 〈security〉를 사라고 되어 있다. 그런데 문제는 이 〈security〉가 종종 복수인 〈securities〉로 사용되면 〈증권〉을 뜻한다는 사실이다. 그래서 지금 필자가 얘기하는 것은 〈secure〉를 위해서 〈security〉를 사라는 것인

「그러면 주식이나 부동산은 시큐리티(security)이지만 자산은 아닐 수도 있다는 뜻인가요?」 내가 물었다.

「바로 그렇다. 그렇지만 대부분의 일반 투자가들은 시큐리티와 자산의 차이점을 알지 못한다. 많은 전문가들도 그런 차이를 구분하지 못한다. 많은 사람들은 어떤 시큐리티이건 자산이라고 부른다」

「그러면 차이점이 뭔가요?」 내가 물었다.

「시큐리티(security)는 우리의 돈을 안전하게(secure) 보존할 수 있을 것 같은 무엇이다. 그리고 일반적으로 이것들은 당국의 엄격한 규제를 받고 있다. 그렇기 때문에 투자 세계의 많은 부분을 감독하는 기관의 이름은 증권 거래 위원회(Securities and Exchange Commission), 그러니까 SEC다. 너는 그 기관의 명칭이 자산 거래 위원회(Assets and Exchange Commission)가 아님을 알 수 있을 것이다」

「그러니까 정부에서는 시큐리티가 반드시 자산은 아님을 알고 있는 건가요?」 내가 물었다.

부자 아버지가 고개를 끄덕이면서 얘기했다. 「그리고 그 기관의 이름은 증권 보장 위원회(Securities and Guarantees Commission)도 아니다. 정부는 그 기관이 할 수 있는 일이라곤 엄격한 규정을 유지하고 그런 규정을 시행해서 가능한 한 질서를 유지하는 것임을 알고 있다. 그 기관은 시큐리티를 취득하는 모든 사람들이 돈을 벌 것이라고 보장하지 않는다. 그렇기 때문에 시큐리티는 자산이라고

데, 또 하나의 문제는 필자가 사용하는 〈security〉는 증권만을 뜻하는 것이 아니라 부동산까지 뜻하는 것으로 되어 있다. 이런 점을 잘 이해하고 이 부분을 읽기 바란다. 다소 혼란스러운 점이 있지만, 이렇게밖에는 번역할 수 없음을 이해하기 바란다. (옮긴이)

불리지 않는다. 네가 그 기본적인 정의를 기억한다면, 자산은 주머니에 돈을 넣는 것이고, 부채는 주머니에서 돈을 빼가는 것이다. 그리고 자산과 부채는 각각 수입 부분과 지출 부분에 나타난다. 이것은 기본적인 금융 지식의 문제에 불과하다」

나는 고개를 끄덕였다. 「그러니까 어떤 시큐리티가 자산이고 어떤 시큐리티가 부채인지 아는 것은 투자가에게 달려 있군요」 나는 그렇게 말하면서 부자 아버지의 얘기를 조금씩 이해하기 시작했다.

「바로 그렇다」 부자 아버지가 그렇게 말하면서 노란색 메모지를 집어들었다. 그러고는 그 위에 다음과 같은 그림을 그렸다.

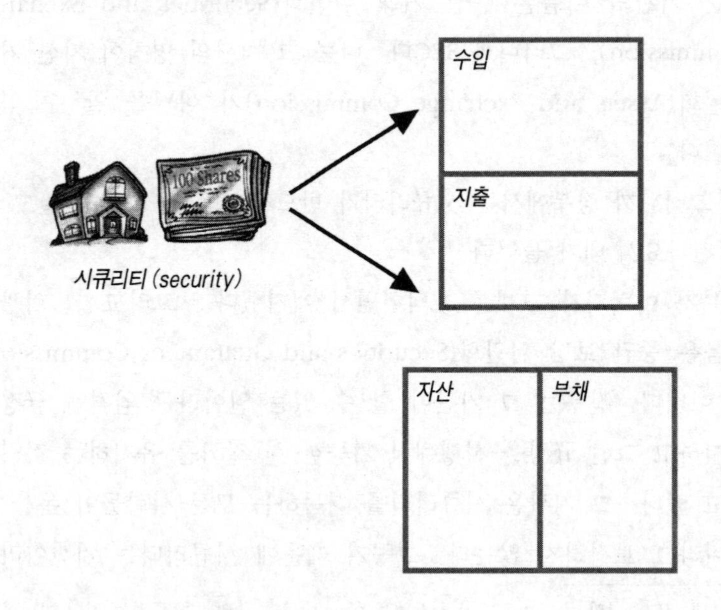

시큐리티 (security)

「누군가 시큐리티는 자산이라고 얘기할 때 대부분의 투자가들은 혼란을 느끼기 시작한다. 일반 투자가들이 투자에 대해서 불안해하는 것은 그들이 시큐리티를 산다 해서 반드시 돈을 버는 것은 아님을 알기 때문이다. 시큐리티를 사는 것의 문제는 그렇게 하면 돈을 잃을 수도 있다는 것이다」 부자 아버지가 말했다.

「그러니까 그림에서 볼 수 있듯이, 시큐리티가 돈을 버는 경우에는 재무제표의 수입 부분에 돈을 넣게 되고, 그때는 그것이 자산이군요. 하지만 그것이 돈을 잃으면, 그런 사건은 재무제표의 지출 부분에 기록되고, 그럴 경우에 그 시큐리티는 부채가 되는군요. 그런 식으로 똑같은 시큐리티가 자산도 되고 부채도 되는군요. 예를 들어, 나는 12월에 ABC 회사의 주식 100주를 주당 20달러에 샀습니다. 그리고 1월에 나는 10주를 주당 30달러에 팔았습니다. 그 10주의 주식은 나에게 수입을 발생시켰기 때문에 자산이었습니다. 하지만 3월에 나는 다시 10주를 10달러에 팔았습니다. 그래서 그 주식은 손실(지출)을 발생시켰기 때문에 이번에는 부채가 되었습니다」

부자 아버지가 목을 가다듬고 나서 말을 계속했다. 「그래서 나는 어떤 시큐리티에는 투자를 하고 어떤 시큐리티에는 투자를 하지 않는다. 각각의 시큐리티가 자산인지 부채인지 알아내는 것은 투자가인 내가 할 일이다」

「그리고 그 부분에서 위험(risk)이 나타나는 거군요」 내가 말했다. 「자산과 부채의 차이를 모르는 투자가는 투자를 위험한 것으로 만드는 거군요」

투자의 네번째 규칙

「그리고 그것은 내가 투자를 위한 네번째 기본 규칙을 말하는 이유가 된다. 네번째 규칙은 바로 투자가 자신이 자산이나 부채가 된다는 것이다」 부자 아버지가 말했다.

「뭐라구요?」 내가 물었다. 「투자 상품이나 시큐리티가 아닌 투자가 자신이 자산이나 부채가 된다구요?」

부자 아버지가 고개를 끄덕였다. 「사람들은 종종 이렇게 얘기한다. 〈투자는 위험한 것이다.〉 하지만 위험한 것은 투자가 자신이다. 결국에는 투자가 자신이 자산이나 부채가 된다. 나는 그 동안 다른 사람들은 돈을 버는데, 자신은 돈을 잃는 사람을 많이 보았다. 또 사람들이 너무나도 좋은 부동산, 그러니까 많은 돈을 벌어주는 부동산을 샀다가 몇 년 후에 손해를 보면서 망하는 경우도 많이 보았다. 그러면서 사람들은 투자는 위험한 것이라고 얘기한다. 위험한 것은 투자가 아니라 투자가 자신이다. 사실 유능한 투자가는 위험한 투자가의 뒤를 좇는 것을 아주 좋아한다. 왜냐하면 바로 그곳에 진짜 좋은 투자들이 나타나기 때문이다」

「그래서 아버님은 자신들의 투자 손실에 대해 울고불고하는 투자가들의 얘기를 좋아하는군요」 내가 말했다. 「아버님은 그들이 잘못한 것을 알아내 좋은 투자를 찾을 수 있는지 알아보는군요」

「바로 그렇다」 부자 아버지가 말했다. 「나는 늘 타이타닉의 선장을 찾고 있다」

「빨리 회전되는 돈과 바로 모을 수 있는 재산 이야기에 귀를 기울이는 것은 바보들의 게임이다. 그런 이야기들은 패자들만을 끌어

모은다. 어떤 주식이 잘 알려져 있고 그 주식을 통해 이미 많은 돈을 벌었다면, 파티는 이미 끝나버렸거나 곧 끝나게 될 경우가 많다. 내가 듣고 싶은 이야기는 탄식과 한숨의 이야기이다. 왜냐하면 그런 곳에 좋은 투자가 있기 때문이다. 사업가들이 속한 〈B〉와 투자가들이 속한 〈I〉 사분면에서 활동하는 사람으로서 나는 부채인 시큐리티를 찾아 그것을 자산으로 바꾸고 싶어한다. 혹은 누군가 다른 사람이 그것을 자산으로 바꾸기 시작할 때까지 기다리고 싶어한다」

「그러니까 아버님은 거꾸로 투자가(contrarian investor)라고 할 수가 있군요」 내가 말했다. 「다시 말해 시장의 일반적인 흐름과 반대로 가는 투자가라고 할 수가 있군요」

「평범한 사람들은 거꾸로 투자가가 그런 것이라고 생각한다. 대부분의 사람들은 거꾸로 투자가가 반(anti)사회적이고 군중과 함께 가는 것을 좋아하지 않는다고 생각한다. 하지만 그것은 사실이 아니다. 사분면의 〈B〉와 〈I〉편에서 활동하는 사람으로서 나는 내 자신이 수리공이라고 생각하고 싶다. 내가 하고자 하는 일은 고장난 부분을 찾아 고칠 수 있는지 보는 것이다. 그것이 고칠 수 있는 경우일 때도 조심해야 한다. 왜냐하면 그것이 좋은 투자가 되려면 다른 투자가들도 그것을 고치고 싶어해야 하기 때문이다. 그것이 고칠 수 없는 것이거나 고친 후에도 원하는 사람이 없는 경우에는 나도 그것을 원하지 않는다. 따라서 진짜 투자가는 군중이 좋아하는 것을 좋아하기도 해야 한다. 그렇기 때문에 나는 내가 일반적인 의미의 거꾸로 투자가라고 얘기하지 않으려 한다. 나는 아무도 그것을 좋아하지 않는다는 이유만으로 그것을 사지는 않는다」

「그러면 투자를 위한 다섯번째 기본 규칙은 무엇입니까?」 내가 물었다.

투자의 다섯번째 규칙

「투자를 위한 다섯번째 기본 규칙은 진짜 투자가는 일어나는 무엇에건 〈대비〉한다는 것이다. 가짜 투자가는 무엇이 언제 일어날 것인지 〈예측〉하려 애쓴다」

「그것이 무슨 뜻입니까?」 내가 물었다.

「너는 사람들이 이렇게 말하는 것을 들은 적이 있니? 〈나는 저 땅을 20년 전에 에이커 당 5백 달러에 살 수도 있었다. 그런데 지금 그 땅을 보라. 누군가 바로 그 옆에 쇼핑센터를 지었다. 그래서 이제는 그 땅이 에이커 당 50만 달러나 나간다.〉」

「예, 그런 얘기들을 여러 차례 들었습니다」

「우리 모두 그런 얘기를 들은 적이 있다」 부자 아버지가 말했다. 「말하자면 그것이 〈대비〉하지 않는 사람들의 예이다. 우리를 부자로 만드는 대부분의 투자는 아주 좁은 시간대에만 모습을 드러낸다. 거래 세계에서는 그것이 몇 달에 불과하고, 부동산 같은 경우에는 몇 년 동안 기회의 창문이 열려 있다. 하지만 기회의 창문이 얼마나 오래 열려 있건, 우리가 교육과 경험이나 여분의 현금을 갖고 대비하지 않으면, 그런 기회는 곧 지나가고 만다」

「그러면 어떻게 대비해야 하나요?」

「다른 사람들이 이미 찾고 있는 것에 초점을 맞추고 그것을 늘 마음에 두어야 한다. 주식을 사고 싶다면 싸게 주식을 사는 법을 가르치는 강좌에 참석해야 한다. 부동산의 경우도 마찬가지이다. 그 모든 것은 두뇌를 훈련시켜 무엇을 찾을 것인지 아는 힘과 좋은 투자 기회가 나타날 때를 대비하는 힘을 기르는 데서부터 시작된다. 그것은 마치 축구라는 스포츠와 비슷하다. 한참 경기를 하다 보면 갑자기 골문 앞에서 기회가 나타난다. 그것에 대비하는 사람과 대비하지 않는 사람이 있다. 그곳에 가 있는 사람과 그렇지 않은 사람이 있다. 하지만 축구나 투자에서 기회를 놓치더라도 골문 앞의 기회나 〈일생일대의 투자 기회〉는 또 찾아오기 마련이다. 다행히도 요즘에는 매일같이 점점 더 많은 기회들이 나타난다. 하지만 먼저 게임을 선택해야 하고 게임을 하는 법을 배워야만 한다」

「그래서 아버님은 어떤 사람이 좋은 기회를 놓쳤다고 한탄하거나 아버님도 이 거래에 참여해야 한다고 얘기할 때 웃으시는군요?」

「바로 그렇다. 너무도 많은 사람들이 기회를 놓쳤다고 한탄하고 어떤 거래가 유일한 기회라고 생각하면서 그것에 너무 오래 매달린다. 혹은 지금 보는 기회가 유일한 기회라는 식으로 생각한다. 사분면의 〈B〉와 〈I〉에서 능숙하면 더 많은 시간과 더 많은 기회를 얻게 된다. 그리고 더 많은 자신감도 생기게 된다. 왜냐하면 대부분의 사람들이 거절하는 나쁜 거래를 좋은 거래로 바꿀 수 있음을 알기 때문이다. 시간을 투자해서 대비를 하라는 내 얘기는 그런 뜻이다. 대비를 하고 있으면 매일같이 너무도 좋은 기회가 찾아온다」

「그러면 〈예측하지 말라〉는 말은 무슨 뜻입니까?」 내가 물었다.

「너는 사람들이 이렇게 말하는 것을 들은 적이 있니? 〈시장이 무너지면 어떡하지? 그러면 내 투자금은 어떻게 되지? 위험하니까 나는 시장에 들어가지 않을 거야. 나는 기다리면서 어떻게 되는지 볼 거야.〉」

「들은 적이 많습니다」 내가 말했다.

「나는 많은 사람들이 좋은 투자 기회를 보면서도 두려움 때문에 뒤로 물러서는 얘기를 들었다. 그들은 두려워하면서 재앙이 일어날 것이라고 예측하기 시작하지. 그들은 부정적인 생각을 하면서 투자를 하지 않는다. 혹은 낙관적인 감정적 예측으로 사지 말아야 할 때 사고, 비관적인 감정적 예측으로 팔지 말아야 할 때 판다」

「만약 그들에게 약간의 교육과 약간의 경험, 그리고 준비가 되어 있다면 그들은 그렇게 하지 않을 겁니다」 내가 말했다.

「바로 그거다」 부자 아버지가 말했다. 「뿐만 아니라, 유능한 투자가가 되는 한 가지 기본은 시장이 올라갈 때나 혹은 시장이 내려갈 때 모두 수익에 대비하는 것이다. 사실 가장 유능한 투자가들은 시장이 내려갈 때 더 많은 돈을 번다. 왜냐하면 시장은 올라갈 때보다 더 빠르게 떨어지기 때문이다. 흔히 말하듯이, 황소(호황)는 계단으로 올라오고 곰(불황)은 창문으로 나간다. 양쪽 방향 모두에 대비하지 않는 투자가가 위험한 것이지. 투자가 위험한 것은 절대 아니다」

「그러니까 사람들은 종종 예측을 하면서 스스로 기회를 포기하고, 그러면서 대비는 하지 않는군요」 나는 다시 그렇게 말하면서, 대비하는 것이 왜 그렇게도 중요한 것인지 이해하기 시작했다. 「어떻게 해야 대비하는 것을 배울 수 있나요?」

「나는 너에게 전문적 투자가들이 알아야 하는 기본적인 거래(trading) 기술들을 가르칠 것이다. 이를테면 공매, 콜 옵션, 풋 옵션, 혹은 양건 거래 같은 것이다. 하지만 그것은 나중에 설명할 것이다. 우선 지금은 〈예측〉보다 〈대비〉가 더 낫다는 것만 알면 된다」

「하지만 〈대비〉에 대해서 한 가지 질문이 더 있습니다」

「어떤 거래(deal)를 발견했는데 돈이 없다면 어떻게 합니까?」 내가 물었다.

투자의 여섯번째 규칙

「그것은 투자를 위한 여섯번째 규칙이다」 부자 아버지가 말했다. 「준비가 되어 있고, 그러니까 교육과 경험을 갖고 있고, 그런 상태에서 좋은 거래를 찾게 되면, 돈이 너를 찾거나 아니면 네가 돈을 찾게 된다. 좋은 거래는 사람들의 욕심을 일으키는 것 같다. 그렇다고 내가 얘기하는 욕심이 나쁜 뜻으로 하는 말은 아니다. 내가 얘기하는 욕심은 일반적인 인간적 감정, 우리 모두가 갖고 있는 그런 감정을 말하는 것이다. 따라서 어떤 사람이 좋은 거래를 찾으면, 그 거래는 현금을 끌어당긴다. 그 거래가 나쁜 것이면, 그때는 현금을 모으는 것이 무척 어렵다」

「좋은 거래가 돈을 끌어당기지 못하는 경우를 보신 적이 있습니까?」 내가 물었다.

「많이 있지. 하지만 그것은 거래가 현금을 끌어당기지 못한 것이 아니다. 그 거래를 통제하는 사람이 현금을 끌어당기지 못한 것이다. 다시 말해, 그 거래를 맡고 있는 사람이 옆으로 물러났다면 그 거래는 좋은 거래가 되었을 것이다. 그것은 마치 세계적인 수준의 경주용 차를 보통의 운전자가 모는 것과 같다. 그 차가 아무리 좋아도 보통의 운전자가 몰면 어떤 사람도 그 차에 베팅하지 않을 것이다. 부동산에서, 사람들은 종종 성공의 열쇠가 〈위치〉라고 얘기한다. 하지만 나는 다르게 생각한다. 현실적인 투자 세계에서(그것이 부동산이건, 사업이건, 혹은 종이 자산이건), 성공의 열쇠는 늘 사람이다. 나는 가장 좋은 위치에 있는 가장 좋은 부동산에서 돈을 잃는 사람을 본 적이 있다. 왜냐하면 그건 잘못된 사람이 맡고 있었기 때문이다」

「그러니까 제가 준비가 되어 있고, 나름의 숙제를 했고, 경험과 실적을 쌓았고, 그런 상태에서 무언가 좋은 투자를 찾으면, 그때는 돈을 찾는 것이 그렇게 어렵지는 않은 거군요」

「내 경험은 그랬다. 아쉽게도 가장 나쁜 거래, 그러니까 나 같은 투자가들이 투자하지 않는 거래가 능숙하지 않은 투자가들에게 제시되는 경우가 너무도 많다. 그리고 그 능숙하지 않은 투자가들은 그 거래에서 돈을 잃는다」

「투자가들의 일차적인 관심은 돈을 안전하게 지키는 거다. 그리고 다음 단계는 최선을 다해 그 돈을 현금흐름이나 자본 이익으로 바꾸는 것이다. 바로 그때 우리는 우리나, 우리가 돈을 맡기는 그 사람이 그런 시큐리티를 자산으로 바꿀 수 있는지, 혹은 그것이 부채가 될 것인지 알게 된다. 다시 말하지만, 투자가 안전하거나 위험한 것이 아니라 투자가가 위험한 것이다」

「그러면 이것이 투자를 위한 마지막 기본 규칙인가요?」 내가 물었다.

「아니, 꼭 그렇지는 않다」 부자 아버지가 말했다. 「투자는 우리가 평생 동안 그 기본을 배워야 하는 주제이다. 우리는 기본들을 더 잘 알수록 더 많은 돈을 벌 수 있고 더 적은 위험을 안게 된다. 하지만 너에게 알려주고 싶은 전통적 투자 규칙이 하나 더 있다. 그리고 그것은 투자를 위한 일곱번째 기본 규칙이다」

투자의 일곱번째 규칙

「그러면 일곱번째 규칙은 무언가요?」

「그것은 위험(risk)과 보상(reward)을 평가하는 능력이다」 부자 아버지가 말했다.

「예를 좀 들어주세요」 내가 요구했다.

「가령, 너의 두 전통적 투자 계획들이 마련되어 있다고 하자. 너는 원금을 잘 굴리고 있으며, 우연히도 이를테면 2만5천 달러의 여유 자금이 있어서 더 투기적인 무언가에 투자할 수 있다」

「그러니까 너에게 있는 이 2만5천 달러는 말하자면 잃어도 괜찮은 것이다. 다시 말해, 그 돈을 모두 잃어도 너는 약간 울기는 하겠지만 여전히 의식주를 해결할 수 있고 다시 2만5천 달러를 모을 수 있다. 그러면 너는 더 투기적인 투자의 위험과 보상을 평가하기 시작한다」

「그러면 그것은 어떻게 할 수 있죠?」

「가령 너에게 햄버거 가게를 열려고 하는 조카가 있다고 하자. 그 조카는 2만5천 달러가 있어야 시작할 수 있다. 이것은 좋은 투자가 되겠니?」

「감정적으로는 그럴 수도 있지만, 금융상으로는 그렇지 않을 것 같습니다」 내가 대답했다.

「왜 아닐 것 같니?」 부자 아버지가 물었다.

「위험은 너무 많고 보상은 충분치 않기 때문입니다」 내가 대답했다. 「뿐만 아니라, 어떻게 돈을 돌려받을 수 있겠습니까? 여기서 가장 중요한 것은 투자 회수율이 아닙니다. 가장 중요한 것은 투자의 회수입니다. 아버님께서도 얘기했듯이, 자본의 안정(안전)은 아주 중요한 것입니다」

「아주 좋다」 부자 아버지가 말했다. 「하지만 내가 이렇게 얘기하면 어떻게 되겠니? 즉, 이 조카는 지난 15년 동안 주요 햄버거 체인에서 일했고, 그 사업의 모든 중요한 부분에서 책임자로 일했고, 이제는 자기 사업을 시작해 세계적인 햄버거 체인을 만들 준비가 되어 있다. 그리고 너는 불과 2만5천 달러로 그 회사의 지분 5%를 확보할 수 있다. 그러면 구미가 당기겠니?」

「그렇습니다」 내가 말했다. 「그것은 분명합니다. 왜냐하면 위험의 양은 같은데 보상은 더 많기 때문입니다. 그렇기는 해도 그것은 여전히 고위험의 투자라고 생각됩니다」

「바로 그렇다」 부자 아버지가 말했다. 「그리고 그것은 일곱번째 기본 규칙, 즉 위험과 보상의 평가 능력의 한 예이다」

「그러면 어떻게 해야 투기적인 투자를 평가할 수 있습니까?」 내가 물었다.

「좋은 질문이다」 부자 아버지가 말했다. 「이것은 부자들의 투자이다. 부자들의 투자는 안정과 편안함을 위한 투자 계획들의 뒤를 따르는 것이다. 네가 지금 하고 있는 얘기는 〈부자들이 하는 투자〉

에 투자하는 기술의 습득에 관한 것이다」

「그러니까 이번에도 위험한 것은 투자가 아니군요. 그런 투자를 한층 더 위험하게 만드는 것은 적절한 기술이 없는 투자가 자신이군요」

부자들의 투자를 할 수 있는 조건

부자 아버지는 이렇게 말했다. 「부자들의 투자에서는 돌아가는 방식이 다르다. 부자들의 투자에서는 좋은 손실과 나쁜 손실이 있고, 좋은 빚과 나쁜 빚이 있고, 좋은 지출과 나쁜 지출이 있다. 부자들의 투자에서는 교육과 경험이 극적으로 높아져야 한다. 그렇지 않으면 그곳에 오래 있을 수 없다. 알겠니?」

「이제는 알 것 같습니다」 내가 대답했다.

그분은 또 이렇게 얘기했다. 「사람들은 투자를 복잡한 것으로 만들려는 경우가 너무 많다. 그래서 그들은 지적으로 들리는 전문적인 용어를 사용한다. 어떤 사람이 그렇게 하거든, 그 사람에게 간단한 말로 설명하라고 요구해라. 그 사람이 그 투자를, 적어도 전반적인 개념만큼은 열 살짜리 아이라도 이해할 수 있게 설명하지 못하면, 그 사람도 그것을 이해하지 못하고 있을 가능성이 높다」

「그러니까 간단하지 않으면 하지 말라는 말인가요?」

「아니, 내 말의 뜻은 그런 것도 아니다」 부자 아버지가 말했다. 「투자에 관심이 없거나 패자의 자세를 갖고 있는 사람들은 종종 이렇게 얘기한다. 〈그것이 쉽지 않으면 나는 하지 않겠다.〉 나는 종종 그런 사람들에게 이렇게 얘기한다. 〈당신이 태어났을 때 당신의 부모들은 힘들게 일을 해야만 했고 당신에게 오줌 누는 법을 가르쳐야만 했다. 이와 같이 한때는 화장실에 가는 것도 어려운 일이었다. 지금 당신은 오줌 누는 법을 아주 잘 알 것이고, 혼자서 화장실에 가는 것은 기본에 불과할 것이다.〉」

✎ 나의 투자지수(Invest Quotient) 테스트

너무나도 많은 사람들이 먼저 강력한 경제적 토대도 마련하지 않은 채 부자들이 하는 투자를 따라하고 싶어한다. 사람들은 경제적으로 고생하고 있고, 그래서 돈이 절실히 필요하기 때문에 부자들의 투자를 따라하고 싶어한다. 당연히 나는 당신에게 교육과 경험이 충분하지 않다면 부자들의 투자를 권유하지 않는다. 그리고 내 부자 아버지도 그런 것을 권유하지 않았다.

따라서 이번 질문은 다음과 같은 것이 된다.

1 당신은 부자들이 투자하는 것을 따라서 투자하고자 할 때 부자들이 〈3E〉라고 부르는 아래의 것을 획득할 의사가 있는가?

- 교육
- 경험
- 충분히 넉넉한 현금

예 ______ 아니오 ______

당신의 답이 〈아니오〉라면 이 책의 나머지 부분은 별로 필요가 없을지도 모른다. 그리고 나는 양심상 내가 쓰고자 하는 투자, 그러니까 부자들의 투자를 권할 수가 없다.

충분히 넉넉한 현금을 얻도록 만드는 교육과 경험에 대해 관심이 있을 경우에는 계속해서 읽어라. 이 책의 끝에서 당신은 그 세 가지를 추구할 것인지 아닌지 결정할 수 있게 될 것이다.

그 과정에서 당신은 경제적 〈안정〉에 이어 경제적 편안함을 위한 계획들을 통해 〈막대기를 올릴 수〉 있게 될지도 모른다. 높이뛰기 선수나 장대 높이뛰기 선수가 각각의 수준에서 성공한 후에 막대기를 올리는 것처럼, 당신도 경제적 안정과 편안함의 수준에서 성공할 수 있다. 그런 후에 당신은 〈막대기〉를, 그러니까 당신의 목표들을 올릴 수 있을 것이고 더 많은 시간을 부자가 되는 데 집중할 수 있다.

부자 아버지는 이렇게 얘기했다. 「투자는 평생 동안 그 기본을 공부해야 하는 주제이다」 이 말의 뜻은 그것이 처음에는 복잡한 것 같지만 나중에는 간단해진다는 것이다. 이 주제를 더 간단하게 만들수록, 혹은 더 많은 기본들을 배울수록 당신은 위험을 줄이면서 더 부자가 될 수 있다. 하지만 대부분의 사람들에게 도전은 시간을 투자하는 것이다.

제15장

금융 지식을 이용해 투자의 위험을 줄인다

투자를 하는 데는 한 가지 이유밖에 없다.
즉, 노동을 통해 벌어들인 소득을 비활성 소득이나
투자 소득으로 바꿔주는 자산을 획득하는 것이다.
한 형태의 소득을 다른 형태의 소득으로 바꾸는 것이
진짜 투자가의 우선적 목표이다.
그리고 그렇게 하려면 단순하게 수지를 맞추는 것보다
더 수준 있는 금융 지식이 필요하다.

그때는 아직도 1974년 봄의 초입이었다. 나는 이제 두 달만 있으면 군대에서 제대하게 되어 있었다. 나는 아직도 제대한 후에 무엇을 할 것인지 정하지 못하고 있었다. 우리 모두는 베트남전은 끝났고 우리가 졌음을 알고 있었다. 나는 아직도 짧은 군대 머리를 하고 있었고 매번 민간 세상에 나갈 때마다 특이하게 보였다. 당시의 민간 세상에서는 긴 히피 머리가 유행이었다. 나는 어깨 길이의 머리를 하면 어떤 모습일지 궁금했다. 나는 사관학교에 들어간 1965년 이후 줄곧 군대 머리를 하고 지냈다.

1974년 봄, 그때는 주식 시세가 떨어지고 있었다. 그래서 사람들은 걱정을 하고 있었다. 조종사들의 대기실에서도 시장에 참여한 몇몇 조종사들은 걱정과 불안으로 시간을 보냈다. 어떤 조종사는 자신의 주식을 모두 팔아 현금을 확보하고 물러서 있었다. 나는 그 당시에 주식에 투자하지 않고 있었기 때문에 시세의 오름과 내림이 사람들에게 끼치는 영향을 냉정하게 관찰할 수 있었다.

부자 아버지와 나는 그분이 좋아하는 바닷가 호텔에서 점심을 먹기로 약속했다. 호텔에서 만난 부자 아버지는 여전히 행복한 모습이었다. 주가는 떨어지고 있었지만, 그분은 한층 더 많은 돈을 벌고 있었다. 나는 그분은 주식 시장에 상관없이 행복한데 다른 사람들은 모두 불안해하는 것이 이상하다고 생각했다.

「어떻게 아버님은 마냥 행복하고 제가 만나는 모든 주식 투자가들은 걱정만 늘어놓고 있는 겁니까?」

「사실 우리는 이미 그것에 대해 얘기한 적이 있다」 부자 아버지가 말했다. 「우리는 투자의 기본 규칙 중 한 가지가 어떤 일이 일어나건 그것에 〈대비〉하는 것이라고 얘기한 적이 있다. 어떤 일이 일어날 것인지 〈예측〉하는 것이 아니라 〈대비〉하는 것 말이다. 나는 어떤 사람이 시장을 예측할 수 있다고는 생각하지 않는다. 많은 사람들이 그렇게 할 수 있다고 주장하기는 해도 말이다. 어떤 사람이 한 번은 예측을 할 수도 있다. 혹은 두 번까지는 예측할 수도 있다. 하지만 나는 세 번 연속해서 시장에 관한 어떤 것을 예측하는 사람은 본 적이 없다. 만일 그런 사람이 있다면, 그 사람은 틀림없이 아주 성능이 좋은 마법의 수정 구슬을 갖고 있을 것이다」

「제가 얘기를 나누는 대부분의 사람들은 투자는 위험한 것이라고 생각합니다. 그래서 그들은 돈을 은행이나 자금 시장이나 혹은 CD에 묻어둡니다」

「그들로서는 그래야만 할 거다」

「그러면 어떻게 해야 투자가들이 덜 위험할 수 있나요?」 내가 물었다.

「좋은 질문이다」 부자 아버지가 말했다. 「그러나 그보다 더 좋은 질문은 이런 것이 될 것이다. 〈어떻게 해야 내가 아주 적은 위험으로 아주 많은 돈을 버는 투자가가 될 수 있을까요? 그리고 그런 후에 내가 번 돈을 어떻게 지킬 수 있을까요?〉」

「맞습니다. 그것이 훨씬 더 정확한 질문입니다」 내가 대답했다.

「내 대답은 같은 것이다. 즉, 모든 것을 간단하게 하고 기본을 이해하라는 것이다. 먼저 경제적 〈안정〉과 〈편안함〉을 위한 계획들을 마련해라. 그런 후에 너는 더 적은 위험으로 더 많은 돈을 버는 투자가가 되기 위해 대가를 지불해야만 한다」

「그러면 그 대가는 무엇인가요?」 내가 물었다.

「시간이다」 부자 아버지가 말했다. 「시간은 우리의 가장 중요한 자산이다. 많은 사람들은 부자가 되는 꿈을 꾼다. 하지만 대부분은 시간의 투자라는 가격을 지불하려 하지 않는다」

나는 부자 아버지가 아직도 우리 수업에서 정신적 준비 단계를 강조하고 있음을 알 수 있었다. 하지만 나도 이제는 앞으로 나아갈 준비가 되어 있었다. 나는 정말로 그분의 투자 공식을 따르면서 투자하는 법을 배우고 싶었다. 그런데 그분은 아직도 내가 시간과 노력을 투자해 배울 의사가 있는지 시험하고 있었다. 그래서 나는 주위 사람들이 들을 수 있을 만큼 목소리를 높여 이렇게 얘기했다. 「저는 배우고 싶습니다. 저는 시간을 투자할 의사가 있습니다. 저는 공부를 하겠습니다. 저는 아버님의 말씀을 따르겠습니다. 아버님이 저를 가르치는 것은 시간 낭비가 아닙니다. 아주 낮은 위험으로 성공적인 투자가가 되기 위한 기본들을 가르쳐주십시오」

「좋구나」 부자 아버지가 말했다. 「나는 네가 흥분할 때까지 기다리고 있었다. 주식 시장의 오름과 내림을 걱정하면 너는 투자가가 될 수 없다. 투자가가 되기 위해 네가 해야 하는 첫번째 단계는 자신에 대한 통제이다. 네가 자신을 통제하지 못하면, 시장의 오름과 내림이 너를 통제할 것이고, 그러면 너는 언젠가 그런 요동 속에서 패자가 될 것이다. 사람들이 좋은 투자가가 되지 못하는 첫번째 이유는 자신들과 자신들의 감정을 제대로 통제하지 못하기 때문이다. 안정과 편안함을 갈망하는 그들의 욕망이 그들의 마음, 그들의 영혼, 그들의 가슴, 세상에 대한 그들의 관점, 그리고 그들의 행동을 통제하게 된다. 내가 이미 얘기했듯이, 진짜 투자가는 시장이 어떻게 되든 상관하지 않는다. 진짜 투자가는 어느 방향에서건 돈을 번다. 따라서 〈자신에 대한 통제〉가 가장 중요한 것이다. 알겠니?」

「알겠습니다」 나는 그렇게 말하면서 의자에서 몸을 약간 뒤로 젖혔다. 사실 나는 다소 소심하고 걱정스런 상태로 그곳에 왔었다. 그렇지만 나는 부자 아버지와 여러 해 동안 공부를 했기 때문에, 그분의 치열함을 보면서 투자에 관한 수업이 막 시작될 것임을 알 수 있었다.

부자 아버지는 아주 빠른 속도로 얘기를 계속했다. 「따라서 너는 아주 낮은 위험으로 높은 수익을 올릴 수 있는 투자를 하고 싶다면 가격을 지불해야 한다. 그리고 그런 가격에는 공부, 아주 많은 공부가 포함된다. 너는 사업의 기본들을 공부해야 한다. 따라서 부자 투자가가 되려면 너는 좋은 사업가가 되거나, 아니면 사업가가 알고 있는 것을 알아야만 한다. 주식 시장에서, 투자가들은 성공적인 〈B: 사업가〉에 투자하고 싶어한다. 네가 〈B〉의 기술들을 갖고 있다면 〈B〉로서 자신의 사업을 일으키거나, 혹은 〈I: 투자가〉로서 다른 사업들을 잠재적인 투자 대상으로서 분석할 수 있다. 문제는, 대부분의 사람들은 학교에서 〈E: 봉급 생활자〉나 〈S: 자영업자〉의 훈련을 받는다는 점이다. 그들에게는 〈B〉에게 필요한 기술들이 없다. 그렇기 때문에 부자 투자가가 되는 사람들이 그렇게도 적다」

「이것은 전통적 투자를 나타낸다. 이것은 나뿐만 아니라 많은 부자 투자가들이 따르는 기본적 공식의 간단한 그림이다」

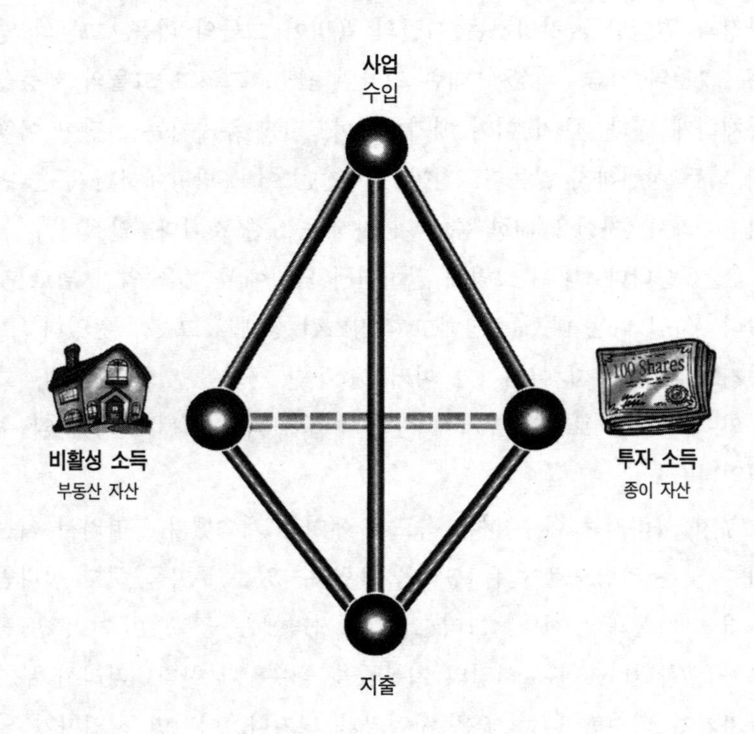

「투자 세계에는 네가 투자할 수 있는 세 가지 기본적 자산이 있다. 우리는 근로 소득, 비활성 소득, 그리고 투자 소득에 대해서 얘기한 적이 있다. 그리고 정말로 부자인 사람들과 그렇지 않은 사람들 간의 큰 차이는 내가 이곳에 그린 이 사면체이다」

「그러니까 사업을 일으키는 것은 투자라는 뜻인가요?」 내가 물었다.

「아마도 그것은 가장 좋은 투자일 거다. 네가 원하는 것이 부자 투자가가 되는 것이라면 말이다. 아주 부자인 사람들의 대략 80%는 사업을 일으켜서 부자가 되었다. 대부분의 사람들은 사업을 일으키거나 사업에 투자하는 사람들을 위해 일한다. 그러면서 그들은 사업을 일으킨 사람들이 왜 그렇게도 부자인지 궁금하게 생각한다. 그 이유는 사업을 일으키는 사람들은 늘 돈을 주고 자산을 사기 때문이다」

「그러니까 사업을 일으키는 사람이나 사업체를 갖고 있는 사람은 돈보다 자산을 더 소중하게 생각한다는 말인가요?」 내가 물었다.

「어느 면에서는 그렇다고 할 수 있다. 왜냐하면 투자가가 하는 일은 사실 시간이나 전문성, 혹은 돈을 주고 대신에 자산이 될 수 있는 안정을 추구하는 것이기 때문이다. 그러니까 네가 돈을 주고 대신에 부동산이나 임대 주택 같은 투자 상품을 사는 것처럼, 혹은 돈을 내고 주식을 구입하는 것처럼, 사업가는 사람들에게 돈을 주고 대신에 사업 자산을 키우려 한다. 가난한 사람들과 중산층이 고생하는 한 가지 주된 이유는 그들이 진짜 자산보다 돈을 더 소중하게 생각하기 때문이다」

「그러니까 가난한 사람들과 중산층은 돈을 더 소중하게 생각하고 부자들은 그렇지 않다는 말인가요?」

「부분적으로는 그렇다」 부자 아버지가 말했다. 「그레샴의 법칙을 늘 기억해라」

「그레샴의 법칙이요?」 내가 물었다. 「저는 그레샴의 법칙을 들어본 적이 없는데요. 그것이 무엇입니까?」

「그레샴의 법칙은 경제 법칙으로서 악화(나쁜 돈)가 양화(좋은 돈)를 구축한다(몰아낸다)는 것이다」

「좋은 돈, 나쁜 돈?」 내가 그렇게 물으면서 고개를 흔들었다.

「그레샴의 법칙은 인류가 돈을 소중하게 여기기 시작한 이후 늘 작용했다. 옛날 로마 시절에 사람들은 은화와 금화의 가장자리를 잘라내곤 했다. 그러니까 사람들은 금화나 은화에서 금이나 은을 조금씩 잘라낸 후에 다른 사람에게 그것을 주곤 했다. 그래서 동전의 가치는 떨어지기 시작했다. 로마 사람들은 바보가 아니었기 때문에 곧 동전들이 더 가볍다는 사실을 알게 되었다. 로마 사람들은 그런 사실을 안 후에 금이나 은의 함량이 더 많은 동전들은 쌓아두고 더 가벼운 동전들만 사용했다. 그것은 나쁜 돈이 좋은 돈을 몰아낸 한 가지 예이다」

「이와 같은 동전 깎아내기를 방지하기 위해 정부는 동전의 가장자리를 주름지게 만들었다. 그래서 가치가 있는 동전들은 가장자리에 작은 홈들이 있는 것이다. 그런 홈들이 손상된 것을 볼 때 사람들은 그 동전이 훼손된 것임을 알 수 있었다. 아이로니컬하게도, 사실은 정부가 우리들 돈의 가치를 가장 많이 깎아내고 있다」

「다시 말해 사람들은 직관적으로 정부의 돈에 별가치가 없음을 알게 되었다는 건가요?」 내가 말했다.

「그렇게 볼 수 있다」 부자 아버지가 말했다. 「아마도 그래서 사람들은 덜 저축하고 더 소비하는 것 같다. 아쉽게도 가난한 사람들과 중산층은 자신들의 돈보다 더 가치가 없는 것들을 산다. 그들은 현금을 쓰레기로 바꾼다. 반면에 부자들은 자신들의 돈으로 사업체, 주식, 그리고 부동산 같은 것을 산다. 그들은 돈의 진짜 가치가 점점 더 떨어지는 상황에서 안정을 확보하려고 애를 쓴다. 그렇기 때문에 나는 마이크와 너에게 늘 이렇게 얘기했던 것이다. 〈부자들은 돈을 위해 일하지 않는다.〉 부자가 되고 싶다면 좋은 돈과 나쁜 돈…… 자산과 부채의 차이를 알아야만 한다」

「좋은 안정과 나쁜 안정」 내가 덧붙였다.

부자 아버지가 고개를 끄덕였다. 「그렇기 때문에 나는 늘 너에게 이렇게 얘기했다. 〈부자들은 돈을 위해 일하지 않는다.〉 내가 그렇게 얘기하는 이유는 부자들은 영리하게도 돈의 값어치가 점점 더 떨어지는 것을 알기 때문이다. 너는 나쁜 돈을 위해 열심히 일하고 자산과 부채, 좋은 안정과 나쁜 안정의 차이를 모를 때 평생 경제적으로 고생할 수도 있다. 부끄러운 일이지만, 가장 열심히 일하고 가장 적게 받는 사람들은 돈의 가치가 점점 더 떨어지는 이런 상황에서 가장 고생한다. 가장 열심히 일하는 사람들은 그레샴의 법칙 때문에 앞으로 나아가는 데 가장 크게 애를 먹는다. 돈의 가치는 점점 떨어지기 때문에, 경제적으로 현명한 사람은 끊임없이 가치 있는 것들을 찾아야만 하고 그러면서 가치가 떨어지는 돈을 점점 더 많이 만들 수 있어야 한다. 그렇게 하지 않으면 너는 시간이 갈수록 경제적으로 앞서가는 것이 아니라 뒤처지게 된다」

그런 후에 부자 아버지는 노란색 메모지에 다음과 같은 그림을 그렸다.

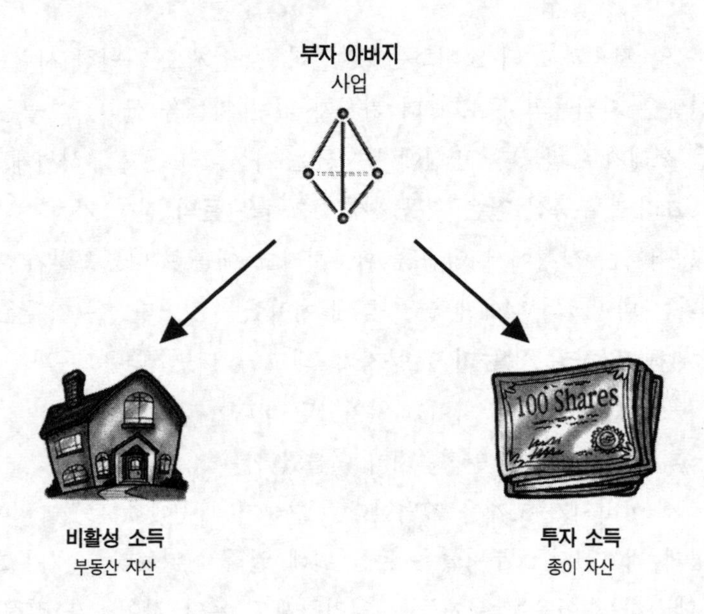

「내가 오늘날 네 아버지보다 더 안정적인 이유는 이들 기본적인 자산 내지 안정(시큐리티)을 모두 얻기 위해 열심히 일했기 때문이다. 네 아버지는 일자리 안정을 위해 열심히 일하기로 선택했다. 그래서 네 아버지가 열심히 일한 대상은 이런 모습을 하고 있다」

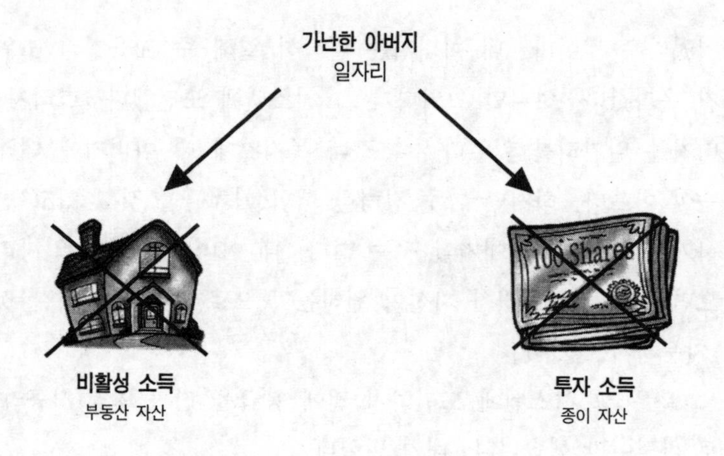

그런 후에 부자 아버지는 일자리 안정을 십자표로 지웠다.

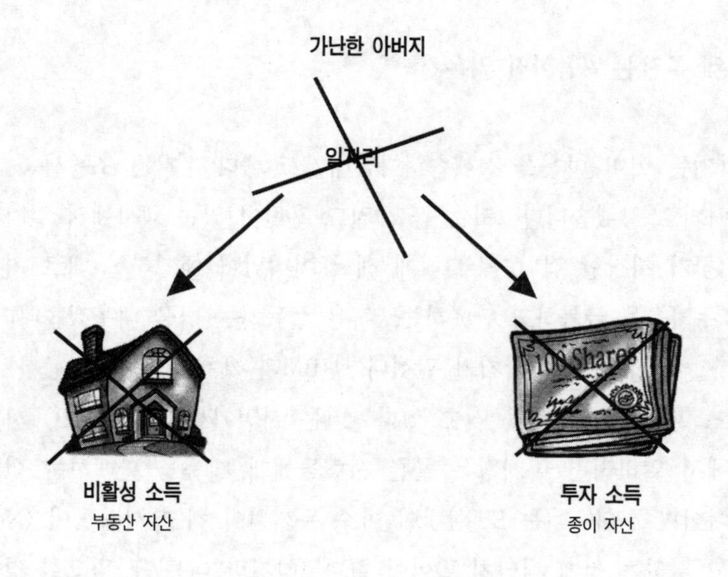

「그래서 네 아버지는 일자리를 잃었을 때 헛된 것을 위해 열심히 일했음을 알게 되었다. 그리고 가장 나쁜 것은, 네 아버지는 성공

적이었다는 것이다. 네 아버지는 열심히 일해 주 교육청의 고위직까지 올라갔다. 하지만 그러다가 그 시스템에 도전했다. 그러자 네 아버지는 일자리를 잃었다. 나도 너 못지않게 네 아버지에 대해서 가슴이 아프다. 하지만 아주 강력한 핵심 가치들을 갖고 있고 변할 의사가 없는 사람과 얘기할 수는 없다. 네 아버지는 다시 일자리를 찾으면서 그런 일자리가 자신이 원하는 곳으로 자신을 데려갈 것인지 자문하지 않았다」

「그분은 그 시스템에 도전하기 전에 봉급을 진짜 안정(시큐리티)들로 바꿔야만 했습니다」 내가 말했다.

왜 투자는 위험하지 않은가

「저는 이미 마음을 정했습니다」 내가 말했다. 「저는 조종사를 포기하기로 정했습니다. 저는 곧 세일즈 훈련이 있는 회사에서 일자리를 찾기 시작할 겁니다. 그렇게 해서 아버님이 얘기하신 대로 거절의 두려움을 극복하고 판매하는, 혹은 설득하는 법을 배우겠습니다」

「잘했다」 부자 아버지가 말했다. 「IBM과 제록스 모두 훌륭한 세일즈 훈련 프로그램을 갖고 있다. 너는 사업가들이 속한 〈B〉 사분면에서 일하려면 마케팅은 물론 사람들에게 제품을 판매하는 법도 알아야만 한다. 너는 또 살갗이 아주 두꺼워야 하고 사람들이 〈No〉라고 말하는 것에 괘념치 말아야 한다. 하지만 너는 또 필요한 경우에는 그들의 마음을 바꿀 수 있어야 한다. 세일즈는 누구든지 부자가 되고자 하는 사람, 특히 〈B〉 사분면과 투자가들인 〈I〉 사분면에 있는 사람에게는 아주 중요하고 기본적인 기술이다」

「하지만 한 가지 꼭 묻고 싶은 게 있습니다」 내가 말했다.

「대부분의 사람들은 투자는 위험하다고 말하는데 아버님은 어떻게 투자는 위험하지 않다고 말할 수 있습니까?」

「나는 재무제표를 읽을 수 있고 대부분의 사람들은 읽을 수 없다. 너는 내가 몇 년 전에 너에게 이렇게 말한 것을 기억하느냐? 〈네 아버지는 단어들은 읽을 수 있지만 숫자들은 읽을 수 없다.〉」

나는 고개를 끄덕이면서 이렇게 얘기했다. 「그 말을 굉장히 자주 하신 것으로 기억합니다」

「금융 지식은 가장 중요한 투자의 기본 요소 가운데 하나이다. 특히 안전한 투자가, 내부 투자가, 그리고 부자 투자가가 되고 싶다면 더욱 그렇다. 금융상의 독해력이 없는 사람은 투자의 속을 들여다볼 수 없다. 의사가 X-레이를 사용해 인체를 들여다보는 것처럼, 재무제표는 투자의 속을 들여다보면서 사실과 허구, 기회, 그리고 위험을 보게 한다. 어떤 사업체나 개인의 재무제표를 읽는 것은 전기나 자서전을 읽는 것과 비슷하다」

「따라서 많은 사람들이 투자는 위험하다고 말하는 한 가지 이유는 재무제표를 읽도록 교육받은 적이 없기 때문입니까? 그리고 그렇기 때문에 아버님은 마이크와 저에게 아홉 살 때부터 재무제표를 읽도록 가르친 것입니까?」

「글쎄, 네가 기억할지 모르지만, 너는 겨우 아홉 살이었을 때 부자가 되고 싶다고 나에게 얘기했다. 네가 그 말을 했을 때 나는 기본부터 시작했다. 즉, 절대로 돈을 위해 일하지 말아라, 일자리가 아닌 기회를 잡는 법을 배워라, 그리고 재무제표를 읽는 법을 배워

라. 대부분의 사람들은 학교를 졸업하면서 기회가 아닌 일자리를 찾으려 한다. 그들은 비활성 소득이나 투자 소득이 아닌 근로 소득을 위해 일하도록 배웠기 때문이다. 그리고 대부분은 재무제표를 읽고 쓰는 것은 고사하고 수지를 맞추는 법도 배운 적이 없다. 따라서 그들이 투자는 위험하다고 말하는 것도 놀랄 일은 아니다」

「사업에는 재무제표가 있다. 주식 증서는 재무제표의 반영이다. 각각의 부동산도 재무제표를 갖고 있다. 그리고 각각의 우리는 하나의 인간으로서 우리에게 붙은 재무제표를 갖고 있다」 부자 아버지가 말했다.

「모든 시큐리티와 인간에게요?」 내가 물었다. 「제 아버지에게도요? 제 어머니에게도?」

「그렇다」 부자 아버지가 말했다. 「그것이 사업이건, 부동산이건, 혹은 인간이건, 돈을 거래하는 것이면 어떤 것이든 손익계산서와 대차대조표를 갖고 있다. 재무제표의 힘을 인식하지 못하는 사람들은 종종 가장 적은 돈과 가장 큰 금융상의 문제들을 갖고 있다」

「그러니까 제 아버지가 지금 갖고 있는 것처럼 말인가요?」 내가 물었다.

「아쉽지만 그것은 사실이다」 부자 아버지가 말했다. 「자산과 부채, 근로 소득과 비활성 소득 및 투자 소득의 간단한 차이를 모르고, 그 모든 것이 나타나는 곳과 그것들이 재무제표에서 흐르는 방식을 모르기 때문에, 네 아버지는 그 동안 값비싼 대가를 치러야만 했다」

「그러면 아버님은 사업을 보실 때 그날의 주가가 아닌 재무제표를 본다는 말인가요?」 내가 물었다. 나는 내 아버지와 관련된 얘기에서 벗어나기 위해 애를 썼다.

「바로 그렇다」 부자 아버지가 말했다. 「그것은 전통적 투자라고 불린다. 금융 지식은 전통적 투자에 가장 기본이다. 나는 사업체의 금융 상태를 볼 때 사업체의 내장을 본다. 나는 금융 상태를 볼 때 그 사업이 근본적으로 튼튼한지 약한지, 성장하는지 하락하는지 알 수 있다. 나는 경영진이 잘하고 있는지, 투자가들의 많은 돈을 낭비하고 있는지 알 수 있다. 아파트 건물이나 사무용 건물에 대해서도 같은 얘기를 할 수 있다」

「그러면 금융 상태를 읽음으로써 그 투자가 위험한지 안전한지 알 수 있다는 거군요」 내가 덧붙였다.

「그렇지」 부자 아버지가 말했다. 「어떤 사람, 어떤 사업, 혹은 어떤 부동산의 금융 상태는 나에게 그보다 훨씬 더 많은 것을 알려준다. 하지만 간략하게 보기만 해도 세 가지 사항을 더 알 수 있다」

「그것들이 뭔가요?」

「우선 먼저, 금융 지식은 중요한 것의 점검표를 제공한다. 나는 무엇이 잘못되고 있는지, 혹은 무엇을 해야 사업을 개선시켜 올바르게 만들 수 있는지 알 수 있다. 대부분의 투자가들은 가격을 보고 이어서 주식의 PER(주가 수익률)을 본다. 주식의 PER은 사업에 대한 외부자의 지표이다. 내부자에게는 다른 지표들이 필요하다. 그리고 그것이 내가 너에게 가르칠 것이다. 그런 지표들은 안정성 점검표의 일부로서 사업의 모든 부분이 제대로 기능하고 있음을 알려준다. 금융 지식이 없으면 그 차이를 알 수 없지. 그러면 당연히 투자는 그 사람에게 위험한 것이 된다」

「그러면 두번째는요?」 내가 물었다.

「두번째는, 나는 투자를 볼 때 그것을 내 개인적인 재무제표와 비교하면서 어디서 일치하는지 보려 한다. 이미 얘기했듯이, 투자는 계획이다. 나는 그 사업, 주식, 뮤추얼 펀드, 채권, 혹은 부동산의 재무제표가 내 개인적인 재무제표에 어떻게 영향을 끼치는지 보고자 한다. 나는 이 투자가 나를 내가 가고자 하는 곳으로 데려가줄 것인지 알고자 한다. 나는 또 나에게 그런 투자의 여유가 있는지 분석할 수 있다. 나는 내 숫자들을 알기 때문에 내가 돈을 빌려 투자를 할 때 어떤 일이 일어날 것인지 알 수 있다」

「그러면 세번째는요?」

「나는 이 투자가 안전한 것이고 나에게 돈을 벌어줄 것인지를 알고자 한다. 나는 그것이 아주 단기적인 기간에 돈을 벌 것인지 잃을 것인지 알 수 있다. 그래서 그것이 나에게 돈을 벌어주지 못하면, 혹은 내가 그것이 돈을 벌어줄 기회를 볼 수 없다면, 나는 당연히 그것을 사지 않는다. 그런 투자는 위험한 투자인 거지」

「그러니까 돈을 벌지 못하면 투자를 하지 않는다는 건가요?」 내가 물었다.

「대개의 경우에는 그렇다」 부자 아버지가 말했다. 「그것은 간단한 얘기인 것 같지만, 나는 돈을 잃거나 돈을 벌지도 못하면서 스스로 투자가라고 생각하는 사람들을 만날 때마다 늘 놀라곤 한다」

「그것은 그 사람이 재무제표를 읽지 못하기 때문인가요?」 내가 물었다.

「그것은 기본 중의 기본이다. 금융 지식은 투자를 하려는 사람들에게는 너무나도 중요한 기본이다. 또 하나의 기본은 돈을 버는 투자를 하는 것이다. 투자를 하는 이유는 한 가지뿐이다. 즉, 돈을 버는 것이다. 돈을 잃는 투자가 아니어도 투자는 충분히 위험한 것이다」

학교 졸업 후의 성적표

우리가 그날의 수업을 끝낼 즈음에 부자 아버지가 이렇게 얘기했다. 「너는 이제 왜 내가 그렇게도 자주 너에게 네 개인의 재무제표를 만들라고 했는지 알 수 있니?」

나는 고개를 끄덕이면서 이렇게 대답했다. 「사업과 부동산 투자의 재무제표를 분석하는 것만큼 잘해야지요. 아버님은 제가 재무제표 속에서 생각하기를 원한다고 늘 얘기하셨죠. 이제는 그 이유를 알 수 있습니다」

「너는 학교에 다닐 때 분기에 한번씩 성적표를 받았다. 하지만 네 자신의 재무제표는 학교를 졸업한 후의 성적표다. 대다수의 사람들은 개인의 재무제표에서 낙제 점수를 받고 있지만, 그들은 보수가 높은 일자리와 멋진 집이 있기 때문에 자신들이 잘하고 있다고 생각한다. 아쉽게도, 내가 성적표를 나눠준다면, 누구든지 45세가 될 때까지 경제적 독립을 달성하지 못한 사람은 낙제 점수를 받을 것이다. 그렇다고 내가 잔인한 사람이 되고 싶은 것은 아니다. 다만 나는 사람들이 깨어나서 다른 무언가를 하기를 원할 뿐이다. 그들에게 가장 소중한 자산인 시간이 없어지기 전에 말이다」

「그러니까 아버님은 재무제표를 읽으면서 위험을 줄이는군요」 내가 말했다. 「사람들은 투자를 하기 전에 자신의 재무제표부터 통제할 수 있어야 하는군요」

「바로 그거다」 부자 아버지가 말했다. 「내가 지금까지 얘기한 이 모든 과정은 자신을 통제하는 과정이며, 자신의 재무제표를 통제하는 과정이다. 너무도 많은 사람들이 빚이 많기 때문에 투자를 해서 돈을 벌어 그 빚을 갚고 싶어한다. 더 많은 돈을 벌어 청구서를 지불하거나 더 큰 집을 사거나 새 차를 사기 위해 투자하는 것은 바보들의 투자 계획이다. 투자를 하는 데는 한 가지 이유밖에 없다. 즉, 노동을 통해 벌어들인 소득을 비활성 소득이나 투자 소득으로 바꿔주는 자산을 획득하는 것이다. 한 형태의 소득을 다른 형태의 소득으로 바꾸는 것이 진짜 투자가의 우선적 목표이다. 그리고 그렇게 하려면 단순하게 수지를 맞추는 것보다 더 수준 있는 금융 지식이 필요하다」

「그러면 아버님은 주식이나 부동산 가격에는 별 관심이 없군요. 아버님은 재무제표를 통해 볼 수 있는 근본들에 더 관심이 있군요」

「그렇다」 부자 아버지가 말했다. 「그렇기 때문에 나는 네가 주식 시세에 관심을 갖는 것에 속이 상했다. 가격은 중요한 것이기는 해도 전통적 투자에서는 절대로 중요한 것이 아니다. 가격은 기술적 투자에서 더 상관이 있는 것이다. 하지만 전통적 투자는 또다른 교훈이다. 이제는 내가 왜 너에게 그렇게도 많은 개인 재무제표를 만들고 사업과 부동산 투자를 분석하라고 했는지 이해하겠니?」

나는 고개를 끄덕였다.

요술 양탄자

「너는 게임에서 상당히 앞서가고 있다」 부자 아버지가 말했다. 「그 게임은 부자가 되는 게임이다. 나는 손익계산서와 대차대조표를 구성하는 요소들을 알고 있다. 재무제표를 구성하는 그 두 가지 기본적 보고서들 말이다. 나는 그것들을 요술 양탄자라고 부른다」

「왜 그것들을 요술 양탄자라고 부릅니까?」 내가 물었다.

「왜냐하면 그것들은 요술처럼 우리를 장막 뒤의 어떤 사업, 어떤 부동산, 세상의 어떤 나라든지 그 속으로 데려가는 것 같기 때문이다. 그것은 마치 잠수용 안경을 쓰고 갑자기 수면 밑을 보는 것과 같다. 이 안경은 재무제표를 상징하는 것으로, 우리가 수면 밑에서 일어나는 것을 분명하게 보도록 해준다. 혹은 재무제표는 슈퍼맨의 X-레이 시야를 갖는 것과도 비슷하다. 경제적, 금융적으로 똑똑한 사람은 높은 건물을 뛰어넘지 않고도 건물의 콘크리트 벽을 투시할 수 있다. 내가 그것들을 요술 양탄자라고 부르는 또 하나의 이유는 그것들이 우리를 자유롭게 만들어 세상의 너무도 많은 지역에서 너무도 많은 것들을 볼 수 있게 만들기 때문이다. 그 모든 것을 책상에 앉아서 할 수 있게 만들기 때문이지. 금융 지식을 향상시키면 위험을 줄일 수 있고 투자 수익을 높일 수 있다. 재무제표는 일반 투자가들이 보지 못하는 것을 보게 해준다. 그것은 또 내가 나의 경제적 상황을 조절하도록 해주고, 그럼으로써 내가 가고 싶어하는 곳으로 가도록 해준다. 재무제표를 통제할 수 있으면 다수의 사업을 육체적으로 운영하지 않으면서도 실질적으로 운영할 수 있단다. 재무제표의 깊은 이해는 자영업자인 〈S〉 사분면의 사람들이 사업가들이 속한 〈B〉 사분면으로 이동하는 데 여전히 필요한 열쇠 가운데 하나이다. 그리고 그렇기 때문에 나는 손익계산서와 대차대조표를 요술 양탄자라고 부른다」

✎ 나의 투자지수(Invest Quotient) 테스트

우리는 중고 자동차를 사려고 할 때 정비공으로 하여금 그것을 살펴보게 해 그 가격이 적당한지 알아보려 할 것이다. 또 집을 사려고 할 때는 기초, 배관, 전기, 혹은 지붕 같은 것의 상태를 일일이 점검한 후에 그 집을 살 것이다. 만약 누군가와 결혼을 하고자 한다면 그 예쁜 얼굴 밑에서 정말로 어떤 일이 일어나고 있는지 안 후에 그 예쁜 얼굴과 평생을 보내기로 결정할 것이다.

하지만 투자를 할 때 대부분의 투자가들은 자신들이 투자하는 회사의 재무제표를 한번도 읽어보지 않는다. 대부분의 투자가들은 화끈한 조언이나 가격의 높고 낮음을 보고 투자하면서 시장의 기세에 의존하려 한다. 대부분의 사람들은 자동차는 일년에 한 번 이상 점검하고 육체적인 건강은 매년 체크하지만 재무제표를 분석해 투자상의 결함이나 미래의 문제를 확인하지는 않는다. 그 이유는 대부분의 사람들은 학교를 졸업하고도 재무제표의 중요성을 인식하지 못하며, 그것을 통제하는 법에 대해서는 더 말할 나위가 없이 인식하지 못하기 때문이다. 따라서 그렇게도 많은 사람들이 투자는 위험한 것이라고 말하는 것도 놀랄 일은 아니다. 투자는 위험한 것이 아니다. 하지만 금융상 유식하지 않은 것은 위험한 것이다.

당신이 투자가가 됨으로써 부자가 될 계획을 갖고 있다면, 나는 재무제표를 볼 줄 아는 기초 지식이 최소한의 요건이라고 얘기하고 싶다. 그것은 당신의 안전성 요인을 개선시킬 뿐 아니라 당신이 더 짧은 기간에 훨씬 더 많은 돈을 벌도록 해줄 것이다. 내가 이렇게 말하는 이유는 재무제표를 읽을 수 있으면 일반 투자가가 보지 못하는 투자 기회들을 볼 수 있기 때문이다. 일반 투자가는 기본적으로 가격을 기준으로 사거나 파는 기회를 본다. 능숙한 투자가는 자신의 두뇌를 훈련시켜 가격이 아닌 기회들을 본다. 능숙한 투자가는 대부분의 가장 좋은 투자 기회들은 훈련받지 않은 눈에는 보이지 않음을 알고 있다.

부자 아버지는 나에게 금융상의 지식을 갖추고 투자의 내적인 강점과 약점들을 알아야 투자가로서 가장 많은 돈을 벌 수 있다고 가르쳤다. 그분은 이렇게 얘기했다.「최상의 투자 기회들을 찾는 것은 부기, 세법, 상법, 그리고 회사법을 이해하는 것에서 나온다. 그리고 이와 같은 비가시적 영역에서 진짜 투자가들은 가장 좋은 투자 기회들을 발견한다. 그렇기 때문에 나는 손익계산서와 대차대조표를 요술 양탄자라고 부른다」

따라서 이번 질문은 다음과 같은 것이 된다.

1 당신은 투자가로서 부자가 되고 부자들이 하는 투자에 투자할 계획이 있다면, 자신의 개인 재무제표를 명확히 통제하면서 정기적으로 다른 재무제표들을 읽어볼 의사가 있는가?

예 _____ 아니오 _____

제16장

간단한 금융 지식 두 가지

가장 위험한 투자가는 자신의
개인 재무제표조차 제대로 통제하지 못하는 사람이다.
가장 위험한 투자가는 스스로 자산이라 생각하는
부채밖에 갖고 있지 않은 사람, 수입만큼 많은 지출을
하고 있는 사람, 그리고 수입의 유일한 원천은 노동력뿐인 사람이다.
그들이 위험한 이유는 그들은 필사적인 투자가들이기 때문이다.

「네 아버지가 경제적으로 고생하는 이유는 그분이 단어는 읽을 수 있지만 경제적으로는 문맹이기 때문이다」 부자 아버지는 종종 나에게 그렇게 애기했다. 「그분이 잠시 시간을 내서 숫자와 돈의 용어를 읽는 방법을 배웠다면, 그분의 삶은 극적으로 변할 것이다」

금융 지식은 부자 아버지가 『부자 아빠 가난한 아빠 1』에서 소개한 여섯 가지 교훈들 가운데 하나이다. 부자 아버지가 볼 때 금융 지식은 사업가나 전문적 투자가가 되고자 하는 모든 사람에게 필수적인 것이다. 이 책의 뒷부분에서 샤론과 나는 사업과 투자에 관한 금융 지식의 중요성을 상세히 설명하고, 일반 투자가가 보지 못하는 투자 기회들을 다른 사람들은 어떻게 발견하는지 소개할 것이다. 하지만 우선은 금융 지식을 빠르게 검토하고 그것을 어떻게 간단하고 더 쉬운 것으로 만들 수 있는지 알아보는 것이 필요하다.

자산과 부채

능숙한 투자가는 많은 다양한 금융상의 서류들을 읽을 수 있어야 한다. 그 모든 서류들의 중심에 있는 것이 손익계산서와 대차대조표이다.

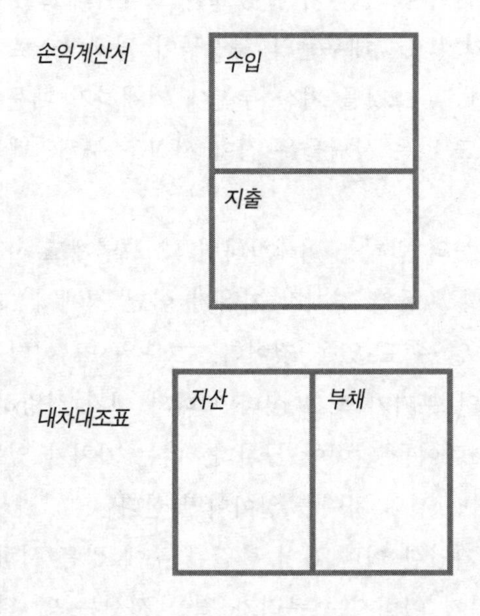

나는 회계사는 아니지만 그래도 회계에 관한 몇몇 강좌를 수강했다. 대부분의 강좌들에서 나를 놀라게 한 것은 강사들이 그 서류들

의 하나에만 초점을 맞추면서 둘 사이의 관계에는 초점을 맞추지 않는 것이었다. 다시 말해, 그 강사들은 왜 하나의 서류가 다른 하나의 서류에 중요한 것인지 설명하지 않았다.

부자 아버지는 손익계산서와 대차대조표의 관계가 가장 기본이면서 또한 가장 중요한 것이라고 생각했다. 그분은 이렇게 얘기했다. 「하나가 없이 다른 하나를 어떻게 이해할 수 있느냐?」 혹은 「〈수입 부분〉이나 〈지출 부분〉 없이 자산이나 부채가 정말로 무엇인지 어떻게 알 수 있느냐?」 그분은 이어서 이렇게 말하곤 했다. 「어떤 것이 자산 부분에 속해 있다고 해서 그것이 자산이 되는 것은 아니다」 나는 그 말이 그분이 지적한 가장 중요한 요점이라고 생각한다. 그분은 이렇게 얘기했다. 「대부분의 사람들이 경제적으로 고생하는 이유는 부채를 산 후 그것을 자산 부분에 기재하기 때문이다. 그렇기 때문에 그렇게도 많은 사람들은 집이 사실은 부채인데 그것을 자산이라고 부른다」

당신이 그레샴의 법칙을 이해한다면 왜 그렇게도 사소한 것 같은 간과(看過)가 평생 동안 경제적 자유가 아닌 경제적 고생을 야기시킬 수 있는지 알 수도 있을 것이다. 그분은 또 이렇게 얘기했다. 「여러 세대 동안 부자가 되고 싶다면 너와 네가 사랑하는 사람들은 자산과 부채의 차이를 알아야만 한다. 너는 가치가 있는 어떤 것과 가치가 없는 어떤 것의 차이를 알아야만 한다」

『부자 아빠 가난한 아빠 1』이 출간된 후에 많은 사람들은 이렇게 물었다. 「그 부자 아버지는 우리가 집을 사서는 안 된다고 말하는 겁니까?」 그 질문에 대한 답은 이와 같은 것이다. 「아닙니다. 그분은 집을 사지 말라고 얘기하는 것이 아닙니다」 부자 아버지는 다만 금융 지식의 중요성을 강조했을 뿐이다. 그분은 이렇게 얘기했다. 「그것이 너의 집이라 해도 부채를 자산으로 혼동하지는 말아라」 그 다음에 가장 흔한 질문은 이런 것이었다. 「내가 우리집의 융자금을 갚으면 그것은 자산이 되는 겁니까?」 이번에도 그 답은 대부분의 경우에 이런 것이다. 「아닙니다. 당신이 당신 집에 빚을 지고 있지 않다고 해서 그것이 반드시 자산이 되는 것은 아닙니다」 이 답에 대한 이유는 이번에도 〈현금흐름(cashflow)〉이란 용어에서 찾을 수 있다. 대부분의 개인적인 주거지에는, 설사 당신이 빚을 지고 있지 않다 해도, 여전히 지출과 재산세가 따른다. 사실 당신은 부동산을 정말로 소유할 수가 없다. 부동산은 늘 정부에 속하는 것이다. 이 말이 의심스럽다면 재산세를 내지 말아 보라. 그러면 그것을 정말로 누가 소유하는지 알 것이다. 융자금이 있건 없건 상황은 같다.

부자 아버지는 주택 소유를 열렬히 지지하는 분이었다. 그분은 주택은 당신의 돈을 넣는 안전한 장소라고 생각했다. 하지만 그것이 반드시 자산은 아니라고 지적했다. 사실 그분은 충분히 많은 부동산을 얻은 후에 크고 아름다운 집에서 살았다. 그 부동산들은 현금흐름을 발생시켜 그분이 크고 아름다운 집을 살 수 있도록 해주었다. 그분이 지적한 것은 우리가 부채를 자산이라고 부르지는 말아야 한다는, 혹은 우리가 자산이라고 생각하는 부채를 사지는 말아야 한다는 것이었다. 부자 아버지는 그것이 우리가 할 수 있는 가장 큰 실수 가운데 하나라고 생각했다. 그분은 이렇게 얘기했다. 「어떤 것이 부채이면 그것을 부채라고 부르면서 세심하게 관찰하는 것이 더 낫다」

어린이를 위한 금융 지식

부자 아버지에게 있어 사업과 투자에서 가장 중요한 단어는 〈현금흐름〉이었다. 그분은 이렇게 얘기했다. 「어부가 밀물과 썰물을 관찰해야 하는 것처럼, 투자가와 사업가는 현금흐름의 미묘한 이동을 세심하게 알아야만 한다」

부자 아버지는 공식적인 교육은 받지 못했을지 몰라도 복잡한 주제들을 간단하게 만들어 아홉 살짜리 어린아이도 이해할 수 있게 하는 재주가 있었다. 비록 내 재산은 그 후 늘었지만, 그분이 나에게 이런 것들을 설명하기 시작한 그때 나는 아홉 살이었다. 그리고 나는 부자 아버지가 나에게 그려준 그 간단한 그림들 이상으로 크게 발전하지는 못했음을 고백해야 한다. 그렇지만 부자 아버지의 간단한 설명은 내가 돈과 그 흐름을 더 잘 이해하고 경제적으로 안정적인 삶을 달성하는 데 큰 도움이 되었다.

오늘날 나는 계속해서 부자 아버지의 간단한 그림들을 내 지침으로 사용한다. 따라서 당신은 다음의 그림들을 이해할 수 있다면 큰 재산을 모을 가능성이 높아진다. 기술적인 회계 업무는 그렇게 중요한 일을 하도록 훈련받은 회계사들에게 맡겨라. 당신이 할 일은 자신의 금융 숫자들을 통제하고 그들을 인도해 당신의 재산을 늘리는 것이다.

부자 아버지의 금융 지식

첫번째 금융 지식

현금흐름 방향이 그 시점에서 무엇이 자산이고 부채인지 결정한다. 다시 말해, 당신의 부동산 중개인이 당신의 집을 자산이라 부른다고 해서 그것이 자산이 되는 것은 아니다.

이것은 자산의 현금흐름 패턴이다. 자산에 대한 부자 아버지의 정의는 이런 것이었다.「자산은 주머니에 돈을 넣는다」

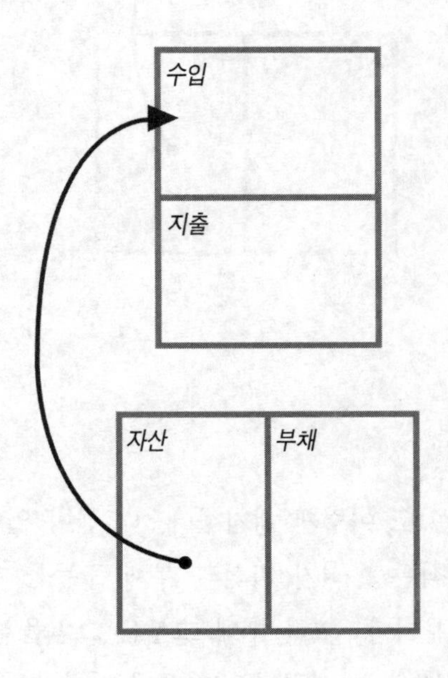

이것은 부채의 현금흐름 패턴이다. 부채에 대한 부자 아버지의 정의는 이런 것이었다. 「부채는 주머니에서 돈을 빼간다」

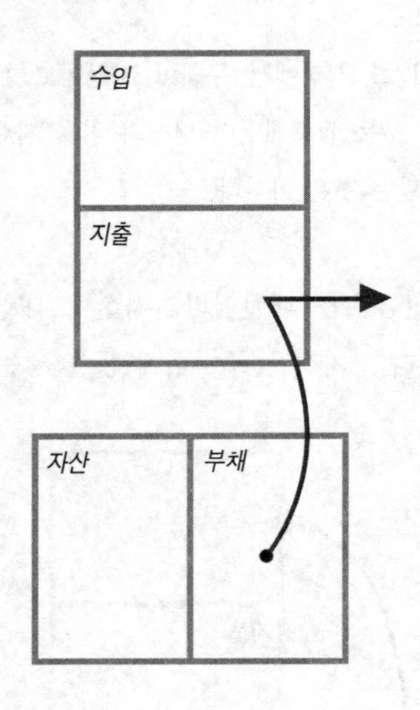

혼란의 원인

부자 아버지는 또 이렇게 얘기했다. 「혼란이 일어나는 이유는 일반적인 회계 방식은 우리가 자산과 부채 모두를 자산 부분에 넣도록 허용하기 때문이다」 그런 후에 그분은 그림을 그려서 자신이 방금 한 얘기를 설명하고 이렇게 얘기했다. 「이것은 그것이 혼란스런 이유이다」

그분은 이렇게 얘기했다. 「이 그림에서는 누군가 현금으로 2만 달러를 지불하고 융자금이 8만 달러인 10만 달러짜리 집을 갖고 있다. 너는 이 집이 자산인지 부채인지 어떻게 아느냐? 이 집은 자산 부분에 있기 때문에 자산이냐?」

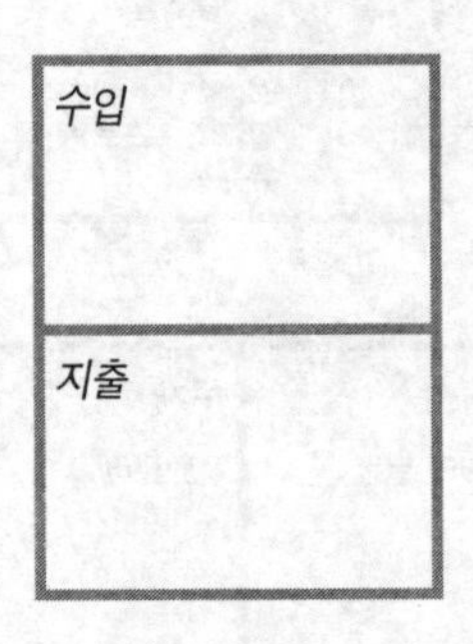

자산 10만 달러

부채 8만 달러

그 답은 당연히 〈아니다〉이다. 진짜 답은 이런 것이다. 「그것이 자산인지 부채인지 알아내려면 손익계산서를 보아야 한다」

부자 아버지는 그런 후에 다음의 그림을 그리면서 이렇게 얘기했다. 「여기에서 집은 부채다. 이것이 부채임을 알 수 있는 것은 현금 흐름이 지출 부분에만 들어 있고 수입 부분에는 아무것도 없기 때문이다」

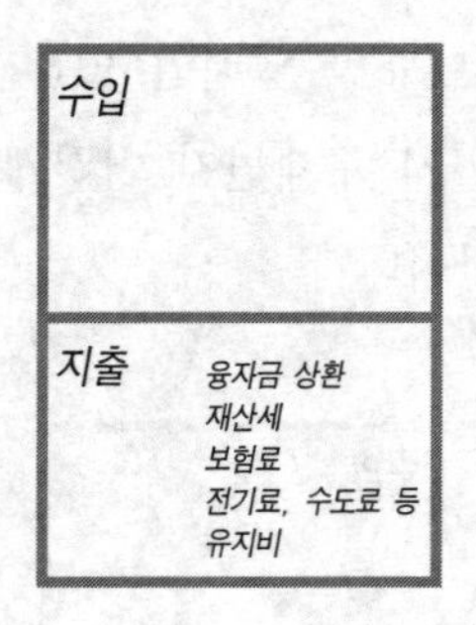

자산	부채
10만 달러	8만 달러

부채를 자산으로 바꾸어라

부자 아버지는 이어서 그 그림에 다음과 같은 단어들을 추가했다. 〈임대 수입과 순 임대 수입.〉 핵심 단어는 〈순(net)〉이었다. 「재무제표의 이와 같은 변화는 이 집을 부채에서 자산으로 바꾸었다」

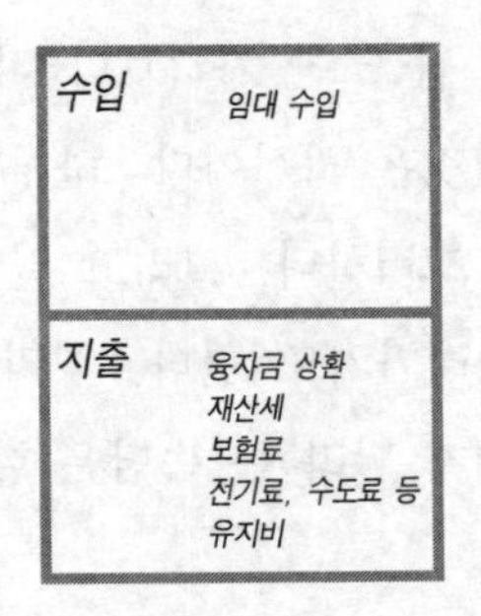

순 임대 수입

자산	부채
10만 달러	8만 달러

그런 개념을 이해한 후에, 부자 아버지는 숫자들을 보태서 내가 그런 개념을 더 잘 이해하도록 만들었다.「가령 이 집과 관련된 그 모든 비용들이 합해서 1천 달러라고 하자. 그것에 포함되는 것은 융자금 상환, 재산세, 보험, 전기세 및 가스 사용료, 그리고 유지비 등이다. 그리고 너는 이제 임차인에게서 한 달에 1,200달러를 받는다. 너는 이제 한 달에 200달러의 〈순 임대 수입〉을 얻는다. 이것은 그 집을 자산으로 만든다. 왜냐하면 그 집은 이제 네 주머니에 돈을 넣기 때문이다. 네 지출들이 같은 수준이고, 이제는 한 달에 800달러의 〈임대 수입〉만 얻는다면, 너는 200달러를 잃게 되는 것이다. 그러면 너의 총 임대 수입이 한 달에 800달러라 하더라도, 그 집은 부채가 되는 것이다. 따라서 임대 수입이 있더라도 부동산은 여전히 자산이 아닌 부채가 될 수 있다. 그리고 사람들은 종종 이렇게 얘기

한다. 「하지만 내가 그 집을 산 가격보다 비싼 가격에 팔면 그것은 자산이 됩니다」 물론 이것은 사실이다. 하지만 그런 일이 미래의 어느 때인가 일어날 때만 그러하다. 그리고 일반적인 믿음과 달리, 부동산의 가격은 때로 내려가기도 한다. 따라서 〈병아리들이 부화하기 전에는 그 숫자를 세지 말라〉는 속담은 현명한 금융 지혜를 보여주는 말이다.

가장 큰 위험

부자 아버지는 이렇게 얘기했다. 「가장 위험한 투자가는 자신의 개인 재무제표조차 제대로 통제하지 못하는 사람이다. 가장 위험한 투자가는 스스로 자산이라 생각하는 부채밖에 갖고 있지 않은 사람, 수입만큼 많은 지출을 하고 있는 사람, 그리고 수입의 유일한 원천은 노동력뿐인 사람이다. 그들이 위험한 이유는 그들은 필사적인 투자가들이기 때문이다」

투자 강좌를 하다 보면 아직도 사람들이 나에게 다가와 자신들의 집이 자산이라고 주장한다. 최근에 어떤 남자는 이렇게 얘기했다. 「나는 집을 50만 달러에 샀는데 지금 그것의 가격은 75만 달러입니다」 그러자 내가 이렇게 물었다. 「어떻게 그것을 아십니까?」 그 사람은 이렇게 대답했다. 「왜냐하면 부동산 중개인이 그렇게 말했기 때문이죠」

나는 다시 이렇게 물었다. 「그 부동산 중개인은 당신에게 20년 동안 그 가격을 보장할까요?」

「그건 아니죠」 그 사람이 말했다. 「중개인은 다만 그것이 지금 인근에서 팔리고 있는 집들의 평균적인 가격이라고 말했을 뿐이죠」

부자 아버지는 바로 그렇기 때문에 일반 투자가는 시장에서 많은 돈을 벌지 못한다고 얘기했다. 그분은 이렇게 얘기했다. 「일반 투자가는 병아리가 부화하기도 전에 태어날 병아리의 숫자를 세는 사고방식을 갖고 있다. 그들은 매달 비용이 들어가는 물건을 산 후에 다른 사람들의 의견을 듣고 그것을 자산이라 부른다. 그들은 자신들의 집이 앞으로 가치가 올라갈 것이라고 생각하지. 혹은 자신들의 집이 부동산 중개인이 말하는 그 가격에 당장 팔릴 수 있는 것처럼 행동하지. 너는 중개인이나 은행가가 생각하는 가격보다 더 싼 가격에 집을 판 적이 있니? 나는 그런 적이 있다. 이와 같이 다른 사람들의 의견과 기대에 기반해 경제적인 결정을 내림으로써 사람들은 자신들의 개인적 재정 상태에 대한 통제력을 잃는다. 내가 볼 때 그것은 아주 위험한 것이다. 부자가 되고 싶다면 자신의 교육뿐 아니라 개인적인 현금흐름에 대해서도 통제력을 확보해야 한다」 그분은 또 이렇게 얘기했다. 「가격이 오를 것이라고 그렇게도 확신한다면 왜 그런 집을 열 채 더 사지 않는 거니?」

이런 사고 방식은 이렇게 말하는 사람들에게도 적용된다. 「내 퇴직 연금은 지금 1백만 달러의 값어치가 있습니다. 그것은 내가 은퇴할 때 3백만 달러의 값어치가 될 거예요」 이번에도 나는 이렇게 묻는다. 「어떻게 그것을 아십니까?」 내가 부자 아버지에게서 배운 것은 일반 투자가는 하나의 사건에 모든 것을 걸어 말 그대로 앞으로 언젠가 〈배가 들어오기를 기다린다〉는 것이다. 대개의 경우 많은 알들은 부화하고 대부분의 배들은 결국 항구로 들어온다. 하지만 전문적인 투자가는 그런 기대에 의존하지 않는다. 능숙한 투자가는 금융 교육을 받으면 지금보다 더 많은 현금흐름 관리가 가능하고 계속해서 공부하면 앞으로 더 큰 금융상의 관리가 가능함을 알고 있다. 능숙한 투자가는 때로 알들은 먹히거나 밟히며 사람들이 기다리는 배는 때로 타이타닉이 되어 바다에 침몰할 수도 있음을 알고 있다.

왜 사람들은 자신의 재정 상태를 통제하지 못할까

사람들은 학교를 떠나면서도 수지타산을 맞추는 법조차 알지 못하며 재무제표를 준비하는 법은 더욱 알지 못한다. 그들은 개인의 재정 상태를 통제하는 법을 배운 적이 없다. 사람들에게 보수가 높은 일자리, 큰 집, 그리고 멋진 자동차가 있다고 해서 반드시 그들이 경제적으로 성공하고 있다는 뜻은 아니다. 사람들이 재무제표가 어떻게 움직이는지 안다면, 그들은 경제적으로 더 유식할 것이고 자신들의 돈을 더 잘 통제할 것이다. 사람들은 재무제표를 이해함으로써 자신들의 현금이 어떻게 흐르는지 더 잘 볼 수 있다.

예를 들어, 수표를 발행할 때의 현금흐름 패턴은 다음과 같다.

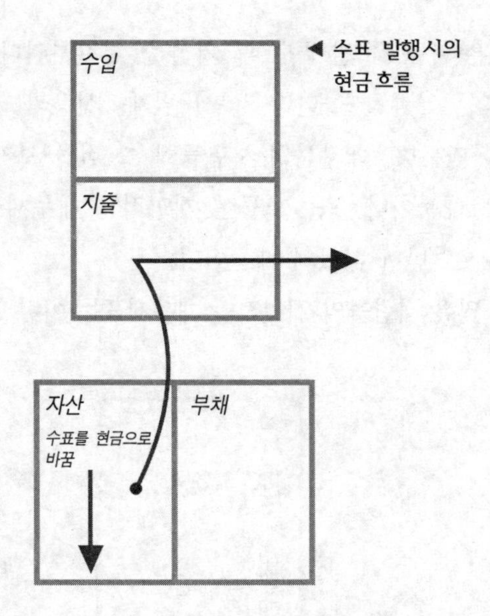

이것은 신용카드를 사용할 때의 현금흐름 패턴이다.

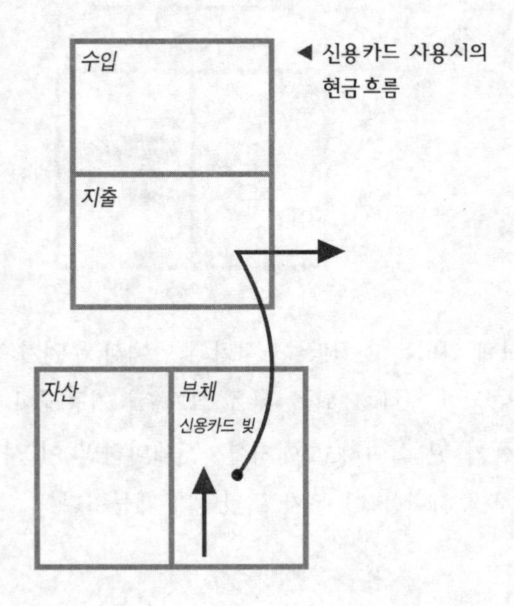

사람들은 수표를 발행할 때 자산을 고갈시킨다. 또 신용카드를 사용할 때는 부채를 늘린다. 다시 말해, 신용카드는 점점 더 많은 빚을 지게 만든다. 대부분의 사람들이 그 점을 보지 못하는 것은 간단한 이유 때문이다. 즉, 그들은 개인적인 재무제표를 작성하고 분석하도록 훈련받지 않았기 때문이다.

오늘날 많은 사람들의 개인적인 재무제표는 이런 모양을 하고 있다.

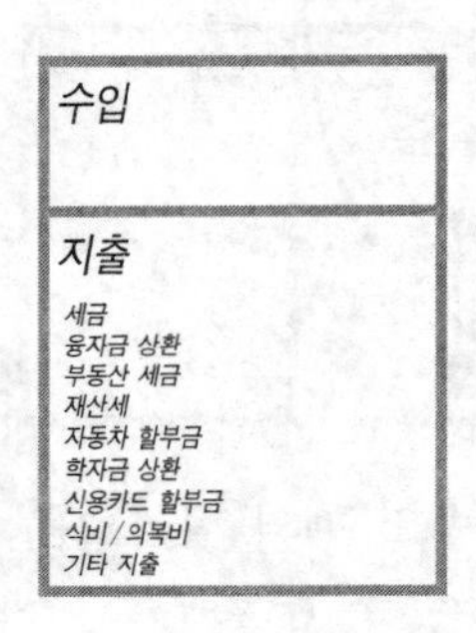

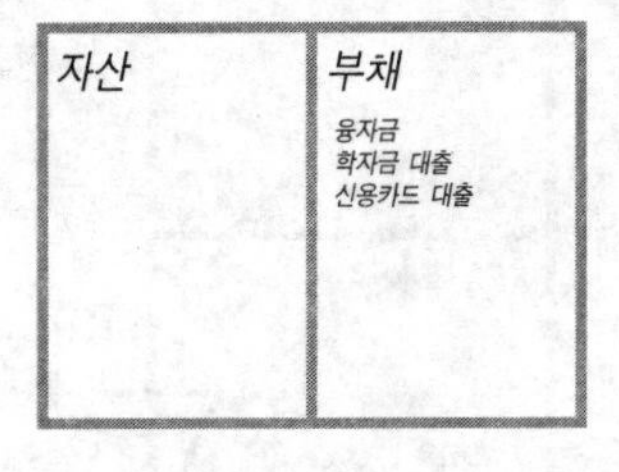

그림에 나타는 것처럼 이 사람의 안에서 무언가 변하지 않으면, 이 사람은 돈의 노예가 되어 삶을 살게 될 가능성이 높다. 내가 왜 돈의 노예가 된 삶이라고 얘기할까? 왜냐하면 이 사람은 매번 상환할 때 부자인 사람을 더 부자로 만들기 때문이다.

당신은 누구를 부자로 만드는가

두번째 금융 지식

전체적인 그림을 보려면 적어도 두 가지의 재무제표가 필요하다.

부자 아버지는 이렇게 얘기했다. 「능숙한 투자가로서 진짜 그림을 원한다면 동시에 적어도 두 가지 재무제표를 보아야만 한다」

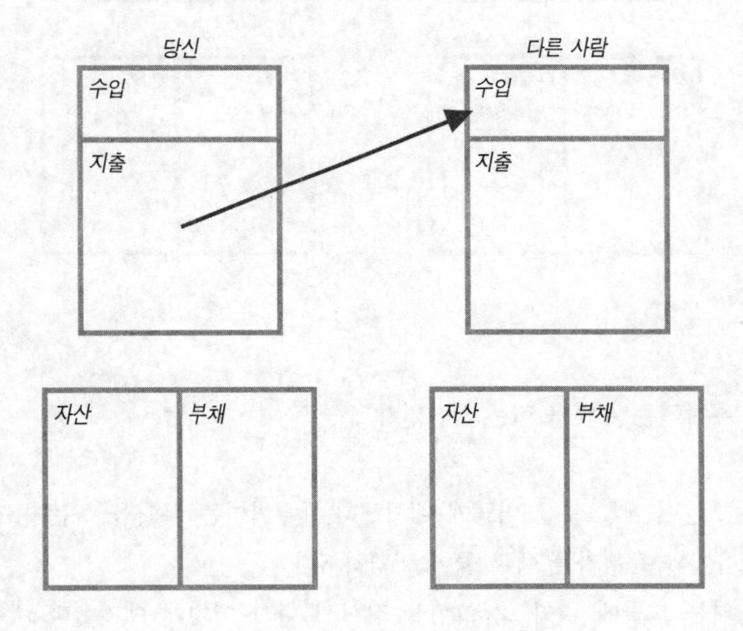

부자 아버지는 이런 그림을 그리면서 이렇게 말했다.

「너의 지출은 다른 사람의 수입임을 늘 기억하라. 자신들의 현금흐름을 통제하지 못하는 사람들은 자신들의 현금흐름을 통제하는 사람들을 부자로 만든다」

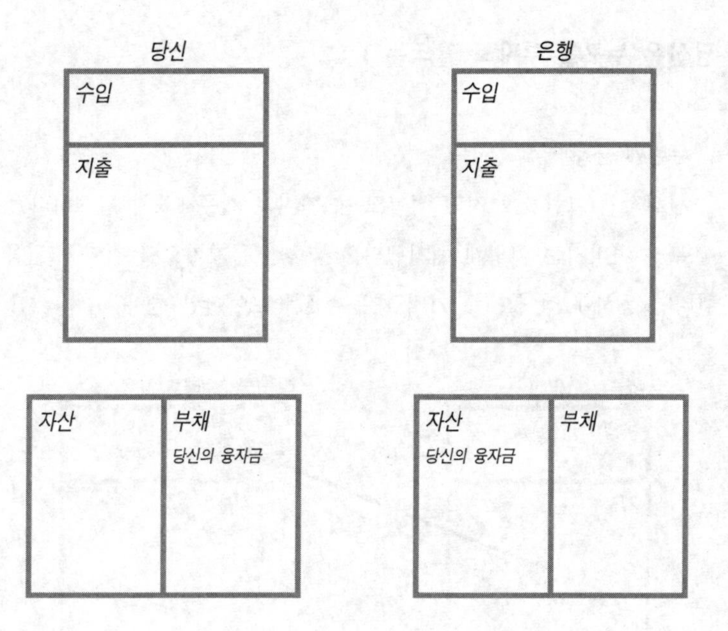

투자가는 무엇을 하는 사람인가

그런 후에 그분은 이렇게 얘기했다. 「투자가는 무엇을 하는지 집 소유자와 은행가를 예로 들어 설명하겠다」

나는 그곳에 앉아 그 그림을 잠시 보다가 이렇게 얘기했다. 「이 사람의 융자금은 두 가지 재무제표에 나타나 있군요. 차이는 이 똑같은 융자금이 두 부분에서 각각 자산 부분과 부채 부분에 나타나고 있군요」

부자 아버지가 고개를 끄덕였다. 「지금 너는 진짜 재무제표를 보고 있다」

「그렇기 때문에 아버님은 전체적인 그림을 보려면 적어도 두 가지 다른 재무제표가 있어야 한다고 얘기하신거군요」 내가 덧붙였다. 「각각의 모든 지출은 누군가의 수입이고, 각각의 모든 부채는 누군가의 자산이죠」

부자 아버지가 고개를 끄덕이면서 이렇게 얘기했다. 「그리고 그렇기 때문에 학교를 떠나면서 재무제표의 관점에서 생각하도록 훈련받지 않은 사람들은 종종 그렇게 훈련받은 사람들의 먹이가 된다. 그렇기 때문에 사람들은 신용카드를 사용할 때마다 사실은 자신들의 부채 부분을 늘리면서 동시에 은행가의 자산 부분을 늘리는 것이다」

「그리고 어떤 은행가가 우리에게 〈당신의 집은 자산입니다〉라고 말할 때 그들은 사실 우리에게 거짓말을 하는 것은 아니죠. 그들은 다만 그것이 사실은 누구의 자산인지 얘기하지 않을 뿐이죠. 우리의 융자금은 그 은행가에게는 자산이고 우리에게는 부채죠」 나는 그렇게 말하면서, 재무제표들이 왜 중요한지, 그리고 더 정확한 그림을 얻으려면 왜 둘 이상의 보고서가 필요한지 더 확실히 이해하기 시작했다.

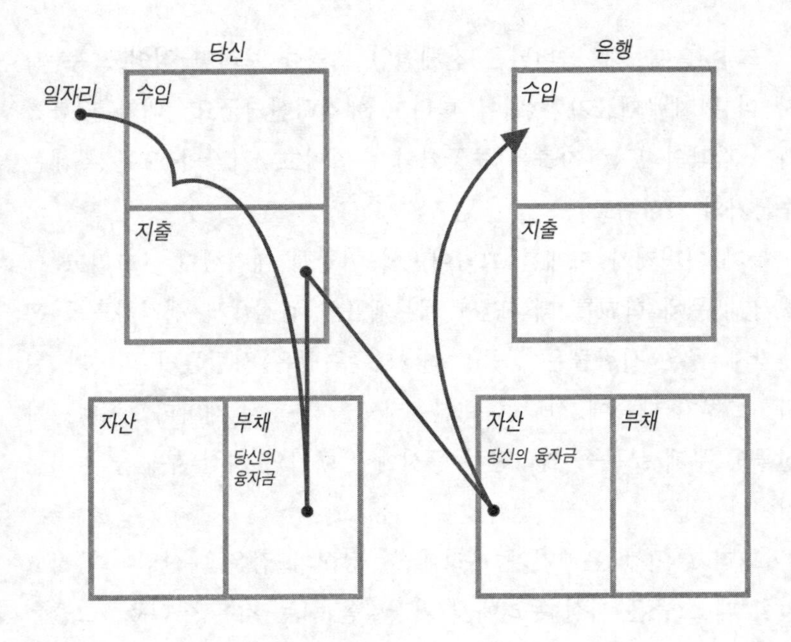

부자 아버지가 고개를 끄덕이면서 이렇게 얘기했다. 「이제 이 그림에다 현금흐름을 보태면 자산이, 이 경우에는 융자금이 어떻게 작용하는지 알 수 있다. 즉, 이 경우에 융자금은 네 주머니에서 돈을 빼가고 은행가의 주머니에 돈을 넣는다. 그렇기 때문에 융자금은 너에게는 부채이고 은행가에게는 자산이다. 내가 말하려는 요점은 그것은 똑같은 합법적 문서라는 거다」

「따라서 은행가는 우리에게 부채인 자산을 만들어준 셈이죠」 내가 덧붙였다. 「투자가가 하는 것은 누군가 다른 사람이 돈을 내는 자산을 얻는 것이죠. 그렇기 때문에 투자가들은 임대용 건물을 소유하는 거죠. 매달 임대료에서 현금이 나와 그 투자가의 손익계산서로 흘러 들어가죠. 그리고 그들의 융자금 상환은 은행가의 손익계산서로 흘러 들어가죠」

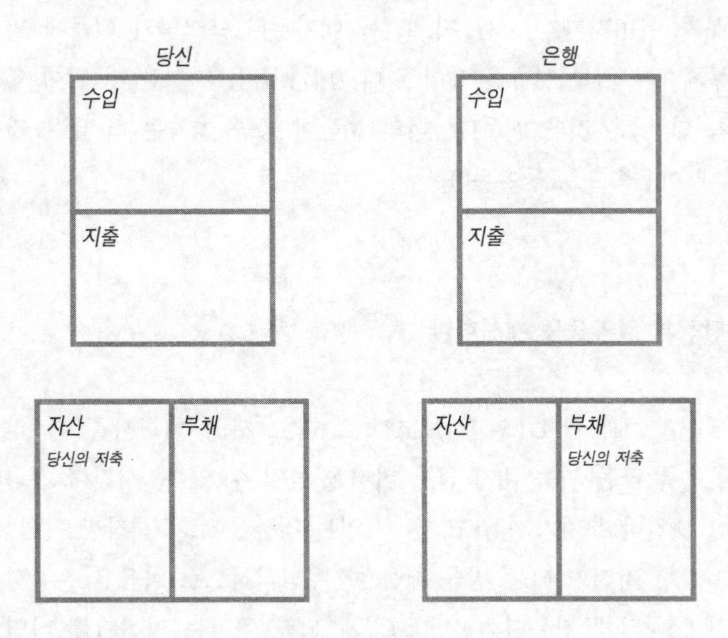

부자 아버지가 고개를 끄덕이면서 싱긋 웃었다. 「이제야 이해하는구나. 너는 당연히 다른 사람보다 더 그 방정식의 한쪽 편에 서고 싶어한다. 하지만 그것은 양방향의 길이다」 부자 아버지가 그렇게 말하면서 위의 그림을 그렸다.

「제 저축은 저에게는 자산이고 은행가에게는 부채죠. 이번에도 최소한 두 가지 재무제표가 있어야 완전한 그림을 볼 수 있죠」

「그렇다」 부자 아버지가 말했다. 「그리고 너는 이 그림들에서 또 무엇을 알아냈느냐?」

나는 잠시 그 그림들을 응시하면서 융자금과 저축의 예를 쳐다보았다. 「잘 모르겠습니다」 내가 천천히 말했다. 「그냥 아버님이 그려

놓은 것을 보고만 있습니다」

부자 아버지가 미소를 지으면서 얘기했다. 「그렇기 때문에 너는 재무제표를 읽는 연습을 해야 한다. 네가 금융 지식을 더 많이 쌓을수록 더 많은 것을 배운다. 너의 눈들이 종종 놓치는 더 많은 것들이 네 마음속으로 들어온다」

당신의 결과들을 개선하라

당신은 재무제표, 연간 보고서, 그리고 사업 계획서를 더 많이 읽을수록 금융 지능 내지 금융 비전을 높일 수 있다. 시간이 지나면 당신은 일반 투자가가 결코 볼 수 없는 것들을 보기 시작할 것이다.

우리는 자전거 타는 법을 배울 때 무의식적으로 마음을 훈련시켜 자전거를 타게 만든다. 일단 그렇게 되면 우리는 자전거를 타면서 어떻게 타는지 생각하거나 기억할 필요가 없다. 우리는 자동차 운전을 배울 때도 무의식적인 마음을 훈련시킨다. 그렇기 때문에 우리는 일단 무의식적인 마음을 훈련시켜 운전을 하게 되면, 운전을 하면서 누군가와 얘기하거나, 햄버거를 먹거나, 일터의 문제들을 생각하거나, 혹은 라디오를 들으면서 노래를 따라 부를 수 있다. 운전은 (바라건대) 자동적으로 이루어진다. 이와 똑같은 일이 재무제표를 읽을 때도 일어날 수 있다.

좋은 투자 대상을 찾는 데에 가장 오랜 시간이 걸리는 것은 숫자들을 분석하는 것이다. 재무제표를 읽는 법을 배우는 것은 지루한 과정이다. 특히 당신이 처음으로 배우기 시작할 때는 더욱 그렇다.

하지만 당신이 연습을 하면 할수록 그것은 더 쉬워지고 빨라진다. 그것은 더 쉬워질 뿐 아니라, 당신은 또 생각하지 않고도 거의 자동적으로 많은 투자 기회들을 검토할 수 있다. 자전거를 타거나 자동차를 운전하는 것처럼 말이다.

✎ 나의 투자지수(Invest Quotient) 테스트

우리는 인간으로서 많은 것들을 무의식적으로 배운다. 당신이 더 성공적인 투자가, 더 적은 위험으로 더 많은 돈을 버는 투자가가 되고자 한다면, 나는 당신의 두뇌를 훈련시켜 재무제표를 분석하라고 권유한다. 재무제표의 분석은 워렌 버펫 같은 투자가들에게는 기본이다.

이렇게 하는 방법은 거래 절차라는 용어로 표현된다. 모든 전문적 투자가들은 투자 자본이 필요한 잠재적 사업이나 부동산 투자를 계속해서 갖게 된다. 부자 아버지는 마이크와 내가 그것들에 관심이 있건 없건 그런 투자들을 읽고, 연구하고, 분석하게 만들었다. 그것은 처음에는 느리고 힘들었지만, 세월이 가면서 그 과정은 더 빠르고, 더 쉽고, 더 즐겁고, 더 재미있는 것이 되었다. 그렇게 우리는 반복 수업을 통해 배웠고, 그와 같은 반복 수업은 나에게 보상을 주었다. 나는 그런 수업으로 인해 일찍 은퇴할 수 있었고, 경제적으로 더 안정감을 느끼게 되었고, 한층 더 많은 돈을 벌게 되었다.

따라서 이번 질문은 다음과 같은 것이 된다.

1 당신은 자신의 재무제표를 작성하고 그것을 유지할 의사가 있는가? 그리고 당신은 다른 사업 및 부동산 투자의 재무제표를 읽을 의사가 있는가?

예 _____ 아니오 _____

당신은 이것이 15장의 끝에 있는 질문과 아주 비슷한 것임을 알 수 있다. 이 질문을 반복하는 것은 금융 지식의 중요성을 강조하기 위해서다. 이 질문이 아주 중요한 이유는, 부자 투자가가 되고 부자들이 하는 투자를 따라하는 데 드는 비용은 자신의 금융 지식을 지속적으로 발전시키는 데 시간을 투자하는 가격이다. 이 질문에 대한 당신의 답이 〈아니오〉라면, 부자들이 하는 대부분의 투자는 당신에게 너무도 위험한 것이다. 당신에게 금융 지식이 있어야 세상에서 가장 좋은 투자 기회를 찾는 데 더 잘 준비할 수 있다.

제17장

학교에서 배우는 지혜 vs. 거리에서 배우는 지혜

사업의 세상에서 성공하려면
학교의 지혜뿐 아니라 거리의 지혜도 필요하다.
거리는 아주 엄한 교사이다.
거리에서는 먼저 실수를 하고,
그런 후에 스스로 교훈을 찾아야 한다.
학교에서는 실수를 하지 않아야 영리한 사람으로 생각된다.
그러나 거리에서는 실수를 하고 그것에서
배울 때 영리한 사람이 된다.

내 진짜 아버지는 지식인 세상 출신이다. 그 세상에서 실수는 나쁜 것이고 피해야 할 것으로 인식된다.

내 부자 아버지는 거리 출신이다. 그분은 실수에 대해 다른 관점을 갖고 있었다. 그분에게 실수는 무언가 새로운 것, 전에는 몰랐던 어떤 것을 배우는 기회였다. 그분에게는 어떤 사람이 더 많은 실수를 하면 할수록 그 사람은 더 많은 배움을 얻는 것으로 여겨졌다. 그분은 종종 이렇게 얘기했다.「모든 실수에는 마술이 숨어 있다. 따라서 나는 더 많은 실수를 하면 할수록, 그리고 그런 실수에서 더 많이 배울수록, 삶에서 더 많은 마술을 갖는다」

부자 아버지는 종종 자전거 타는 법을 배우는 예를 사용해 실수

안에서 발견되는 마술 개념을 강조했다. 그분은 이렇게 얘기했다. 「자전거 타는 법을 배우느라 고생하면서 겪었던 그 곤혹스러움을 기억해 봐라. 네 친구들은 모두 자전거를 타는데, 너는 자전거에 오르자마자 떨어지곤 한다. 너는 자꾸만 실수를 한다. 그러다가 갑자기 더 이상 떨어지지 않게 되지. 그러면 너는 페달을 밟기 시작하고, 자전거는 달리기 시작한다. 그러면 갑자기 마술처럼 전혀 새로운 세상이 열린다. 그것이 바로 실수에서 발견되는 마술이다」

워렌 버펫의 실수

미국에서 가장 부자 투자가인 워렌 버펫은 그의 회사 버크셔 해더웨이로 잘 알려져 있다. 오늘날 버크셔 해더웨이의 주식은 세상에서 가장 비싼 주식의 하나이다. 많은 투자가들은 버크셔 해더웨이의 주식을 높이 평가하지만, 버크셔 해더웨이의 인수가 워렌 버펫의 가장 큰 투자 실수 가운데 하나였음을 아는 사람은 거의 없다.

버펫이 그 회사를 인수했을 때, 버크셔 해더웨이는 셔츠 생산 회사로 서서히 사양길에 접어들고 있었다. 워렌 버펫은 자신의 팀이 그 회사를 반전시킬 수 있다고 생각했다. 그렇지만, 그 당시 섬유산업은 미국에서 도태되면서 다른 나라들로 이전되고 있었다. 그런 추세는 워렌 버펫조차도 거스를 수 없는 것이었고, 그 회사는 워렌 버펫이 뒤에 있었음에도 결국 실패했다. 하지만 버펫은 이와 같은 실패 속에서 보석을 찾아내 결국에는 엄청난 부자가 되었다.

콜롬버스의 실수

또다른 회사인 다이아몬드 필즈는 다이아몬드를 찾기 위해 만들어진 회사였다. 하지만 그 회사는 다이아몬드를 발견하지 못했다. 그 회사의 수석 지질학자가 실수를 한 것이다. 하지만 그들은 대신에 세상에서 가장 큰 니켈 광산 하나를 찾아냈다. 그리고 그 회사의 주가는 급등했다. 오늘날 그 회사의 이름은 여전히 다이아몬드 필즈이지만, 그들은 니켈에서 돈을 벌고 있다.

리바이 스트라우스는 금광으로 돈을 벌기 위해 캘리포니아로 떠났다. 하지만 그는 좋은 광부는 아니었다. 그래서 그는 바지를 만들어 광부들에게 팔기 시작했다. 오늘날 대부분의 세상 사람들은 리바이스Levi' s 청바지를 알고 있을 것이다.

사람들은 에디슨이 그가 나중에 설립한 회사, 즉 GE사에서 직원으로 일했다면 전구를 발명하지 못했을 거라고 얘기한다. 사람들은 에디슨이 1만 번 이상 실패한 후에야 마침내 전구를 발명했다고 얘기한다. 에디슨이 대기업 직원이었다면 그렇게 많은 실수를 한 것 때문에 해고를 당했을 것이다.

콜롬버스의 큰 실수는 중국으로 가는 교역로를 찾다가 우연히 아메리카 대륙에 상륙한 것이다. 그러나 미국은 세상에서 가장 부유하고 강력한 나라가 되었다.

학교의 지혜 vs. 거리의 지혜

내 부자 아버지가 경제적으로 크게 성공한 데는 많은 이유들이 있었다. 그중에서도 가장 중요한 요인은 실수에 대한 그분의 자세였다. 대부분의 우리들처럼, 그분도 실수하는 것을 너무나 싫어했다. 하지만 그분은 실수를 두려워하지 않았다. 그분은 실수를 하기 위해 위험을 안곤 했다. 그분은 이렇게 얘기했다.「우리가 알고 있는 것의 경계에 다다를 때, 그것은 무언가 실수를 할 때이다」

그분의 사업체는 몇 차례나 실패했고 그러면서 돈을 잃었다. 나는 또 그분이 신제품을 출시했다가 시장에서 거절당하는 것을 본 적이 있다. 하지만 그분은 실수를 할 때마다 좌절하는 대신 더 행복하고, 더 현명하고, 더 의연하고, 그런 경험에서 한층 더 부자가 되는 것 같았다.

그분은 자신이 실패한 사업 중 하나인 배관 유통 회사에서 장래의 사업 파트너 한 사람을 만났다. 그리고 그들은 그 실패한 배관 사업에서 우정과 동지애를 형성해 나중에 수천만 달러를 벌었다. 부자 아버지는 이렇게 얘기했다.「내가 그 사업을 하는 위험을 안지 않았다면 나는 제리를 만나지 못했을 거다. 그리고 제리를 만난 것은 내 삶에서 가장 중요한 사건 가운데 하나다」

내 가난한 아버지는 학교에서 훌륭한 학생이었다. 그분은 거의 실수를 하지 않았고, 그래서 그렇게도 좋은 점수를 받았다. 하지만 그분은 50세의 나이에 인생 최대의 실수 가운데 하나를 하게 된 것 같았고, 그런 실수에서 회복할 수가 없었다.

진짜 아버지가 경제적으로, 그리고 직업적으로 고생하는 것을 내가 지켜보는 동안, 부자 아버지는 이렇게 얘기했다. 「사업의 진짜 세상에서 성공하려면 학교의 지혜뿐 아니라 거리의 지혜도 필요하다. 네 아버지는 다섯 살 때 학교에 들어갔다. 그분은 성적이 좋았기 때문에 상급 학교에 계속 진학했고, 결국에는 주 교육청에서 높은 지위에까지 올라갔다. 하지만 이제 네 아버지는 50세의 나이에 길거리에 나앉게 되었다. 그리고 거리는 아주 엄한 교사이다. 학교에서는 먼저 수업을 듣는다. 그러나 거리에서는 먼저 실수를 하고, 그런 후에 스스로 교훈을 찾아야 한다. 대부분의 사람들은 실수하는 법과 그것에서 배우는 법을 교육받지 못했다. 그래서 그들은 실수를 아예 피하거나(이것은 더 큰 실수이다), 혹은 실수를 한 후에도 그것에서 교훈을 발견하지 못한다. 그렇기 때문에 너는 그렇게도 많은 사람들이 같은 실수를 자꾸만 되풀이하는 것을 본다. 그들이 같은 실수를 자꾸만 되풀이하는 이유는 실수에서 교훈을 배우는 법을 한번도 교육받지 못했기 때문이다. 학교에서는 실수를 하지 않아야 영리한 사람으로 생각된다. 그러나 거리에서는 실수를 하고 그것에서 배울 때 영리한 사람이 된다」

실수를 한 후에도 교훈을 얻지 못한다

부자 아버지는 마이크와 나에게 이렇게 얘기했다. 「내가 부자인 이유는 대부분의 사람들보다 더 많은 금융상의 실수를 했기 때문이다. 나는 실수를 할 때마다 새로운 것을 배운다. 사업 세계에서 그 새로운 것은 종종 〈경험〉이라 불린다. 하지만 경험으로는 충분치가 않다. 많은 사람들이 같은 실수를 자꾸만 되풀이하면서 자신들이 많은 경험을 갖고 있다고 얘기한다. 어떤 사람이 정말로 실수에서 배운다면 그 사람의 삶은 영원히 바뀔 것이다. 그리고 그 사람이 경험 대신에 얻는 것은 〈지혜〉가 되는 거다」 그분은 계속해서 이렇게 얘기했다. 「사람들은 종종 금융상의 실수를 하는 것을 피한다. 그러나 그것이야말로 실수이다. 그들은 스스로 이렇게 얘기한다. 〈안전하게 해라. 위험을 안지 말라.〉 사람들이 경제적으로 고생하는 이유는 실수를 한 후에도 실수에서 배우지 못했기 때문일 수 있다. 그들은 매일 아침 일어나 일터에 가고, 실수를 반복하고, 새로운 실수를 피하지만, 교훈은 찾지 못한다. 이런 사람들은 종종 자신에게 이렇게 얘기한다. 〈나는 모든 것을 잘하고 있지만 웬일인지 경제적으로 좋아지고 있지 않다.〉」 부자 아버지는 그런 얘기에 대해 이렇게 얘기했다. 「그들은 모든 일을 잘하는 것일 수도 있다. 하지만 그들은 자신들의 약점을 직시하지 않고 회피한다. 그들은 어떤 것이 두려워서 그것을 하지 않을 수도 있다. 그들은 실수를 하기보다 실수를 피하려고 의식적으로 행동한다」

나는 작문 시험에서 두 번이나 낙제를 했다

나는 나일론 지갑 사업에서 망한 후에 일년 동안 속이 상했다. 나는 그때 아기처럼 잠을 잤다. 그러니까 나는 두 시간마다 일어나서 울었다. 나는 내 마음이 이렇게 말하는 것을 들을 수 있었다. 「나는 그 사업을 절대로 시작하지 말았어야 해. 나는 그것이 실패할 것임을 알고 있었어. 나는 다시는 사업을 시작하지 않을 거야」 나는 또 많은 사람들을 비난하고 내 스스로 내 행동들을 정당화하면서 이렇게 말하는 것을 알게 되었다. 「그것은 댄의 잘못이야」 혹은 「사실 나는 그 제품이 마음에 들지 않았어」

부자 아버지는 내가 실수에서 도망쳐 일자리를 얻게 하는 대신에, 내가 그런 잘못들을 직시하고 다시 폐허에서 일어서도록 만들었다. 나는 사람들에게 이렇게 얘기한다. 「나는 실패를 통해 성공했을 때 사업에 대해 훨씬 더 많은 것을 배웠습니다. 그 폐허에서 일어나고 회사를 다시 일으킴으로써 나는 훨씬 더 나은 사업가가 되었습니다」 나는 이렇게 얘기한다. 「나는 실패를 하고 배움을 얻은 것을 기쁘게 생각합니다. 왜냐하면 나는 내가 얻은 지혜를 감사하게 생각하기 때문이죠」 그런 후에 나는 이렇게 얘기한다. 「또다른 사업을 시작하자」 나는 두려움과 적개심 대신에 즐거움과 재미를 찾는다. 실패할 것을 두려워하는 대신에, 나는 이제 실수를 하는 것이 우리 모두가 배움을 얻는 길임을 알게 되었다. 우리가 실수를 하지 못하거나, 혹은 실수를 한 후에 그것에서 배움을 얻지 못하면, 그 마술은 우리의 삶에서 사라진다. 그러면 우리의 삶은 확대되고 마술로 꽉 차는 것이 아니라 후퇴하고 더 작아진다.

나는 작문을 못했기 때문에 고등학교에서 두 번 낙제했다. 내 책들이 《뉴욕 타임스》, 《시드니 모닝 헤럴드》, 그리고 《월 스트리트 저널》 같은 곳에 베스트셀러 순위에 오른 것은 마술과 같은 것이다. 아이러니하게도 나는 내가 처음에 실패했던 주제들 때문에 유명해졌다. 그러니까 작문, 사업, 판매, 강연, 회계, 그리고 투자 등이다. 나는 서핑, 경제학, 럭비, 그리고 그림 등과 같은 내가 좋아하는 것들로 유명해지지 않았다.

실수에서 배울 수 있는 것들

내가 이 글을 쓰는 지금도 전에는 한 번도 투자하지 않았던 사람들이 시장으로 들어오고 있다. 내가 걱정하는 것은, 조만간에 지금 이기고 있는 이들 초보 투자가들 중에서 많은 사람들은 시장에서 실수를 하는 것이 어떤 것인지 알게 된다는 것이다. 그때가 되면 우리는 누가 진짜 투자가인지 알게 된다. 부자 아버지는 이렇게 얘기했다. 「중요한 것은 너의 투자 가치가 얼마나 많이 올라가느냐가 아니다. 가장 중요한 것은 그것이 얼마나 많이 내려갈 수 있느냐이다. 진짜 투자가는 수익에 대비해야 할 뿐 아니라, 시장의 상황이 그들이 원하는 대로 가지 않을 때를 대비할 줄 알아야 한다. 시장이 너에게 가르칠 수 있는 가장 좋은 것은 실수에서 어떻게 배울 수 있는지 보여주는 것이다」

내게 있어 나를 통제하도록 배우는 것은 평생의 과정이었다. 그것은 또 기꺼이 위험을 안고, 실수를 하고, (설사 내가 그 사람과 더 이상 얘기하지 않거나 사업을 하지 않더라도) 다른 사람에게 감사하는 과정이기도 했다. 나는 내 삶을 돌아볼 때 이렇게 말하고 싶다. 즉, 바로 이와 같은 정신적 자세 때문에 나는 많은 돈을 벌었고, 큰 성공을 거두었고, 결국에는 삶에서 가장 큰 마술을 얻게 되었다고.

✎ 나의 투자지수(Invest Quotient) 테스트

나는 양쪽 아버지 모두에게서 학교의 지혜와 거리의 지혜 모두가 중요한 것임을 배웠다.

따라서 이번 질문은 다음과 같은 것이 된다.

1 위험을 겪고 실수를 하고 그 실수를 통해 무언가를 배우고자 하는 당신의 자세는 어떠한가?

____

2 위험을 겪고 실수를 하고 그 실수를 통해 무언가를 배우고자 하는 것에 대한 당신 주위 사람들의 자세는 어떠한가?

____

3 당신은 아직도 해결되지 않은 경제적, 직업적, 혹은 사업상 문제로 속상해하고 있는가?

예 _____ 아니오 _____

4 당신은 돈과 관련해 아직도 누군가에게 화를 내고 있는가?

예 _____ 아니오 _____

나는 늘 부자 아버지가 한 다음과 같은 얘기를 기억한다. 「내가 그렇게도 돈이 많은 이유는 대부분의 사람들보다 기꺼이 더 많은 실수를 하고 그것에서 배움을 얻기 때문이다. 대부분의 사람들은 충분한 실수를 하지 않거나 계속해서 같은 실수를 자꾸만 되풀이한다. 삶에서 실수와 배움이 없으면 마술도 없다」

제18장

부자가 될 수 있는 아홉 가지 길

첫째, 어떤 사람의 돈을 보고 결혼해서 부자가 될 수 있다.
둘째, 사기꾼, 협잡꾼, 혹은 무법자가 됨으로써 부자가 될 수 있다.
셋째, 상속을 받아 부자가 될 수 있다.
넷째, 복권에 당첨되어 부자가 될 수 있다.
⋮
여덟째, 경제적으로 똑똑해지면 부자가 될 수 있다.
아홉째, 관대해져서 부자가 될 수 있다.

부자 아버지는 우리가 부자가 될 수 있는 길은 많으며 각각의 길에는 나름의 대가가 있다고 얘기했다. 부자 아버지가 말하는 부자가 될 수 있는 길은 다음과 같은 것들이 있다.

—첫째, 어떤 사람의 돈을 보고 결혼해서 부자가 될 수 있다.

그리고 우리 모두는 그 대가가 무엇인지 알고 있다. 부자 아버지는 얼굴을 찡그리면서 이렇게 얘기했다. 「남자와 여자 모두 돈을 보고 결혼한다. 하지만 너는 누군가 사랑하지 않는 사람과 함께 사는 것을 상상할 수 있겠니? 그것은 돈과 바꿀 수 있는 대가치고는 아주 큰 대가다」

——둘째, 사기꾼, 협잡꾼, 혹은 무법자가 됨으로써 부자가 될 수 있다.

부자 아버지는 이렇게 얘기했다.「합법적으로 부자가 되는 것은 너무도 쉽다. 그런데 왜 법을 어기고 감옥에 가는 위험을 안겠니? 부자가 되고 싶은 것은 자유 때문이다. 그런데 왜 감옥에 가는 위험을 안겠니? 나는 무언가 불법적인 일을 하면 가족과 친구들에게 얼굴을 들 수 없을 거다. 그리고 내 자존심을 잃게 될 거다. 게다가 나는 거짓말을 잘 못한다. 나는 기억력이 나쁘다. 그래서 나는 내 모든 거짓말을 기억하지 못한다. 그러니까 진실만을 말하는 것이 최선이다. 내가 볼 때 정직은 최선의 방책이다」

——셋째, 상속을 받아 부자가 될 수 있다.

부자 아버지는 이렇게 얘기했다.「마이크는 종종 자기가 돈을 번 것이 아니라고 느낀다. 그 아이는 내가 아니었다면 부자가 될 수 없었을 것이라고 생각한다. 그래서 나는 그 아이에게 아주 조금밖에 주지 않았다. 나는 너를 인도하는 것처럼 그 아이를 인도했다. 하지만 재산을 모으는 것은 그 아이에게 달린 것이다. 중요한 것은 그 아이가 자신이 재산을 모았다고 느끼는 것이다. 운이 좋아 큰 재산을 상속받는 사람들은 그렇게 느끼지 못할 때가 많다」

마이크와 나는 함께 자랐다. 그리고 처음에는 양쪽 가정 모두 가난한 편이었다. 그러나 우리가 어른이 되었을 때, 마이크의 아버지는 엄청난 부자가 되었고, 내 진짜 아버지는 여전히 가난했다. 마이크는 내가 부자 아버지라고 부르는 자신의 아버지에게서 큰 재산을 상속받을 입장에 서 있었다. 반면에 나는 제로에서 시작해야만 했다.

—넷째, 복권에 당첨되어 부자가 될 수 있다.

이것에 대해 부자 아버지는 이렇게만 얘기했다.「이따금씩 복권을 사는 것은 괜찮은 일이다. 하지만 자신의 경제적 삶을 복권 당첨에 거는 것은 부자가 되길 꿈꾸는 바보들의 계획이다」

많은 사람들이 복권에 당첨되는 것은 부자가 되는 방법 중의 하나라고 얘기한다. 하지만 100만분의 1의 확률에 자신의 삶을 맡기는 것은 아주 많은 대가를 치르는 것이다.

—다섯째, 영화 배우, 록 스타, 스포츠 스타, 혹은 그 밖의 어떤 분야에서 유명 인사가 되어 부자가 될 수 있다.

부자 아버지는 이렇게 얘기했다.「나는 영리하지도 않고, 재능도 없고, 외모가 출중하지도 않고, 사람들을 즐겁게 해주는 재주도 없다. 그래서 유명 인사가 되어 부자가 되는 것은 나에게 실현 가능한 것이 아니다」

할리우드에는 빈털터리가 된 배우들이 무척 많다. 클럽에는 스타를 꿈꾸는 록 밴드들이 무척 많다. 골프장에는 타이거 우즈 같은 프로가 될 꿈을 꾸는 골퍼들이 무척 많다. 그렇지만 타이거 우즈를 자세히 보면, 그 사람은 오늘의 자리에 있기 위해 높은 대가를 지불했다. 우즈는 세 살 때부터 골프를 시작했고 스무 살이 되어서야 프로 골퍼가 되었다. 그가 치른 대가는 17년 동안의 연습이었다.

—여섯째, 욕심을 내어 부자가 될 수 있다.

이 세상에는 이런 사람들이 아주 많다. 그들이 좋아하는 이야기는 이런 것이다.「나도 욕심이 있고 나는 그것을 유지할 것이다」자신들의 돈과 자산에 욕심을 낸다는 것은 대개 다른 것에는 인색하다는 뜻이다. 그들은 다른 사람들을 돕거나 다른 사람들을 가르쳐 달라는 요청을 받을 때 시간이 없다고 한다.

욕심을 내는 것에 대한 대가는 더 열심히 일해야만 원하는 것을 유지할 수 있다는 점이다. 뉴턴의 법칙은 이렇게 얘기한다. 〈모든 작용에는 반작용이 있다.〉 당신이 욕심을 내면 사람들도 당신에게 같은 반응을 보일 것이다.

나는 돈 때문에 힘든 시간을 보내는 사람들을 만날 때 그들에게 정기적으로 돈을 교회나 자선단체에 기부하기 시작하라고 권유한다. 경제학과 물리학의 법칙들에 따라, 당신이 원하는 것을 주어라. 당신이 미소를 원하면 먼저 미소를 주어라. 당신이 펀치를 원하면 먼저 펀치를 날려라. 당신이 돈을 원하면 먼저 돈을 주어라. 욕심이 많은 사람들은 주먹이나 지갑을 여는 것이 아주 힘든 일일 것이다.

—일곱째, 싸구려가 되어 부자가 될 수 있다.

이것은 부자 아버지의 피를 끓게 하는 한 가지다. 그분은 이렇게 얘기했다.「싸구려가 되어 부자가 되는 것의 문제는 네가 여전히 싸구려가 된다는 것이다. 세상은 싸구려 부자들을 싫어한다. 그렇기 때문에 사람들은 찰스 디킨즈의 유명한 단편「크리스마스 캐롤」에 나오는 스크루지를 싫어했다」 부자 아버지는 이렇게 얘기했다. 「바로 스크루지처럼 부자가 되는 사람들이 부자들에게 나쁜 이름을 붙인다. 가난하게 살다가 가난하게 죽는 것은 비극이다. 하지만 가난하게 살다가 부자로 죽는 것는 미친 짓이다」

그분은 마음을 가라앉힌 후에 이렇게 얘기했다. 「나는 돈이야말로 즐겁게 살기 위한 것이라고 생각한다. 그래서 나는 열심히 일하고, 내 돈도 열심히 일한다. 그러면서 나는 우리 노동의 열매를 즐긴다」

──여덟째, 경제적으로 똑똑해지면 부자가 될 수 있다.

내가 열두 살의 나이에 바닷가에 서서 부자 아버지가 새로 얻은 해변의 땅을 보면서 목격했던 바로 그 투자의 힘을 기르기 시작했을 때, 그것은 경제적으로 똑똑해지는 법을 배우는 것이었다. 많은 사람들은 사업가들이 속한 〈B〉와 투자가들이 속한 〈I〉 사분면의 지식을 활용해 더 부자가 된다. 이들 가운데 많은 이들은 장막 뒤에서 활동하며 세상의 사업과 금융 시스템을 관리하고, 통제하고, 조종한다.

수백만의 사람들은 퇴직 연금과 그 밖의 다른 돈을 충직하게 시장에 넣어둔다. 그렇지만 실제로는 투자 마케팅과 유통 시스템의 의사 결정자들이 큰 돈을 벌지, 개인 투자가나 은퇴자들이 꼭 그렇다고 할 수는 없다. 부자 아버지는 몇 년 전에 나에게 이렇게 가르쳤다. 「게임의 입장권을 사는 사람들이 있고, 게임의 입장권을 파는 사람들이 있다. 너는 입장권을 파는 쪽에 서야 한다」

왜 부자들은 더 부자가 되는가

내가 더 젊었을 때 부자 아버지는 나에게 이렇게 얘기했다. 「부자들이 더 부자가 되는 이유는 부분적으로 그들이 남들과는 다르게 투자하기 때문이다. 그들은 가난한 사람들과 중산층은 보지 못하는 기회들에 투자한다. 그렇지만 가장 중요한 것은, 그들은 다른 교육적 배경을 갖고 있다는 것이다. 그런 교육이 있으면 너도 부자가 될 것이다」

부자 아버지가 얘기하는 교육과 경험, 그리고 충분히 넉넉한 현금에 맞는 다양한 유형의 투자가들이 있다.

경제적으로 자유로워지기 위해서는 그런 단계에서 투자하는 데 필요한 교육과 경험, 그리고 충분히 넉넉한 현금을 얻으려는 노력과 시간이 요구된다. 당신은 다음과 같은 것들의 차이를 알 수 있을 때 경제적으로 더 똑똑해질 수 있다.

——좋은 부채와 나쁜 부채
——좋은 손실과 나쁜 손실
——좋은 지출과 나쁜 지출
——세금 납부와 세금 혜택
——당신이 일하는 기업과 당신이 소유하는 기업
——사업을 키우는 법, 사업을 고치는 법, 그리고 사업을 대중에게 공개하는 법
——주식, 채권, 뮤추얼 펀드, 사업체, 부동산, 그리고 보험 상품의 장점과 단점 및 그것들의 다양한 법적 구조와 언제 어느 상품을

사용할지 아는 것

대부분의 일반 투자가들은 다음과 같은 것들만 알고 있다.

——나쁜 부채. 그래서 그들은 그것을 갚으려고 애쓴다.
——나쁜 손실. 그래서 그들은 돈을 잃는 것이 나쁘다고 생각한다.
——나쁜 지출. 그래서 그들은 청구서의 지불을 그렇게도 싫어한다.
——그들이 납부하는 세금. 그래서 그들은 세금이 불공정하다고 얘기한다.
——기업을 소유하는 대신 일자리의 안정을 원한다.
——자신들이 소유한 회사의 주식을 팔기보다 어떤 회사의 주식을 산다.
——뮤추얼 펀드에만 투자하거나 혹은 블루칩 주식들만 고른다.

——아홉째, 관대해져서 부자가 될 수 있다.

이것은 부자 아버지가 부자가 된 방식이었다. 그분은 종종 이렇게 얘기했다. 「내가 더 많은 사람들에게 봉사할수록 나는 더 부자가 된다」 그분은 또 이렇게 얘기했다. 「사분면에서 봉급 생활자가 속한 〈E〉와 자영업자가 속한 〈S〉면에 있는 것의 문제는 일정 수의 사람들에게만 봉사할 수 있다는 것이다. 하지만 네가 사업가들이 속한 〈B〉와 투자가들이 속한 〈I〉 사분면에서 큰 운영 시스템을 구축할 때는 원하는 만큼 많은 사람들에게 봉사할 수 있다. 그리고 그렇게 하면 너는 네가 꿈꾸는 것 이상으로 부자가 될 것이다」

부자 아버지는 점점 더 많은 사람에게 봉사함으로써 어떻게 부자가 되는지에 대해 이런 예를 소개했다. 「내가 의사인데 한 번에 한 사람의 환자와만 일하는 법을 알고 있다면, 내가 더 많은 돈을 벌 수 있는 길은 두 가지밖에 없다. 하나는 더 오래 일하는 것이고, 다른 하나는 내 환자들을 더 빨리빨리 보는 방법뿐이다. 하지만 내가 하는 일을 계속 하면서 여유 시간에 암을 치료하는 약을 찾으려고 애를 쓰면, 나는 훨씬 더 많은 사람에게 봉사함으로써 부자가 될 수 있다」

부자의 정의

경제 전문지 《포브스》는 부자의 정의를 1백만 달러의 소득과 1천만 달러의 순재산으로 규정했다. 부자 아버지는 더 엄격하게 정의했다. 즉, 지속적인 1백만 달러의 비활성 소득(이것은 당신이 일을 하건 안 하건 들어오는 수입이다)과 순재산이 아닌 5백만 달러의 자산으로 규정했다. 순재산은 파악이 어렵고 자주 조작되는 숫자이다. 그분은 또 당신이 투자한 자본에서 20%의 수익을 유지할 수 없다면 당신은 진짜 투자가가 아니라고 생각했다.

부자는 계획에서 출발한다

부자 투자가가 되려면 계획이 있어야 하고, 초점을 맞추어야 하고, 이기는 게임을 해야 한다. 하지만 일반 투자가는 계획도 없고, 화끈한 조언에 따라 투자하고, 그때그때 인기 있는 투자 상품을 좇으면서 첨단 기술 주식, 현물, 부동산, 혹은 창업 사이를 옮겨다닌다. 이따금씩 화끈한 조언에 따라 투자하는 것은 괜찮은 일이다. 하지만 하나의 화끈한 조언이 당신을 영원히 부자로 만들 것이라고 착각하지는 말라.

부자 아버지의 투자 가이드 제1단계의 끝

이렇게 해서 부자 아버지가 무일푼인 나를 부자 투자가로 인도하기 위한 다섯 단계 중 첫번째 단계가 완성되었다. 이것은 내가 볼 때 가장 중요한 단계이다. 돈은 아이디어에 불과하다. 돈은 벌기 힘든 것이고 나는 절대 부자가 될 수 없다고 생각하면, 당신은 그렇게 될 것이다. 돈은 풍부한 것이라고 생각하면, 당신은 정말로 그렇게 될 수 있다.

나머지 네 단계는 부자 아버지의 구체적인 계획들을 다루고, 그것들이 세상에서 가장 부자인 일부 사람들의 계획들과 어떻게 비슷한지 보여준다. 읽으면서 부자 아버지의 계획이 당신의 개인적인 경제 계획과 어떻게 충돌하고, 어떻게 부합하고, 어떻게 더하거나 빼고, 어떻게 일치하는지 생각하라.

내가 제공하는 정보는 가이드일 뿐 진리는 아님을 유념하라. 나는 당신이 당신의 법률 및 금융 컨설턴트들과 협의해 당신의 욕구와 목표에 가장 적절한 계획을 개발할 것을 권유한다.

제19장

돈에 관한 〈90 : 10〉 수수께끼

당신이 돈의 〈90 : 10〉 수수께끼를 풀게 되면 전체 돈의 90%를
소유하는 10%의 그룹에 합류할 가능성이 높다.
하지만 〈90 : 10〉 수수께끼를 풀지 못할 때는
전체 돈의 10%만 통제하는 90%의 그룹에 합류하게 될 것이다.
10%에 속하는 사람들은 현대적인 연금술사들이다.
그들은 무(無)에서 자산을 만들 수 있다.
그들의 힘은 아이디어를 자산으로 바꾸는 능력이다.

2000년 2월에 나는 한 대학의 국제 경영학 대학원에서 아주 영리한 대학원생들에게 강의를 하고 있었다. 나는 그 세 시간 동안의 강의를 하면서 젊은 학생 한 사람에게 이렇게 질문했다. 「당신의 투자 계획은 무엇인가요?」

그 학생은 즉시 이렇게 대답했다. 「나는 졸업하면 일년에 적어도 15만 달러를 받는 일자리를 찾고, 일년에 적어도 2만 달러는 투자를 위해 저축할 것입니다」

나는 그 학생에게 자신의 계획을 기꺼이 나와 공유한 데 대해 고맙다고 얘기했다. 그런 후에 나는 이렇게 얘기했다. 「당신은 내가 부자 아버지의 〈90 : 10〉이라는 돈의 원칙을 말한 것을 기억합니까?」

「그렇습니다」 그 학생이 미소를 지으면서 대답했다. 그는 내가 자신의 방식에 도전하려 함을 알고 있었다. 그 학생은 내가 초청 강사로 나가고 있는 그 대학원의 창업가 과정에 등록하고 있었다. 그 때쯤에 그는 내가 가르치는 스타일은 학생들에게 답을 주는 것이 아님을 알고 있었다. 내가 가르치는 스타일은 고정관념에 도전하고 학생들에게 낡은 사고 패턴을 수정하도록 요구하는 것이다. 「돈의 그 〈90 : 10〉 원칙이 내 투자 계획과 무슨 상관이 있습니까?」 그 학생이 조심스럽게 물었다.

「상관이 아주 많죠」 내가 대답했다. 「당신은 일자리를 얻고 또 일 년에 적어도 2만 달러를 투자하면 전체 돈의 90%를 버는 10%의 투자가들 범주에 속하게 되리라고 생각합니까?」

「잘 모르겠습니다」 그 학생이 대답했다. 「사실 나는 그런 목표를 염두에 두고 내 계획에 대해 생각한 적은 없습니다」

「대부분의 사람들도 그렇습니다」 내가 말했다. 「대부분의 사람들은 투자 계획을 찾은 후에 그것이 유일한 투자 계획이거나 최상의 투자 계획이라고 생각합니다. 하지만 그런 계획을 다른 계획들과 비교하는 사람은 거의 없습니다. 그리고 문제는, 대부분의 사람들은 너무 늦게서야 자신들의 계획이 올바른 계획이 아니었음을 알게 됩니다」

「그러니까 평균적인 투자가는 퇴직 이후를 대비하기 위해 투자를 하면서 퇴직한 이후에야 자신들의 계획이 올바른 것인지 아닌지 알게 된다는 말입니까?」 또다른 학생이 물었다. 「그들은 그것을 너무 늦게서야 알게 된다는 말입니까?」

「내 나이 또래의 많은 사람들에게는 그것이 사실입니다」 내가 대답했다.「슬프지만 사실입니다」

「하지만 높은 보수의 일자리를 찾아 일년에 2만 달러씩 저축하는 것은 아주 좋은 계획이 아닌가요?」그 학생이 물었다.「어쨌거나 나는 겨우 스물여섯 살이니까요」

「아주 좋은 계획입니다」내가 대답했다.「보통 사람보다 더 많은 돈을 저축하고 젊을 때 그 많은 돈으로 시작하면 당신은 부자가 될 수 있습니다. 하지만 내 질문은 이것입니다.〈당신의 계획은 당신을 투자가들의〈90 : 10〉그룹에 넣을 수 있을까요?〉」

「잘 모르겠습니다」그 학생이 대답했다.「당신의 조언은 무엇입니까?」

「당신은 내가 부자 아버지와 함께 열두 살의 나이에 바닷가를 걷던 이야기를 들려준 것을 기억합니까?」내가 물었다.

「그러니까 그분이 어떻게 그렇게 비싼 부동산을 살 수 있었는지 당신이 궁금해하던 그 이야기 말입니까?」또다른 학생이 얘기했다.

나는 고개를 끄덕이면서 이렇게 얘기했다.「바로 그 이야기입니다」

「그러면 그 이야기는 돈의〈90 : 10〉원칙과 상관이 있습니까?」그 학생이 물었다.

「그렇습니다. 상관이 있습니다. 왜냐하면 나는 늘 부자 아버지가 어떻게 돈도 거의 없으면서 그렇게 큰 자산을 얻을 수 있었는지 궁금하게 생각했기 때문입니다. 그래서 나는 그분에게 어떻게 그렇게 했는지 물었고, 그분은 나에게〈90 : 10〉의 수수께끼를 내었습니다」

「〈90 : 10〉수수께끼요?」학생들 가운데 하나가 얘기했다.「〈90 : 10〉수수께끼는 무엇입니까? 그리고 그것은 내 투자 계획과 어떤 관계가 있습니까?」

그 질문을 듣고 나는 몸을 돌려 칠판으로 걸어갔다. 그러고는 다음과 같은 그림을 그렸다. 「이것이 〈90 : 10〉 수수께끼입니다」

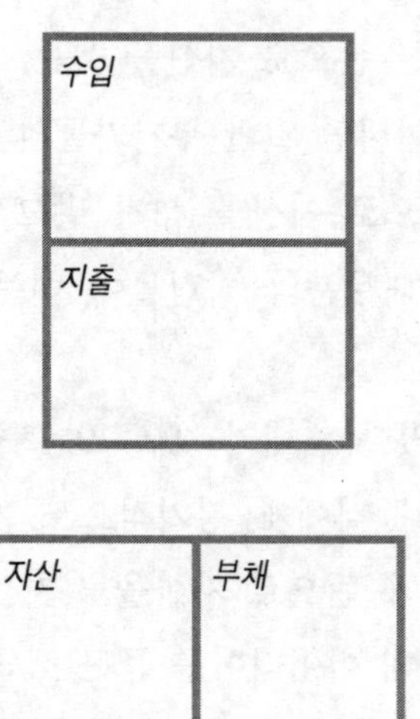

「그것이 〈90 : 10〉 수수께끼입니까?」 그 학생이 물었다. 「그것은 자산이 들어 있지 않은 재무제표일 뿐인데요?」

「실제로 그렇습니다. 그래서 이것은 그 수수께끼를 완성하는 질문이 됩니다」 나는 그렇게 말하면서 싱긋 웃었다. 그러고는 학생들의 얼굴을 보면서 그들이 아직도 나와 함께 있는지 알아보았다.

내 쪽에서 긴 침묵이 흐른 후에, 학생 가운데 한 명이 마침내 말했다. 「그러면 우리에게 그 질문을 주십시오」

「그 질문은 이렇습니다」 내가 천천히 말했다. 「당신은 자산을 사지 않고 어떻게 자산 부분을 채울 수 있습니까?」

「자산을 사지 않고요?」 그 학생이 말했다. 「그러니까 돈도 없이요?」

「그렇다고 할 수 있죠」 내가 말했다. 「일년에 2만 달러를 저축한다는 당신의 투자 계획은 좋은 아이디어입니다. 하지만 나는 당신에게 이렇게 묻습니다. 돈으로 자산을 사는 그 아이디어는 〈90 : 10〉의 아이디어입니까, 아니면 일반 투자가들의 아이디어입니까?」

「그러면 당신은 돈으로 자산을 사지 말고 자산 부분에서 자산을 만들라는 말입니까? 대부분의 사람들이 하는 것처럼 하지 말라는 말입니까?」

나는 고개를 끄덕였다. 「내가 〈90 : 10〉 수수께끼라고 부르는 이 그림은 부자 아버지가 나에게 정기적으로 제시하던 수수께끼입니다. 그분은 내가 어떻게 돈으로 자산을 사지 않고 자산 부분에서 자산을 만들 수 있는지 내 아이디어를 묻곤 했습니다」

학생들은 조용히 칠판에 있는 수수께끼를 쳐다보고 있었다. 마침내 한 학생이 이렇게 물었다. 「그렇기 때문에 당신은 종종 이렇게 얘기하는 겁니까? 〈돈이 없어도 돈을 벌 수 있다.〉」

나는 고개를 끄덕이면서 이렇게 대답했다. 「이제야 아는군요. 전체 돈의 10%를 소유하는 전체 인구의 90%에 속하는 대부분의 사람들은 종종 이렇게 말합니다. 〈돈이 있어야 돈을 번다.〉 많은 사람들은 돈이 없으면 투자를 포기하고 맙니다」

「그러니까 부자 아버지의 〈90 : 10〉 수수께끼는 당신에게 빈 자산 부분을 주고 자산을 살 돈이 없어도 그것을 어떻게 자산으로 채워 넣을지 묻는 것입니까?」

「그렇습니다. 내가 베트남에서 돌아온 후에, 그분은 주기적으로 나와 점심이나 저녁을 먹으면서 자산을 사는 것이 아니라 자산을 만들어서 그 자산 부분을 어떻게 채울 것인지 나에게 새로운 아이디어를 묻곤 했습니다. 그분은 그것이 많은 갑부들이 애초에 갑부가 된 방식임을 알고 있었습니다. 그런 방식으로 빌 게이츠, 마이클 델, 리처드 브랜슨 모두 억만장자가 되었습니다. 그들은 일자리를 찾고 몇 달러를 저축해서 억만장자가 된 것은 아닙니다」

「그러면 당신은 부자가 되는 방법이 사업을 시작하는 것이라고 얘기하는 겁니까?」

「아닙니다. 나는 그것을 얘기하는 것이 아닙니다. 나는 다만 그것들을 예로 들 뿐입니다. 왜냐하면 당신들 모두는 이 대학의 창업가 과정에 속해 있기 때문입니다. 비틀즈는 또다른 종류의 자산을 만들어서 갑부가 되었습니다. 그럼에도 그들이 만든 자산은 지금도 그들에게 돈을 주고 있습니다. 내가 얘기하는 것은, 부자 아버지는 빈 자산 부분이 있는 이 재무제표를 정기적으로 내 앞에 놓고 내가 어떻게 돈을 사용하지 않고도 그 자산 부분에서 자산을 만들 것인지 묻곤 했습니다. 내가 그분에게 어떻게 돈도 없이 가장 비싼 해변가 토지를 살 수 있었는지 물었을 때, 그분은 나에게 이 〈90 : 10〉 수수께끼를 주기 시작했습니다」

「그리고 그분은 자신의 사업이 그 땅을 샀다고 얘기했죠」 또다른 학생이 얘기했다.

「이미 얘기했듯이, 그것도 한 가지 방법이지만 돈으로 사지 않고도 자산 부분에서 자산을 만들 수 있는 방법은 여러 가지입니다. 투자가들은 무언가 큰 가치가 있는 것에 투자함으로써 그렇게 합니다. 화가들은 소중한 그림들을 그립니다. 작가들은 오랫동안 인세를 받는 책을 씁니다. 사업체를 만드는 것은 창업가들이 자산을 만드는 방법입니다. 하지만 창업가가 되어야만 자산 부분에서 자산을 만들 수 있는 것은 아닙니다. 나는 돈을 사용하지 않고도 부동산으로 그것을 했습니다. 여러분에게 필요한 것은 창의성이며, 그 창의성을 발휘하면 여러분은 평생 부자가 될 수 있습니다」

「그러니까 나는 새로운 신기술로 무언가를 발명해서 부자가 될 수 있다는 말입니까?」 학생들 가운데 하나가 물었다.

「그렇게 할 수도 있습니다. 하지만 그것이 반드시 발명이나 새로운 신기술일 필요는 없습니다」 나는 그렇게 말하고 나서 잠시 멈추었다. 「생각하는 방식이 자산을 만듭니다. 당신은 일단 그런 사고방식을 갖게 되면 꿈꾸던 것 이상으로 부자가 될 수 있습니다」

「그것이 발명이나 새로운 신기술일 필요는 없다는 말은 무슨 뜻입니까? 그것 말고 무엇이 될 수 있습니까?」

나는 요점을 지적하려고 애쓰면서 이렇게 얘기했다. 「여러분은 내가 쓴 『부자 아빠 가난한 아빠 1』에 있는 그 이야기, 그러니까 만화책 이야기를 기억합니까?」

「기억합니다」 학생들 가운데 하나가 대답했다. 「부자 아버지가 당신에게 시간당 10센트도 주지 않으면서 공짜로 일하라고 얘기한 그 이야기 말이죠」

「그렇습니다. 그 이야기 말입니다」 내가 대답했다. 「그것은 자산을 사지 않고도 자산 부분에 자산을 채우는 이야기입니다」

학생들은 한동안 조용히 앉아 내가 한 얘기를 생각했다. 마침내 한 학생이 일어나 얘기했다. 「그러니까 당신은 낡은 만화책을 자산으로 만들었죠」

나는 고개를 끄덕였다. 「하지만 그 만화책들은 자산이었습니까?」

내가 물었다.

「당신이 그것들을 자산으로 만들 때까지는 아니었습니다」 또다른 학생이 대답했다. 「당신은 쓰레기로 버려지는 무언가를 자산으로 만들었습니다」

「그렇습니다. 하지만 그 만화책들은 자산이었습니까, 아니면 그것들은 그냥 당신이 볼 수 있는 자산의 일부였습니까?」

또다른 학생이 끼여들었다. 「그 만화책을 진짜 자산으로 만든 것은 눈에 보이지 않는 사고(思考) 과정이었군요」

「부자 아버지는 그것을 그런 식으로 보았습니다. 그분은 나중에 나에게 자신이 갖고 있는 힘은 자신의 사고 과정이라고 얘기했습니다. 그분은 종종 그런 사고 과정을 〈쓰레기를 현금으로 바꾸는 것〉이라고 불렀습니다. 그분은 또 이렇게 말했습니다. 〈대부분의 사람들은 그와 정반대로 하면서 현금을 쓰레기로 바꾼다. 그렇기 때문에 〈90 : 10〉 규칙은 설득력이 있다.〉」

「그분은 고대의 연금술사 같습니다」 어떤 학생이 얘기했다. 「납을 금으로 바꾸는 공식을 찾으려 하던 연금술사 말입니다」

「바로 그렇습니다」 내가 말했다. 「돈의 〈90 : 10〉 그룹 속에 있는 사람들은 현대적인 연금술사들입니다. 차이가 있다면, 그들은 무(無)에서 자산을 만들 수 있다는 것입니다. 그들의 힘은 아이디어를 자산으로 바꾸는 능력입니다」

「하지만 당신이 얘기한 대로, 많은 사람들은 멋진 아이디어를 갖고 있습니다. 그들은 다만 그것을 자산으로 바꾸지 못할 뿐입니다」 어떤 학생이 얘기했다.

나는 고개를 끄덕였다. 「그리고 그것은 내가 그날 해변에서 보았던 부자 아버지의 비밀스런 힘이었습니다. 그것은 그분이 그렇게 비싼 부동산을 구입할 수 있었던 정신적 힘 내지 경제적 지식이었습니다. 반면에 일반 투자가는 그것을 포기하면서 〈나로서는 할 수 없어〉라든지 〈돈이 있어야 돈을 벌지〉라고 애기합니다」

「그분은 당신에게 〈90 : 10〉 수수께끼를 얼마나 자주 물었습니까?」 어떤 학생이 물었다.

「아주 자주 물었습니다」 내가 대답했다. 「그것은 내 머리를 훈련시키는 그분의 방법이었습니다. 부자 아버지는 종종 우리의 머리는 가장 강력한 자산이라고 말했습니다. 그리고 제대로 쓰지 못하면 가장 강력한 부채도 될 수 있다고 말했습니다」

학생들은 아무 말이 없었다. 그들은 사색에 잠겨 자신들의 생각에 질문하는 것 같았다. 마침내 원래의 그 학생, 그러니까 일년에 2만 달러를 저축할 계획이라는 그 학생이 이렇게 애기했다. 「그렇기 때문에 이전의 당신 책에서 언급한 부자 아버지의 한 가지 교훈은 부자들은 돈을 발명한다는 것입니까?」

나는 고개를 끄덕이면서 이렇게 애기했다. 「그러고서 여섯 가지 교훈들 중에서 첫번째 교훈은 〈부자들은 돈을 위해 일하지 않는다〉였습니다」

학생들은 다시 아무 말이 없다가 한 학생이 이렇게 애기했다. 「그러니까 우리는 일자리를 얻고 돈을 모아 자산을 살 계획을 짜는 동안, 당신은 당신의 일이 자산을 만드는 것이라고 가르침을 받았군요」

「그렇습니다」 내가 대답했다. 「알다시피 〈일자리(job)〉라는 개념은 산업 시대에 만들어진 것이고, 우리는 1989년 이후의 정보 시대에 살고 있습니다」

「일자리라는 개념이 산업 시대의 개념이라는 말은 무슨 뜻입니까?」 한 학생이 그렇게 물었다. 「인간에게는 늘 일자리가 있지 않았습니까?」

「그렇지 않습니다. 적어도 우리가 오늘날 아는 일자리의 개념은 아닙니다. 인류의 수렵, 채집 시기에 인간들은 부족 단위로 살았고, 각 개인의 일(job)은 그런 부족의 공동체적 생존에 공헌하는 것이었습니다. 다시 말해, 그것은 하나를 위한 모두와 모두를 위한 하나였습니다. 그러다가 농경 시대가 찾아왔습니다. 그 시대에는 왕들과 여왕들이 있었습니다. 그 시기에 각 개인의 일은 농노나 왕이 소유하는 토지를 경작하는 것이었습니다. 그러다가 산업 시대가 찾아왔고 농노제나 노예제는 폐지되었습니다. 그리고 인간들은 열린 시장에서 자신들의 노동을 팔기 시작했습니다. 대부분의 사람들은 직원이나 자영업자가 되었고, 그들은 최선을 다해 최고의 가격으로 자신의 노동을 팔려 했습니다. 그것이 〈일자리〉라는 단어의 현대적 개념입니다」

「그러니까 당신은 내가 일자리를 얻어 일년에 2만 달러를 저축한다고 말했을 때 그런 생각을 산업 시대의 생각으로 보는군요」

나는 고개를 끄덕였다. 「오늘날에도 농부나 목장주로 알려진 농경 시대의 근로자들이 있습니다. 그리고 수렵 채집자들도 있는데, 예를 들면 상업적인 어부들입니다. 대부분의 사람들은 산업 시대의 개념으로 일하고 있고, 그렇기 때문에 그렇게도 많은 사람들은 일자리를 갖고 있습니다」

「그러면 정보 시대의 일(work)은 어떤 것이 되어야 합니까?」 어떤 학생이 물었다.

「정보 시대에는 자신들의 아이디어가 일하기 때문에 자신들은 일하지 않는 사람들입니다. 오늘날 마치 내 부자 아버지처럼 학교를 졸업한 후에 일자리 없이도 부자가 되는 학생들이 있습니다. 많은 수의 인터넷 관련 사업으로 억만장자가 된 사람을 보세요. 그들 가운데 일부는 대학을 중퇴하고 공식적인 일자리도 없이 억만장자가 되었습니다」

「다시 말해, 그들은 빈 자산 부분으로 시작해 그것을 아주 큰 자산, 정보 시대의 자산으로 채웠군요」 또다른 학생이 말했다.

「많은 사람들이 수십 억 달러의 자산을 만들었죠」 그들은 대학 중퇴생이 억만장자가 되었다는 이야기가 사실임을 알고 있었다. 마침내 한 학생이 일어나서 말했다. 「그러니까 정보 시대에 사람들은 정보로 부자가 된다는 말이군요」

「꼭 정보 시대에만 그런 것은 아닙니다」 내가 대답했다. 「그것은 늘 그런 식이었습니다. 자산을 갖고 있지 않은 사람들은 자산을 만들거나, 획득하거나, 혹은 통제하는 사람들을 위해 일하거나 그들에게 통제를 당합니다」

「그러니까 당신은 좋은 학교에서 좋은 교육을 받지 않았어도, 혹은 보수가 높은 일자리가 없어도 경제적으로는 나를 이길 수도 있다고 말하는 거로군요」 그 첫번째 학생이 말했다.

「바로 그런 말입니다. 그것은 당신의 교육보다 당신이 생각하는 사고 방식의 문제입니다」

일년에 2만 달러의 투자 계획을 갖고 있는 그 학생이 이렇게 얘기했다. 「따라서 나는 〈90 : 10〉 클럽에 가입하고 싶다면 자산을 사기보다 자산을 만드는 연습을 할 필요가 있군요. 나는 자산을 얻는 것에 관해 다른 사람들이 하는 것을 따라하기보다 창의적으로 해야 하는군요」

「그렇기 때문에 억만장자 헨리 포드는 이렇게 말했습니다. 〈생각하는 것은 가장 힘든 일이다. 그렇기 때문에 생각하는 사람들이 그렇게도 적은 것이다.〉」 내가 대답했다. 「그것은 또 당신이 왜 90%의 투자가들이 하는 것을 따라하면 그들처럼 전체의 10%만을 공유하는 사람이 되는지도 설명합니다」

「혹은 부자 아버지가 회계사를 고용할 때 나에게 이런 조언을 해 주시는 이유를 설명하죠. 그분은 이렇게 말했습니다: 너는 회계사를 면접할 때 그 사람에게 이렇게 물어야 한다. 〈1+1은 얼마입니까?〉 그 회계사의 답이 〈3〉이면 그 사람을 고용하지 말라. 그런 대답을 하는 회계사는 영리하지 않은 사람이다. 그 회계사의 답이 〈2〉라면 역시 그를 고용하지 말라. 왜냐하면 그는 충분히 영리하지 않기 때문이다. 하지만 그 회계사가 〈당신은 1+1이 얼마가 되기를 원합니까?〉라고 되물어오면 그때는 즉시 그 사람을 고용하라」

학생들이 웃는 가운데 우리는 물건을 챙기기 시작했다. 「그러니까 당신은 자산을 사는 자산을 만드는군요. 그것이 맞습니까?」 어떤 학생이 물었다.

나는 고개를 끄덕였다.

「당신은 돈을 사용해 다른 자산을 사기도 합니까?」 바로 그 학생이 물었다. 「그렇습니다. 하지만 나는 내가 만든 자산에서 나오는 돈을 사용해 다른 자산을 사려 합니다」 나는 그렇게 말하면서 가방을 집어들었다. 「나는 돈을 위해 일하려 하지 않음을 기억하세요.

나는 그보다 자산을 만들어 다른 자산과 부채들을 사려 합니다」

학생들이 나를 자동차까지 배웅했다. 「그러니까 열심히 일해 자산을 사기보다 자산을 만드는 것에 대해 생각하라는 말씀이시군요」 그 2만 달러 학생이 말했다.

「당신이 〈90 : 10〉 클럽에 들어가고 싶다면, 그렇게 하세요」 내가 대답했다. 「그렇기 때문에 내 부자 아버지는 끊임없이 자산을 사지 않고 자산 부분에서 다양한 종류의 자산을 만드는 내 창의성을 자극한 것입니다. 그분은 몇 년 동안 자산을 만들기 위해 일하는 것이 평생 동안 누군가의 자산을 만들기 위해 돈을 벌려고 애쓰는 것보다 더 낫다고 말했습니다」

그러자 그 2만 달러 학생이 내가 자동차로 들어갈 때 이렇게 얘기했다. 「그러니까 내가 해야 하는 일은 아이디어를 자산으로, 큰 자산으로 만들어 부자가 되는 것뿐이군요. 그렇게 하면 나는 〈90 : 10〉 수수께끼를 풀고 전체 돈의 90%를 통제하는 10%의 투자가 그룹에 합류하는군요」

나는 웃으면서 차 문을 닫은 후에 그 학생의 마지막 얘기에 이렇게 대답했다. 「당신이 〈90 : 10〉 수수께끼를 풀게 되면 전체 돈의 90%를 통제하는 그 10%에 합류할 가능성이 높습니다. 하지만 당신이 〈90 : 10〉 수수께끼를 풀지 못할 때는 전체 돈의 10%만 통제하는 90%의 그룹에 합류하게 될 것입니다」 나는 학생들에게 고맙다고 말한 후에 차를 몰고 그곳에서 떠났다.

✎ 나의 투자지수(Invest Quotient) 테스트

부자 아버지는 내가 빈 자산 부분에서 끊임없이 새로운 자산을 만들도록 했다. 그분은 자기 아들 및 나와 함께 앉아 우리가 어떻게 새로운 자산을 만들 수 있는지 물었다. 그분은 그 아이디어가 엉뚱하고 웃기는 것인지에 대해서는 상관하지 않았다. 그분은 다만 우리가 어떻게 그런 아이디어를 자산으로 바꿀 수 있는지 알기만을 원했다. 장기적으로는 그것이 부자 아버지가 우리에게 (가난한 아버지가 권유한 것처럼) 열심히 일하고, 돈을 모으고, 검소하게 살라고 말하는 것보다 훨씬 더 나았다.

따라서 이번 질문은 다음과 같은 것이 된다.

1 당신은 자산을 사기보다 스스로 자산을 만들 것을 고려할 의사가 있는가?

예 _____ 아니오 _____

대부분의 사람들에게 자산을 사는 것은 그들에게 최상의 계획이다. 내가 또 권유하고 싶은 것은, 당신의 투자 계획의 안정과 편안함을 위해 그런 자산들을 사라는 것이다. 안정과 편안함을 위해 블루칩 주식과 잘 운영되는 뮤추얼 펀드 같은 자산들에 투자하라. 하지만 당신이 부자 투자가가 되는 꿈을 갖고 있다면 질문은 이것이다. 「당신은 다른 사람의 자산을 사기보다 스스로 자산을 만들 의사가 있는가?」 그렇지 않다면, 그때는 자산을 구입하는 방법에 관한 많은 책들과 교육 프로그램들에 참가해야 한다.

하지만 당신이 스스로 자산을 만드는 법을 고려할 의사가 있다면, 이 책의 나머지 부분은 아주 소중한 내용일 것이다. 그것은 어떻게 아이디어를 자산으로 바꿔 다른 자산들을 사는지에 관한 것이다. 그것은 단지 어떻게 자산 부분에서 많은 돈을 버는지에 관한 것뿐 아니라, 어떻게 자산이 버는 돈을 보존하고 그것을 이용해 한층 더 많은 자산과 여유 있는 삶을 획득하는지에 관한 것이기도 하다. 그것은 어떻게 그 10%의 사람들이 전체 돈의 90%를 얻게 되었는지 보여준다. 따라서 이것이 당신의 관심을 끈다면, 그때는 계속해서 읽기 바란다.

여기에서 다시 그 〈90 : 10〉 수수께끼를 소개한다.

그 수수께끼는 이것이다. 「당신은 어떻게 돈을 사용해 자산을 얻지 않고 자산 부분에서 자산을 만들 수 있는가?」

투자는 돈을 버는 것이 아니라 돈을 〈보존〉하는 것이다

내가 한 최초의 큰 사업은 1977년에 한 나일론 지갑 사업이었다. 그것은 자산 부분에서 만들어진 아주 큰 자산이었다. 문제는, 그렇게 만들어진 자산의 크기는 컸지만, 내 사업 기술들은 작았다는 것이다. 그래서 나는 20대에 백만장자가 되었지만 그 모든 것을 20대에 다 잃었다. 나는 3년 후에 록큰롤 사업에서 똑같은 과정을 되풀이했다. MTV가 히트할 때, 우리의 작은 회사는 그런 열풍에서 득을 볼 완벽한 입장에 있었다. 하지만 이번에도, 우리는 로케트처럼 올라갔다가 연료가 떨어진 로케트처럼 떨어졌다. 이 책의 나머지 부분은 큰 자산을 만들고, 자산의 크기에 맞는 유능한 투자를 하고, 종종 더 안정적인 다른 자산들에 투자해서 번 돈을 어떻게 보존하는지에 관한 것이다. 부자 아버지는 이렇게 얘기했다. 「돈을 보존할 수 없다면 큰 돈을 번들 무슨 소용이 있느냐?」 투자는 영리한 사람들이 자신들의 돈을 보존하는 방식이다.

제3부

부자 아빠의 투자 가이드 2단계

–어떤 유형의 투자가가 되길 원하는지 알아야 한다

제20장

〈90 : 10〉 수수께끼 풀기

엄청난 아이디어가 있는 사람은 많지만
엄청난 돈이 있는 사람은 거의 없다.
〈90 : 10〉 수수께끼가 설득력을 갖는 이유는
위대한 아이디어가 있어야 부자가 되는 것이 아니라,
그 아이디어 뒤에 위대한 사람이 있어야 부자가 되기 때문이다.
늘 기억할 것은 위대한 아이디어가 위대한 재산이 되는 것은
그 아이디어 뒤에 있는 사람도 위대해지려는 의사가 있을 때뿐이다.

부자 아버지는 이렇게 얘기했다. 「자산을 사는 투자가들이 있고 자산을 만드는 투자가들이 있다. 네 스스로 〈90 : 10〉 수수께끼를 풀고자 한다면 두 가지 유형 모두의 투자가가 되어야 한다」

나는 이 책의 서두에서 부자 아버지와 마이크, 그리고 내가 함께 바닷가를 걸으며 그분이 산 해변가의 아주 비싼 부동산을 보던 이야기를 했다. 그때 나는 부자 아버지에게 어떻게 그렇게 비싼 부동산을 살 수 있었는지 물었다. 그 질문에 대한 부자 아버지의 대답은 이런 것이었다. 「나도 이 땅을 살 수는 없다. 하지만 내 사업은 이 땅을 살 수 있다」 내가 보는 것이라곤 낡고 버려진 차들, 반쯤 무너진 건물, 수많은 잡목과 쓰레기, 그리고 땅뿐이었다. 나는 열두 살

의 나이로 그 땅에서 어떤 사업도 볼 수 없었지만, 부자 아버지는 볼 수 있었다. 그 사업은 그분의 머릿속에서 만들어지고 있었다. 그리고 머릿속에서 사업을 만드는 그런 능력은 그분이 나중에 하와이에서 아주 큰 부자가 된 이유였다. 다시 말해, 부자 아버지는 자산을 만들어서 〈90 : 10〉 수수께끼를 풀었고, 그런 자산들로 다른 자산들을 살 수 있었다. 그 계획은 비단 부자 아버지의 투자 계획이었을 뿐 아니라, 전체 돈의 90%를 버는 그 10%의 사람들 대부분이 과거, 현재, 그리고 미래에도 실천하는 투자 계획이었다.

『부자 아빠 가난한 아빠 1』을 읽은 독자들이라면 레이 크록이 내 친구의 MBA 강좌에서 이렇게 얘기한 것을 기억할 것이다. 즉, 그가 세운 맥도널드는 햄버거 사업을 하는 것이 아니었다. 그들의 사업은 맥도널드 햄버거 체인점이 위치한 땅을 기반으로 한 부동산 사업이었다. 이번에도 그 공식은 자산을 만들어 다른 자산을 사는 것이었다. 그리고 그런 공식은 맥도널드가 세상에서 가장 비싼 부동산을 갖고 있는 이유가 된다. 그것은 모두 그 계획의 일부이다. 그렇기 때문에 부자 아버지는 내가 부자가 되는 것에 관심이 있음을 안 후에 계속해서 나에게 이렇게 얘기했다. 「네 스스로 〈90 : 10〉 수수께끼를 풀고자 한다면 두 가지 유형 모두의 투자가가 되어야 한다. 너는 자산을 어떻게 만드는지 아는 사람이 되어야 하고, 자산을 어떻게 사는지 아는 사람도 되어야 한다. 일반 투자가는 서로 다른 그 과정들의 차이를 잘 모르며 양쪽의 어느 투자 과정도 제대로 이해하지 못한다. 일반 투자가는 대개 공식적으로 기록된 계획조차 갖고 있지 않다」

아이디어를 재산으로 만들 줄 알아야 한다

이 책의 후반부는 상당 부분이 사람들이 어떻게 자산을 만드는지에 관한 것이다. 부자 아버지는 나와 함께 여러 시간을 보내며 우리가 어떻게 아이디어를 사업으로 바꿔 자산을 만들고 그것으로 다시 자산을 사는지 나에게 가르쳤다. 그분은 이렇게 얘기했다. 「많은 사람들은 자신들이 꿈꾸는 것 이상으로 부자가 될 수 있는 아이디어를 갖고 있다. 문제는, 대부분의 사람들은 어떻게 그런 아이디어 속으로 사업 구조를 넣는지 한 번도 배운 적이 없다는 거다. 그래서 그들의 많은 아이디어는 한 번도 모양을 갖추거나 제 발로 서는 적이 없다. 너는 전체 돈의 90%를 버는 그 10%에 속하고 싶다면 어떻게 창의적인 아이디어로 사업 구조를 만드는지 알아야만 한다」 이 책의 후반부는 상당 부분이 부자 아버지가 부르는 〈B-I 삼각형(Business-Investor Triangle)〉에 관한 것이다. 이것은 당신의 금융 아이디어에 삶을 불어넣는 정신적 구조이다. 이와 같은 〈B-I 삼각형〉의 힘은 아이디어를 자산으로 바꾼다.

부자 아버지는 종종 이렇게 얘기했다. 「자산을 살 수 있는 자산을 만드는 법에 대해 아는 것 외에, 가장 부유한 투자가들이 더 부자가 될 수 있는 한 가지 주된 이유는 그들은 아이디어를 수백만 내지 어쩌면 수십억 달러로 바꾸는 법을 알기 때문이다. 일반 투자가들이 훌륭한 아이디어를 갖고 있을 수도 있지만, 그들은 그런 아이디어를 다시 자산을 살 수 있는 자산으로 바꾸는 기술이 부족하다」 이 책의 나머지 부분은 어떻게 평범한 사람들이 그들의 아이디어를 다시 자산을 살 수 있는 자산으로 바꿀 수 있는지에 관한 것이다.

위대한 영혼과 평범한 마음 사이의 싸움

아이디어를 자산으로 바꾸는 법을 나에게 가르치는 동안 부자 아버지는 이렇게 얘기했다. 「네가 처음으로 네 아이디어를 개인적인 재산으로 바꾸려 할 때, 많은 사람들은 이렇게 얘기할 것이다. 〈너는 그것을 할 수 없다.〉 늘 기억할 것은, 너의 좋은 아이디어를 죽이는 것은 작은 아이디어와 제한된 상상력을 갖고 있는 사람들이다」 부자 아버지는 다음과 같은 두 가지 이유 때문에 사람들이 〈너는 그것을 할 수 없다〉라고 말하는 경향이 있다고 생각했다.

——그들은 네가 그것을 할 수 없기 때문이 아니라 그들이 그것을 할 수 없기 때문에 〈너는 그것을 할 수 없어〉라고 말한다.

——그들이 〈그것을 할 수 없어〉라고 말하는 이유는 네가 하는 것을 그들은 볼 수 없기 때문이다.

부자 아버지는 돈을 만드는 과정은 물리적 과정이기보다 정신적 과정이라고 설명했다.

부자 아버지가 좋아하는 한 가지 인용은 아인슈타인이 한 말인데, 내용은 다음과 같은 것이다. 〈위대한 영혼은 종종 평범한 마음의 격렬한 반대에 부딪친다.〉 아인슈타인의 말을 언급하면서 부자 아버지는 이렇게 얘기했다. 「우리 모두는 위대한 영혼과 평범한 마음 모두 갖고 있다. 우리의 아이디어를 수백만 혹은 수십억 달러의 자산으로 바꾸는 도전은 우리의 위대한 영혼과 평범한 마음 사이의 싸움이다」

이 책의 후반부에서 내가 〈B-I 삼각형〉, 그러니까 사업적 아이디어에 삶을 불어넣는 구조로 〈B-I 삼각형〉을 설명할 때, 어떤 사람들은 〈B-I 삼각형〉이 움직이도록 하는 데 필요한 지식의 양에 위압감을 느낀다. 그런 일이 일어날 때 나는 그들에게 그들의 위대한 영혼과 평범한 마음 사이의 싸움을 상기시킨다. 어떤 사람의 평범한 마음이 그들의 위대한 영혼에 맞서기 시작할 때마다, 나는 늘 그들에게 부자 아버지가 나에게 한 말을 상기시킨다. 그분은 이렇게 얘기했다. 「엄청난 아이디어가 있는 사람들은 많지만 엄청난 돈이 있는 사람들은 거의 없다. 〈90 : 10〉 수수께끼가 설득력을 갖는 이유는 위대한 아이디어가 있어야 부자가 되는 것이 아니라, 그 아이디어 뒤에 위대한 사람이 있어야 부자가 되기 때문이다」 당신은 강한 영혼을 갖고 있어야 하며 아이디어를 재산으로 바꾸는 데 강한 확신을 갖고 있어야 한다. 당신이 아이디어를 수백만 내지 수십억 달러로 바꿀 수 있는 과정을 이해한다 해도, 늘 기억할 것은 위대한 아이디어가 위대한 재산이 되는 것은 그 아이디어 뒤에 있는 사람도 위대해지려는 의사가 있을 때뿐이다. 주위의 모든 사람이 〈너는 그것을 할 수 없다〉라고 말하는데 계속 나아가는 것은 어려운 일이다. 당신은 아주 강한 영혼이 있어야만 주위 사람들의 의심을 극복할 수 있다. 하지만 당신의 영혼은 바로 당신이 자신에게 〈너는 그것을 할 수 없다〉라고 말할 때 한층 더 강해져야 한다. 그렇다고 해서 당신 친구들이나 당신 자신의 좋은 아이디어 모두에 귀를 기울이지 않고 무턱대고 나아가도 좋다는 말은 아니다. 그들의 생각과 그들의 아이디어가 당신의 아이디어보다 나을 때는 경청해야 한다. 하지만 이 시점에서 내가 당신에게 얘기하는 것은 단순한 아이디어 혹은 조언이 아니다.

내가 당신에게 얘기하고 있는 것은 단순한 아이디어 이상이다. 내가 얘기하고 있는 것은 당신의 영혼과 강한 의지력이다. 어떤 사람도 당신이 삶에서 무엇을 할 수 있거나 할 수 없다고 얘기할 수는 없다. 오직 당신만이 그것을 결정할 수 있다. 당신의 위대함은 길이 끝나는 곳에서 발견된다. 그리고 당신은 당신의 아이디어를 돈으로 바꾸고자 할 때 그 길의 끝에 도달하는 때가 많다. 그 길의 끝은 당신의 아이디어와 돈은 떨어지고, 의심으로 가득 찰 때이다. 당신은 자신 속에서 앞으로 나아가는 영혼을 발견할 수 있을 때 아이디어를 위대한 자산으로 바꾸는 데 정말로 무엇이 필요한지 알게 된다. 아이디어를 위대한 자산으로 바꾸는 것은 인간 마음의 힘보다 인간 영혼의 문제이다. 모든 길의 끝에서 창업가는 자신의 영혼을 발견한다. 당신의 창업가적 영혼을 발견하고 그것을 강하게 만드는 것은 당신이 개발하고 있는 아이디어나 사업보다 더 중요하다. 당신은 일단 창업가적 영혼을 발견하면 모든 평범한 아이디어를 비범한 재산으로 영원히 바꿀 수 있게 된다. 늘 기억할 것은, 세상에는 위대한 아이디어가 있는 사람들은 무척 많지만 위대한 재산을 갖고 있는 사람은 너무도 적다.

이 책의 나머지 부분은 당신이 자신의 창업가적 영혼을 발견하고 평범한 아이디어를 비범한 재산으로 바꾸는 자신의 능력을 개발하는 것에 관한 것이다. 이 장에서는 부자 아버지가 말하는 다양한 투자가 유형에 대한 통찰력을 제공하고, 당신이 자신에게 가장 잘 맞을 수도 있는 길을 선택하도록 돕는다. 제4부는 부자 아버지의 〈B-I 삼각형〉을 분석하며, 그것이 어떻게 당신이 좋은 아이디어로 자산을 만드는 구조를 제공해 주는지 설명한다.

제5부는 〈능숙한 투자가〉의 마음속으로 들어가 그런 사람들은 어떻게 투자를 분석하는지 소개하고, 자신의 아이디어와 〈B-I 삼각형〉을 갖고 큰 재산을 만드는 〈궁극적 투자가〉의 길을 제시한다.

제21장

부자 아버지가 말하는 투자가들의 다섯 가지 유형

—인정받는 투자가
—자격 있는 투자가
—능숙한 투자가
—내부 투자가
—궁극적인 투자가

이 책은 해병대에서 제대한 후 돈도 없고 일자리도 없는 내가 궁극적인 투자가, 즉 사는 주주가 아닌 파는 주주가 되는 사람, 투자의 외부가 아니라 내부에 있는 사람이 되는 길을 걷도록 부자 아버지가 나를 인도한 교육적 이야기를 담고 있다. 부자들만 투자하고 가난한 사람들과 중산층은 투자하지 않는 투자 도구들에 포함되는 것은 주식의 초기 공모(IPO), 사모(private placement), 그리고 여타 회사 주식들이다. 당신이 투자의 내부에 있건 혹은 외부에 있건, 중요한 것은 증권(시큐리티) 규정의 기본들을 이해하는 것이다.

『부자 아빠 가난한 아빠 1』에서 나는 금융 지식의 중요성을 언급했다. 그것은 성공적인 투자가에게는 필수적인 것이다. 또 나는 『부자 아빠 가난한 아빠 2』에서 네 가지 서로 다른 사분면과 그 속에 속한 서로 다른 사람들이 돈을 버는 여러 방식, 그리고 서로 다른 세법들이 서로 다른 사분면에 끼치는 영향을 소개했다. 당신이 그 두 책을 읽었다면 이미 적극적으로 투자하는 많은 사람들보다 투자의 근본들에 대해서 더 많은 것을 알고 있을 것이다.

당신이 일단 투자의 근본들을 이해하면 부자 아버지의 투자가 유형 분류와 그분이 모든 투자가들에게 중요하다고 얘기한 투자가들이 지켜야 할 열 가지 기본 사항을 더 잘 이해할 수 있다.

투자가들이 지켜야 할 열 가지 기본 사항

1 자기 자신에 대한 통제
2 수입/지출과 자산/부채 비율에 대한 통제
3 투자 운영에 대한 통제
4 세금에 대한 통제
5 살 때와 팔 때에 대한 통제
6 중개인을 통한 거래에 대한 통제
7 ETC(단위, 시점, 그리고 특성)에 대한 통제
8 계약 내용과 조건들에 대한 통제
9 정보 접근에 대한 통제
10 사회 환원, 자선 사업, 재산의 재분배에 대한 통제

부자 아버지는 이렇게 얘기했다. 「투자가 위험한 것이 아니라, 통

제를 하지 못하는 것이 위험한 것이다」 많은 사람들이 투자를 위험하게 생각하는 이유는 그들이 투자가들이 지켜야 할 이 열 가지 기본 중 하나 혹은 그 이상을 통제하지 못하기 때문이다. 그렇지만 당신은 이 책을 읽으면서 어떻게 투자가로서 더 큰 통제력을 얻을 수 있는지, 특히 어떻게 하면 일곱번째인 ETC(단위, 시점, 그리고 특성)에 관한 통제권을 얻을 수 있는지에 대한 통찰력을 얻을 수도 있다. 이것은 많은 투자가들에게 통제력이 부족하거나, 더 많은 통제가 필요하거나, 혹은 그냥 투자에 관한 어떤 기본적 이해가 부족한 경우이다.

이 책의 제2부는 부자 아버지가 말하는 투자가의 가장 중요한 기본 통제 사항, 즉 〈자기 자신에 대한 통제〉에 관한 것이었다. 당신은 성공적인 투자가가 되는 데 정신적인 준비와 각오가 없으면 당신의 투자 선택을 돕도록 훈련받은 전문적인 금융 컨설턴트나 금융기관에 돈을 맡겨야 한다.

나는 부자 투자가가 되고 싶었다

부자 아버지는 내가 이미 선택을 했음을 알고 있었다.

나는 투자가가 될 정신적 준비가 되어 있었다. 나는 아주 성공적인 투자가가 되고 싶었다.

나는 내가 투자가가 되기 위한 정신적 준비가 되어 있었고 부자가 되고 싶어한다는 것을 알고 있었다. 그렇지만 부자 아버지는 이렇게 물었다. 「너는 어떤 유형의 투자가가 되고 싶으냐?」

「부자 투자가요」 나는 그렇게 대답했다. 그러자 부자 아버지는 다시 노란색 메모지를 꺼내 다음과 같은 투자가 유형을 적었다.

——인정받는 투자가
——자격 있는 투자가
——능숙한 투자가
——내부 투자가
——궁극적인 투자가

「그 차이가 뭐죠?」 내가 물었다.

부자 아버지는 각각의 투자가 유형에 설명을 붙였다.

인정받는 투자가는 많은 돈을 벌거나 많은 순재산을 갖고 있다. 자격 있는 투자가는 전통적 투자 및 기술적 투자를 알고 있다. 능숙한 투자가는 투자와 법률을 이해한다. 내부 투자가는 투자를 만들어낸다. 궁극적인 투자가는 파는 주주가 된다.

나는 인정받는 투자가의 정의를 읽고 꽤 무기력한 느낌이었다. 나에게는 돈도 없었고 일자리도 없었다.

부자 아버지가 내 반응을 보고 나서 다시 노란색 메모지를 집어 들었다. 그러고는 내부 투자가에 원을 그렸다.

내부자로 시작하라

「너는 여기서 시작하게 된다」 부자 아버지가 그렇게 말하면서 내부 투자가를 가리켰다.

「너에게 아주 적은 돈과 아주 적은 경험밖에 없어도, 투자의 내부 수준에서 시작하는 것은 가능하다. 너는 작게 시작해서 계속 배워야 한다. 돈이 없어도 돈을 벌 수 있다」

이 시점에서 그분은 메모지 위에 자신의 세 가지 〈E〉를 나열했다.

——교육(Education)

——경험(Experience)

——충분히 넉넉한 현금(Excessive Cash)

「너는 이 세 가지 〈E〉 모두를 갖게 되면 성공적인 투자가가 될 것이다」 부자 아버지가 말했다. 「너는 금융 교육을 잘 받았다. 하지만 이제는 경험이 필요하다. 네가 좋은 금융 지식과 결합된 올바른 경험을 갖게 될 때, 현금은 따라올 것이다」

「하지만 아버님은 내부 투자가를 네번째로 나열했습니다. 어떻게 제가 내부 투자가로 시작할 수 있습니까?」 나는 그렇게 말하면서 여전히 혼란스러웠다.

부자 아버지는 내가 내부 투자가로 시작하기를 원했다. 왜냐하면 그분은 내가 자산을 만들어 결국에는 다른 자산을 사는 사람이 되기를 원했기 때문이다.

사업을 일으킴으로써 시작하라

「나는 너에게 성공적인 사업을 일으키는 근본들을 가르칠 것이다」 부자 아버지가 계속해서 말했다.「네가 사업가들이 속한 〈B〉 사분면에서 성공적인 사업을 일으키는 법을 배울 수 있으면, 네 사업은 충분한 현금을 발생시킬 것이다. 그러면 너는 성공적인 〈B〉가 되면서 배운 기술들을 사용해 〈I〉로서 투자를 분석할 수 있다」

「그것은 뒷문으로 들어오는 것과 같은 거 아닌가요?」 내가 물었다.

「글쎄, 나는 그것이 평생의 기회라고 말하고 싶다!」 부자 아버지가 대답했다.「일단 네가 첫번째 백만 달러를 버는 법을 배우면, 다음 번의 천만 달러는 쉽게 벌 수 있다」

「좋습니다. 그러면 어떻게 시작해야 하죠?」

「먼저 너에게 여러 유형의 투자가들에 대해 얘기하겠다. 그래야 내가 얘기하는 것을 이해할 수 있을 것이다」

자신에게 맞는 투자가 유형을 선택해야 한다

여기서 나는 부자 아버지가 말하는 각각의 투자가 유형에 대한 그분의 설명을 소개하고자 한다. 아래에서 나는 각 유형의 투자가들의 특징(장점과 단점)을 설명한다. 왜냐하면 내가 선택한 길은 당신에게 맞는 길이 아닐 수도 있기 때문이다.

——인정받는 투자가

인정받는 투자가는 소득이 높거나 순재산이 많은 사람이다. 당시에 나는 내가 인정받는 투자가의 자격이 없음을 알 수 있었다.

안정과 편안함을 위해 투자하기로 선택한 장기적 투자가는 인정받는 투자가로서의 자격이 충분하다. 자신들의 경제적 입장에 아주 만족하는 많은 봉급 생활자들과 자영업자 및 전문직 종사자들이 여기에 속한다. 그들은 일찍부터 투자가 그룹인 〈I〉 사분면을 통해 자신들의 경제적 미래에 대비해야 함을 알았고, 자신들의 근로 소득으로 투자하겠다는 계획을 채택했다. 그들의 금융 계획은 안정을 위한 것이건 편안함을 위한 것이건 대개는 충족되었다.

『부자 아빠 가난한 아빠 2』에서 우리는 경제적 안정을 구축하는 〈양다리〉 접근법을 살펴보았다. 나는 이런 사람들의 선견지명과 금융 계획을 개발하고 경제적 미래를 준비하는 원칙에 박수 갈채를 보냈다. 그들은 내가 밟은 길이 불가능한 목표이거나 힘든 일이 많이 필요한 것으로 보일 것이다.

자신들의 소득만으로도 인정받는 투자가 자격이 있는 고소득의 많은 봉급 생활자들과 자영업자, 전문직 종사자들도 있다.

당신이 인정받는 투자가의 자격이 있을 때는 대부분의 사람들이 접근할 수 없는 투자들에 접근할 수 있다. 그렇지만 당신의 투자를 성공적으로 선택하려면 여전히 금융 교육이 필요하다. 당신이 금융 교육에 시간을 투자하지 않기로 선택하면 당신은 투자 결정을 도울 수 있는 유능한 금융 컨설턴트에게 돈을 맡겨야 한다.

—자격 있는 투자가

자격 있는 투자가는 공개적으로 거래되는 주식을 분석하는 법을 이해한다. 이 투자가는 〈내부〉 투자가가 아닌 〈외부〉 투자가로 여겨질 것이다. 일반적으로, 자격 있는 투자가에는 주식 거래인과 분석가들이 포함된다.

—능숙한 투자가

능숙한 투자가는 대개 부자 아버지의 세 가지 〈E〉 모두를 갖고 있다. 뿐만 아니라, 능숙한 투자가는 투자의 세계를 이해한다. 그들은 세법, 상법, 그리고 증권법을 활용해 수익을 극대화시키고 자본을 보호한다.

당신이 성공적인 투자가가 되길 원하면서도 그렇게 하기 위해 자신의 사업을 일으킬 생각은 없다면, 당신의 목표는 능숙한 투자가가 되는 것이어야 한다.

능숙한 투자가로서 이들 투자가들은 동전에는 양면이 있음을 안다. 그들은 동전의 한쪽 면의 세상은 흑과 백의 세상임을 알며, 동전의 다른쪽 면 세상은 회색의 다른 색상도 가지고 있음을 안다. 그 세상에서는 자기 혼자서 무언가를 해서는 안 될 것이다. 동전의 흑과 백에서 일부 투자가들은 자기들 혼자서 투자할 수 있다. 하지만 동전의 회색 면에서는 투자가들은 팀과 함께 들어가야 한다.

—내부 투자가

내부 투자가의 목표는 성공적인 사업을 일으키는 것이다. 그 사업은 하나의 임대 부동산일 수도 있고 수백만 달러의 소매 회사일 수도 있다.

성공적인 사업가는 어떻게 자산을 만들고 일으키는지 알고 있다. 부자 아버지는 이렇게 얘기했다. 「부자들은 돈을 발명한다. 처음의 백만 달러를 버는 법을 배우면 다음의 천만 달러는 쉬워진다」

성공적인 사업가는 또 외부에서 이뤄지는 투자를 위해 기업을 분석하는 데 필요한 기술들을 배울 것이다. 따라서 성공적인 내부 투자가는 성공적인 능숙한 투자가가 되는 법을 배울 수 있다.

—궁극적인 투자가

궁극적인 투자가들의 목표는 파는 주주가 되는 것이다. 궁극적인 투자가들은 성공적인 사업체를 소유하며, 그 사람은 그 사업체의 지분을 대중에게 판다. 그래서 그 사람은 파는 주주가 된다. 그것은 나의 목표이다. 나는 아직 그것을 달성하지 못했지만 계속해서 자신을 교육시키고 경험을 통해서 배운다. 그리고 나는 파는 주주가 될 수 있을 때까지 그렇게 할 작정이다.

당신은 어떤 투자가 유형에 속하는가

다음의 몇 장에서는 각각의 투자가 유형을 좀더 자세히 살펴볼 것이다. 당신은 각각의 투자가 유형을 연구한 후에 자신의 투자 목표를 선택하는 데 더 잘 준비할 수 있을 것이다.

제22장
첫번째 투자가 유형

인정받는 투자가

인정받는 투자가는 쉽게 말해서
일반 사람보다 상당히 많은 돈을 버는 사람이다.
그것은 반드시 그 사람이 부자이거나 혹은
투자에 대해 무언가를 알고 있음을 의미하지는 않는다.

〈인정받는 투자가〉는 누구인가?

대부분의 선진국에는 나쁘고 위험한 투자에서 일반 투자가를 보호하는 법률이 있다. 문제는, 바로 이런 법률들이 대중들이 가장 좋은 투자 기회를 갖는 것을 막을 수도 있다는 것이다.

이런 법들과 규정들은 일반 대중을 증권(시큐리티) 매매에 관련된 거짓 선전, 조작, 그 밖의 사기적인 관행에서 보호하기 위한 것이다. 이것들은 특정 투자를 인정받는 투자가와 능숙한 투자가들에게만 제한하며 그런 투자의 구체적인 사항 발표를 요구한다.

미국 증권 거래 위원회는 인정받는 투자가를 지난 2년 동안 매년 개인으로서 적어도 20만 달러 이상(혹은 부부로서 30만 달러 이상)을 벌며 당해 연도에 같은 액수를 벌 것으로 기대되는 사람이라고 정의했다. 그런 개인이나 부부는 또 적어도 1백만 달러의 순재산이 있으면 자격을 얻을 수도 있다.

부자 아버지는 이렇게 얘기했다.「인정받는 투자가는 쉽게 말해서 평균적으로 일반 사람보다 상당히 많은 돈을 버는 사람이다. 그것은 반드시 그 사람이 부자이거나 혹은 투자에 대해 무언가를 알고 있음을 의미하지는 않는다」

이와 같은 규칙의 문제는 극히 일부만이 그런 주식 발행에 투자할 수 있다는 것이다. 나머지는 그와 같은 투자를 할 수가 없다. 왜냐하면 그들은 인정받는 투자가들이 아니기 때문이다.

나는 부자 아버지가 텍사스 인스트루먼트라는 회사가 기업을 공개하기 전에 그 회사에 투자할 기회를 제안받았던 때를 기억한다. 그분은 그때 그 회사를 살펴보고 분석할 시간이 없었다. 그래서 그분은 그런 기회를 지나쳤는데, 나중에 몇 년 동안 그 결정을 후회했다. 하지만 그분은 기업이 공개되기 전에 그곳에 투자할 수 있는 다른 기회들은 그냥 지나치지 않았다. 그분은 그런 투자들로 한층 더 부자가 되었다. 그런 투자들은 일반 투자가들에게는 제시되지 않는다. 부자 아버지에게는 인정받는 투자가의 자격이 있었다.

내가 어떤 회사의 다음번 상장 전 공모주 발행에 투자하겠다고 했을 때, 부자 아버지는 내가 부자가 아니며 충분히 현명하지 못하기 때문에 투자할 수 없다고 얘기했다. 나는 아직도 그분이 이렇게 얘기한 것을 기억한다.「부자가 될 때까지 기다려라. 그러면 가장 좋은 투자들이 먼저 너에게 올 것이다. 부자들은 늘 그 가장 좋은 투자의 첫번째 기회를 잡는다. 뿐만 아니라, 부자들은 아주 낮은 가격에 살 수 있고 물량에서도 유리하다. 그것이 부자들이 더 부자가 되는 이유 중의 하나이다」

부자 아버지도 그런 유형의 투자들이 갖는 위험에서 일반 투자가를 보호하는 것이 필요하다고 생각했다. 물론 그분은 인정받는 투자가로서 투자에서 많은 돈을 벌었다.

그렇지만 부자 아버지는 나에게 이렇게 경고했다. 「설사 네가 인정받는 투자가라 하더라도, 너는 여전히 가장 좋은 투자 기회를 얻지 못할 수가 있다. 그렇게 하려면 새로운 투자 기회들에 대한 올바른 지식과 정보 접근성을 갖고 있는 전혀 다른 유형의 투자가가 필요하다」

인정받는 투자가들이 갖고 있는 투자가들이 지켜야 할 기본 사항

부자 아버지가 볼 때, 인정받는 투자가는 금융 교육을 받지 않았기 때문에 투자가들의 열 가지 기본 통제 사항의 어떤 것도 갖고 있지 않다. 인정받는 투자가는 돈은 많을지 몰라도 대개는 그것으로 무엇을 해야 할지 알지 못한다.

인정받는 투자가들이 보유하는 세 가지 〈E〉

——충분히 넉넉한 현금(어쩌면)

부자 아버지는 다음과 같은 점을 분명히 했다. 즉, 우리에게 설사 인정받는 투자가의 자격이 있다 해도, 우리는 여전히 금융 교육과 경험이 있어야 다음 단계인 자격 있는 투자가, 능숙한 투자가, 내부 투자가, 혹은 궁극적인 투자가로 나아갈 수 있다. 사실 그분은 실제로 현금이 전혀 없는 많은 인정받는 투자가를 알고 있었다. 그들은 수입 기준은 충족했지만 자신들의 현금을 잘 관리하는 법은 모르고 있었다.

● 샤론*의 주석

거의 누구든지 증권사의 계좌를 개설해 〈공개 기업〉으로 여겨지는 회사의 주식을 사고 팔 수 있다. 공개 기업의 주식은 자유롭게 거래되며 일반 대중이 사고 팔 수 있다. 이것은 대개 거래소를 통해 이뤄진다. 주식 시장은 정말로 자유로운 시장이다. 정부나 외부의 간섭 없이, 개인들은 어떤 주식의 가격이 적정한지 아닌지 스스로 판단할 수 있다. 그들은 그것을 살 것인지 결정할 수 있고 그럼으로써 그 회사의 지분을 구입할 수 있다.

최근 몇 년 동안 뮤추얼 펀드는 점점 더 인기를 얻었다. 뮤추얼 펀드는 전문적으로 관리되는 포트폴리오이다. 그리고 뮤추얼 펀드의 주식은 많은 다양한 개별 증권들의 부분적인 지분을 나타낸다. 많은 사람들이 뮤추얼 펀드에 투자하는 이유는 전문적인 관리, 그

---

* 로버트 기요사키와 함께 이 책을 집필한 공저자로, 현재 공인 회계사로 활동하고 있다. 앞으로 각 장의 말미에 〈샤론의 주석〉이라는 타이틀로 그녀의 추가 설명이 첨가된다.

리고 한 회사만의 주식이 아닌 여러 회사의 다양한 주식들의 일부 지분을 소유할 수 있다는 이점 때문이다. 당신에게 투자를 연구할 시간이 없다면(따라서 정확한 투자 결정을 내릴 수 없다면) 뮤추얼 펀드나 펀드 매니저를 통해 대신 투자하게 하는 것이 현명한 일일 것이다.

증권에서 돈을 버는 한 가지 방법은 어떤 회사의 초기 공모(IPO)에 참여하는 것이다. 대개 그 회사의 창업자들과 초기 투자가들은 이미 상당량의 주식을 갖고 있다. 추가 자금을 모으기 위해 그 회사는 IPO를 제안할 수 있다. 바로 이때 증권 거래 위원회가 개입한다. 그들은 자세한 서류 제출과 정보 공개를 요구함으로써 사기성이 있는 기업 공개를 방지한다. 하지만 그렇다고 해서 증권 거래 위원회가 IPO 투자 수익을 보장한다는 뜻은 아니다. 어떤 IPO가 합법적이라 해서 반드시 좋은 투자인 것은 아니다.

주식 발행 규제는 공적인 발행뿐 아니라 일부 사적인 주식 발행에도 적용된다. 우리가 다루지 않은 그 규제들의 일부 예외 사항들이 있다. 하지만 지금은 그냥 인정받는 투자가의 정의를 이해하는 것이 중요하다. 인정받는 투자가는 일반 투자가들이 할 수 없는 특정한 유형의 증권 투자를 할 수도 있다. 왜냐하면 〈인정받는〉 투자가는 일반 투자가보다 높은 수준의 금전적 위험을 감내할 수 있기 때문이다.

로버트 기요사키는 수입이나 순재산과 관련된 개인이나 부부의 인정받는 투자가 요건을 앞에서 얘기했다. 해당 주식 발행 기업의 이사, 중역, 혹은 그 회사의 일반 파트너는 누구든지 수입이나 순재산 요건을 충족하지 않아도 인정받는 투자가가 될 수 있다. 이것은 우리가 〈내부 투자가〉를 설명할 때 아주 중요한 구분이 될 것이다. 사실 이것은 내부 투자가와 궁극적인 투자가가 종종 밟는 길이다.

제23장

두번째 투자가 유형

자격 있는 투자가

대부분의 사람들은 시장이 오를 때만 돈을 버는 법을 알고 있다.
그래서 그들은 시장이 폭락할지도 모른다는 공포감 속에서 살고 있다.
어떤 사람이 기술적 투자를 이해하면, 그 사람은 시장이
올라갈 때뿐 아니라 시장이 내려갈 때도 돈 버는 기술들을 갖고 있다.
기술적 투자가는 엄청난 손실에 대비해 투자한다.
하지만 일반 투자가는 낙하산도 없이 비행기를 모는 사람과 같다.

부자 아버지는 자격 있는 투자가를 돈과 더불어 투자에 대한 나름의 지식이 있는 사람으로 정의했다. 자격 있는 투자가는 대개 금융 교육에도 시간과 돈을 투자하는 인정받는 투자가이다. 일례로 주식 시장과 관련해서 부자 아버지는 자격 있는 투자가에 대부분의 전문적인 주식 거래인들이 포함될 것이라고 얘기했다. 그들은 교육을 통해서 전통적 투자와 기술적 투자의 차이를 배우고 이해한다.

—전통적 투자

부자 아버지는 이렇게 얘기했다. 「전통적 투자가는 해당 기업의 재정 상황을 파악해 그 회사의 가치와 성장을 살펴 위험을 줄인다」 투자를 할

만한 좋은 주식을 고를 때 가장 중요한 사항은 해당 기업의 수익 잠재력이다. 전통적 투자가는 어떤 회사에 투자하기 전에 그 회사의 재무제표를 세심하게 검토한다. 또 그 회사가 속해 있는 특정 산업과 전반적인 경제 전망도 고려한다. 이자율의 방향 또한 아주 중요한 요인이다.

워렌 버펫은 최고의 전통적 투자가 가운데 한 사람으로 여겨지고 있다.

—기술적 투자

잘 훈련받은 기술적 투자가는 시장의 분위기를 보고 투자하며 끔찍한 손실에 대비해 투자한다. 그들이 투자할 만한 주식을 선정할 때 가장 중요시하는 사항은 그 회사의 주식에 대한 수요와 공급이다. 기술적 투자가는 그 회사 주식의 판매 가격 유형을 연구한다. 매물로 나온 주식의 공급이 그 주식에 대한 예상 수요에 기반해 충분할 것인가도 연구한다.

기술적 투자가는 가격과 시장 분위기에 근거해 매수하는 경향이 있다. 마치 쇼핑하는 사람이 할인 품목을 찾아 쇼핑하는 것처럼 말이다. 사실 많은 기술적 투자가들은 나의 숙모와 비슷하다. 그 숙모는 친구들과 함께 할인 품목을 찾아 쇼핑을 하러 간다. 그분은 어떤 품목이 싸거나 세일 중이기 때문에, 혹은 친구들이 그것을 사기 때문에 그 품목을 산다. 그러고는 집에 돌아와서 왜 그 물건을 샀는지 의아해하고, 그것을 사용해 보고, 그런 후에 환불을 받으러 간다.

기술적 투자가는 주가의 패턴을 연구한다. 진짜 기술적 투자가는 전통적 투자가와 달리 기업의 내부 운영에는 관심을 갖지 않는다. 기술적 투자가가 관심이 있는 일차적 지표는 시장의 분위기와 주식의 가격이다.

그렇게도 많은 사람들이 투자는 위험한 것이라고 생각하는 한 가지 이유는 대부분의 사람들은 〈기술적인 투자가〉로서 기술적으로 활동하지만 기술적 투자가와 전통적 투자가의 차이는 모르기 때문이다. 기술적 측면에서 투자가 위험하게 보이는 이유는 주가는 시장 분위기에 따라 요동하기 때문이다.

일반 투자가에게 투자가 위험하게 보이는 이유는 그들에게 전통적 투자가가 되기 위한 기본적인 금융 교육이 부족하고 적절한 기술적 투자가들의 기술이 없기 때문이다. 그들이 해당 주식의 공급 측면을 바꾸는 해당 기업의 이사회에 있지 않는 한 열린 시장에서 그 주식의 수요와 공급이 요동하는 것에 대해 통제할 수가 없다. 그들은 여전히 시장의 분위기에 좌우될 수밖에 없다.

많은 경우에 전통적 투자가는 수익 성과가 좋은 훌륭한 회사를 찾게 된다. 하지만 어떤 이유로 인해 기술적 투자가는 그 회사에 관심을 갖지 않게 된다. 그래서 수익이 좋은 회사의 주식임에도 올라가지 않는다. 오늘날의 시장에서 많은 사람들은 매출이나 수익이 전혀 없는 인터넷 회사들의 IPO에 투자하고 있다. 이것은 기술적 투자가들이 어떤 회사의 주식 가치를 결정하는 한 예이다.

1995년 이후, 엄격하게 전통적 투자가로 활동하는 사람들은 시장의 기술적 측면도 고려하는 사람들만큼 잘하지 못했다. 가장 큰 위험을 안는 사람들이 이기는 이 거친 시장에서, 더 조심스럽고 가치 지향적 관점을 갖고 있는 사람들은 그런 시장의 광풍에서 손해를 보았다. 사실 큰 위험을 안는 사람들은 어떤 가치도 없는 주식을 높은 가격에 매수함으로써 많은 기술적 투자가들도 겁을 먹게 만들었다. 하지만 시장이 폭락하면, 강력한 전통적 투자를 하고 기술적 거래 기술들을 갖고 있는 그런 투자가들이 잘하게 된다. 돈을 싸들고 신생 기업의 IPO에 참여하거나 시장에 급하게 뛰어드는 아마추어 투자가들은 하락장에서 상처를 입을 것이다. 부자 아버지는 이렇게 얘기했다. 「낙하산도 없이 빨리 부자가 되려는 것의 문제는 더 멀리 더 빠르게 떨어진다는 것이다. 사람들은 쉽게 큰 돈을 벌어 자신들이 금융 천재라고 생각한다. 하지만 그들은 사실 금융 바보가 되고 있다」 부자 아버지는 투자 세상의 오름세와 내림세에서 살아남으려면 전통적 기술과 기술적 기술 모두 중요한 것이라고 믿었다.

유명한 다우존스의 찰스 다우는 기술적 투자가였다. 그렇기 때문에, 그가 창간을 도운《월 스트리트 저널》은 기본적으로 기술적 투자가들을 위한 신문이고 따라서 반드시 전통적 투자가들을 위한 신문은 아니다.

조지 소로스는 종종 최고의 기술적 투자가 가운데 한 사람으로 여겨지고 있다.

이 두 투자 스타일 사이의 차이는 극적이다. 전통적 투자가는 기업의 재무제표를 분석해 해당 기업의 강점과 미래 성공의 잠재력을 평가한다. 뿐만 아니라, 전통적 투자가는 경제와 해당 기업의 산업을 추적한다.

기술적 투자가는 해당 기업의 주식 가격과 거래량 추세 같은 패턴을 추적하는 차트를 이용해 투자한다. 기술적 투자가는 그 주식의 풋/콜(put/call) 비율과 쇼트 포지션을 검토하기도 한다. 양쪽 투자가 모두 사실을 바탕으로 투자하기는 해도, 그들은 서로 다른 자료의 원천에서 각자의 사실들을 찾는다. 그리고 양쪽 투자가 모두

서로 다른 기술과 서로 다른 어휘를 필요로 한다. 놀라운 것은, 오늘날 대부분의 투자가들은 기술적 투자가나 전통적 투자가의 기술 없이 투자하고 있다. 사실 내가 볼 때 오늘날 대부분의 새로운 투자가들은 전통적 투자가와 기술적 투자가의 차이를 알지 못한다.

부자 아버지는 전에 이렇게 얘기했다.「자격 있는 투자가는 전통적 분석과 기술적 분석 모두를 잘 알아야만 한다」

나는 종종 이런 질문을 듣는다.「왜 자격 있는 투자가는 전통적 투자와 기술적 투자 모두를 이해해야 합니까?」내 대답은 단 한마디로 요약된다. 즉, 〈확신〉이다. 일반 투자가들은 다음과 같은 이유들 때문에 투자는 위험한 것이라고 생각한다.

──그들은 외부에서 자신들이 투자하고 있는 기업이나 투자 대상의 내부를 들여다보려 한다. 그들은 재무제표를 읽는 법을 모른 채 다른 사람들의 의견에 전적으로 의존한다. 무의식적인 수준이기는 해도, 사람들은 내부자들은 더 나은 정보를 갖고 있고 그래서 더 낮은 위험을 안는다고 알고 있다.

──사람들이 재무제표를 읽을 수 없을 때 그들의 개인적인 재무제표는 종종 엉망이다. 그리고 부자 아버지는 이렇게 얘기했다.「어떤 사람의 경제적, 재정적 토대가 약하면, 그 사람의 자신감도 약하다」내 친구는 종종 이렇게 얘기한다.「사람들이 자신의 개인적인 재무제표를 보지 않으려 하는 주된 이유는 자신들에게 경제적 암(cancer)이 있음을 발견할지도 모르기 때문이다」일단 그들이 그 암을 치료하면, 그들의 남은 삶도 개선되고 때로는 육체적 건강도 좋아진다.

──대부분의 사람들은 시장이 오를 때만 돈을 버는 법을 알고 있다. 그래서 그들은 시장이 폭락할지도 모른다는 공포감 속에서 살고 있다. 어떤 사람이 기술적 투자를 이해하면, 그 사람은 시장이 올라갈 때뿐 아니라 시장이 내려갈 때도 돈 버는 기술들을 갖고 있다. 기술적 투자가들의 기술이 없는 일반 투자가는 상승하는 시장에서만 돈을 벌며, 하락하는 시장에서는 종종 자신이 얻은 모든 것을 잃곤 한다. 부자 아버지는 이렇게 얘기했다.「기술적 투자가는 엄청난 손실에 대비해 투자한다. 하지만 일반 투자가는 낙하산도 없이 비행기를 모는 사람과 같다」

부자 아버지는 기술적 투자가에 대해 이렇게 얘기했다.「황소(호황)는 계단으로 올라오고 곰(불황)은 창문으로 나간다」호황 시장은 서서히 올라가지만, 그것이 무너질 때 시장은 창문으로 나가는 곰과 같다. 기술적 투자가는 시장이 무너지면 오히려 좋아한다. 왜냐하면 그들은 일반 투자가들이 그들의 돈, 종종 아주 느리게 늘어난 그 돈을 잃을 때 재빨리 돈을 벌 입장에 서 있기 때문이다.

따라서 다양한 투자가들과 그들의 수익을 보여주는 모양은 다음과 같다.

	시장	
	상승시	하락시
잃는 투자가	잃는다	잃는다
일반 투자가	이긴다	잃는다
자격 있는 투자가	이긴다	이긴다

많은 투자가들이 돈을 잃는 이유는 너무 오래 기다린 후에 시장에 들어가기 때문이다. 그들은 돈을 잃는 것이 너무 두려워서 한참 동안 기다린 후에 시장이 오르고 있다는 증거를 보고 들어가려 한다. 그러나 그들이 들어가자마자, 시장은 정점에 달했다가 무너지며, 결국 그들은 하락장에서 모두 잃게 된다.

자격 있는 투자가는 시장의 오름이나 내림에 큰 관심을 두지 않는다. 그들은 상승 추세의 시장을 위한 거래 시스템을 갖고 자신 있게 들어간다. 시장이 반전되면, 그들은 종종 거래 시스템을 바꾸고, 이전의 거래들을 털고 공매도를 사용하며, 시장이 내려가는 동안 풋 옵션으로 수익을 올린다. 다수의 거래 시스템과 전략을 갖고 있는 그들은 투자가로서 더 큰 자신감을 가질 수 있다.

왜 사람들은 자격 있는 투자가가 되길 원하는가

일반 투자가는 시장의 폭락이나 가격의 하락을 두려워하며 산다. 당신은 종종 그들이 이렇게 말하는 것을 들을 수 있다. 「내가 주식을 샀는데 가격이 떨어지면 어떡하지?」 그래서 많은 일반 투자가들은 상승장과 하락장에서 수익 기회를 활용하지 못한다. 자격 있는 투자가는 시장의 상승과 하락을 고대한다. 가격이 올라갈 때, 그들은 가격이 오르거나 내리는 것에 상관없이 위험을 최소화하고 수익을 낼 수 있는 기술을 갖고 있다. 자격 있는 투자가는 종종 자신들의 포지션을 〈헤지(hedge)〉*하며, 그래서 그들은 가격이 갑자기 오르거나 갑자기 내릴 때 보호를 받는다. 다시 말해, 그들은 어느 방향에서든 돈을 벌고 그러면서 손실에서 자신들을 보호할 가능성이 매우 높다.

초보 투자가들의 문제

오늘날 시장이 이렇게 뜨거운 상황에서 나는 초보 투자가들이 자신 있게 이런 말을 하는 것을 듣는다. 「나는 시장의 폭락에 대해서 걱정할 필요가 없습니다. 왜냐하면 이번은 그때와는 상황이 다르기 때문이죠」 경험이 많은 투자가는 모든 시장은 오르고 또 모든 시장은 내린다는 것을 잘 알고 있다.

남해 거품(the South Sea Bubble)에서 많은 돈을 잃었던 아이작 뉴턴은 이렇게 얘기했다고 한다. 「나는 천체의 움직임은 계산할 수 있지만 사람들의 광기는 계산할 수 없다」 내가 볼 때 오늘날에도 광기는 있다. 모두가 시장에서 빨리 부자가 되는 것에 대해 생각하고 있다. 나는 곧 수백만의 사람들이 먼저 교육과 경험에 투자도 하지 않으면서 투자할 돈을 빌려서까지 시장에 투자했다는 이유만으로 모든 것을 잃는 것을 보게 될까 봐 걱정이다. 동시에 나는 많은 사람들이 곧 공포감에 팔 것이기 때문에, 그리고 그때는 자격 있는 투자가들이 정말로 부자가 될 것이기 때문에 흥분하고 있다.

시장의 폭락이 나쁜 것이 아니라 그런 금융 재앙, 금융 기회의 시기에 일어나는 감정적 공포감이 나쁜 것이다. 대부분의 초보 투

* 현물 가격의 변동에서 오는 위험을 회피하고자 하는 목적으로 현물 시장에서의 상황과 반대되는 포지션을 취하는 거래 행위.

자가들의 문제는, 그들이 아직은 진짜 불황을 경험하지 못했다는 것이다.

부자 아버지는 이렇게 얘기했다. 「시장을 예측하는 것은 가능하지 않다. 하지만 중요한 것은, 시장이 어느 방향으로 가건 우리는 그것에 대비해야 한다는 것이다」 그분은 또 이렇게 얘기했다. 「호황 시장은 영원히 계속될 것처럼 보인다. 그래서 사람들은 엉성해지고, 어리석어지고, 자만심을 갖게 된다. 불황 시장도 영원히 계속될 것처럼 보이며, 그래서 사람들은 불황 시장이 종종 아주 부자가 될 수 있는 최고의 시기임을 잊는다. 그렇기 때문에 나는 네가 자격 있는 투자가가 되기를 원한다」

나오는 것은 들어가는 것보다 더 중요하다

부자 아버지는 종종 이렇게 얘기했다. 「대부분의 일반 투자가들이 돈을 잃는 이유는 자산에 투자하는 것은 쉽지만 거기서 빠져나오는 것은 어렵기 때문이다. 현명한 투자가가 되려면 어떤 투자에 들어가는 방법은 물론이고 그 투자에서 나오는 방법도 알 필요가 있다」 오늘날 내가 투자를 할 때 고려해야 하는 한 가지 가장 중요한 전략은 이른바 〈퇴장 전략〉이다. 부자 아버지는 내가 퇴장 전략의 중요성을 이해할 수 있도록 그것을 이런 식으로 설명했다. 「투자를 하는 것은 결혼을 하는 것과 비슷하다. 결혼 초기에는 마냥 행복하고 재미있다. 하지만 상황이 잘 돌아가지 않으면, 그래서 이혼까지 고려하게 될 때 그때의 이혼은 그 모든 신혼 초기의 행복과 재미보다 훨씬 더 고통스럽게 다가올 수 있다. 그렇기 때문에 너는 투자를 결혼 생활처럼 생각해야만 한다. 왜냐하면 들어가는 것은 나오는 것보다는 훨씬 더 쉽기 때문이다」

내 두 분 아버지 모두 아주 행복한 결혼 생활을 하셨다. 그래서 부자 아버지가 이혼에 대해 얘기했을 때, 그분은 사람들에게 이혼을 하라고 권장한 것이 아니라 다만 장기적으로 생각하라고 나에게 조언한 것이다. 그분은 이렇게 얘기했다. 「확률적으로는 모든 결혼의 50%가 이혼으로 끝날 수도 있는데, 현실적으로는 모든 결혼의 거의 100%가 자신들은 그런 확률에서 이길 수 있다고 생각한다」 어쩌면 그렇기 때문에 그렇게도 많은 신규 투자가들이 IPO(공모주)를 사면서 더 경험이 많은 투자가들에게서 주식을 사고 있는 것이다. 이 문제에 관한 부자 아버지의 훌륭한 조언은 다음과 같은 것이었다. 「늘 기억할 것은, 네가 어떤 자산을 흥분감 속에서 살 때 어떤 사람은 그 자산에 대해 더 많이 알며 그것을 너에게 흥분 속에서 팔고 있다!」

부자 아버지는 이렇게 얘기했다. 「너는 어떤 투자를 살 때 언제 팔 것인지에 대해서도 알아야만 한다. 특히 〈인정받는 투자가들〉과 그 너머의 투자가들에게 제시되는 투자는 더욱 그렇다. 좀더 능숙한 유형의 투자들에서는 퇴장 전략이 입장 전략보다 더 중요하다. 그런 투자를 할 때는 그 투자가 잘될 때 어떤 일이 일어날 것인지, 그리고 그 투자가 잘못될 때 어떤 일이 일어날 것인지 알아야만 한다」

행동을 통해 배운다

1950년에 캘커타에서 역사와 지리 교사로 일했던 어떤 수녀는 가난한 사람들을 돕고 그들 속에서 살도록 부름을 받았다. 그 수녀는 가난한 사람들을 돌보는 것에 대해 말만 하는 대신, 말은 아주 적게 하고 대신 행동으로 가난한 사람들을 돕기로 선택했다. 바로 그런 행동들 때문에 그 수녀님이 얘기를 할 때 사람들은 귀를 기울였다. 그 수녀님은 말과 행동의 차이에 대해 다음과 같이 얘기했다. 「말은 더 적게 해야 합니다. 대신 당신은 더 많은 행동을 해야 합니다」

투자와 관련해서 너무도 많은 사람들이 설교를 함으로써 투자를 가르치려 한다. 우리 모두는 단순하게 읽고 듣는 것만으로는 제대로 배울 수 없는 것들이 있음을 잘 안다. 어떤 것들은 행동이 있어야 배울 수 있다.

부자 아버지는 나에게 〈모노폴리〉 게임을 함으로써 사업가와 투자가가 되는 법을 가르쳤다. 그분은 자기 아들과 나에게 그 게임이 끝난 후 우리가 그분의 사업체와 부동산을 방문했을 때 훨씬 더 많은 것을 가르칠 수 있었다. 나는 부자 아버지가 나에게 가르쳤던 바로 그와 같은 전통적 투자 및 기술적 투자 기술들을 가르치는 교육용 게임들을 만들어내고 싶었다. 부자 아버지는 이렇게 얘기했다. 「현금흐름을 관리하고 재무제표를 읽는 능력은 현금흐름 사분면에서 사업가들이 속한 〈B〉와 투자가들이 속한 〈I〉 면에서 성공하는 데 필수적인 것이다」

자격 있는 투자가들이 갖고 있는 투자가들이 지켜야 할 기본 사항

1 자기 자신에 대한 통제

2 수입/지출과 자산/부채 비율에 대한 통제

3 살 때와 팔 때에 대한 통제

자격 있는 투자가들이 보유하는 세 가지 〈E〉

——교육

——과도한 현금(어쩌면)

● 샤론의 주석

자격 있는 투자가는, 전통적 투자가와 기술적 투자가 모두 외부에서 어떤 기업을 분석한다. 그들은 〈사는 주주〉가 될 것인지 결정한다. 성공적인 투자가들은 자격 있는 투자가로 활동하면서 행복해한다. 적절한 교육과 금융상의 조언이 있으면 많은 자격 있는 투자가들은 백만장자가 될 수 있다. 그들은 남들이 개발해 운영하는 사업들에 투자한다. 그들은 금융 교육을 받고 공부했기 때문에 기업의 재무제표를 읽고 해당 기업을 분석할 수 있다.

——주가 수익률(PER)의 의미는?

자격 있는 투자가는 주식의 주가 수익률을 이해한다. 이것은 또 시장 배수라고도 불린다. 주가 수익률의 계산은 해당 주식의 현재 시장 가격을 전년도의 주당 수익으로 나누는 것이다. 일반적으로, 주가 수익률이 낮으면 그 주식은 수익에 비해 비교적 낮은 가격으로 팔리는 것이고, 주가 수익률이 높으면 그 주식의 가격은 높은 것이기 때문에 그렇게 좋은 매수가 아닐 수도 있다.

$$\text{주가 수익률(PER)} = \frac{\text{(주당) 시장 가격}}{\text{(주당) 순수익}}$$

어떤 성공적 기업의 주가 수익률은 다른 성공적 기업의 주가 수익률과(그 두 기업이 서로 다른 업계에 있으면) 아주 다를 수도 있다. 예를 들어, 성장률이 높고 수익이 높은 하이테크 기업은 성장이 안정된 로테크나 성숙한 기업들보다 훨씬 더 높은 주가 수익률에 팔리는 것이 일반적이다. 오늘날 인터넷 기업들에서 팔리고 있는 주식들을 한번 보라. 그것들의 많은 것들은 그 기업의 수익이 전혀 없어도 아주 높은 가격에 팔리고 있다. 이와 같은 경우의 높은 가격은 미래의 높은 수익에 대한 시장의 기대를 반영한다.

—미래의 주가 수익률이 열쇠다

자격 있는 투자가는 현재의 주가 수익률이 미래의 주가 수익률만큼 중요하지 않음을 알고 있다. 투자가들이 투자를 원하는 기업은 미래의 성장 가능성이 높은 기업이다. 주가 수익률이 투자가들에게 도움이 되려면 해당 기업에 대한 훨씬 더 많은 정보가 필요할 것이다. 일반적으로, 자격 있는 투자가는 해당 기업의 당해 연도 비율들을 이전 연도들의 그것과 비교해서 기업의 성장을 측정할 것이다. 그들은 또 해당 기업의 비율들을 같은 업계에 있는 다른 기업들의 그것과도 비교할 것이다.

—모든 데이 트레이더(Day Trader)가 자격이 있는 것은 아니다

오늘날 많은 사람들은 〈초단타 매매〉에 참여하고 있다. 이것은 온라인 거래의 편리성과 가용성 때문에 인기를 얻게 되었다. 데이 트레이더는 주식을 하루 동안에 사고 팔아서 수익을 올리려 한다. 데이 트레이더는 주가 수익률을 아주 잘 알고 있다. 성공적인 데이 트레이더와 그렇지 못한 거래인을 구분 짓는 것은 종종 주가 수익률 뒤를 보는 그 사람의 능력이다. 대개의 경우, 성공적인 데이 트레이더는 시간을 내서 기술적 혹은 전통적 거래의 기본들을 배운 사람이다. 적절한 금융 교육과 금융 분석 기술이 없는 데이 트레이더는 거래인이기보다 도박꾼처럼 활동하는 것이다. 교육을 많이 받고 가장 성공적인 데이 트레이더만이 자격 있는 투자가로 여겨질

수 있다.

사실, 흔히 말하기를, 대다수의 초보 데이 트레이더는 2년 안에 자본의 일부 혹은 전부를 잃고 거래를 그만둔다고 한다. 이곳에서는 최고의 지식과 최상의 준비를 한 사람들이 다른 모든 사람들의 돈을 사용한다.

제24장

세번째 투자가 유형

능숙한 투자가

한쪽 면에서는 안정적으로 보이는 것이
다른쪽 면에서는 위험하게 보인다.
부자가 되어 여러 세대 동안 재산을 보존하고 싶다면
〈위험〉과 〈안정〉의 양쪽 면 모두를 볼 수 있어야 한다.
하지만 일반 투자가는 오직 한쪽 면만 본다.

능숙한 투자가는 자격 있는 투자가만큼 많은 것을 알지만, 법적인 시스템을 통해서 이용할 수 있는 이점까지 연구한 사람이다. 부자 아버지는 능숙한 투자가를 자격 있는 투자가가 아는 것을 아는, 그리고 다음과 같은 법적인 측면들에도 익숙한 투자가라고 정의했다.

——세법

——회사법

——증권법

비록 변호사는 아니지만, 능숙한 투자가는 자신의 투자 전략을 투자 상품과 잠재적인 수익 외에도 법에 기반할 수가 있다. 능숙한 투자가는 종종 다양한 법적 원칙들을 사용해 아주 낮은 위험으로 더 높은 수익을 달성한다.

능숙한 투자가들이 갖고 있는 투자가들이 지켜야 할 기본 사항

1 자기 자신에 대한 통제

2 수입/지출과 자산/부채 비율에 대한 통제

4 세금에 대한 통제

5 살 때와 팔 때에 대한 통제

6 중개인을 통한 거래에 대한 통제

7 E-T-C(단위, 시점, 성격)에 대한 통제

능숙한 투자가가 보유하는 세 가지 〈E〉

——교육

——경험

——충분히 넉넉한 현금

● 샤론의 주석

미국 증권 거래 위원회가 규정하는 〈능숙한 투자가〉는 인정받는 투자가가 아닌 사람으로서 혼자서 혹은 구매 대리인과 함께 금융 및 사업 문제에 충분한 지식과 경험이 있어서 잠재적인 투자의 이점과 위험을 평가할 수 있는 사람이다. 미국 증권 거래 위원회는 인정받는 투자가들(돈이 많아서 조언가들을 고용할 수 있는 사람들)이 자신들의 상황을 관찰할 능력이 있다고 간주한다.

그러나 우리가 볼 때 많은 인정받는 투자가 및 자격 있는 투자가들은 능숙하지 못하다. 많은 부유한 개인들은 투자와 법률의 기본들을 배우지 않았다. 그들 가운데 많은 사람들은 능숙한 투자가이기를 바라는 투자 조언가들에게 의존해 그들이 자신들의 투자를 하게끔 대행시킨다.

능숙한 투자가는 법률의 영향과 이점들을 이해하며 단위 선정, 시점, 그리고 소득의 성격을 최대한 활용할 수 있도록 자신의 투자 포트폴리오를 구축한다. 그 과정에서 능숙한 투자가는 자신의 법률 및 세금 상담가로부터 조언을 구한다.

많은 능숙한 투자가들은 종종 외부 투자가로서 다른 단위들에 투자하는 데 만족한다. 그들은 자신들의 투자 관리에 대한 통제를 하지 못할 수도 있는데, 이것은 그들을 내부 투자가와 구별시키는 것이다. 그들은 해당 기업에 대한 지배적인 지분을 갖지 않고 관리팀들에게 투자할 수도 있다. 그들은 또 파트너로서 부동산 조합에 투자하거나 주주로서 대기업에 투자할 수도 있다. 그들은 공부하고 신중하게 투자하지만 기본적인 자산 관리에 대해서는 지배권을 갖지 못하며, 그래서 해당 기업의 운영에 관한 공개된 정보에만 접근할 수 있다. 이와 같은 관리 통제의 부족은 능숙한 투자가와 내부 투자가를 결정적으로 구분 짓는 것이다.

좋은 것과 나쁜 것

로버트가 설명하는 소득의 세 가지 성격 외에도, 세 가지 다른 일반적 원칙들이 능숙한 투자가를 일반 투자가와 구별시킨다. 능숙한 투자가는 다음과 같은 차이점을 잘 안다.

——좋은 빚과 나쁜 빚
——좋은 지출과 나쁜 지출
——좋은 손실과 나쁜 손실

일반적으로, 좋은 빚과 좋은 지출, 그리고 좋은 손실은 모두 당신에게 추가적인 현금흐름을 발생시킨다. 예를 들어, 매달 긍정적인 현금흐름을 갖는 임대 부동산을 얻기 위해 진 빚은 좋은 빚일 것이다. 마찬가지로, 법률 및 세금 조언을 위해 지불한 비용은 수천 달러의 세금 감면을 얻어낸다면 좋은 지출이 된다. 좋은 손실의 예로는 부동산의 감가상각에서 비롯된 손실을 들 수 있다. 이 좋은 손실은 또 유령 손실로도 불리는데, 그것은 종이 손실로서 실질적인 현금 유출을 초래하지 않기 때문이다. 그 결과는 손실로 상쇄된 소득에 대한 세금의 절약이다.

좋은 빚과 나쁜 빚, 좋은 지출과 나쁜 지출, 그리고 좋은 손실과 나쁜 손실의 차이를 아는 것은 능숙한 투자가를 일반 투자가와 구분짓는 것이다. 일반 투자가들은 〈빚, 지출, 그리고 손실〉이라는 단어들을 들을 때 대개 부정적으로 반응한다. 일반적으로 빚, 지출, 그리고 손실에 대한 그들의 경험은 주머니로 들어가는 것이 아닌 〈주머니에서 나오는〉 추가적 현금흐름을 초래한다.

능숙한 투자가는 회계사, 세금 전략가, 그리고 금융 컨설턴트들의 조언을 구해 자신의 투자에 가장 유리한 금융 구조를 만든다.

안정은 왜 위험한가

부자 아버지가 위험에 대해서 나에게 들려주었던 이야기가 기억난다. 그 이야기의 일부는 이 책의 다른 부분들에서 이미 소개했지만, 여기서 다시 한번 반복할 가치가 있다. 일반 투자가는 능숙한 투자가와 전혀 다른 관점에서 위험(risk)을 본다. 그리고 이와 같은 위험에 대한 관점이 능숙한 투자가를 정말로 차별화시킨다.

어느 날 나는 부자 아버지에게 가서 이렇게 얘기했다. 「제 아버지는 아버님이 하는 일이 너무도 위험한 것이라고 생각합니다. 그분은 하나의 재무제표는 안정적인 것이라고 생각하지만, 아버님은 하나의 재무제표만 통제하는 것은 위험한 것이라고 생각하십니다. 그것은 너무나도 대조적인 관점인 것 같습니다」

부자 아버지는 그냥 껄껄 웃었다. 「그래, 그렇다」 부자 아버지는 그렇게 말하면서 계속해서 껄껄 웃었다. 「거의 정반대이고 대조적이지」 부자 아버지는 잠시 멈추고 생각을 정리했다. 「네가 정말로 부자가 되고 싶다면, 네가 바꿔야 할 것들 가운데 하나는 네가 위험하다고 생각하는 것과 안정적이라고 생각하는 것에 대한 너의 관점이다. 나는 가난한 사람들과 중산층 사람들이 안정적이라고 생각하는 것을 위험하다고 생각한다」

나는 잠시 그 말에 대해 생각하면서, 내 아버지가 안정적이라고 생각하는 것을 부자 아버지는 위험하다고 생각한다는 개념을 머릿속에 넣었다. 「잘 이해가 되지 않습니다」 마침내 내가 말했다. 「예를 들어주실 수 있나요?」

「물론이지」 부자 아버지가 말했다. 「그냥 우리 말에 귀를 기울여라. 네 아버지는 늘 이렇게 얘기할 거다. 〈안전하고 안정적인 일자리를 얻어라.〉 내 말이 맞느냐?」

나는 고객를 끄덕이면서 이렇게 얘기했다. 「맞습니다. 제 아버지는 그것이 삶을 영위하는 안정적인 길이라고 생각합니다」

「하지만 그것은 정말로 안정적이냐?」 부자 아버지가 물었다.

「그분에게는 그런 것 같습니다」 내가 대답했다. 「하지만 아버님은 그것을 다르게 보시죠?」

부자 아버지가 고개를 끄덕이다가 이렇게 물었다. 「공개 기업이 대규모 직원 감축을 발표할 때 종종 어떤 일이 일어나느냐?」

「잘 모르겠습니다」 내가 대답했다. 「그러니까 어떤 기업이 많은 직원들을 해고할 때 어떤 일이 일어나느냐는 뜻입니까?」

「그렇다」 부자 아버지가 말했다. 「그들의 주식 가격에 종종 어떤 일이 일어나느냐?」

「잘 모르겠습니다」 내가 대답했다. 「주식 가격이 내려갑니까?」

부자 아버지가 고개를 가로저었다. 그러고는 조용히 얘기했다. 「아니다. 아쉽게도, 공개된 기업이 대규모 직원 감축을 발표하면, 그 회사의 주가는 올라간다」

나는 그 말에 대해 잠시 생각하다가 이렇게 얘기했다. 「그렇기 때문에 아버님은 종종 현금흐름 사분면의 왼쪽에 있는 사람들과 오른쪽에 있는 사람들 사이에 큰 차이가 있다고 얘기하시는 거죠」

부자 아버지가 고개를 끄덕였다. 「큰 차이가 있다. 한쪽 면에 안정적인 것이 다른쪽 면에는 위험한 것이다」

「그렇기 때문에 정말로 부자가 되는 사람들이 그렇게도 적은 거죠?」 내가 물었다.

이번에도 부자 아버지가 고개를 끄덕이면서 이렇게 반복했다. 「한쪽 면에 안정적으로 보이는 것은 다른쪽 면에는 위험하게 보인다. 부자가 되어 여러 세대 동안 재산을 보존하고 싶다면 위험과 안정의 양쪽 면 모두를 볼 수 있어야 한다. 하지만 일반 투자가는 오직 한쪽 면만 본다」

안정적으로 보이는 것이 사실은 위험하다

나는 이제 성인으로서 부자 아버지가 보았던 것을 볼 수 있다. 오늘날 내가 안정적이라고 생각하는 것을 대부분의 사람들은 위험하다고 생각한다. 다음에 드는 것은 그런 차이들의 일부이다.

—일반 투자가

- 오직 하나의 재무제표.
- 모든 것을 자신들의 이름으로 원한다.
- 보험을 투자로 생각하지 않는다. 〈다각화〉 같은 단어들을 사용한다.
- 종이 자산만 보유한다. 이를테면 현금이나 저축이다.
- 일자리 안정에 초점을 맞춘다.
- 전문직 교육에 초점을 맞춘다. 실수하는 것을 피한다.
- 금융 정보를 추구하지 않거나 추구해도 공짜로 원한다.
- 좋거나 나쁜, 검거나 흰, 옳거나 그른 이분법적 관점에서 생각한다.
- 과거의 지표들을 본다.
- 먼저 중개인에게 전화를 걸어 투자 조언을 구하거나 혼자서 투자하면서 누구에게도 조언을 구하지 않는다.
- 외적인 안정을 추구한다. 이를테면 일자리, 회사, 정부.

—능숙한 투자가

- 다수의 재무제표.
- 어떤 것도 자신들의 이름으로 원하지 않는다. 기업적인 단위들을 사용한다. 그들 개인의 집과 자동차는 그들의 이름으로 되어 있지 않다.
- 노출되는 위험을 헤지하기 위한 투자 상품으로서 보험을 사용한다. 〈노출〉이나 〈헤지〉 같은 단어들을 사용한다.
- 종이 자산도 있고 부동산이나 귀금속 같은 딱딱한 자산도 있

다. 귀금속은 정부의 잘못된 통화 공급 관리에 대비하기 위한 것으로, 경화(硬貨)라고도 알려져 있다.

• 경제적 자유에 초점을 맞춘다.
• 금융 교육에 초점을 맞춘다. 실수는 배움의 일부임을 이해한다.
• 경제적 자유에 대한 대가를 기꺼이 지불한다.
• 경제적 관점에서 회색으로 생각한다.
• 미래의 지표들을 찾는다 : 추세, 실적, 관리와 제품의 변화 등.
• 나중에 중개인에게 전화를 건다. 금융 및 법률 조언가 팀과 상담한 후에 적절한 중개인에게 전화를 건다. 이들의 중개인들은 종종 팀의 일부이다.
• 개인적인 자신감과 독립성을 소중하게 여긴다.

결론적으로, 일부 투자가들에게 안정적으로 보이는 것이 다른 투자가들에게는 위험하게 보인다.

제25장
네번째 투자가 유형
내부 투자가

금융 교육은 있지만 금융 자원은 없는
사람도 여전히 내부 투자가가 될 수 있다.
내부 투자가들은 스스로 기업을 만들어
운영하거나, 팔거나, 공개할 수 있다.

내부 투자가는 투자의 내부에 있고 나름의 지배권을 행사하는 사람이다.

내부 투자가의 한 가지 중요한 차이는 관리에 대한 지배권 측면이지만, 부자 아버지가 지적한 가장 중요한 차이는 반드시 많은 소득이나 순재산이 없어도 내부 투자가로 여겨질 수 있다는 점이다. 해당 기업의 중역, 이사, 혹은 발행 주식의 10% 이상 지분 소유자는 내부 투자가이다.

대부분의 투자 책들은 투자 세계의 외부에 있는 사람들을 위해 씌어진 책이다. 이 장은 내부에서 투자하기를 원하는 사람들을 위해 썼다.

현실 세계에서는 합법적인 내부 투자 활동도 있고 불법적인 내부 투자 활동도 있다. 부자 아버지는 늘 자신의 아들과 내가 외부가 아닌 내부에서 투자하기를 원했다. 그것은 위험을 줄이고 수익을 늘리는 아주 중요한 한 가지 방법이다.

금융 교육은 있지만 인정받는 투자가의 금융 자원은 없는 사람도 여전히 내부 투자가가 될 수 있다. 오늘날 많은 사람들은 이 투자 세계로 들어간다. 내부 투자가들은 스스로 기업을 만들어 운영하거나, 팔거나, 공개할 수 있는 자산을 만들고 있다.

제임스 P. 오셔니시는 자신의 책인 『월가에서 작용하는 것 *What works on Wall Street*』에서 다양한 투자들의 시가 총액으로 수익을 분석하고 있다. 그 책은 소형주들이 다른 범주들을 단연코 앞서는 것을 보여준다.

거의 모든 높은 수익은 시가 총액이 2천5백만 달러 이하인 작은 주식들에서 발견된다. 단점은 이런 주식들은 너무 작아서 펀드 매니저들이 투자할 수 없으며 일반 투자가들도 쉽게 찾을 수 없다. 이런 주식들은 거래량이 너무 작아서 매도 호가와 매수 호가가 대개 큰 차이를 보인다. 이것은 전체 투자가의 10%가 어떻게 전체 주식의 90%를 통제하는지에 대한 하나의 예이다.

투자할 이런 주식들을 찾을 수 없다면 차선을 고려할 필요가 있다. 스스로 소형주 기업을 만들어 내부 투자가로서 월등한 수익을 즐기는 것이다.

나는 어떻게 했는가

나는 내부 투자가로서 경제적 자유를 얻었다. 내가 작게 시작해 능숙한 투자가로 부동산을 사기 시작한 것을 기억하라. 나는 어떻게 유한 파트너십과 회사들을 이용해 절세와 자산 보호를 극대화시키는지 배웠다. 그런 후에 나는 몇몇 회사들을 시작해 추가적인 경험을 얻었다. 나는 부자 아버지에게서 배운 금융 교육으로 내부 투자가로서 사업들을 일으켰다. 나는 능숙한 투자가로 성공한 후에야 인정받는 투자가가 되었다. 나는 내가 자격 있는 투자가라고 한 번도 생각하지 않았다. 나는 주식을 어떻게 고르는지 알지 못하며 외부자로서 주식을 사려 하지 않는다. (내가 왜 그래야 하는가? 내부자가 되면 위험은 훨씬 더 낮고 수익은 훨씬 더 높은데 말이다!)

나는 당신에게 희망을 주기 위해 이것을 공유한다. 내가 회사를 일으켜 내부 투자가가 되는 법을 배울 수 있다면, 당신도 그렇게 할 수 있다. 당신이 투자에 대해 더 많은 지배권을 보유할수록 위험은 더 적음을 기억하라.

내부 투자가들이 갖고 있는 투자가들이 지켜야 할 기본 사항

1 자기 자신에 대한 통제

2 수입/지출과 자산/부채 비율에 대한 통제

3 투자 운영에 대한 통제

4 세금에 대한 통제

5 살 때와 팔 때에 대한 통제

6 중개인을 통한 거래에 대한 통제

7 E-T-C(단위, 시점, 성격)에 대한 통제

8 계약의 내용과 조건에 대한 통제

9 정보 접근에 대한 통제

내부 투자가가 보유하는 세 가지 〈E〉

——교육

——경험

——충분히 넉넉한 현금

● 샤론의 주석

미국 증권 거래 위원회가 규정하는 〈내부자〉는 아직 공개되지 않은 기업 정보를 갖고 있는 사람이다. 1934년의 미국 증권 거래법은 기업의 비공개 정보를 이용해 이득을 보는 것을 불법으로 규정했다. 이것은 내부자는 물론이고 그 사람에게서 〈귀띔〉을 받아 이득을 보는 사람까지 포함했다.

로버트가 사용하는 〈내부자〉의 정의는 사업체의 운영에 관한 경영 지배권을 갖고 있는 투자가이다. 내부 투자가는 해당 기업의 방향에 관한 지배권을 갖고 있다. 외부 투자가는 그렇지 않다. 로버트는 합법적인 내부자 거래와 불법적인 내부자 거래를 구분하며, 불법적인 내부자 거래에 강력하게 반대한다. 합법적으로 돈을 버는 것은 너무도 쉽다.

경영 지배권의 창출

당신이 비공개 기업의 주인으로서 투자하고 위험을 안는 돈은 당신의 돈이다. 당신에게 외부 투자가들이 있다면, 당신은 수탁자로서 그들의 투자도 관리할 책임을 진다. 하지만 당신은 투자의 관리뿐 아니라 내부자 정보에 대한 접근도 통제할 수가 있다.

스스로 사업체를 만드는 것 외에, 당신은 기존 회사의 지배적인 지분을 매입해 내부 투자가가 될 수도 있다. 어떤 회사의 다수 지분을 매입하면 지배 권리를 얻을 수 있다. 물론 당신이 투자를 적절히 관리할 기술을 갖고 있다면 투자 위험은 훨씬 더 낮아진다.

당신이 이미 사업체를 갖고 있으면서 확장을 원할 때는 합병이나 인수를 통해 다른 사업체를 인수할 수도 있다. 합병 및 인수에 관한 중요 사안들은 너무 많아서 여기서 다룰 수가 없다. 그렇지만 아주 중요한 것은 유능한 법률, 세금, 그리고 회계 조언가들과 얘기한 후에 매입, 합병, 혹은 인수를 해야만 그런 거래들이 적절히 이뤄질 수 있다.

내부 투자가에서 궁극적인 투자가로 이동하려면 당신 사업의 일부 혹은 전부를 매각해야 한다. 다음의 질문들은 그와 같은 결정을 해야 할 때 당신에게 도움이 될 것이다.

—당신은 아직도 그 사업에 흥미를 느끼는가?

—당신은 또다른 사업을 시작하고 싶은가?

—당신은 은퇴를 원하는가?

—그 사업은 수익을 내는가?

—그 사업은 너무 빨리 성장해서 당신이 다룰 수 없는가?

—당신의 회사는 대규모 자본 유입이 필요하고 그것은 주식을 팔거나 다른 사업체에 회사를 매각해야 해결되는가?

—당신의 회사에는 기업 공개에 필요한 자금과 시간이 있는가?

—당신의 개인적인 초점을 회사의 일상적인 운영에서 매각 협상이나 기업 공개 쪽으로 돌려도 회사의 운영에는 지장이 없는가?

—당신의 회사가 속한 업계는 팽창하고 있는가, 수축하고 있는가?

—당신의 경쟁자들은 매각이나 기업 공개에 어떤 영향을 끼칠 것인가?

—당신의 사업이 튼튼하다면 그것을 당신의 아이들이나 다른 가족 성원들에게 넘겨줄 수 있는가?

—그것을 넘겨줄 잘 훈련받고 튼튼한 가족 구성원들(아이들)이 있는가?

—그 사업은 당신에게 부족한 관리 기술을 필요로 하는가?

많은 내부 투자가들은 자신들의 사업과 투자 포트폴리오를 운영하면서 크나큰 행복감을 느낀다. 그들은 사업의 일부를 공모나 사모를 통해 팔고 싶은 생각이 없으며, 자신들의 사업을 그냥 팔고 싶은 생각도 없다. 이것은 로버트의 가장 친한 친구인 마이크가 속했던 투자가 유형이다. 그는 자신과 자기 아버지가 일으킨 그 금융 제국을 아주 행복하게 운영하고 있다.

제26장

다섯번째 투자가 유형

궁극적인 투자가

어떤 사람들은 집을 만들어 팔고,
어떤 사람들은 자동차를 만들어 판다.
하지만 궁극적인 투자가는 수백만의 사람들이
소유하고 싶어하는 사업체를 만들어 판다.

궁극적인 투자가는 빌 게이츠나 워렌 버펫 같은 사람이다. 이런 투자가들은 다른 투자가들이 투자하고 싶어하는 거대한 기업들을 만든다. 궁극적인 투자가는 그들이 만든 자산이 너무도 소중한 자산이 되어 수백만의 사람들에게 그야말로 수십억 달러의 값어치가 있는 자산을 만드는 사람이다.

빌 게이츠와 워렌 버펫이 부자가 된 것은 높은 임금이나 멋진 제품 때문이 아니라 거대한 기업을 만들어 그것을 공개시켰기 때문이다.

우리 가운데 많은 사람들은 절대로 마이크로소프트나 버크셔 해더웨이 같은 기업을 만들 수 없을 것이다. 그렇지만 우리 모두는 더 작은 기업을 만들어 그것을 사적으로 팔거나 공적으로 팔아 엄청난 부자가 될 수 있는 가능성을 갖고 있다.

부자 아버지는 이렇게 얘기했다. 「어떤 사람들은 집을 만들어 팔고, 어떤 사람들은 자동차를 만들어 판다. 하지만 궁극적인 투자가는 수백만의 사람들이 일부를 소유하고 싶어하는 사업체를 만들어 판다」

궁극적인 투자가들이 갖고 있는 투자가들이 지켜야 할 기본 사항

1 자기 자신에 대한 통제

2 수입/지출과 자산/부채 비율에 대한 통제

3 투자 운영에 대한 통제

4 세금에 대한 통제

5 살 때와 팔 때에 대한 통제

6 중개인을 통한 거래에 대한 통제

7 E-T-C(단위, 시점, 성격)에 대한 통제

8 계약의 내용과 조건에 대한 통제

9 정보 접근에 대한 통제

10 사회 환원, 자선 사업, 재산의 재분배에 대한 통제

궁극적인 투자가가 보유하는 세 가지 〈E〉

——교육

——경험

——충분히 넉넉한 현금

● 샤론의 주석

기업의 공개에는 장단점이 있으며, 이에 대해서는 나중에 자세하게 얘기할 것이다. 그렇지만 다음에 드는 것들은 기업 공개의 몇몇 장점과 단점들이다.

——기업 공개의 장점

1 사업 소유자들이 사업에 대한 일부 지분을 〈현금화〉할 수 있게 해준다. 예를 들어, 빌 게이츠의 창업 파트너인 폴 알렌은 케이블 TV 회사들을 사기 위해 자신의 마이크로소프트 지분 일부를 팔았다.
2 사업 확장 자금의 조달.
3 기업 부채의 상환.
4 회사의 순재산 증가.
5 직원들에게 주는 혜택으로 주식 매수권(스톡 옵션)을 제공할 수 있게 해준다.

—기업 공개의 단점

1 당신의 사업체는 공개 기업이 된다. 당신은 이제 사적이었던 정보를 대중에게 공개해야만 한다.
2 기업 공개에는 아주 많은 비용이 든다.
3 당신의 초점은 사업체를 운영하는 것에서 공개 기업의 의무와 요건을 충족시키는 쪽으로 전환된다.
4 기업 공개의 요건을 충족시키고 분기 및 연간 보고서를 작성하는 데 많은 비용이 든다.
5 당신은 회사에 대한 지배권을 잃을 위험이 있다.
6 당신 회사의 주식이 시장에서 좋은 성과를 내지 못하면, 당신은 주주들로부터 소송을 당할 위험도 안는다.

많은 투자가들은 기업을 공개하는 데 따르는 재정적 보상이 기업 공개의 잠재적 단점을 능가하는 것을 보았다.

나의 길을 가기 시작하다

이 책의 나머지 부분은 부자 아버지가 나를 인도해 내부 투자가와 능숙한 투자가에서 궁극적인 투자가가 되는 길을 밟도록 한 이야기이다. 그분은 더 이상 자신의 아들인 마이크를 인도할 필요가 없었다. 마이크는 내부 투자가로 만족하고 있었다. 당신은 부자 아버지가 무엇을 중요하게 생각했는지, 내가 무엇을 배워야만 했는지, 그리고 그 과정에서 내가 어떤 실수를 했는지 나름의 지혜를 얻게 될 것이다. 나는 당신이 내 성공은 물론 내 실수들에서도 배움을 얻어 궁극적인 투자가가 되는 길로 가길 바란다.

제27장

부자가 될 수 있는 최상의 기회

나는 순수입에서 세금을 내고,
네 아버지는 총수입에서 세금이 원천징수된다.
그것은 네 아버지와 나 사이의 가장 큰 차이 가운데 하나이다.
내가 더 빨리 앞서가는 이유는 나는 총수입으로
자산을 사고 순수입으로 세금을 내기 때문이다.
반면 네 아버지는 총수입에서 세금을 낸 후에
순수입으로 자산을 사려 한다.

부자 아버지는 다양한 유형의 투자가들을 나와 함께 자주 검토하곤 했다. 그분은 내가 투자가들이 돈을 버는 다양한 방법을 이해하기를 원했다. 부자 아버지는 먼저 내부 투자가로서 투자를 하면서 부자가 되었다. 그분은 작게 시작했고 활용할 수 있는 세금 혜택을 배웠다. 그분은 금방 자신감을 얻었으며 젊은 나이에 정말로 능숙한 투자가가 되었다. 그리고 놀라운 금융 제국을 건설했다. 반면에 내 진짜 아버지는 평생 열심히 일했지만 늘 가난했다.

내가 자라면서 부자 아버지와 가난한 아버지의 격차는 점점 더 커져갔다. 나는 마침내 부자 아버지에게 그 이유를 물었다. 「왜 두 분은 그렇게 차이가 나는 거죠?」

이 책의 서두에서 나는 부자 아버지와 함께 해변을 거닐며 그분이 막 구입한 바닷가의 큰 부동산을 보았다는 이야기를 했다. 그때 나는 부자 아버지가 막 구입한 그 투자 대상은 부자들만이 얻을 수 있는 것임을 알 수 있었다. 문제는 부자 아버지는 사실 아직 부자가 아니었다는 것이다. 그래서 나는 그분에게 당시에는 돈을 더 많이 벌었던 진짜 아버지는 살 수 없는 것을 어떻게 살 수 있었는지 물었다.

바로 그 바닷가에서 부자 아버지는 자신의 투자 계획의 기본을 나에게 들려주었다. 그분은 이렇게 얘기했다.「나도 이 땅을 살 수가 없다. 하지만 내 사업은 이 땅을 살 수가 있다」내가 서두에서 얘기했듯이, 바로 그때 나는 투자의 힘에 대해 호기심을 느끼기 시작했고 그 분야의 학생이 되었다.

부자 아버지의 투자 계획

내가 어린 소년으로서 초등학교에 다니고 있을 때, 부자 아버지는 이미 내 머릿속에 부자, 가난한 사람, 그리고 중산층의 차이에 대한 생각을 심어주고 있었다. 우리의 토요일 수업 가운데 하나에서 그분은 이렇게 얘기했다.「네가 일자리 안정을 원한다면 네 아버지의 조언을 따르거라. 하지만 네가 부자가 되기를 원한다면 내 조언을 따라야 한다. 네 아버지가 일자리 안정도 얻고 부자도 될 수 있는 가능성은 아주 작다. 법은 그분에게 유리하게 씌어지지 않았다」

『부자 아빠 가난한 아빠 1』에서 소개한 부자 아버지의 여섯 가지 교훈 가운데 하나는 기업의 힘에 관한 교훈이었다. 나는 『부자 아빠 가난한 아빠 2』에서 다양한 사분면들이 어떻게 다양한 세법들의 통제를 받는지 설명했다. 부자 아버지는 그런 교훈들을 사용해 자신의 투자 계획과 내 진짜 아버지의 투자 계획의 차이를 내게 보여주었다. 그런 차이들은 내가 공식적인 교육을 마치고 군복무를 마친 후에 내 삶에 큰 영향을 끼쳤다.

「내 사업은 세전 수입으로 자산들을 산다」 부자 아버지는 그렇게 말하면서 다음의 그림을 그렸다.

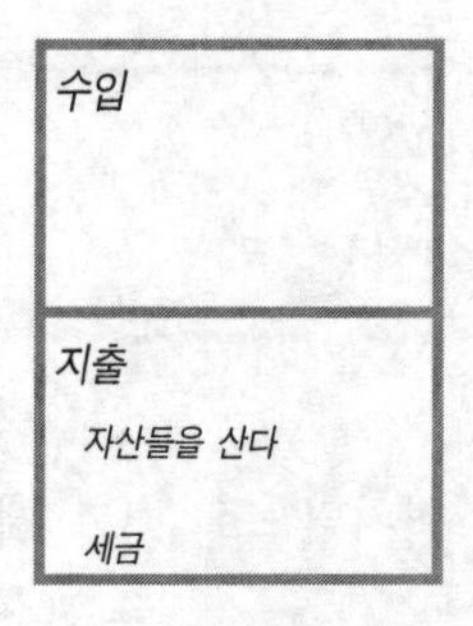

「하지만 네 아버지는 세후 수입으로 자산들을 사려 한다. 그분의 재무제표는 이런 모습을 하고 있다」

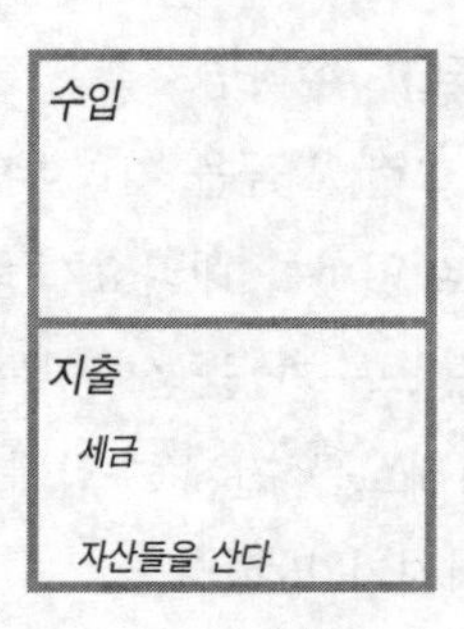

어린 소년이었던 나는 부자 아버지가 나에게 가르치려 하는 것을 완전히 이해하지는 못했다. 하지만 나는 그 차이만큼은 알 수 있었다. 나는 혼란을 느꼈기 때문에 자주 부자 아버지에게 그 의미를 묻곤 했다. 내가 좀더 이해하도록 돕기 위해 부자 아버지는 다음의 그림을 그렸다.

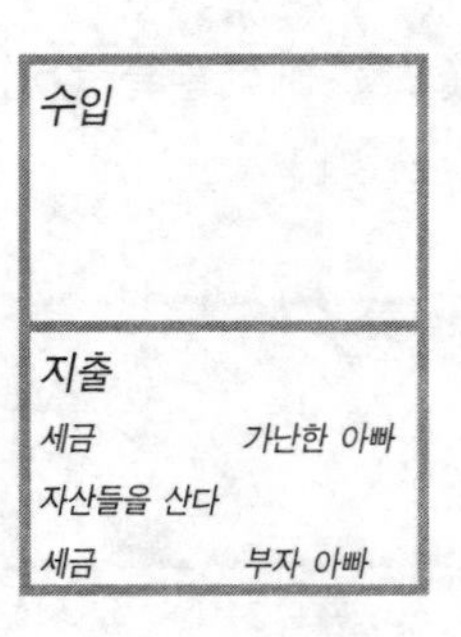

「왜 아버님은 세금을 마지막으로 내고 제 아버지는 세금을 가장 먼저 내죠?」

「왜냐하면 네 아버지는 직원이고 나는 사업가이기 때문이다」 부자 아버지가 말했다. 「늘 기억할 것은, 우리는 모두 자유로운 나라에서 사는 것일 수도 있지만, 모두가 같은 법률에 따라 사는 것은 아니다. 너는 부자가 되고 싶다면, 혹은 금방 부자가 되고 싶다면, 부자들이 활용하는 그런 법들을 따라야만 한다」

「제 아버지는 세금으로 얼마를 내나요?」 내가 물었다.

「글쎄다, 네 아버지는 보수가 높은 공무원이다. 그래서 내가 볼 때 네 아버지는 어떤 형태로든 전체 수입에서 꽤 많은 비중을 세금으로 낼 거다」 부자 아버지가 말했다.

「그러면 아버님은 세금으로 얼마를 내나요?」 내가 물었다.

「글쎄다, 그것은 사실 올바른 질문이 아니다」 부자 아버지가 말했다. 「진짜 질문은 이래야 한다. 즉, 〈아버님의 납세 대상 소득은 얼마입니까?〉」

나는 혼란스러움을 느끼며 이렇게 물었다. 「그 차이는 무언가요?」

「글쎄다, 나는 순수입에서 세금을 내고, 네 아버지는 총수입에서 세금이 원천징수된다. 그것은 네 아버지와 나 사이의 가장 큰 차이 가운데 하나이다. 내가 더 빨리 앞서가는 이유는 나는 총수입으로 자산을 사고 순수입으로 세금을 내기 때문이다. 반면 네 아버지는 총수입에서 세금을 낸 후에 순수입으로 자산을 사려 한다. 그렇기 때문에 네 아버지는 재산을 모으는 것이 아주 어렵다. 그분은 많은 돈을 먼저 정부에 낸다. 그 돈은 자산을 사는 데 이용할 수 있는 돈이다. 나는 순수입으로, 그러니까 자산을 사고 남은 돈으로 세금을 낸다. 나는 자산을 먼저 사고 세금은 마지막에 낸다. 네 아버지는 세금을 먼저 내고 그래서 자산을 살 돈은 거의 남지 않는다」

당시 열 살이었던 나로서는 사실 부자 아버지의 얘기를 정확하게 이해하지 못했다. 나는 다만 그것이 공정하지 못한 것이라고 생각했고 그렇게 얘기했다. 「그것은 공정하지 못합니다」

「나도 동의한다」 부자 아버지가 그렇게 말하면서 고개를 끄덕였다. 「그것은 공정하지 못하다. 하지만 법은 그렇게 되어 있다」

법은 모두 같다

이 문제를 내 강의에서 얘기할 때 나는 종종 이런 이야기를 듣는다. 「그것은 미국에서는 법일 수도 있지만 내 나라에서는 법이 아닙니다」

나는 많은 영어권 국가들에서 강의를 하기 때문에 종종 이렇게 대답한다. 「어떻게 그것을 압니까? 왜 당신 나라의 법은 다르다고 생각합니까?」 사실은, 대부분의 사람들은 어떤 법들이 비슷하고 어떤 법들이 다른지 알지 못한다.

서두에서 소개한 《월 스트리트 저널》의 1999년 9월 13일자 기사는 부자 아버지의 견해를 뒷받침하는 것 같다. 그 기사는 이렇게 적고 있다.

> 일반 대중이, 이발사와 구두닦이 소년들까지 투자 조언을 하는 그 모든 상황에도 불구하고, 주식 시장은 여전히 엘리트 그룹의 특권으로 남아 있다. 자료 분석이 가능한 가장 최근 연도인 1997년에 모든 가구의 43.3%가 주식을 갖고 있었다. 하지만 모든 주식의 90%는 가장 부유한 10%의 가구가 소유하고 있었다. 결론적으로 말해서, 상위 10%는 1997년에 미국 전체 자산의 73%를 보유했고, 이것은 1983년의 68%에서 증가한 것이다.

사업이 자산을 산다

내가 스물다섯 살에 해병대에서 제대했을 때, 부자 아버지는 나에게 두 가지 삶의 길이 어떻게 다른지 상기시켰다.

그분은 이렇게 애기했다. 「이것은 네 아버지가 투자하고 자산들을 얻으려 애쓰는 방식이다」

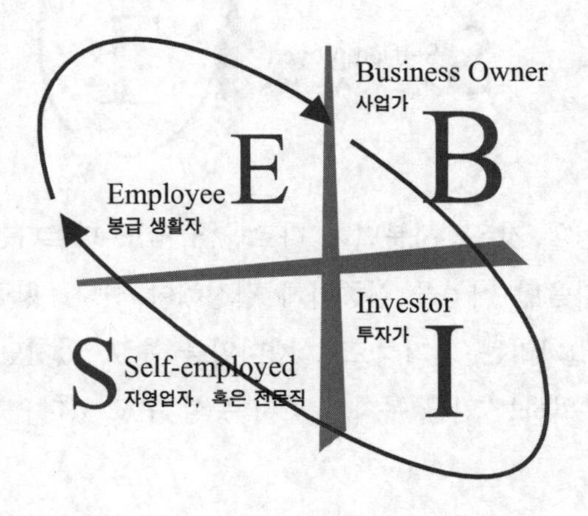

「그리고 이것은 내가 투자하는 방식이다」

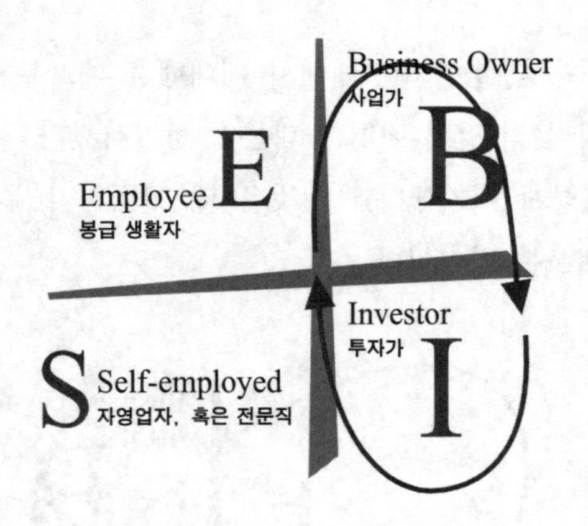

「늘 기억할 것은, 사분면이 다르면 규칙도 다르다는 점이다. 따라서 네 다음번 직업을 신중하게 결정해야 한다. 항공사의 조종사라는 그 일자리는 단기적으로 재미있을 수도 있지만, 장기적으로 너는 네가 원하는 만큼 부자가 되지 못할 수도 있다」

결정은 내려졌다

내가 가난한 아버지의 계획이 아니라 부자 아버지의 투자 계획을 따르기로 결정한 후에도, 부자 아버지는 삶에서의 내 성공 가능성에 관한 간단한 분석을 나와 공유함으로써 내 결정을 더 굳혔다. 〈현금흐름 사분면〉을 그리면서 그분은 이렇게 얘기했다. 「너의 첫번째 결정은 어느 사분면에서 장기적인 경제적 성공을 달성할 가능성이 가장 높은지 알아내는 것이다」

그분은 〈E〉 사분면을 가리키면서 이렇게 얘기했다. 「너는 고용주들이 많은 돈을 지불하는 그런 전문성을 갖고 있지 않다. 그래서 너는 봉급 생활자로 일하면서 투자할 수 있는 충분한 돈을 절대로 벌지 못할 것이다. 게다가 너는 예리하지도 못하고, 쉽게 지루함을 느끼고, 오랫동안 관심을 유지하지도 못한다. 너는 언쟁을 하는 경향이 있고, 다른 사람들의 지시를 잘 따르지 않는다. 따라서 네가 〈E〉 사분면에서 경제적으로 성공할 가능성은 그렇게 높지 않다」

그분은 〈S〉 사분면을 가리키면서 이렇게 얘기했다. 「〈S〉가 뜻하는 것은 똑똑함(smart)이다. 그렇기 때문에 그렇게도 많은 의사, 변호사, 회계사, 그리고 엔지니어들이 〈S〉 사분면에 있는 것이다. 너는 영리하지만 그렇게 똑똑하지는 않다. 너는 학창 시절에 그렇게 뛰어난 학생도 아니었다. 〈S〉는 또 스타(star)를 뜻하기도 한다. 너는 아마 록 스타, 무비 스타, 혹은 스포츠 스타가 될 수 없을 것이다. 따라서 네가 〈S〉 사분면에서 큰 돈을 벌 가능성은 희박하다」

「그래서 남는 것은 〈B〉 사분면뿐이다」 부자 아버지가 계속했다. 「이 사분면은 너에게 꼭 맞는 것이다. 너에게는 특별한 재능이나 전문성이 부족하다. 그래서 너는 이 사분면에서 큰 돈을 벌 가능성이 높다」

그 말을 듣고 나는 확신하게 되었다. 나는 내가 큰 돈을 벌고 경제적으로 성공할 수 있는 최상의 기회는 사업체를 만드는 것이라고 결정했다. 세법은 나에게 유리했고, 다른 사분면들에서의 재능과 전문성 부족은 내 결정을 더 쉽게 만들었다.

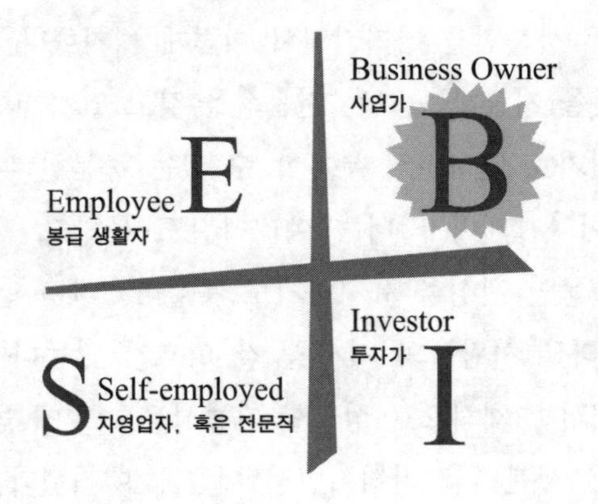

되돌아본 교훈

나는 부자 아버지에게서 배운 그런 지혜들을 오늘날 내가 강의하는 강좌들에서 전달하려고 애쓴다. 사람들이 나는 어떻게 투자하느냐는 질문을 할 때, 대개는 그들에게 사업을 통해서 투자하는 것에 대해 얘기한다.

많은 경우에 사람들은 손을 들고 다음과 같은 얘기들을 한다.

――「하지만 나는 직원이고 나에게는 내 사업체가 없습니다」
――「누구나 사업체를 가질 수 있는 것은 아닙니다」
――「사업을 시작하는 것은 위험한 일입니다」
――「나에게는 투자할 돈이 전혀 없습니다」

부자 아버지의 투자 계획에 대한 이런 종류의 반응들을 보면서 나는 다음과 같은 얘기를 들려준다.

누구나 사업체를 가질 수 있는 것은 아니라는 말에 대해, 나는 사람들에게 백 년 전만 해도 대부분의 사람들은 자신의 사업체를 갖고 있었다고 상기시킨다. 백 년 전만 해도 미국 인구의 85% 가량은 독립적인 농부이거나 작은 가게 주인이었다. 나는 우리 조부모님들도 작은 사업체의 소유주였음을 알고 있다. 이어서 나는 이렇게 얘기한다. 「산업 시대는 높은 보수의 일자리, 평생의 안정적인 일자리, 그리고 연금 혜택 같은 약속으로 그런 독립성을 우리에게서 앗아간 것 같다」 나는 또 이렇게 덧붙인다. 즉, 우리의 교육 시스템은 창업가가 아닌 봉급 생활자들과 전문직들을 배출하도록 만들어져 있다. 그래서 사람들이 사업을 시작하는 것은 위험한 일이라고 느끼는 것도 자연스런 현상이다.

내가 지적하는 요점들은 이런 것이다.

첫째, 아마도 당신들 모두에게 창업가로서의 기술을 개발할 생각만 있다면 훌륭한 사업체 소유주가 될 잠재력이 있을 것이다. 우리의 선조들은 창업가적 기술들을 개발했고 활용했다. 당신에게 지금 사업체가 없다면 이렇게 물을 필요가 있다. 당신은 사업체를 만들고 키우는 법을 배우는 과정을 통과할 의사가 있는가? 이런 질문에 답할 수 있는 사람은 당신뿐이다.

둘째, 사람들이 〈나에게는 투자할 돈이 없다〉 혹은 〈나에게는 일시금 없이도 살 수 있는 부동산 거래가 필요하다〉고 말할 때 나는 이렇게 대답한다. 「어쩌면 당신은 사분면을 바꿔서 세전 수입으로 투자할 수 있는 사분면에서 투자해야 할 것이다. 그러면 당신은 투자할 훨씬 더 많은 돈을 갖게 될 수도 있다」

당신의 투자 계획에서 첫번째로 고려할 사항 가운데 하나는 당신이 많은 돈을 금방 벌 수 있는 최상의 기회가 어느 사분면에 있는지 결정하는 것이다. 그렇게 하면 당신은 최소한의 위험으로 최대한의 수익을 올리는 투자를 시작할 수 있다. 그리고 당신은 아주 부자가 될 수 있는 최상의 기회를 갖게 될 것이다.

제28장

기존의 일자리를 지키면서 부자가 되려면

대부분의 사람들이 경제적으로 앞서나가지 못하는
이유는 그들에게 더 많은 돈이 필요할 때
그들은 시간제 일자리라도 얻으려고 하기 때문이다.
하지만 그들이 정말로 앞서나가기를 바란다면 기존의 일자리를
유지하면서 파트타임으로 사업을 시작할 필요가 있다.

일단 사업을 시작하기로 결정을 내린 후에 내가 직면한 문제는 나에게는 돈이 없다는 것이었다. 나는 어떻게 사업을 시작해야 하는지 알지 못했다. 그리고 나에게는 사업을 시작할 돈이 없었다. 생활할 돈도 없었다. 나는 힘이 빠지고 자신감을 잃은 상태에서 부자 아버지에게 전화를 걸었다. 그러고는 그분에게 어떻게 해야 하느냐고 물었다.

그분은 즉시 이렇게 대답했다. 「가서 일자리를 얻어라」

그분의 대답은 나를 깜짝 놀라게 했다. 「저에게 스스로 사업을 시작하라고 얘기하시지 않았나요?」

「그래, 그렇게 얘기했다. 하지만 너는 여전히 먹어야 하고 살 집

이 필요한 것 같구나」 그분이 말했다.

그때 그분이 나에게 얘기한 것을 나는 수많은 사람들에게 전달했다. 부자 아버지는 이렇게 얘기했다. 「창업가가 되는 첫번째 원칙은 절대로 돈을 위해 일자리를 얻지 않는 것이다. 일자리를 얻는 유일한 목적은 장기적인 기술을 배우기 위한 것이다」

내가 해병대에서 제대한 후 얻은 최초의 유일한 일자리는 제록스사의 판매 사원이었다. 내가 그 회사를 선택한 이유는 그 회사에 최고의 판매 훈련 프로그램이 있기 때문이었다. 부자 아버지는 내가 수줍음이 많고 거절을 무서워한다는 점을 잘 알고 있었다. 그분은 나에게 판매 비법을 배우라고 권유했다. 돈을 위해서가 아니라 내 개인적 두려움을 극복하는 법을 배우라고 얘기했다. 매일같이 나는 사무실 건물들을 전전하면서 사람들에게 제록스의 복사기를 팔려고 기를 썼다. 그것은 아주 고통스런 배움의 과정이었지만, 그 과정은 나에게 향후 몇 년 동안 수백만 달러를 벌어주었다.

부자 아버지는 이렇게 얘기했다. 「너는 복사기를 팔 수 없으면 창업가가 될 수 없다」

나는 2년 동안 하와이에서 최악의 판매원이었다. 나는 따로 판매에 관한 강의를 들었고 테이프도 사서 반복해서 들었다. 마침내 나는 몇 차례나 해고될 뻔한 후에 판매 실적을 높여가기 시작했다. 나는 아직도 수줍음을 많이 타지만, 그 회사의 판매 훈련은 내가 재산을 모으는 데 필요한 기술들을 가르쳤다.

그런데 문제는, 내가 아무리 열심히 일하고 아무리 많은 복사기를 팔아도, 나에게는 늘 현금이 부족했다는 것이다. 나에게는 투자를 하거나 사업을 시작할 돈이 없었다. 어느 날 나는 부자 아버지에게 이렇게 말했다. 즉, 시간제 일자리라도 얻어서 수입을 보충해야 투자할 돈을 벌 수 있을 것 같다고. 그리고 부자 아버지는 그런 나의 얘기를 기다리고 있었다.

부자 아버지는 이렇게 얘기했다. 「사람들이 하는 가장 큰 실수는 돈을 위해 너무 열심히 일하는 것이다」 그분은 계속해서 이렇게 얘기했다. 「대부분의 사람들이 경제적으로 앞서나가지 못하는 이유는 그들에게 더 많은 돈이 필요할 때 그들은 시간제 일자리라도 얻으려고 하기 때문이다. 하지만 그들이 정말로 앞서나가기를 바란다면 기존의 일자리를 유지하면서 파트타임으로 사업을 시작할 필요가 있다」

부자 아버지는 내가 소중한 기술들을 배우고 있으며 사업가와 투자가가 되는 것에 대해 진지하게 생각하고 있음을 알게 되자 나에게 다음과 같은 그림을 그려 보였다.

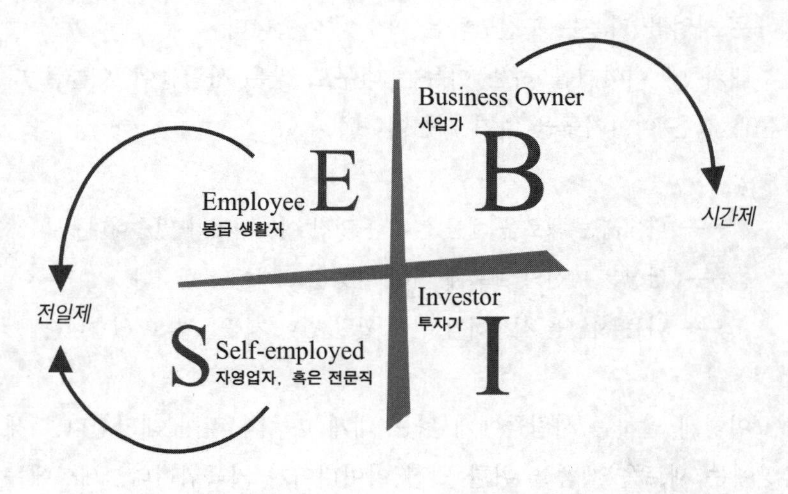

「이제는 너도 사업을 시작할 때가 되었다. 시간제로 말이다」 부

자 아버지가 말했다. 「시간제 일자리에 시간을 낭비하지 말아라. 시간제 일자리는 너를 계속해서 〈E〉 사분면에 잡아둔다. 하지만 시간제 사업은 너를 〈B〉 사분면으로 옮겨준다. 대부분의 큰 회사들은 파트타임을 이용한 사업으로 시작되었다」

1977년에 나는 나일론 지갑 사업을 파트타임을 이용해 시작했다. 이제는 그런 제품을 아는 사람들이 많이 있다. 1977년부터 1978년까지 나는 제록스에서 아주 열심히 일했다. 그리고 결국에는 제록스의 최고 판매원 가운데 하나가 되었다. 나는 또 여유 시간에 사업을 하면서 나중에는 세계적인 수백만 달러짜리 사업으로 만들었다.

사람들이 나에게 내 제품들을(그러니까 화려한 나일론 지갑, 나일론 시계띠, 그리고 운동화 끈에 붙여서 열쇠, 돈, 그리고 신분증을 담는 나일론 신발 주머니를) 좋아하느냐고 물을 때, 나는 이렇게 대답한다. 「아니오. 나는 그 제품들과 사랑에 빠지지 않았습니다. 하지만 나는 사업을 키우는 도전만큼은 아주 좋아합니다」

내가 이 이야기를 하는 이유는 너무도 많은 사람들이 오늘날 다음과 같은 이야기들을 하기 때문이다.

──「나에게는 새로운 제품을 위한 멋진 아이디어가 있습니다」
──「당신은 당신의 제품에 대해 열정을 느껴야만 합니다」
──「나는 사업을 시작하기 전에 팔릴 만한 제품을 찾고 있습니다」

이렇게 말하는 사람들에게 나는 대개 다음과 같이 대답한다. 「세상에는 새로운 제품을 위한 멋진 아이디어가 가득합니다. 세상에는 또 멋진 제품들도 가득합니다. 하지만 멋진 사업가들은 부족합니다. 시간제로 사업을 시작하는 이유가 멋진 제품을 만들기 위해서라고는 할 수 없습니다. 시간제로 사업을 시작하는 진짜 이유는 멋진 사업가가 되기 위해서라고 할 수 있습니다. 멋진 제품들은 도처에 깔려 있습니다. 하지만 멋진 사업가들은 좀처럼 드물죠」

마이크로소프트를 창업한 빌 게이츠를 한번 보라. 그 사람은 심지어 자신의 소프트웨어 제품을 발명하지도 않았다. 그는 그것을 일단의 컴퓨터 프로그래머들로부터 샀고, 그런 후에 세계 역사에서 가장 강력하고 영향력이 큰 기업 가운데 하나를 만들었다. 빌 게이츠는 멋진 제품을 만들지 않았다. 하지만 그는 멋진 사업을 만들어 세계에서 가장 부자인 사람이 되었다. 따라서 멋진 제품을 만들려고 굳이 애를 쓰지는 말라. 그보다는 사업을 시작해 멋진 사업가가 되는 것을 배우는 데 초점을 맞추어라.

델 컴퓨터의 마이클 델은 자신의 시간제 사업을 텍사스 대학의 기숙사에서 시작했다. 그는 자신의 시간제 사업이 자신이 공부하고 있는 어떤 일자리가 해줄 수 있는 것보다 자신을 훨씬 더 부자로 만들었기 때문에 학교를 그만둬야만 했다.

아마존도 역시 차고에서 시간제로 시작된 사업이었다. 그 젊은 사람은 이제 억만장자가 되었다.

시간제 사업을 시작한다면

많은 사람들은 자신의 사업을 시작하는 꿈을 꾸지만 실패의 두려움 때문에 그렇게 하지 못한다. 많은 다른 사람들은 부자가 되는 꿈을 꾸지만 기술과 경험이 부족하기 때문에 그렇게 되지 못한다. 사업적인 기술과 경험은 돈이 나오는 곳이다.

부자 아버지는 나에게 이렇게 얘기했다. 「네가 학교에서 받는 교육도 중요한 것이지만, 네가 길거리에서 받는 교육은 한층 더 좋은 것이다」

집에서 시간제로 사업을 시작하면 다음과 같은 소중한 사업 기술과 주제들을 배울 수 있다.

——의사소통의 기술

——리더십 기술

——팀을 만드는 기술

——세법

——회사법

——증권법

이와 같은 기술 내지 주제들은 주말 강좌나 한 권의 책에서 배울 수는 없다. 나는 지금도 계속해서 그것들을 공부한다. 그리고 내가 더 많이 공부할수록 내 사업은 더 향상된다.

사람들이 시간제 사업을 시작함으로써 그렇게도 많은 것을 배우는 한 가지 이유는 그들이 내부자로서, 즉 자기 사업체의 내부자로 시작하기 때문이다. 어떤 사람이 사업체를 만드는 법을 배울 수 있다면, 사실상 무제한의 경제적 기회가 있는 전혀 새로운 세상이 나타날 것이다. 그렇지만 〈E〉 사분면이나 〈S〉 사분면에 있는 것의 한 가지 문제는 그런 기회들은 종종 그 사람이 얼마나 열심히 일할 수 있는지, 그리고 하루에 얼마나 많은 시간이 있는지에 따라 제한된다는 것이다.

제29장

창업가 정신

세상에는 멋진 아이디어가 있는 사람들이 가득하지만,
그런 아이디어에서 엄청난 돈을 버는 사람들은 많지 않다.

사람들이 투자를 하는 것은 다음의 두 가지 기본적인 이유 때문이다.

——은퇴에 대비한 저축을 하기 위해서
——많은 돈을 벌기 위해서

대부분의 우리는 위의 두 가지 이유 때문에 투자하는데, 두 가지 모두는 중요한 것이기는 해도, 대다수의 사람들은 첫번째 이유 쪽으로 더 기운다. 그들은 돈을 저축하는 동안 시간이 지나면 그것의 가치가 늘기를 바란다. 그들은 투자는 하지만 이기는 것보다 지는 것을 더 걱정하는 사람들이다. 나는 잃는다는 두려움 때문에 행동하지 못하는 많은 사람들을 만난 적이 있다. 사람들은 투자할 때 자신의 감정에 대해 솔직할 필요가 있다. 잃는 것의 고통과 두려움이 너무 크다면, 그런 투자가는 아주 보수적으로 투자하는 것이 좋다.

그렇지만 이 세상의 엄청난 부자들을 볼 때, 그런 부자들은 조심스런 투자를 통해 부자가 된 것은 아니다. 이 세상의 위대한 도전들은 부자 아버지가 말하는 창업가 정신을 지지하는 투자가들에게서 비롯되었다.

내가 좋아하는 한 가지 이야기는 크리스토퍼 콜롬버스의 이야기이다. 이 용감한 탐험가는 세상이 둥글다고 믿었으며 아시아로 향하는 더 빠른 길을 찾기 위한 과감한 계획을 세웠다. 그러나 당시의 일반적인 믿음은 세상은 평평하다는 것이었다. 모든 사람들이 콜롬버스가 그런 계획을 시도하면 지구 끝에서 떨어질 것이라고 생각했다. 세상이 둥글다는 자신의 이론을 증명하기 위해, 이탈리아 사람이었던 콜롬버스는 스페인 왕실에 찾아가 자신의 사업적 모험에 투자하도록 설득해야만 했다. 페르디난드 왕과 이사벨라 여왕은 이른바 〈착수금〉을 모아 그의 사업적 모험에 투자했다.

학교에서 내 역사 선생님은 그 돈은 탐험을 통해 더 많은 지식을 얻기 위해 모아진 것이라고 얘기하려 애썼다. 그러나 부자 아버지는 그것이 자본을 필요로 하는 순수한 사업적 모험이라고 얘기했다. 스페인의 왕과 여왕은 콜롬버스라는 그 창업가가 서쪽으로 항해해서 동쪽으로 가는 데 성공하면 그들은 높은 투자 수익을 얻을 수 있음을 알고 있었다. 콜롬버스와 그를 후원한 스페인의 왕과 여왕은 모두가 진정한 창업가 정신을 갖고 있었다. 스페인의 왕과 여왕은 돈을 잃기 위해 투자하지 않았다. 그들이 콜롬버스에게 투자한 이유는 더 많은 돈을 벌고 싶기 때문이었다. 그것은 멋진 보상의 가능성이 있는 위험 혹은 모험의 정신이었다. 그들은 그런 정신에 투자했다.

위대한 정신은 때로 평범한 영혼의 격렬한 반대에 직면한다

내가 시간제로 사업을 시작하려는 내 계획들을 짜기 시작했을 때, 부자 아버지는 내가 어떤 정신으로 그런 모험을 시작해야 하는지 분명하게 얘기했다. 그분은 세계적인 사업체를 만들겠다는 내 계획을 보면서 이렇게 얘기했다.「너는 도전 때문에 사업을 시작해야 한다. 네가 사업을 시작하는 이유는 그것이 흥미롭고 도전적이기 때문이며 너의 모든 것이 있어야만 그것을 성공적으로 만들 수 있기 때문이다」

부자 아버지는 내가 내 창업가 정신을 찾기 위해 사업을 시작하기를 원했다. 그분은 종종 이렇게 얘기했다.「세상에는 멋진 아이디어가 있는 사람들이 가득하지만, 그런 아이디어에서 엄청난 돈을 버는 사람들은 많지 않다」그래서 그분은 내가 어떤 사업이라도 시작할 것을 권유했다. 그분은 제품이 무엇인지, 혹은 내가 그 제품을 얼마나 좋아하는지에 대해서는 상관하지 않았다. 그분은 내가 실패하는 것에 대해서도 상관하지 않았다. 그분은 다만 내가 시작하기만을 원했다. 오늘날 나는 너무도 많은 사람들이 멋진 아이디어가 있으면서도 시작하기를 두려워하거나, 혹은 시작한 후에 실패하고 그만두는 것을 본다. 그렇기 때문에 부자 아버지는 종종 아인슈타인의 다음과 같은 말을 인용했다. 〈위대한 정신은 종종 평범한 영혼의 격렬한 반대에 직면한다.〉 그분은 내가 일단 사업을 시작해서 내 자신의 평범한 마음에 도전하고, 그 과정에서 나의 창업가 정신을 개발하기를 원했다. 부자 아버지는 또 이렇게 얘기했다. 「그렇게도 많은 사람들이 자산을 만들지 않고 그것을 사는 주된 이유는 그들이 자신들의 창업가 정신을 이끌어내 자신들의 아이디어를 큰 재산으로 만들지 못했기 때문이다」

위험에 따르는 정당한 보상을 기대한다

인정받는 투자가의 정의로 다시 돌아가서 부자 아버지는 이렇게 얘기했다. 「어떤 사람이 인정받는 투자가가 되기 위해 해야 하는 것은 20만 달러 이상의 봉급만 있으면 된다. 그것은 어떤 사람들에게는 많은 돈이지만, 그것만으로는 사업을 시작하는 충분한 이유가 될 수 없다. 네가 꿈꾸는 것이 20만 달러의 봉급뿐이라면, 그때는 〈E〉나 〈S〉 사분면에 머물러라. 〈B〉와 〈I〉 사분면의 위험들은 그렇게 적은 금액으로는 너무 큰 것이다. 네가 사업을 시작하기로 결정한다면, 겨우 20만 달러 때문에 그것을 하지는 말라. 그것에 따르는 위험은 아주 큰 반면 보상은 너무 적기 때문이다. 훨씬 더 큰 보상을 바라고 그것을 해라. 수백만 달러, 혹은 수십억 달러를 바라고 해라. 그렇지 않으면 처음부터 시작하지도 말라. 하지만 사업을 시작하기로 결정한다면, 그때는 창업가 정신을 불러내야만 한다」

부자 아버지는 또 이렇게 얘기했다. 「성공한 가난한 창업가 혹은 성공한 가난한 사업가 같은 것은 없다. 너는 성공한 가난한 의사가 될 수는 있다. 혹은 성공한 가난한 회계사는 될 수가 있다. 하지만 성공한 가난한 사업가는 될 수가 없다. 오직 한 가지 유형의 성공한 사업가가 있을 뿐이며, 그것은 바로 부자 사업가이다」

하나의 재무제표 vs. 다수의 재무제표

나는 종종 이런 질문을 받는다. 「돈이 얼마나 많아야 너무 많은 것인가요?」 혹은 「돈이 얼마나 많아야 충분한 건가요?」 그런 질문을 하는 사람은 종종 많은 돈을 버는 성공한 사업을 한번도 만들지 못한 사람이다. 나는 또 그런 질문을 하는 사람들 중에서 많은 사람들이 사분면의 〈E〉와 〈S〉면에 있음을 알아차렸다. 사분면의 왼쪽에 있는 사람들과 오른쪽에서 활동하는 사람들 사이의 또다른 큰 차이는 다음과 같다.

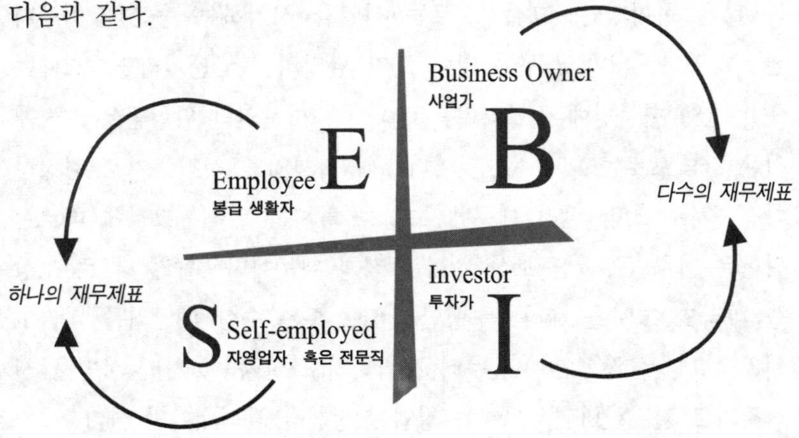

왼쪽 면에 있는 사람들은 대개 하나의 재무제표만 갖고 있다. 왜냐하면 그들은 종종 하나의 수입원만 갖고 있기 때문이다. 하지만 오른쪽 면에 있는 사람들은 다수의 재무제표와 다수의 수입원을 갖고 있다. 내 아내와 나는 몇몇 기업체의 직원이며 그곳의 지분도 갖고 있다. 그래서 우리는 개인으로서의 재무제표를 갖고 있고 동시에 우리의 사업에서도 재무제표를 갖고 있다. 우리의 사업이 성공하고 우리에게 현금흐름을 발생시키면서, 우리는 직원으로서 더 적은 수입만 있어도 된다. 왼쪽 면에 있는 많은 사람들은 점점 더 적은 일만으로 점점 더 많은 돈이 들어오는 것이 어떤 기분인지 알지 못한다.

돈도 중요한 것이기는 하지만, 그것이 사업을 하는 기본적 동기는 아니다. 나는 이에 대한 답은 같은 질문을 다른 방식으로 할 때 가장 잘 나타난다고 생각한다. 그에 관한 질문은 어떤 골퍼에게 한 질문과 비슷하다. 「당신은 왜 아직도 골프를 합니까?」 그 답은 게임의 정신에서 발견된다.

비록 나는 여러 해 동안 고통과 불행을 겪었지만, 그 도전과 정신은 늘 내가 사업을 하도록 만드는 동인이었다. 오늘날 내 주위에는 자신들의 사업체를 수백만 달러에 판 친구들이 있다. 그들 중에서 많은 이들은 몇 달 동안 휴가를 갖다온 후에 다시 게임에 뛰어든다. 그 재미, 그 도전, 그 정신, 그리고 나중에 큰 보상을 받는 가능성이 창업가를 계속 움직이게 만든다. 내가 나일론 지갑 사업을 시작하기 전에, 부자 아버지는 내가 그런 정신으로 사업을 해야 한다고 강조했다.

창업가 정신은 성공적인 〈B〉로서, 사업을 하는 데 아주 소중한 자산이다. 오늘날 많은 성공한 자본가들은 여전히 마음속에서 창업가로 남아 있는 사람이다.

제4부

부자 아빠의 투자 가이드 3단계

–강력한 사업체를 만들 수 있는 방법을 알아야 한다

제30장

사업을 해야 하는 세 가지 이유

사업을 하는 것은 대부분의 사람들에게는 가장 위험한 길이다.
하지만 위험을 피하고 봉급 생활자들이 속한 〈E〉와
전문직 종사자 및 자영업자가 속한 〈S〉 사분면에서
안전하게만 산다면, 더 안전할 수도 있다.
하지만 그때는 정말로 부자가 될 수 있는 기회를 제한하게 될 수도 있다.

부자 아버지는 이렇게 얘기했다. 「사업을 하는 이유는 단순히 자산을 만들기 위해서뿐만 아니라 다음의 세 가지 이유가 더 있다」

──첫째, 여유 있는 현금흐름을 얻기 위해서

『어떻게 부자가 되는가 *How to be rich*』라는 책에서 J. 폴 게티는 이렇게 얘기하고 있다. 즉, 그의 첫번째 규칙은 자신을 위해 사업을 하라는 것이다. 계속해서 그는 이렇게 암시하고 있다. 즉, 다른 사람을 위해서 일하면 절대로 부자가 될 수 없다.

부자 아버지가 그렇게도 많은 사업을 시작한 이유 가운데 하나는 자신의 다른 사업들에서 충분한 현금흐름이 나오기 때문이었다. 그분은 또 자신의 사업에 최소한의 노력만 쏟으면 되기 때문에 여유 시간도 많이 생겼다. 그래서 그분은 자유로운 시간과 여유 자금으로 점점 더 많은 세금이 붙지 않는 자산들에 투자할 수 있었다. 그렇기 때문에 그분은 금방 부자가 되었고 그렇기 때문에 그분은 〈자기 사업을 하라〉고 얘기했다.

——둘째, 사업체를 팔기 위해서

> 부자 아버지는 계속해서 이렇게 설명했다. 즉, 일자리를 갖는 것의 문제는 우리가 아무리 열심히 일을 해도 그것을 팔 수가 없다는 것이다. 전문직 종사자나 자영업자가 속한 〈S〉 사분면에서 사업을 하는 것의 문제는 그것을 사고자 하는 시장이 대개는 제한적이라는 것이다. 예를 들어, 어떤 치과의사가 자신의 개업 병원을 팔려고 해도, 그것을 사고 싶어할 수 있는 유일한 다른 사람은 대개 또다른 치과의사이다. 부자 아버지에게 그것은 너무도 좁은 시장이었다. 그분은 이렇게 얘기했다. 「어떤 것이 가치를 갖기 위해서는 그것을 원하는 사람들이 아주 많아야 한다. 〈S〉 사분면 사업체의 문제는 그것을 원하는 사람들이 그리 많지 않다는 점이다」

부자 아버지는 이렇게 얘기했다. 「자산이란 네 주머니에 돈을 넣는 무언가이다. 혹은 네가 지불했거나 투자했던 것보다 더 높은 가격에 다른 사람에게 팔릴 수 있는 것이다. 네가 성공적인 사업체를 만들 수 있다면, 너는 늘 많은 돈을 갖게 될 것이다. 네가 성공적인 사업체를 만드는 법을 배운다면, 너는 전문성을 개발하게 될 것이다」

1975년에 나는 제록스의 복사기를 파는 법을 배우다가 어떤 젊은 남자를 만나게 되었다. 그 사람은 호놀룰루에서 네 개의 복사 가게를 갖고 있었다. 그 사람이 복사를 하는 사업을 하게 된 이유는 흥미로웠다. 그 사람은 학교에 다닐 때 그 대학교의 복사 가게를 운영했고 그런 일의 사업적인 측면을 배우게 되었다. 학교를 졸업한 후에 일자리를 구하지 못한 그 사람은 호놀룰루 중심가에 복사 가게를 열고 자신이 가장 잘 아는 것을 하기 시작했다. 얼마 안 가서 그 사람은 더 큰 중심가의 사무실 건물 네 곳에서 네 개의 복사 가게를 갖게 되었다. 그것들 모두가 장기 임대 계약을 통한 것이었다. 그러는 와중에 대규모 복사 가게 체인이 그곳에 진출했고 그 사람에게 거절할 수 없는 제안을 했다. 그 사람은 그들이 제안한 75만 달러를 받았는데, 당시만 해도 그것은 엄청난 금액이었다. 그 사람은 보트를 한 척 사고 나머지 50만 달러는 전문적인 자금 관리자에게 맡겼다. 그러고는 보트를 타고 세계 일주에 나섰다. 그로부터 일년 반 후에 돌아왔을 때, 그의 자금 관리자는 그 사람의 투자액을 거의 90만 달러로 불려놓았다. 그래서 그 젊은 남자는 다시 세계 일주에 나섰다.

나는 그 사람에게 복사기를 판 사람이었다. 그런데 내가 받은 것은 얼마 안 되는 수수료뿐이었다. 그 사람은 사업체를 만들었고, 그것을 팔았고, 세계 일주를 떠났다. 나는 1978년 후로 그 사람을 다시는 보지 못했다. 하지만 듣기로는 이따금씩 다시 돌아와 자신의 포트폴리오를 확인하고 또 여행을 떠난다고 했다.

부자 아버지는 이렇게 얘기했다. 「사업체를 만드는 것은 대부분의 사람들에게 가장 위험한 길이다. 하지만 네가 살아남아서 자신의 기술을 계속 개선할 수 있다면, 부자가 될 수 있는 가능성은 무한하다. 네가 위험을 피하고 봉급 생활자들이 속한 〈E〉와 전문직 종사자 및 자영업자가 속한 〈S〉 사분면에서 안전하게만 산다면, 너는 더 안전할 수도 있을 것이다. 하지만 너는 또 네가 정말로 벌 수 있는 것을 제한하게 될 수도 있다」

——셋째, 사업체를 만들어 공개하기 위해서

이것은 부자 아버지가 얘기하는 궁극적인 투자가가 되는 법이다. 사업체를 만들어 그것을 공개하는 것은 빌 게이츠, 헨리 포드, 워렌 버펫, 테드 터너, 그리고 애니타 로딕을 엄청난 부자로 만들었다. 그들은 파는 주주들이었고, 우리 모두는 사는 주주들이었다. 그들은 내부자들이었고, 우리는 안을 들여다보려는 외부자들이었다.

아무리 늙어도 할 수 있고, 아무리 어려도 할 수 있다

어떤 사람이 당신에게 당신은 남들이 사고 싶은 사업체를 만들 수 없다고 얘기하면, 그 인색한 발언을 역으로 받아들여 당신을 고취시켜라. 물론 빌 게이츠는 아주 젊었을 때 마이크로소프트를 시작했지만, 샌더즈 대령이 켄터키 프라이드 치킨을 시작했을 때 그의 나이는 66세였다.

다음의 몇몇 장들에서 나는 부자 아버지가 얘기한 〈B-I 삼각형(Business-Investing Triangle)〉을 설명할 것이다. 나는 이 삼각형을 안내자로 삼아 사업체를 만들었다. 이것은 사업을 하는 데 있어 필요한 기본적 기술들을 지적한다. 부자 아버지는 또 성공한 창업가가 되려면 특정한 개인적 속성들도 필요하다고 확신했다. 즉, 다음과 같은 것들이다.

——비전: 남들이 보지 못하는 것을 보는 능력
——용기: 엄청난 의심에도 불구하고 행동하는 능력
——창의성: 상자 밖에서 생각하는 능력
——비난을 견디는 능력: 비난을 받지 않고 성공한 사람은 한 사람도 없다
——만족을 연기시키는 능력: 단기적이고 즉각적인 자기 만족을 부정하고 더 큰 장기적 보상을 추구하는 것은 아주 힘든 일일 수 있다

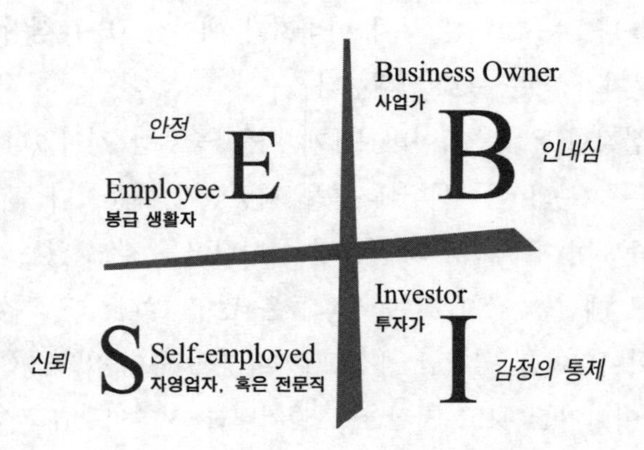

제31장

〈B-I 삼각형〉이란 무엇인가

〈B-I 삼각형〉은 사업체를 만들어 운영할 때
따라야 하는 기본 공식을 나타낸다.
그 삼각형의 삼면을 이루는 요소로는 사명감, 팀, 리더가 있다.
많은 사람들은 돈을 벌기 위해 사업을 시작한다.
하지만 그냥 돈만 많이 버는 것은 어떤 〈사명감〉도 될 수 없다.
또한 사업은 〈팀〉 스포츠다. 투자도 팀 스포츠다.
거기다 〈리더〉의 임무는 최고의 사람이 되는 것이 아니라,
사람들 안에서 최고를 이끌어내는 것이다.

부자가 되는 길

다음에 나오는 그림은 부자 아버지가 얘기한 〈B-I 삼각형〉이다. 이것은 부자가 되는 길로 안내한다.

〈B-I 삼각형〉은 부자 아버지에게 아주 중요한 것이었다. 왜냐하면 그것은 그분의 아이디어에 틀을 제공했기 때문이다. 부자 아버지는 종종 이렇게 얘기했다. 「멋진 아이디어를 갖고 있는 사람들은 많지만 큰 재산을 갖고 있는 사람들은 많지 않다. 〈B-I 삼각형〉은 평범한 아이디어를 엄청난 재산으로 바꾸는 힘이 있다. 〈B-I 삼각형〉은 아이디어를 갖고 자산을 만들어내는 지침이다」 그것은 현금

흐름 사분면에서 사업가들이 속한 〈B〉와 투자가들이 속한 〈I〉면에서 성공하는 데 필요한 지식을 반영한다. 나는 그것을 몇 년에 걸쳐 약간 수정했다.

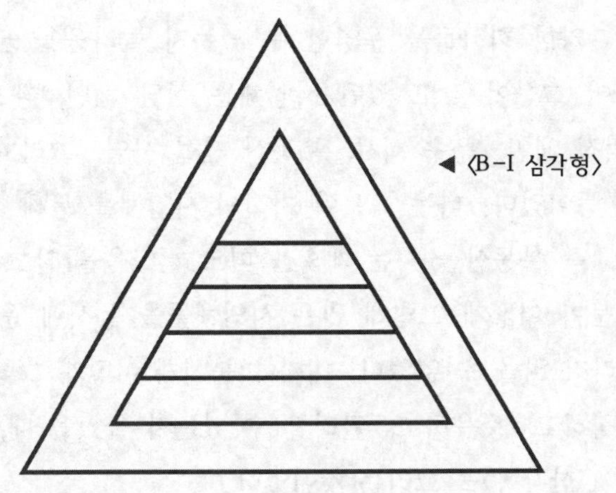

◀ 〈B-I 삼각형〉

나는 열여섯 살 즈음에 이 그림을 처음으로 보았다. 부자 아버지는 내가 다음과 같은 질문들을 하기 시작했을 때 그것을 나에게 보여주었다.

—「아버님은 그렇게도 많은 사업들을 하는데 왜 다른 사람들은 하나도 제대로 하지 못하나요?」

—「왜 아버님의 사업들은 번창하는데 다른 사람들의 사업은 크지를 못하나요?」

—「다른 사업가들은 끊임없이 일하는데 아버님은 어떻게 자유 시간이 그렇게 많나요?」

—「왜 그렇게도 많은 사업들이 시작되었다가 그렇게도 빨리 망하나요?」

나는 이 모든 질문들을 같은 시간에 묻지는 않았다. 하지만 그것들은 내가 부자 아버지의 사업들을 연구할 때 늘 떠오르는 질문이었다. 부자 아버지는 40세 가량이었고, 나는 그분이 어떻게 다양한 분야의 다양한 회사들을 운영할 수 있는지 놀라움을 금치 못했다. 예를 들어 그분이 갖고 있던 사업체는 식당 체인, 패스트푸드 사업, 편의점 체인, 운수 회사, 부동산 건설 사업, 그리고 부동산 관리 사업 등이었다. 나는 그분이 자신의 사업체를 통해 자신의 진정한 투자, 즉 부동산을 사는 계획을 따르고 있음을 알고 있었다. 하지만 그분이 어떻게 그렇게 많은 사업체들을 동시에 운영할 수 있는지 놀라지 않을 수 없었다. 내가 그분에게 어떻게 그렇게 많은 사업을 시작하고, 소유하고, 관리할 수 있는지 물었을 때, 그분의 대답은 〈B-I 삼각형〉을 그리는 것이었다.

오늘날 나는 전혀 다른 분야에서 몇몇 다른 회사의 지분을 갖고 있는데, 그것은 내가 〈B-I 삼각형〉을 지침으로 사용했기 때문이다. 나는 부자 아버지가 갖고 있었던 것만큼 많은 회사들을 갖고 있지는 않다. 하지만 나는 〈B-I 삼각형〉이 설명하는 그런 공식을 따름으로써 원한다면 더 많은 사업체를 소유할 수도 있다.

〈B-I 삼각형〉이란 무엇인가

〈B-I 삼각형〉이 포함하고 있는 자료의 양은 이 책의 범위를 넘어서는 것이다. 그렇지만 우리는 여기서 기본들을 알아볼 것이다.

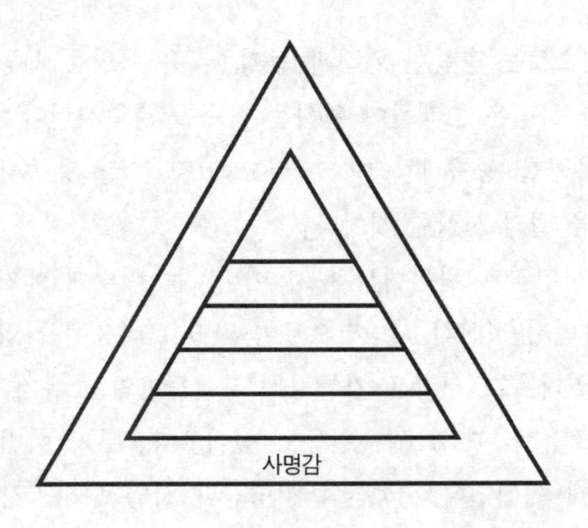

첫째, 사명감

부자 아버지는 이렇게 얘기했다. 「사업에는 정신적 사명감과 사업적 사명감 모두 있어야 한다. 그래야만 성공할 수 있고, 특히 초창기에는 더욱 그렇다」 부자 아버지는 이 그림을 자신의 아들과 나에게 설명할 때마다 먼저 사명감부터 시작했다. 그분은 그것이 〈B-I 삼각형〉에서 가장 중요한 측면이라고 생각했고, 그래서 그것을 맨 밑의 기조에 두었다. 「사명감이 분명하고 강력하면, 그 사업은 모든 사업이 처음 10년 동안 겪는 그 시련들을 헤쳐나갈 수 있다. 사업체가 너무 커져서 사명감을 잃으면, 혹은 사업체를 만든 사명감이 더 이상 필요하지 않으면, 그 사업체는 죽기 시작한다」

부자 아버지는 〈정신적〉이라는 단어와 〈사업적〉이란 단어를 선택했다. 그분은 이렇게 얘기했다. 「많은 사람들은 돈을 벌기 위해서만 사업을 시작한다. 그냥 돈만 버는 것은 어떤 사명감도 부여하지 못한다. 돈만으로는 충분한 열정과 동기, 혹은 욕망을 제공하지 못한다. 사업의 사명은 고객들이 원하는 욕구를 충족시켜야 한다. 그리고 그런 욕구를 충족시킬 때, 그리고 그것을 잘 충족시킬 때, 그 사업은 돈을 벌기 시작할 것이다」

정신적 사명감과 관련해서 부자 아버지는 이렇게 얘기했다. 「헨리 포드는 먼저 정신적 사명감으로 움직였고 다음에 사업적 사명감으로 움직였다. 그 사람은 자동차를 부자들만의 소유가 아닌 일반 대중들도 소유할 수 있도록 만들고 싶어했다」 부자 아버지는 계속해서 이렇게 얘기했다. 「정신적 사명감과 사업적 사명감이 강력하게 서로 연관되어 있을 때, 그것들이 결합된 힘은 거대한 사업을 만들어낸다」

부자 아버지의 정신적 사명감과 사업적 사명감은 밀접하게 관련된 것이었다. 그분의 정신적 사명감은 그분이 자신의 식당에서 음식을 제공하는 많은 가난한 사람들에게 일자리와 기회를 제공하는 것이었다. 부자 아버지가 볼 때 사업을 하는 사람들의 사명감은 쉽게 보거나 측정할 수 없긴 하지만 그럼에도 아주 중요한 것이었다. 그분은 이렇게 얘기했다. 「강력한 사명감이 없는 사업은 처음의 5년 내지 10년을 살아남기 어렵다」 그분은 또 이렇게 얘기했다. 「사업 초창기에 사명감과 창업가 정신은 그 사업의 생존에 필수적인 것이다. 그런 정신과 사명은 창업가가 사라진 후에도 오랫동안 보존되어야만 한다. 그렇지 않으면 그 사업은 죽게 된다」 부자 아버지는 이렇게 말하곤 했다. 「한 사업의 사명감은 창업가의 정신을 반영하는 것이다. 제너럴 일렉트릭(GE)은 토머스 에디슨의 영민함을 바탕으로 만들어진 회사였다. 그 회사는 새롭고 혁신적인 제품들을 계속 발명함으로써 그 위대한 발명가의 정신을 계승해 성장할 수 있었다. 포드 자동차 회사는 포드의 전통을 계승함으로써 살아남을 수 있었다」

오늘날 나는 빌 게이츠의 정신이 계속해서 마이크로소프트가 전 세계 소프트웨어 시장을 석권하는 것을 가능케 한다고 믿고 있다. 반면에, 스티븐 잡스가 애플 사에서 쫓겨나고 전통적인 기업 세계의 관리팀이 그의 역할을 대신했을 때, 그 회사는 빠르게 추락하기 시작했다. 하지만 잡스가 다시 애플에 복귀하자마자 그 회사의 정신은 회복되었고, 새로운 제품들이 개발되었고, 수익성은 높아졌고, 주가는 올라갔다.

사업의 사명은 측정하기 쉽지 않고, 보는 것도 불가능하고, 현실적인 측면에서 비가시적인 것이기는 해도, 대부분의 우리는 그것을 경험한 적이 있다. 우리는 우리의 욕구를 해결하기 위해 애쓰는 사람과 수수료를 받기 위해 무언가를 팔려고 애쓰는 사람의 사명감을 확인할 수 있다. 세상이 점점 더 많은 제품들로 가득 차는 상황에서, 어떤 사업이 살아남고 좋은 결과를 보기 위해서는 단순하게 매출을 늘리는 것이 아니라 자신들의 사명과 고객들의 욕구를 충족시키는 데 초점을 맞추어야 한다.

● 샤론의 주석

오늘날 나는 많은 사람들이 IPO(초기 공모)를 통해 기업을 공개시킴으로써 순식간에 백만장자, 혹은 억만장자가 되는 것을 본다.

나는 종종 그 회사의 사명이 단순하게 주주들이나 투자가들에게 돈을 벌어주는 것인지, 아니면 그 회사가 사실은 어떤 사명감이나 그 밖의 어떤 서비스를 충족시키기 위해 만들어진 것인지 궁금하게 생각한다. 나는 그와 같은 새로운 IPO들 중에서 많은 것들이 결국에는 실패할 것이라고 걱정한다. 왜냐하면 그들의 유일한 사명은 빨리 돈을 버는 것이기 때문이다. 게다가 그 회사의 사명감은 바로 창업가의 정신이 발견되는 곳이다.

둘째, 팀

부자 아버지는 늘 이렇게 얘기했다. 「사업은 팀 스포츠이다」 그분은 또 이렇게 얘기했다. 「투자는 팀 스포츠이다」 그분은 계속해서 이렇게 얘기했다. 「현금흐름 사분면에서 봉급 생활자들이 속한 〈E〉와 자영업자 및 전문직 종사자가 속한 〈S〉면에 있다는 것의 문제는 개인으로서 팀에 대항해 게임을 한다는 것이다」

부자 아버지는 〈현금흐름 사분면〉을 그려 자신의 논점을 보여주곤 했다.

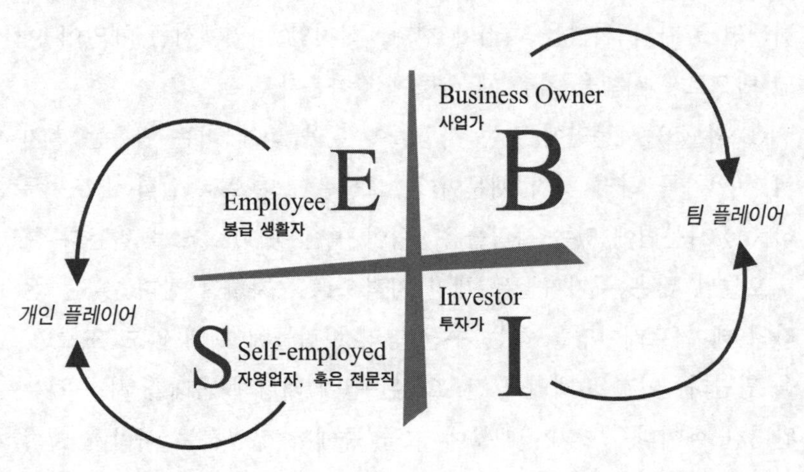

부자 아버지는 우리의 교육 시스템에 대해 이렇게 비판했다. 「학교에서는 학생들에게 혼자서 시험을 치르도록 가르친다. 어떤 학생이 시험 시간에 협력을 해서 문제를 풀려 하면, 그것을 〈부정 행위〉 라고 부른다」 부자 아버지는 또 이렇게 얘기했다. 「하지만 현실적인 사업 세계에서 사업가들은 시험 시간에 서로 협력한다. 그리고 사업의 세계에서는 매일 매일이 시험 시간이다」

사업에서는 매일 매일이 시험 시간이다

강력하고 성공적인 사업체를 만들려는 사람들에게 나는 팀워크에 대한 이 교훈이 아주 중요하다고 생각한다. 그것은 내가 경제적으로 성공한 기본적 요인들 가운데 하나이다. 사업과 투자는 팀 스포츠이며, 사업에서는 매일 매일이 시험 시간이다. 학교에서는 성공하려면 혼자서 시험을 치러야 한다. 하지만 사업에서는 개인이 아닌 팀으로서 시험을 치를 때 성공이 찾아온다.

〈E〉와 〈S〉 사분면에 있는 사람들이 돈을 적게 버는 이유는 혼자서 무언가를 하려 하기 때문이다. 그들은 그룹으로 일할 때도, 특히 〈E〉 사분면에 있는 사람들은, 팀이 아닌 동맹(노조)을 만든다.

오늘날 많은 투자가들은 개인 자격으로 투자하려 한다. 나는 온라인 데이 트레이딩을 하는 수천 명의 사람들에 대해 읽고 또 그들을 만난다. 이것은 개인이 잘 조직된 팀에 대항해 거래를 하려 하는 완벽한 예이다. 그렇기 때문에 그들 중에서 성공하는 사람은 그렇게 적고, 그렇기 때문에 많은 사람들이 돈을 잃는다. 나는 투자에 관해서는 팀의 일원으로서 투자해야 한다고 배웠다. 부자 아버지는 이렇게 얘기했다. 「사람들이 능숙한 투자가 혹은 그 이상이 되고 싶다면 팀으로 투자해야 한다」 부자 아버지의 팀에는 회계사들, 변호사들, 중개인들, 금융 컨설턴트들, 보험 대리인들, 그리고 은행가들이 있었다. 내가 여기서 복수를 사용하는 이유는 그분에게는 늘 한 분 이상의 조언가들이 있었기 때문이다. 그분은 어떤 결정을 내릴 때 그 팀의 의견을 구했다. 오늘날 나도 같은 일을 하고 있다.

큰 배가 아니라…… 큰 팀을

요즘 나는 TV에서 어떤 부자 커플이 어딘가 따뜻한 남쪽 바다에서 요트를 타고 항해하는 광고를 본다. 그 광고는 자신들의 힘으로 부자가 되려 하는 그 모든 사람들을 끌어당기는 것 같다. 나는 그 광고를 볼 때마다 종종 부자 아버지의 다음과 같은 얘기를 떠올린다. 「대부분의 작은 사업체 소유주들은 언젠가 자신의 배나 비행기를 갖게 되는 꿈을 꾼다. 그렇기 때문에 그들은 절대로 그 배나 비행기를 갖지 못하게 된다. 나는 처음에 사업을 시작할 때 회계사들과 변호사들로 구성된 내 팀을 갖는 꿈을 꾸었다. 그것은 배나 비행기가 아니었다」

어떻게 팀을 가질 수 있을까

나는 종종 내 강좌들에서 이런 질문을 받는다. 「당신은 어떻게 그런 팀을 가질 수가 있습니까? 그런 팀을 구성하려면 돈이 많이 들지 않습니까?」 이런 질문은 대개 〈E〉나 〈S〉 사분면에 있는 사람들이 한다. 이번에도 그 차이는 다양한 사분면에 적용되는 다양한 법들과 규칙들로 돌아간다. 예를 들어, 〈E〉 사분면에 있는 어떤 사람이 돈을 내고 전문직 서비스를 이용할 때, 그 거래는 다음과 같은 모양을 한다.

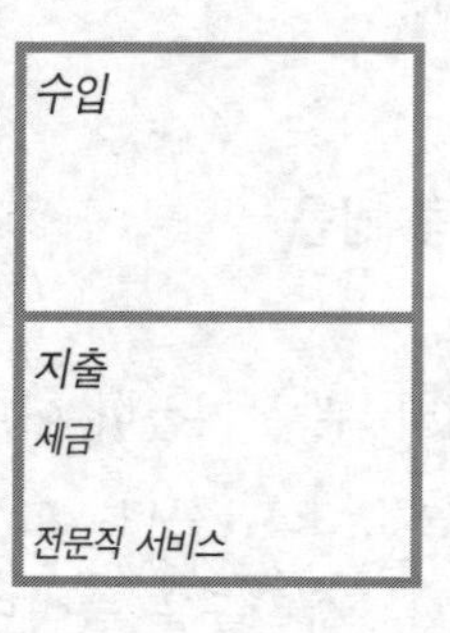

〈B〉와 〈S〉 사분면에 있는 사람들에게 그 거래는 다음과 같은 모양을 한다.

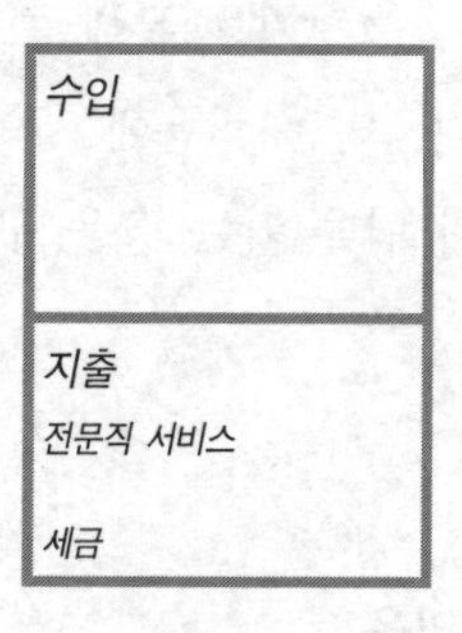

아울러 〈B〉 사분면 사업가와 〈S〉 사분면 사업가 사이의 차이도 있다. 〈B〉 사분면 사업가는 주저하지 않고 그런 서비스를 이용하는 비용을 지불한다. 왜냐하면 사업 시스템이, 전체적인 〈B-I 삼각형〉

이 그런 서비스의 비용을 지불하기 때문이다. 〈S〉 사분면 사업가는 종종 자신들의 피와 땀으로 그런 서비스의 비용을 지불하고, 그래서 대부분의 그들은 전일제 전문직을 고용할 여유가 없다. 왜냐하면 그들은 자신들의 경제적 욕구를 충족시킬 만큼 충분히 벌지 못하기 때문이다.

세상에서 가장 좋은 교육

내 대답은 내가 다음과 같은 질문을 받을 때도 같다.

—「당신은 어떻게 사업과 투자에 대해 그렇게 많은 것을 배웠습니까?」
—「당신은 어떻게 그렇게 낮은 위험으로 그렇게 높은 수익을 올립니까?」
—「무엇이 당신에게 남들이 위험하게 생각하는 것에 투자하는 자신감을 줍니까?」
—「당신은 어떻게 최고의 거래들을 찾습니까?」

나는 이렇게 대답한다. 「내 팀이죠」 내 팀은 회계사들, 변호사들, 은행가들, 중개인들 등등으로 구성되어 있다.

사람들이 〈사업을 하는 것은 위험한 일이다〉라고 얘기할 때 그들은 종종 그것을 혼자서 하는 관점에서 얘기한다. 그들은 그런 습관을 학교에서 배웠다. 내가 볼 때 사업을 하는 것은 위험한 일이 아니다. 사업을 하지 않으면 당신은 소중한 현실 세계의 경험을 얻지 못한다. 그리고 당신은 세상에서 가장 좋은 교육, 즉 당신의 조언가들 팀에서 나오는 교육을 얻지 못한다. 부자 아버지는 이렇게 얘기했다. 「안전하게만 사는 사람은 세상에서 가장 좋은 교육을 잃게 되며 소중한 시간을 많이 낭비하게 된다」 그분은 또 이렇게 얘기했다. 「시간은 우리의 가장 소중한 자산이다. 특히 나이가 들수록 더욱 그렇다」

톨스토이는 그것을 다소 다르게 표현했다. 그는 이렇게 얘기한 것으로 알려져 있다.

〈우리에게 일어나는 가장 뜻밖의 일은 나이를 먹는 일이다.〉

사면체와 팀

나는 종종 이런 질문을 받는다. 「〈B〉 사분면의 사업과 〈S〉 사분면의 사업은 어떤 차이가 있습니까?」 내 대답은 〈팀〉이다.

대부분의 〈S〉 사분면 사업들은 그 구조가 개인 소유이거나 파트너십이다. 그들은 팀이 될 수도 있지만, 그것은 내가 생각하는 그런 팀이 아니다. 〈E〉 사분면의 사람들이 종종 동맹(노조)으로 결합하는 것처럼, 〈S〉 사분면의 사람들은 종종 파트너십으로 결합한다. 내가 생각하는 팀은 다양한 기술의 다양한 사람들이 한데 모여 함께 일하는 것이다. 동맹이나 파트너십에서는 (이를테면 교원 노조나 법률 파트너십에서는) 종종 같은 종류의 사람들과 전문가들이 한데 모인다.

사업 구조의 다양한 모델

다음에 드는 것은 다양한 사업 구조들의 설명과 그림이다.

1 이것은 개인 소유이다:

2 이것은 파트너십이다:

3 이것은 〈B〉 사분면 사업이다:

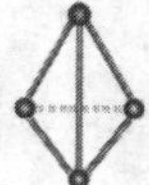

사면체(tetrahedron)의 〈사(tetra)〉라는 접두사는 〈넷〉을 의미한다. 다시 말해, 그것에는 네 꼭지점이 있다. 예를 들어, 당신이 보는 〈현금흐름 사분면〉에도 네 부분이 있다. 따라서 안정적인 사업 구조는 다음과 같은 모양을 하게 된다.

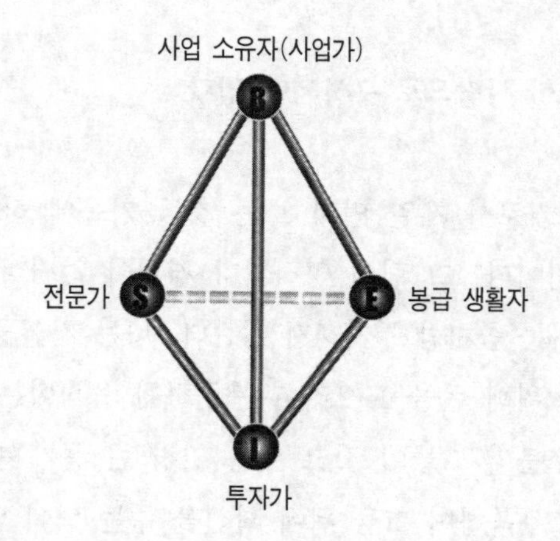

잘 관리되는 사업에는 우수한 직원들이 있다. 이 경우에 나는 〈E〉가 〈우수한(excellent)〉과 〈필수적인(essential)〉을 나타낸다고 얘기한다. 왜냐하면 직원들은 사업의 일상적인 활동을 책임지기 때문이다. 〈E〉는 또 〈연장(extension)〉을 나타내는데, 왜냐하면 직원들은 사업 소유자의 연장이고 고객에 대해 사업을 대표하기 때문이다.

전문가들은 대개 〈S〉 사분면 출신이다. 이 경우에 〈S〉는 〈전문화된(specialized)〉이라는 의미인데, 왜냐하면 각각의 전문가는 자신의 전문 분야에서 당신을 안내하기 때문이다. 전문가들은 매일 참여하지 않을 수도 있지만, 그들의 안내는 당신의 사업이 올바른 방향으로 움직이게 하는 데 반드시 필요하다.

네 꼭지점이 상호 협조적으로 작용할 때 그 구조는 더 안정적이고 지속적일 수 있다. 투자가들은 자금을 제공하지만, 사업 소유자는 전문가 및 직원들과 함께 일하면서 사업을 개발하고 그것을 성장시켜 투자가들에게 수익을 안겨주어야 한다.

팀은 다양한 사람으로 구성되어 있다

내가 투자가로서 제일 먼저 보는 것들 가운데 하나는 그 사업의 뒤에 있는 팀이다. 그 팀이 약하거나 경험이 없거나 과거의 실적이 부족하면, 나는 좀처럼 투자하지 않는다. 나는 자신들의 새로운 제품이나 사업을 위해 돈을 모으려고 분주하게 움직이는 많은 사람들을 만난다. 대부분의 그들이 갖고 있는 가장 큰 문제는 그들이 개인적으로 경험이 부족하며 그들 뒤에 확신을 주는 팀이 없다는 점이다.

많은 사람들은 내가 그들의 사업 계획에 투자하기를 원한다. 대부분의 그들이 얘기하는 한 가지는 이런 것이다. 「회사만 제대로 돌아가기 시작하면 우리는 기업을 공개할 생각입니다」 이런 얘기는 늘 흥미를 불러일으키는데 그럴 때마다 나는 이런 질문을 한다.「당신의 팀에서 기업을 공개하는 데 경험이 있는 사람이 누가 있으며, 또 그 사람은 얼마나 많은 기업을 공개시켰습니까?」그 질문에 대한 답이 약하면, 나는 사업 계획이 아니라 판매 선전을 듣고 있다고 생각한다.

내가 사업 계획의 숫자들 속에서 보는 또 하나는 이른바〈봉급〉이라는 항목이다. 봉급이 높으면, 나는 스스로 많은 봉급을 받기 위해 돈을 모으려는 사람들을 보고 있다고 생각한다. 나는 그들에게 공짜로 일하거나 봉급을 반으로 깎을 의사가 있는지 물어본다. 그 답이 약하거나 분명한〈노〉라면, 나는 그들의 사업이 어떤 사명을 갖고 있는지 안다. 그들의 사명은 아마도 봉급이 높은 일자리를 제공하는 것일 거다.

투자가들은 경영에 투자한다. 그들은 해당 사업 내의 팀을 보면서 경험과 열정, 그리고 각오를 보려 한다. 나로서는 자신들의 봉급을 받기 위해 돈을 모으려는 사람들에게 높은 수준의 각오가 있다고는 믿기 어렵다.

● 샤론의 주석

로버트는 종종 사업 자본의 세계에서는〈돈이 관리를 따라간다〉고 얘기했다. 성공적인 사업은 핵심 분야에서 적절한 전문성을 갖고 있어야 한다.

당신에게 당장 돈이 없어서 필요한 전문직을 고용할 수 없다면, 그들을 자문 위원회의 멤버로 불러들이고, 충분한 자본이 모이면 그들을 팀으로 구성할 것이라고 얘기하는 것도 고려할 만하다. 당신의 팀이 해당 분야의 사업이나 업계에서 성공한 과거의 기록을 갖고 있다면, 당신의 성공 가능성은 훨씬 더 높아진다.

당신의 팀은 또 외부의 조언가들도 포함한다. 당신의 회계사들, 세금 전문가들, 금융 컨설턴트들, 그리고 법률 컨설턴트들의 적절한 안내는 강하고 성공적인 사업을 구축하는 데 필수적인 것이다. 당신의 사업이 부동산이라면, 당신의 부동산 중개인은 팀의 중요한 일부가 된다. 이들 조언가들의 안내를 받는 비용이 〈비쌀〉 수도 있지만, 그들의 조언은 당신이 강력한 사업을 조직하도록 돕고 사업 과정의 함정들을 피하게 함으로써 당신에게 높은 투자 수익을 올려 줄 수 있다.

그리고 그것은 〈B-I 삼각형〉의 다음 부분인 리더십으로 이어진다. 왜냐하면 모든 팀에는 리더가 필요하기 때문이다.

셋째, 리더십

내가 일반 대학교가 아닌 사관 학교에 입학한 한 가지 이유는 내가 창업가가 되려면 리더십 기술을 익혀야 함을 부자 아버지가 깨우쳐주었기 때문이다. 졸업 후에 나는 미국 해병대에 입대해 베트남이라는 현실 세계에서 내 기술을 시험하기 위해 조종사가 되었다. 부자 아버지는 이렇게 얘기했다.「학교는 중요한 곳이지만, 거리는 더 좋은 교사다」

나는 아직도 우리 편대의 편대장이 했던 말을 기억하고 있다.「여러분, 여러분의 가장 중요한 임무는 장병들에게 당신과 당신의 팀, 그리고 국가를 위해 목숨이라도 바치도록 요구하는 것입니다」그분은 또 이렇게 얘기했다.「여러분이 장병들에게 그렇게 하도록 설득하지 못하면, 그들이 등 뒤에서 여러분을 쏠 수도 있습니다. 장병들은 리드하지 않는 리더를 따르지 않습니다」똑같은 일이 사업에서 오늘도 매일같이 일어나고 있다. 외부에서 무너지는 사업보다 내부에서 무너지는 사업이 더 많다.

베트남에서 나는 리더의 가장 중요한 자질 가운데 하나가 신뢰임을 배웠다. 승무원이 넷인 헬리콥터 조종사로서 나는 내 삶을 내 팀에게 믿고 맡겨야만 했다. 그리고 그들은 자신들의 삶을 나에게 맡겨야만 했다. 그와 같은 신뢰가 무너지는 경우에 우리는 살아서 돌아갈 수 없을 것이다. 부자 아버지는 이렇게 얘기했다.「리더의 임무는 최고의 사람이 되는 것이 아니라 사람들 안에서 최고를 이끌어내는 것이다」그분은 또 이렇게 얘기했다.「네가 네 사업 팀에서 가장 똑똑한 사람이라면, 네 사업은 문제가 있는 것이다」

사람들이 어떻게 리더십 기술을 얻을 수 있는지 물을 때, 나는 늘 같은 답을 한다. 「더 많이 자발적으로 하세요」 대부분의 조직에서 실제로 리더를 원하는 사람을 찾기는 쉽지 않다. 대부분의 사람들은 구석에 숨어서 누구의 방문도 받지 않기를 바란다. 나는 그런 사람들에게 이렇게 얘기한다. 「당신의 교회에서 자원해서 무언가를 하세요. 일터에서도 프로젝트를 이끄세요」 물론 자발적으로 하는 것만으로 당신이 반드시 훌륭한 리더가 되지는 않을 것이다. 하지만 피드백을 받아들이고 자신을 제대로 고치면, 당신은 점점 더 훌륭한 리더가 될 수 있다.

당신은 자발적으로 행하는 것을 통해서 당신의 리더십 기술에 대한 피드백을 얻을 수 있다. 당신이 자원해서 리드하는데 누구도 따르지 않는다면, 당신은 무언가 실생활의 배움을 얻을 수 있다. 당신이 자원해서 리드하는데 누구도 따르지 않는다면, 피드백을 요구하고 무엇을 고쳐야 하는지 물을 필요가 있다. 그렇게 하는 것은 리더의 가장 중요한 속성 가운데 하나이다. 많은 사업체들이 고생하거나 실패하는 이유는 리더가 회사의 동료나 근로자들로부터 피드백을 얻지 않기 때문이다. 해병대의 우리 편대 편대장은 종종 이렇게 얘기했다. 「진정한 리더는 선천적으로 타고난 리더가 아니다. 진정한 리더는 리더가 되기를 원하며 훈련을 통해 리더가 되려 한다. 그리고 훈련은 피드백을 받아들일 만큼 충분히 수용 가능한 것이 되어야 한다」

진정한 리더는 또 언제 귀를 기울여야 하는지도 안다. 나는 전에 내가 좋은 사업가나 투자가가 아니라고, 나는 일반 보통 사람이라고 얘기했다. 나는 조언가들과 팀 멤버들의 조언에 의존해 더 좋은 리더가 되려 한다.

● 샤론의 주석

리더의 역할은 비전가, 치어리더, 그리고 십장이다.

비전가로서 리더는 기업의 사명에 지속적으로 초점을 맞추어야 한다. 치어리더로서 리더는 팀의 기운을 북돋워 함께 그런 사명을 달성하도록 돕고 성공을 확신시켜야 한다. 십장으로서 리더는 팀이 사명 달성에서 벗어나는 여러 사안들에 대해 엄격한 통제력을 행사할 수 있어야 한다. 단호한 행동을 취하면서 동시에 궁극적인 사명에 초점을 맞추는 능력은 진정한 리더를 규정하는 것이다.

올바른 사명감, 팀, 그리고 리더가 있을 때 당신은 강력한 〈B〉 사업을 구축할 좋은 기회를 갖는다. 앞서 얘기했듯이, 돈은 경영을 따라간다. 바로 이 시점에서 당신은 외부의 투자가들로부터 자금을 모으기 시작할 수 있다. 다음에 나오는 다섯 가지 구성 요소는 강력한 사업을 만드는 데 필수적이다. 그것들을 하나씩 살펴보기로 하자.

제32장

현금흐름 관리 요령

사업 소유주들은 성공하고 싶다면
현금흐름의 두 유형을 알 필요가 있다.
즉 실질적인 현금흐름과 허구적인 현금흐름 말이다.
이 두 가지 현금흐름을 아느냐의 여부가
부자와 가난한 사람들을 가른다.

부자 아버지는 이렇게 얘기했다. 「현금흐름 관리는 사업가들이 속한 〈B〉와 투자가들이 속한 〈I〉 사분면에서 정말로 성공하고 싶다면 반드시 알아야 할 근본적이고 핵심적인 기술이다」 그래서 그분은 마이크와 내가 다른 기업들의 재무제표들을 읽고 현금흐름 관리를 더 잘 이해하도록 했다. 사실 그분은 대부분의 시간을 우리가 금융 지식을 얻도록 가르치는 데 소비했다. 그분은 이렇게 얘기했다. 「금융 지식은 숫자를 읽을 수 있게 해준다. 그리고 숫자는 사업의 내용을 사실에 근거해 말해 준다」

당신이 대부분의 은행가, 회계사, 혹은 대출 담당자들에게 물어보면, 그들은 많은 사람들이 경제적으로 취약한 이유는 금융 지식

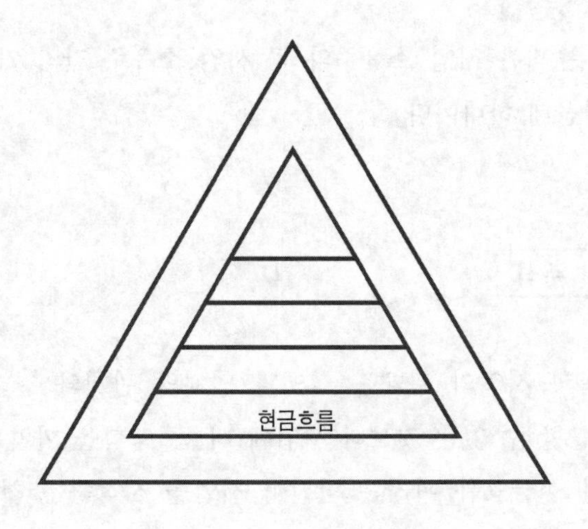

이 없기 때문이라고 얘기할 것이다. 내 친구 하나는 호주에서 유명한 회계사이다. 그 친구는 언젠가 나에게 이렇게 얘기했다.「너무나도 좋은 사업이 소유주가 금융 지식이 없다는 이유만으로 망해 가는 것을 보면 충격을 받지 않을 수 없다구」그 친구는 또 이렇게 얘기했다.「많은 작은 사업체의 소유주들이 실패하는 이유는 수익과 현금흐름의 차이를 모르기 때문이지. 그 결과, 수익이 아주 좋은 많은 사업들이 망하곤 하지. 그들은 수익과 현금흐름이 같은 것이 아니라는 것을 알지 못한다구」

부자 아버지는 내 머리에 현금흐름 관리의 중요성을 심어놓았다. 그분은 이렇게 얘기했다.「사업 소유주들은 성공하고 싶다면 현금흐름의 두 유형을 알 필요가 있다. 즉 실질적인 현금흐름과 허구적인 현금흐름 말이다. 이 두 가지 현금흐름을 아느냐의 여부가 부자와 가난한 사람들을 가른다」

부자 아버지는 또 이렇게 얘기했다.「재무제표들로 기업을 운영하는 능력은 작은 사업 소유주와 큰 사업 소유주 간의 가장 기본적인 차이 가운데 하나이다」

● 샤론의 주석

현금흐름과 사업의 관계는 혈액과 인체의 관계와 같다. 월말에 월급을 지불할 수 없는 것보다 사업에 더 큰 영향을 끼치는 것은 없다. 적절한 현금흐름 관리는 당신이 사업을 시작하는 첫날부터 시작된다.

유능한 현금흐름 관리자는 자신의 현금 포지션을 매일 확인하면서 현금 원천과 다음 주, 다음 달, 그리고 다음 분기의 수요를 측정한다. 이렇게 함으로써 그 사람은 큰 현금 수요가 위기를 초래하기 전에 사전에 대비할 수 있다. 이와 같은 확인은 기업이 빠르게 성장하는 데 필수적인 것이다.

나는 당신이 사업을 구축하는 데 도움이 될 수도 있는 몇몇 현금흐름 기법을 아래에 나열했다. 각각의 단계는 당신의 사업이 전세계적인 사업이건, 작은 임대 사업이건, 혹은 핫도그 판매점이건 똑같이 적용된다.

• 창업 초기 단계

당신의 사업이 실질적 판매를 통해 현금흐름을 창출할 때까지 봉급을 받는 것을 연기하라. 일부 경우에는 제품 개발 기간이 연장되어 봉급을 받는 것이 가능하지 못할 수도 있다. 그렇지만 당신의 투자가들은 당신이 〈시간을 투자하면서〉 그 개발 과정에 동참할 때 훨씬 더 지원을 할 것이다. 사실 우리는 당신의 전일제 일자리를 유지하면서 사업은 시간제로 시작하라고 권유한다. 봉급을 모으는 것을 연기함으로써 당신은 사업을 키우는 데 재투자할 수 있다.

• 판매와 미수금

——상품을 보냈거나 서비스를 제공했으면 즉시 고객에게 송장을 송부하라.

——신용이 쌓이기 전까지는 현금 지불을 요구하라.

——신용 거래를 허용하기 전에 주문에 대한 최소한의 현금 지불을 요구하라.

——계약 조건의 일부로 지불 지연에 대한 벌칙을 삽입하고 그것을 시행하라.

——사업이 커지면서 현금 수령의 속도를 높이기 위해 고객들이 직접 당신의 은행으로 송금하도록 요구할 수도 있다.

• 지출과 미지급금

——많은 사람들은 현금흐름 관리의 핵심적인 일부가 자신들의 청구서 지불임을 잊곤 한다. 당신의 청구서들을 즉시 지불하도록 하라. 현금 지불의 혜택을 요구하라. 그렇게 2, 3개월 정도 제때에 지불한 후 추가적인 혜택을 요구하라. 공급자는 우량 고객에게 신용을 30일 내지 90일 정도 연장해 주는 것이 보통이다.

——관리비를 최소한으로 유지하라. 무언가를 새로 구입하기 전에 그런 지출을 정당화할 수 있는 판매 증가 목표를 설정하라. 사업 운영에

직접 관련이 있는 비용에만 투자가들의 자금을 사용하고, 일반 관리비는 가능한 한 그 돈으로 지급하지 말라. 판매가 증가하면 현금흐름으로 관리비 관련 품목들을 구입할 수도 있다. 하지만 더 높은 판매 목표들을 새로 설정해 그것들을 달성한 후에만 그렇게 할 수 있다.

• 전반적인 현금 관리

——가용 현금의 투자 계획을 세워 수익성을 극대화하라.

——은행과 미리 신용 한도를 설정하라.

——현금 관리에 관한 좋은 내적 통제들을 설정하라.

이것들은 아주 복잡한 것 같지만 현금 관리의 각 단계는 중요한 것이다. 당신의 회계사, 은행가, 그리고 금융 컨설턴트에게 현금 관리 시스템 구축에 관한 조언을 구하라. 일단 그런 시스템을 구축한 후에는 지속적인 감독이 필수적이다. 매일같이 현금 상태와 자금 소요를 검토하고, 사업 확장에 필요할 수도 있는 추가 자금에 미리 대비하라. 많은 사람들은 사업이 번창하면 현금 관리를 제대로 하지 못한다. 이것은 사업이 망하는 주요한 원인이다. 적절한 현금 관리와 그에 따른 비용 관리는 사업의 지속적인 성공에 핵심적인 것이다.

제33장

의사소통 요령

가난한(poor) 사람들은 빈약한(poor) 의사소통자들이다.
어떤 사업이 제대로 돌아가지 않는다는 것은
밖으로 나가는 빈약한 의사소통의 결과다.
일반적으로 의사소통과 현금흐름 사이에는
〈6주 주기(cycle)〉가 통한다.
오늘 의사소통을 중단한다면 6주 후의
현금흐름에 그 결과가 나타난다.

부자 아버지는 이렇게 얘기했다. 「더 많은 사람들과 의사소통을 할수록, 그리고 의사소통을 더 잘할수록 현금흐름은 더 좋아진다」 이런 이유로 인해서 의사소통(communications) 요령은 〈B-I 삼각형〉의 다음번 단계이다.

부자 아버지는 또 이렇게 얘기했다. 「의사소통을 잘하려면 먼저 인간 심리에 능숙할 필요가 있다. 사람들의 동기 부여가 무엇인지 너는 결코 알지 못할 거다. 자신이 어떤 것에 흥미를 느낀다고 남들도 그것에 흥미를 느끼는 것은 아니다. 의사소통을 잘하려면 어떤 단추를 눌러야 하는지 알아야 한다」 그분은 또 이렇게 얘기했다. 「많은 사람들이 얘기를 하지만 듣는 사람들은 별로 없다」 그분은 또

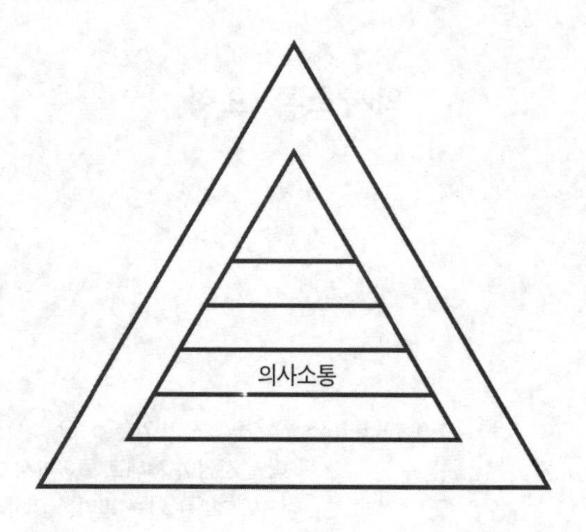

이렇게 애기했다. 「세상에는 멋진 제품들이 가득하지만, 돈은 결국 최고의 의사소통자에게 간다」

사업가들이 전반적인 자신들의 의사소통 기술을 개선시키는 데 얼마나 적은 시간을 투입하는지 나는 늘 놀라곤 한다. 내가 1974년에 집집마다 다니면서 제록스 복사기를 파는 법을 배우는 것에 반발했을 때, 부자 아버지는 나에게 이렇게 애기했다. 「가난한(poor) 사람들은 빈약한(poor) 의사소통자들이다」 내가 이 부정적인 애기를 반복하는 이유는 이 중요한 주제의 추가적인 연구 결과를 알려주고 그에 따르는 실천을 자극하기 위해서이다.

부자 아버지는 또 이렇게 애기했다. 「네 사업으로 들어오는 현금흐름은 밖으로 나가는 의사소통과 정확하게 비례한다」 어떤 사업이 제대로 돌아가지 않는다는 것은 밖으로 나가는 빈약한 의사소통의 결과다. 일반적으로 나는 의사소통과 현금흐름의 〈6주 주기(cycle)〉를 발견한다. 오늘 의사소통을 중단한다면 6주 후의 현금흐름에 그 결과가 나타난다.

그렇지만 외적인 의사소통만이 유일한 의사소통인 것은 아니다. 내적인 의사소통도 아주 중요한 것이다. 기업의 재무제표를 보면 사업의 어떤 분야가 의사소통을 제대로 하고 있고 어떤 분야가 그렇지 않은지 쉽게 알 수 있다.

주식회사들은 의사소통의 문제들을 증가시켰다. 그것은 하나가 된 두 회사와 비슷하다. 하나는 대중을 위한 것이고 다른 하나는 주주들을 위한 것이다. 두 그룹 모두에 대한 의사소통은 너무나도 중요하다. 사람들은 이렇게 말한다. 「내 회사를 공개하지 않았더라면 좋았을걸」 이런 얘기는 대개 주주들과의 의사소통에 문제가 있음을 나타내는 것이다.

부자 아버지는 일년에 커뮤니케이션 세미나에 한 번은 참석하는 것이 일반적인 방침이었다. 그리고 나도 그런 전통을 계속 지키고 있다. 나는 늘 그런 세미나에 참석한 직후에 수입이 늘어나는 것을 발견했다. 나는 여러 해 동안 판매, 마케팅 시스템, 광고, 카피 쓰기, 협상 기술, 대중 강연, 직접 우편 광고, 세미나 운영, 자본 조달 등에 관한 강좌들에 참석했다.

이 모든 주제들 가운데 자본 조달은 창업가들에게 가장 큰 관심 대상이다. 대부분의 사업들이 성공하지 못하는 이유는 창업가들이 자본 조달 방법을 모르기 때문이다. 부자 아버지는 이렇게 얘기했다. 「자본 조달은 창업가의 가장 중요한 일이다」 그분은 창업가가 끊임없이 투자가들로부터 돈을 요구해야 한다고 말하지는 않았다. 그분이 말한 것은 창업가는 늘 자본이 흘러 들어오도록 만들어야 한다는 것이다. 그 방법은 판매를 통해, 마케팅을 통해, 기관 판매, 혹은 투자가를 통해 자본이 들어오게 할 수도 있다. 부자 아버지는 이렇게 얘기했다.「사업 시스템이 구축되기 전에는 창업가 자신이 돈을 들어오게 만드는 시스템 그 자체가 된다. 어떤 사업이건 초기에는 현금이 늘 들어오도록 만드는 것이 창업가의 가장 중요한 일이다」

얼마 전에 젊은 남자가 나에게 와서 이렇게 물었다.「나는 내 사업을 시작하고 싶습니다. 내가 사업을 시작하기 전에 당신은 나에게 무엇을 권하시겠습니까?」나는 늘 하는 얘기로 대답했다.「우선 당신에게 세일즈 훈련을 시키는 회사에서 일자리를 얻으세요」그 남자는 이렇게 대답했다.「나는 세일즈를 너무도 싫어합니다. 나는 세일즈하는 것을 싫어하며 세일즈맨들을 싫어합니다. 나는 그냥 사장이 되어 판매원들을 고용하고 싶습니다」그 말을 듣고 나는 그 사람과 악수를 하며 행운을 빌었다. 부자 아버지가 나에게 가르친 소중한 교훈 하나는 이것이다.「너에게 조언을 구하면서도 네가 주는 교훈은 원하지 않는 사람과는 말다툼하지 말라. 그와는 즉시 얘기를 끝내고 네 일에만 신경을 써라」

가능한 한 많은 사람들과 효과적으로 의사소통을 할 수 있는 능력은 인생에서 아주 중요한 능력이다. 부자 아버지는 나에게 이렇게 얘기한 적이 있다.「네가 사업가들이 속한 〈B〉 사분면의 사람이 되고 싶다면, 네 첫번째 기술은 나머지 세 사분면의 사람들과 의사소통을 할 수 있고 그들의 언어로 얘기할 수 있어야 한다. 나머지 세 사분면에 있는 사람들은 자신들의 사분면에서 사용하는 언어만으로도 해나갈 수가 있지만, 〈B〉 사분면에 있는 사람들은 그럴 수가 없다. 간단하게 말해서, 〈B〉 사분면에 있는 사람들의 기본적인 (어쩌면 유일한) 일은 다른 사분면 사람들과 의사소통을 하는 것이다」

내 첫번째 판매 상담

나는 아직도 와이키키 해변가 길거리에서 했던 나의 첫번째 판매 상담을 기억한다. 거의 한 시간 동안 문을 두드릴 용기를 내느라 고생한 후에, 나는 마침내 안으로 들어가 여행자 상품을 판매하는 가게 주인을 만났다. 나보다 나이가 많은 그 주인은 여러 해 동안 나 같은 신참 판매원들을 보아왔다. 내가 암기한 판매 문구로 땀을 뻘뻘 흘리며 제록스 복사기의 좋은 점을 설명했을 때, 그 사람은 그냥 웃기만 했다. 그 사람은 다 웃고 나서 이렇게 얘기했다. 「여보시오, 당신처럼 못하는 사람은 처음 봤소. 하지만 계속해서 노력하시오. 일단 두려움을 극복하면 밝은 세상을 볼 수 있을 것이오. 당신은 그만두면 나처럼 될 수도 있소. 여기 이 카운터 뒤에 앉아 하루에 열네 시간, 일주일에 7일, 일년에 365일을 여행자들이 들어오기를 기다리는 것이오. 내가 여기서 기다리는 이유는 밖에 나가 당신처럼 하는 것이 너무 두렵기 때문이오. 당신이 두려움을 극복하면 세상은 열릴 것이오. 당신이 두려움에 굴복하면 당신의 세상은 매년 더 작아질 것이오」 지금까지도 나는 그 현명한 신사분에게 감사하고 있다.

당신이 〈B〉 사분면에서 사업을 시작할 생각을 하고 있다면, 나는 두 가지 기술을 권유한다. 첫째, 두려움을 극복하고, 거절을 극복하고, 당신의 제품이나 서비스의 가치를 올바르게 전달할 수 있는 기술을 개발하라. 둘째, 많은 사람들 앞에서 얘기하는 기술과 그들이 당신의 말에 계속 관심을 갖도록 만드는 기술을 개발하라. 부자 아버지는 이렇게 얘기했다. 「누구도 귀를 기울이지 않는 연설가, 무언가를 팔 수 없는 판매원, 누구도 지켜보지 않는 광고인, 자본을 모으지 못하는 창업가, 그리고 누구도 따르지 않는 리더들이 있다. 너는 〈B〉 사분면에서 성공하려면 절대로 그런 사람이 되지 말아야 한다」

사람들의 외모는 종종 그들의 말보다 훨씬 더 많은 의사소통을 한다. 종종 사업 계획을 갖고 나에게 오거나 나에게 돈을 부탁하는 사람들은 고양이에게 잡힌 생쥐의 모습을 하고 있다. 그럴 때는 그들의 계획이 아무리 좋은 것이라 해도, 그들의 외형적인 모습은 마이너스 요인이 된다. 대중 강연에서는, 흔히 말하기를, 외모와 몸짓 표현이 육체 언어가 의사소통의 대략 55%를 차지하고, 목소리의 톤이 35%를 차지하고, 강연 중에 사용하는 단어가 10%를 차지한다고 한다. 케네디 대통령은 그런 것을 100% 활용해 아주 강력한 의사소통자가 되었다. 물론 우리 모두가 그 사람만큼 육체적으로 매력적일 수는 없을 것이다. 하지만 우리 모두는 최선을 다해 복장과 외모에 신경을 씀으로써 남들을 더 잘 설득할 수 있다.

최근에 어떤 TV 프로그램이 이력서상으로 똑같은 자격을 갖춘 사람들 중에서 매력적인 사람들과 다소 매력이 떨어지는 사람들을 두 부류로 나누어 똑같은 면접에 내보냈다. 흥미롭게도 매력적인 지원자들이 그렇지 않은 지원자들보다 더 많은 일자리 제의를 받았다.

내 친구 중에 어떤 은행의 이사회에 참석하는 친구가 있는데 그가 이런 이야기를 들려주었다. 즉, 그 은행이 최근에 영입한 사장은 외모 때문에 영입되었다는 것이다. 그 사람은 사장 같은 모습을 하고 있었다. 내가 그 사람의 자격에 대해 물었을 때, 그 친구는 이렇게 대답했다. 「그 사람의 자격은 그 사람의 외모였지. 그 사람의 모습은 은행 사장의 모습이었고 말하는 방식은 은행 사장의 방식이었다구. 사업은 이사회가 운영할 것이고, 우리는 그 사람이 새로운 고객들을 끌어모으기만을 원하는 거지」 나는 누구든지 다음과 같이 말하는 사람에게 그 예를 들려준다. 「오, 내 외모는 그렇게 중요하지 않아」 사업 세상에서 외모는 강력한 의사소통의 수단이다. 흔히 얘기하듯이, 〈첫인상의 기회는 한 번뿐이다〉.

세일즈와 마케팅의 차이

여전히 의사소통과 관련된 사항으로서, 부자 아버지는 마이크와 내가 세일즈와 마케팅의 차이를 알아야 한다고 얘기했다. 그분은 이렇게 얘기했다. 「의사소통과 관련해서 대부분의 사람들이 하는 큰 실수는 〈세일즈와 마케팅〉이라고 말하는 것이다. 그렇기 때문에 그들은 저조한 판매 실적이나 직원 및 투자가들과의 빈약한 의사소통으로 고생한다」

그분은 이렇게 덧붙였다. 「의사소통에 대해서 우리가 알아야 할 점은 그것이 사실은 〈세일즈와 마케팅〉이 아니라 〈세일즈 밑의 마케팅〉이라는 점이다」 그분은 이렇게 얘기했다. 「어떤 사업의 마케팅이 강력하고 확신적이면 판매는 쉽게 일어난다. 어떤 사업의 마케팅이 약할 때 그 회사는 많은 돈과 시간을 투자하고 아주 열심히 일해야 그나마 판매를 달성할 수 있다」

그분은 또 마이크와 나에게 이렇게 애기했다. 「일단 파는 법을 배우면 다음에는 마케팅하는 법을 배워야 한다. 〈S〉 사분면의 사업가는 종종 세일즈는 잘하지만, 성공적인 〈B〉 사분면의 사업가가 되려면 세일즈뿐 아니라 마케팅도 잘해야 한다」

그러면서 그분은 다음과 같은 그림을 그렸다.

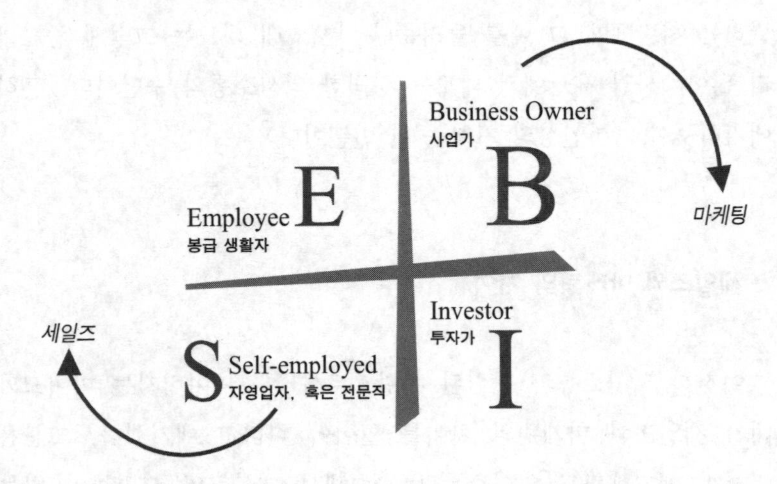

그분은 이렇게 애기했다. 「세일즈는 우리가 개인적으로, 일 대 일로 하는 것이다. 하지만 마케팅은 시스템을 통한 세일즈다」 대부분의 〈S〉 사분면 사업가는 일 대 일 판매에 아주 능하다. 그들이 〈B〉 사분면으로 이동하려면 시스템을 통한 세일즈, 그러니까 마케팅을 배울 필요가 있다.

결론적으로, 의사소통은 평생 동안 연구할 가치가 있는 주제이다. 의사소통에는 단순한 애기, 작문, 복장, 혹은 표현 이상의 것들이 있기 때문이다. 부자 아버지는 나에게 이렇게 얘기했다. 「네가 얘기한다고 해서 누구나 귀담아듣는 것은 아니다」 사람들이 강력한 의사소통의 기초를 닦기 위해 어디서 시작해야 하는지 물을 때, 나는 그들에게 일 대 일 세일즈와 대중 강연의 두 기본적 기술부터 시작하라고 권유한다. 나는 또 그들에게 결과를 세심하게 지켜보고 피드백에 귀를 기울이라고 충고한다. 당신은 그런 두 기술로 빈약한 의사소통자에서 우수한 의사소통자로 옮겨가는 과정을 통해 근본적인 일상의 의사소통 기술도 개선됨을 발견할 것이다. 이 셋 모두가 개선되면 당신은 그 결과 현금흐름이 증가함을 보게 될 것이다.

● 샤론의 주석

좋은 첫인상은 아주 중요한 것이다. 당신의 마케팅 및 판매 노력은 종종 당신의 사업이 잠재적 고객들에게 주는 첫인상이 된다. 당신이 얘기할 때마다 사업에 대한 당신의 열정과 당신의 외모는 고객들에게 지속적인 영향을 주게 된다. 당신이 만들거나 배포하는 출간된 혹은 인쇄된 자료 역시 중요한 것이다. 그것은 당신의 사업을 공개적으로 제시하는 것이다.

로버트가 얘기했듯이, 마케팅은 시스템을 통한 세일즈다. 늘 고객들을 알아야 하고 당신의 마케팅 도구는 그들을 위한 것이어야 한다. 마케팅이나 판매 노력에서는 늘 다음의 세 가지 요소를 염두에 두어야 한다. 즉, 욕구를 알아내고, 해결책을 제시하고, 고객들에게 적절한 서비스를 제공해야 한다. 그리고 긴박감을 조성해서 고객들의 반응을 유도하는 것도 좋은 방법일 것이다.

대부분의 의사소통은 외적인 의사소통을 지향하는 것이다. 하지만 사업의 내적인 의사소통도 그 못지않게 중요한 것이다. 각각의 예를 들면 다음과 같은 것이다.

• 외적인 의사소통

——세일즈

——마케팅

——고객 서비스

——투자가들과의 의사소통

——PR

• 내적인 의사소통

——승리 내지 성공을 전체 팀과 공유하는 것

——직원들과의 정기적인 만남

——조언가들과의 정기적인 의사소통

——인력 관리 정책

사업에 영향을 끼치는 의사소통의 가장 강력한 한 가지 형태는 당신이 거의 통제할 수 없는 의사소통이다. 즉, 기존의 고객들이 잠재적인 고객들에게 보내는 입소문이다. 이 입소문 광고의 힘은 엄청나다. 이런 형태의 광고는 어떤 회사를 금방 성공이나 실패로 옮겨놓을 수 있다. 그렇기 때문에 고객 서비스는 어떤 회사에서나 아주 중요한 의사소통 기능이다.

제34장

시스템 관리 요령

어느 하나의 시스템이 고장나면,
다른 모든 시스템들도 거의 동시에 고장나기 시작한다.
그것은 마치 어떤 사람이 감기에 걸렸을 때
자신을 돌보지 않는 것과 같다.
그러면 곧 폐렴으로 이어지며, 그것을
제대로 치료하지 않으면 그 사람의
면역 체계(시스템)는 고장나기 시작한다.

인간의 몸은 시스템들로 이루어진 시스템이다. 그리고 사업도 그러하다. 인간의 몸을 구성하는 것은 혈액 시스템, 산소 시스템, 음식 시스템, 배출 시스템 등이다.(이것을 우리 식으로 표현하면, 인체를 구성하는 것은 순환계, 호흡계, 소화계, 배설계 등이다.) 그런 시스템들 중에서 어느 하나가 멈추면 인체는 고장나거나 죽을 가능성이 높다. 그리고 사업 역시 마찬가지이다. 사업은 내부에서 기능하는 시스템들의 복합체이다. 사실 〈B-I 삼각형〉에 기재한 각각의 항목은 별도의 시스템으로서 그 삼각형이 나타내는 전체적인 사업 속에 내적으로 연결되어 있다. 이 시스템들은 서로 의존적이기 때문에 분리하는 것이 어렵다. 그리고 어느 하나가 다른 하나보다 더 중

요하다고 말하는 것도 어렵다.

사업이 성장하려면 각각의 시스템을 각자가 책임져야 하고 전반적인 감독자가 그 모든 시스템들이 최고의 성능을 발휘하도록 만들어야 한다. 내가 재무제표를 읽는 것은 비행기의 조종실에 앉아 있는 조종사가 그 모든 운영 시스템들에서 숫자들을 읽는 것과 같다. 그런 시스템들 가운데 어느 하나가 고장을 일으키려 하면 긴급 조치를 취해야 한다. 그렇게도 많은 작은 신생 기업들과 〈S〉 사분면 사업들이 실패하는 이유는 그 시스템의 운영자가 너무 많은 시스템들을 관리하는 바람에 제대로 감독이나 확인을 못하기 때문이다. 어느 하나의 시스템이 고장나면, 가령 현금흐름이 마르기 시작하면, 다른 모든 시스템들도 거의 동시에 고장나기 시작한다. 그것은 마치 어떤 사람이 감기에 걸렸을 때 자신을 돌보지 않는 것과 같다. 그러면 곧 폐렴으로 이어지며, 그것을 제대로 치료하지 않으면 그 사람의 면역 체계(시스템)는 고장나기 시작한다.

나는 부동산이야말로 처음에 할 수 있는 투자로는 아주 좋은 상품이라고 생각한다. 왜냐하면 일반 투자가는 그 모든 시스템들을 조금씩 맛볼 수 있기 때문이다. 땅 위에 있는 건물은 사업이다. 그것은 임차인이 당신에게 임대료를 내는 시스템이다. 그에 비해 부동산은 상당히 안정적이고 불변적이다. 그래서 그것은 사업가에게 무언가 잘못되기 시작할 때 상황을 고칠 수 있는 더 많은 시간을 제공한다. 1, 2년 정도 부동산 관리를 배우면 훌륭한 사업 관리 기술을 배울 수 있다. 하지만 어떤 부동산이 싸다는 이유만으로 그것을 사서는 안 된다. 때로는 그것이 너무나 잘 위장된 악몽이기 때문이다.

은행들은 부동산을 담보로 돈을 빌려주기를 좋아한다. 왜냐하면 부동산은 일반적으로 가치를 보존하는 안정적인 시스템이기 때문이다. 다른 사업들은 종종 자금을 얻기가 어려운데, 왜냐하면 그것들은 안정적인 시스템으로 생각되지 않을 수도 있기 때문이다. 나는 종종 다음과 같은 얘기를 듣는다. 「은행가가 당신에게 돈을 빌려주는 유일한 때는 당신이 돈을 필요로 하지 않을 때이다」 하지만 나는 그것을 다르게 본다. 나는 당신에게 가치가 있는 안정적인 시스템이 있고 당신이 돈을 갚을 수 있음을 보여줄 수 있다면 은행은 늘 당신에게 돈을 빌려줄 거라고 확신한다.

좋은 사업가는 자신이 시스템의 일부가 되지 않고 다수의 시스템을 효과적으로 관리할 수 있다. 진정한 사업 시스템은 자동차와 비슷하다. 자동차는 그것을 운전할 한 사람에게만 의존하지 않는다. 누구든지 자동차 운전법을 아는 사람이면 그렇게 할 수 있다. 〈B〉 사분면의 사업도 그러하지만 〈S〉 사분면의 사업은 반드시 그렇다고 할 수 없다. 대개의 경우 〈S〉 사분면은 그 속에 속한 사람이 시스템

자체가 된다.

어느 날 나는 희귀한 동전들을 전문으로 취급하는 작은 동전 가게를 시작할 생각을 하고 있었다. 그런데 부자 아버지가 나에게 이렇게 얘기했다. 「늘 기억할 것은 〈B〉 사분면은 투자가들에게서 더 많은 돈을 받는다. 왜냐하면 투자가들은 좋은 시스템과 좋은 시스템을 만들 수 있는 사람들에게 투자하기 때문이다. 투자가들은 시스템이 밤에는 집으로 가는 사업에는 투자하지 않으려 한다」

● 샤론의 주석

크건 작건 모든 사업체는 시스템을 구축해 일상적인 활동을 수행하도록 만들어야 한다. 개인 소유 사업도 방식은 다르지만 개인적인 시스템을 통해 업무를 수행한다. 요컨대, 개인 소유 사업은 그 모든 시스템들이 하나로 되어 있다.

시스템이 좋을수록 당신은 남들에게 덜 의존적이 된다. 로버트는 맥도널드를 이런 식으로 설명했다. 「맥도널드는 세상 어디서나 같다. 그래서 10대들도 그것을 운영한다」 이것은 이미 확립된 우수한 시스템 때문에 가능하다. 맥도널드는 사람들이 아닌 시스템에 의존한다.

CEO의 역할

CEO(최고 경영자)의 임무는 모든 시스템을 감독하고 약점을 찾아내 그것이 시스템 고장으로 이어지는 것을 막는 것이다. 이것은 여러 방식으로 일어날 수 있지만, 특히 회사가 빠르게 성장할 때는 더욱 그러하다. 판매가 늘고, 제품이나 서비스가 언론에서 관심을 끌게 된다. 그런데 갑자기 그것을 제공할 수는 없다. 왜 그럴까? 대개 그것은 당신의 시스템들이 늘어난 수요 때문에 안에서 폭발했기 때문이다. 당신은 충분히 많은 전화 회선이나 전화에 응답하는 직원들을 갖지 못했다. 당신은 충분한 생산 시설이나 수요에 맞출 충분한 시간을 갖지 못했다. 혹은 제품을 만들거나 추가로 직원을 채용할 돈을 갖지 못했다. 그 이유가 무엇이건, 당신은 어떤 하나의 시스템 고장 때문에 다음 단계의 성공으로 사업을 확장시킬 기회를 잃었다.

새로운 성장 단계에서 CEO는 다음 단계의 성장을 뒷받침할 시스템 계획을 짜기 시작해야 한다. 그것은 전화 회선일 수도 있고 추가 생산에 필요한 신용 한도일 수도 있다. 시스템은 현금흐름 관리와 의사소통 모두를 움직인다. 시스템이 더 좋아질수록 당신이나 당신의 직원들은 노력을 덜 할 수 있게 된다. 잘 설계되고 성공적인 운영 시스템이 없으면 당신의 사업은 노동 집약적이 된다. 반면에 잘 설계되고 성공적인 운영 시스템이 있으면 당신은 팔 수 있는 사업 자산을 갖게 된다.

전형적인 시스템

다음에 나오는 리스트는 성공적인 사업들이 갖추어야 할 전형적인 시스템들의 목록이다. 어떤 경우에는 다른 방식으로 시스템이 규정될 필요가 있을지도 모른다. 하지만 그것은 여전히 사업 운영에 필요한 것이다. (예를 들면 〈제품 개발 시스템〉은 서비스 조직에서 〈서비스 제공 절차〉가 될 수도 있다. 구체적인 내용은 다를지 몰라도 기본적인 사항은 같은 것이다. 이 둘 모두 사업들이 궁극적으로 고객들에게 제공하게 되는 제품(혹은 서비스)의 개발을 요구한다.)

자신이 직접 사업을 일으키고 싶다면 다음의 리스트를 검토하라. 당신은 이미 이런 기능들의 많은 것을 수행하고 있을 수도 있지만, 그것들을 별도의 시스템으로 규정하지는 않았을 것이다. 사업 내용을 더 공식화할수록 당신의 사업은 더 효율적으로 될 것이다.

최적의 효율성을 위해 모든 사업에 필요한 시스템

- 일상적인 사무실 운영 시스템

——전화에 응답하기

——우편물 받기

——사무실 물품과 장비를 구입하고 유지하기

——팩스와 이메일 주고받기

——들어오는/나가는 배달 제품을 처리하기

——자료를 추가하고 보관하기

• 제품 개발 시스템

——제품을 개발하고 그것을 법적으로 보호하기

——포장하는 법과 관련 자료(이를테면 카탈로그) 개발하기

——제조 방식과 과정 개발하기

——제조 비용과 입찰 과정 개발하기

• 제조 및 재고 시스템

——업자 선별하기

——필요한 제품 혹은 서비스 보증 결정하기

——제품 혹은 서비스 가격 설정하기(소매 및 도매)

——재고 생산을 위한 재주문 과정 개발하기

——제품을 재고로서 지정하고 저장하기

• 주문 처리 시스템

——주문을 접수하고 기록하기

(우편, 팩스, 전화, 혹은 온라인을 이용)

——주문을 완수하고 포장하기

——주문 보내기

• 청구서와 미수금 시스템

——고객들에게 주문 대금 청구하기

——주문 대금의 회수와 고객들에게 신용 제공하기

(현금, 수표, 혹은 신용카드)

——미납 대금 회수하기

• 고객 서비스 시스템
——반품 재고와 대금 환불 처리하기
——고객 불만 처리하기
——결함 제품을 대체하거나 그 밖의 보증 서비스 수행하기

• 미지급금 시스템
——구매 절차와 필요한 승인들
——공급과 재고를 위한 지불 과정
——그 밖의 현금 지급

• 마케팅 시스템
——전반적인 마케팅 계획 짜기
——홍보 자료의 설계 및 제작
——전반적인 단서 및 자극의 개발
——광고 계획의 입안
——홍보 계획의 입안
——데이터베이스의 개발 및 유지
——웹사이트의 개발 및 유지
——판매 통계의 분석 및 추적

• 인력 관리 시스템
——채용 절차와 고용 계약
——직원들의 훈련
——봉급 및 복리후생 계획

• 전반적인 회계 시스템

——일별, 주별, 월별, 분기별, 그리고 연간 보고서를 통한 회계 과정 관리

——미래의 차입 욕구를 안정적으로 해결하기 위한 현금 관리

——예산 및 예측

——소득세와 원천징수 보고

• 전반적인 기업 시스템

——계약의 협상, 작성, 실천

——지적 재산권의 개발 및 보호

——보험 관련 사항 및 해결책 관리

——각종 세금의 보고 및 납부

——각종 세금의 납부 계획

——기록의 관리 및 저장

——투자가/주주 관계 유지

——법적인 안전망 구축

——성장의 계획 및 관리

• 물리적 공간 관리 시스템

——전화 및 전기 시스템의 유지 및 설계

——라이센싱

——물리적 안전의 확보

당신은 사업 운영 방식을 매뉴얼로 기록할 수도 있다. 그와 같은

매뉴얼은 직원들에게 소중한 참고 자료가 될 수 있다. 매뉴얼을 만드는 과정에서 당신은 사업 방식을 간소화하고 수익성을 높이는 방법들을 알게 될 것이다. 당신은 또 〈B〉 사분면의 사업체를 갖는 데 한 걸음 더 다가가게 될 것이다.

제35장

법적 관리 요령

사업 세계에는 영민한 창업가들이 멋진 아이디어를 갖고
그것들이 법적으로 보호를 받기도 전에 제품이나
아이디어를 팔기 시작하는 수많은 이야기들이 있다.
지적 재산권의 세계에서 당신의 아이디어는 법적 보호 없이
일단 노출되면 보호받기는 거의 불가능하다.

법적인 관리는 내가 가장 힘들게 배워야만 했던 교훈 가운데 하나였다. 부자 아버지는 내 사업에서 심각한 결함을 찾아냈다. 즉, 나는 제품을 생산하기 전에 내가 준비했던 나일론 제품들에 대한 법적인 권리를 미리 확보하지 못했다. 더 자세히 얘기하면, 나는 일부 내 제품들을 특허로 등록하지 못했다. (내가 그렇게 하지 못한 이유는 1만 달러의 특허 변호사 수임료가 너무 비싸고 그만큼의 돈을 쓸 만큼 특허가 중요하지 않다고 생각했기 때문이다.) 그러는 와중에 또 다른 회사가 경쟁 업체로 등장해 내 아이디어를 모방했고, 나는 그것에 대해 아무것도 할 수 없었다.

이제 나는 그때와는 반대 입장이 되어 있다. 이제는 특히 정보

시대인 만큼 지적 재산권 변호사와 계약 관련 변호사가 당신의 가장 중요한 조언가들이다. 왜냐하면 그들은 당신의 가장 중요한 자산들을 만드는 데 도움을 주기 때문이다. 그런 변호사들은 당신의 아이디어와 계약들을 지적인 강도들, 그러니까 당신의 아이디어를 훔치고 그럼으로써 당신의 수익을 훔치는 사람들로부터 당신을 보호한다.

사업 세계에는 영민한 창업가들이 멋진 아이디어를 갖고 그것들이 법적으로 보호를 받기도 전에 제품이나 아이디어를 팔기 시작하는 수많은 이야기들이 있다. 지적 재산권의 세계에서 당신의 아이디어는 일단 노출되면 그것을 보호하기는 거의 불가능하다.

빌 게이츠는 아이디어만으로 세상에서 가장 부유한 사람이 되었다고 한다. 다시 말해, 그 사람은 부동산이나 공장에 투자해서 부자가 되지 않았다. 그는 그냥 정보를 취해 그 정보를 보호했고, 30대에 세상에서 가장 부유한 사람이 되었다. 그 모든 것의 아이러니

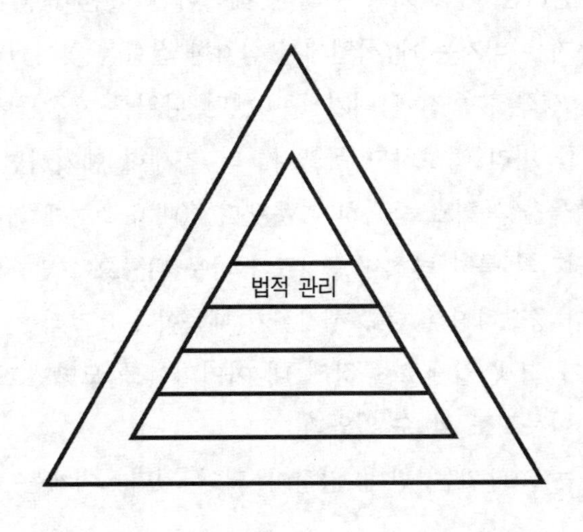

는 그가 마이크로소프트의 운용 체계(OS)조차 만들지 않았다는 사실이다. 그는 그것을 다른 프로그래머로부터 구입해 IBM에 팔았을 뿐이다.

그 동안 많은 사업들이 간단한 종이 한 장만으로 시작되었고 생존해 왔다. 하나의 법적인 문서는 세계적 사업의 씨앗이 될 수 있다.

● 샤론의 주석

당신이 소유할 수 있는 가장 소중한 자산들 가운데 일부는 특허, 상표권, 그리고 저작권이라 불리는 무형의 자산들이다. 이들 법적인 문서들은 당신에게 구체적인 보호와 지적 재산권에 대한 소유권을 허용한다. 로버트가 자신의 나일론 지갑 사업에서 알게 되었듯이, 이와 같은 보호가 없으면 모든 것을 잃을 수도 있다. 일단 당신의 권리를 보호하면 남들이 당신의 재산을 사용하지 못하게 막을 수도 있고, 나아가 그런 권리를 팔거나 라이센스함으로써 로열티 수입을 얻을 수도 있다. 당신의 권리를 제3자에게 라이센스하는 것은 당신의 자산이 당신을 위해 일하는 완벽한 예이다!

그렇지만 법적인 사안들은 사업의 거의 모든 분야에서 불거질 수 있다. 유능한 법률 조언가는 사업을 시작할 때뿐 아니라 지속적인 자문팀의 일원으로서도 아주 중요하다. 법적인 수임료는 처음에는 다소 비싸게 보일 수도 있다. 그렇지만 그것을 재산권의 상실이나 법적인 소송에서 야기되는 수임료와 비교하면, 처음부터 적절한 계약을 확보하는 것이 훨씬 더 싸게 먹힌다. 금전적인 비용 외에도 시간적 손실의 비용도 고려할 필요가 있다. 잘못하면 사업에 전념하지 못하고 법적인 문제들에 전념할 수밖에 없을 수도 있다.

제36장

제품 관리 요령

지금처럼 큰 부자가 될 수 있는 더 좋은 기회는 없다.
산업 시대에는 수백만 달러가 있어야 자동차 공장을 세울 수 있었다.
하지만 오늘날에는 중고 컴퓨터와 약간의 두뇌력, 전화 회선,
그리고 〈B-I 삼각형〉의 다섯 단계에 대한 약간의
교육만 있으면 세상은 당신 것이 될 수 있다.

기업의 제품은 고객들이 궁극적으로 사는 것으로서 〈B-I 삼각형〉의 제일 중요한 측면이다. 그것은 햄버거 같은 유형의 품목일 수도 있고 상담 서비스 같은 무형의 품목일 수도 있다. 하지만 흥미로운 점은, 어떤 사업을 평가할 때, 많은 일반 투자가들은 제품에만 초점을 맞추고 사업의 나머지에는 초점을 두지 않는다는 점이다.

많은 사람들은 새롭고 혁신적인 제품에 대한 아이디어를 갖고 나에게 온다. 나는 그들에게 세상에는 멋진 제품들이 가득하다고 대답한다. 그러면 사람들은 나에게 자신들의 새로운 아이디어나 제품은 기존의 제품보다 더 낫다고 얘기한다. 더 나은 제품이나 서비스가 가장 중요하다고 생각하는 것은 대개 봉급 생활자들이 속한 〈E〉

사분면과 자영업자 및 전문직 종사자들이 속한 〈S〉 사분면 사람들의 영역이다. 그곳에서는 최상의 품질이 성공을 위해 가장 중요한 것이다. 그러나 사업가들이 속한 〈B〉 사분면과 투자가들이 속한 〈I〉 사분면에서 새로운 사업의 가장 중요한 측면은 제품이나 아이디어의 뒤에 있는, 혹은 〈B-I 삼각형〉의 나머지 뒤에 있는 〈시스템〉이다. 내가 『부자 아빠 가난한 아빠 1』에서 언급했듯이, 대부분의 우리는 맥도널드보다 더 좋은 햄버거를 만들 수 있지만, 우리 가운데 맥도널드보다 더 좋은 사업 시스템을 만들 수 있는 사람은 거의 없다.

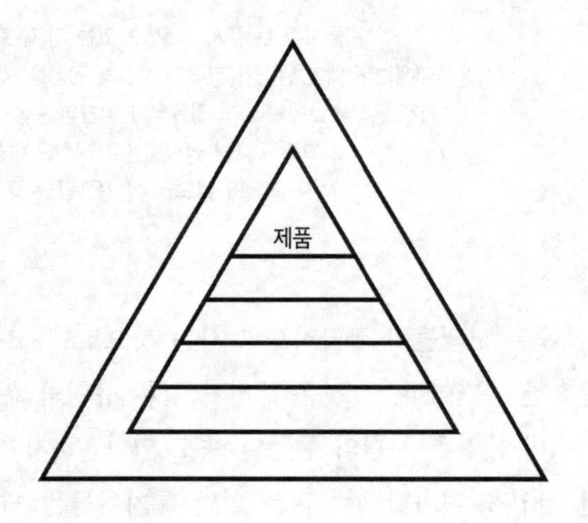

부자 아버지의 안내

1974년에 나는 〈B-I 삼각형〉 모델을 좇아 사업을 일으키는 법을 배우기로 결심했다. 부자 아버지는 다음과 같은 말로 나에게 경고했다. 「이 모델에 따라 사업을 일으키는 법을 배우는 것은 위험이 높다. 시도하는 사람들은 많지만 달성하는 사람들은 극히 적다. 그러나, 처음에는 높은 위험이 있기는 해도, 사업을 일으키는 법을 배우면 수익 잠재력은 무한하다. 위험을 안으려 하지 않는 사람들, 그렇게 가파른 학습 곡선을 따르고 싶지 않은 사람들에게 그들의 위험은 낮을 수는 있지만 그들의 평생 수익은 결코 높아지지 않을 것이다」

나는 아직도 튼튼한 사업을 일으키는 법을 배우면서 겪었던 극과 극의 경험을 생생히 기억한다. 나는 내가 쓴 광고 카피가 아무것도 팔지 못한 경험을 기억한다. 나는 내가 작성한 전단을 어떤 사람도 이해하지 못했던 경험을 기억한다. 그리고 나는 강력한 사업을 만들기 위해 자금을 모으고 투자가들의 돈을 지혜롭게 쓰려고 애썼던 경험을 기억한다. 나는 또 내 투자가들에게 다시 가서 내가 그들의 돈을 잃었다고 얘기한 것을 기억한다. 나는 나를 이해하고 다시 또 투자할 사업체를 만들면 기꺼이 자신들을 찾아오라고 말해 준 투자가들에게 한없는 고마움을 느낀다. 그렇지만 그 모든 과정에서 매번의 실수는 소중한 학습 경험이었을 뿐 아니라 성격 형성의 경험이기도 했다. 부자 아버지가 얘기했듯이, 시작 단계의 위험은 아주 높았지만, 내가 그것을 고수하고 계속 배울 수 있을 때 그 보상은 무한했다.

1974년에 나는 〈B-I 삼각형〉의 모든 단계에서 아주 취약했다. 나는 특히 현금흐름 관리와 의사소통 측면에서 가장 취약했다. 하지만 오늘날 나는 그 삼각형의 모든 분야에서 그렇게 대단하지는 않지만, 그래도 현금흐름 관리와 의사소통 측면에서 가장 강하다고 얘기할 수 있다. 나는 모든 단계들에서 시너지를 만들 수 있기 때문에 내 회사들은 성공적이다. 내가 여기서 말하려는 요점은 비록 처음에는 내가 강하지 않았지만, 그리고 나는 아직도 내 발전 단계에서 그렇게 대단하지는 않지만, 나는 내 학습 과정을 계속하고 있다는 것이다. 이런 식으로 부자가 되려는 사람들에게 나는 이렇게 권유하고 싶다. 시작하라, 실천하라, 실수하라, 수정하라, 배워라, 그리고 개선하라.

나는 미국에서 모든 주식의 90%와 모든 재산의 73%를 통제하는 10%의 미국인들을 볼 때 그들의 재산이 어디에서 비롯되었는지 정확하게 이해한다. 많은 이들이 그런 재산을 획득한 방식은 헨리 포드와 토머스 에디슨의 방식과 비슷하다. 그 명단에 들어가는 사람들을 더 꼽아보면 빌 게이츠, 마이클 델, 워렌 버펫, 루퍼트 머독, 애니타 로딕, 리처드 브랜슨, 그 밖에 같은 방식으로 재산을 획득한 모든 사람들이 포함된다. 그들은 자신들의 정신과 사명을 발견했다. 그들은 사업을 일으켰고, 다른 사람들도 그 꿈을 공유하게 만들었고, 위험과 보상도 공유하게 만들었다. 당신도 원한다면 같은 일을 할 수 있다. 단지 부자 아버지가 나를 안내했던 그 그림, 〈B-I 삼각형〉을 따르기만 하면 된다.

● 샤론의 주석

제품이 〈B-I 삼각형〉의 맨 꼭대기에 있는 이유는 그것이 사업체의 사명감을 구현하는 것이기 때문이다. 그것이야말로 당신이 고객들에게 제시하는 것이다. 〈B-I 삼각형〉의 나머지는 사업의 장기적인 성공을 위한 토대를 구축한다. 시장에 보내는 당신의 의사소통이 강하다면, 당신의 시스템은 생산, 주문, 그리고 임무 완수를 수월하게 할 수 있다. 당신의 현금이 적절하게 관리되면, 당신은 제품을 성공적으로 팔 수 있고 사업을 급속히 성장시킬 수 있다.

〈B-I 삼각형〉과 아이디어

부자 아버지는 이렇게 얘기했다. 「〈B-I 삼각형〉은 아이디어에 틀을 제공한다. 〈B-I 삼각형〉에 대한 지식은 다른 자산을 사는 자산을 만들게 해준다」 부자 아버지는 내가 많은 〈B-I 삼각형〉들을 만들고 키우는 법을 배우도록 안내했다. 많은 사업들이 실패한 것은 내가 그 모든 조각들을 조화롭게 맞추지 못했기 때문이다. 사람들이 내 사업의 실패 이유를 물을 때, 그것은 〈B-I 삼각형〉의 하나 혹은 그 이상의 측면들이 실패했기 때문인 경우가 많았다. 실패한 많은 사람들이 그러는 것처럼 영구적으로 낙담하는 대신에, 부자 아버지는 내가 계속해서 실천하고 그런 삼각형들을 만들도록 권유했다. 부자 아버지는 내 첫번째 큰 도전이 실패했을 때 나를 실패자라고 부르지 않고, 내가 계속 새로운 삼각형들을 만드는 법을 배우도록 권유했다. 그분은 이렇게 얘기했다. 「그런 삼각형들을 만드는 연습을 더 많이 할수록, 다른 자산들을 사는 자산을 만드는 것은 더 쉬워진다. 부지런히 연습하면 점점 더 많은 돈을 버는 것은 점점 더 쉬워진다. 일단 아이디어를 갖고 〈B-I 삼각형〉을 만드는 데 능숙해지면, 사람들이 와서 돈을 투자할 것이고, 그러면 정말로 돈이 없어도 돈을 버는 것은 가능해진다. 그렇게 되면 너는 평생을 돈을 위해 일하지 않고 점점 더 많은 돈을 버는 자산들을 만드는 데 능숙해질 것이다」

〈B-I 삼각형〉과 〈90 : 10〉 원칙은 손을 잡고 간다

어느 날 부자 아버지는 〈B-I 삼각형〉에 대해 더 많은 것을 가르치다가 흥미로운 얘기를 했다. 그분은 이렇게 얘기했다. 「각각의 우리 안에는 〈B-I 삼각형〉이 있다」 나는 그 말의 뜻을 이해하지 못하면서 추가로 질문했다. 그분의 설명은 좋은 것이었지만, 그럼에도 나는 한동안이 지나서야 그분의 말이 진실임을 알 수 있었다. 오늘날 나는 어떤 사람, 가족, 사업, 도시, 혹은 국가가 경제적으로 고생하는 것을 볼 때마다 그것은 〈B-I 삼각형〉의 하나 혹은 그 이상의 측면이 빠져 있거나 다른 부분들과 조화를 이루지 못하기 때문임을 알 수 있다. 〈B-I 삼각형〉의 하나 혹은 그 이상의 부분들이 제대로 기능하지 않을 때, 그런 개인이나 가족, 혹은 국가는 가용한 돈의 10%를 공유하는 90%에 속해 있을 가능성이 높다. 따라서 당신이나 당신의 가족, 혹은 당신의 사업이 지금 고생하고 있다면, 〈B-I 삼각형〉을 보면서 어떤 것을 바꾸거나 개선할 수 있는지 분석하라.

〈B-I 삼각형〉 수수께끼 풀기

부자 아버지는 〈B-I 삼각형〉을 숙지해야 할 또다른 이유를 제시했는데, 나는 그것이 독특하다고 생각했다. 그분은 이렇게 얘기했다. 「네 아버지는 힘들게(열심히) 일해서 돈을 벌어야 한다고 생각한다. 하지만 네가 일단 〈B-I 삼각형〉을 만드는 기술을 숙지하면, 너는 더 적게 일할수록 더 많은 돈을 벌고 네가 만드는 것이 더 소중해짐을 알게 될 것이다」 처음에 나는 그 말을 이해하지 못했지만, 여러 해 동안의 연습을 거친 후에 나는 그것을 더 잘 이해하게 되었다. 오늘날 나는 힘들게 일해서 경력을 쌓고, 회사에서 승진하기 위해 애를 쓰고, 자신들의 명성에 기반해 성공을 하려는 사람들을 만난다. 이런 사람들은 대개 봉급 생활자들이 속한 〈E〉와 자영업자 및 전문직 종사자들이 속한 〈S〉 사분면 출신이다. 나는 부자가 되기 위해 내가 없어도 돌아갈 수 있는 시스템을 만들고 활용하는 법을 배워야만 했다. 나는 첫번째 삼각형을 만들고 그것을 판 후에, 부자 아버지가 적게 일할수록 더 많은 돈을 번다고 했던 말의 뜻을 이해하게 되었다. 부자 아버지는 그런 생각을 이렇게 불렀다. 〈B-I 삼각형 수수께끼 풀기.〉 당신이 힘들게(열심히) 일하는 데 중독된 사람이라면, 혹은 부자 아버지의 말대로 〈바쁘게 지내지만 어느 것도 만들지 않는〉 사람이라면, 나는 이렇게 제안하고 싶다. 즉, 바쁘게 지내는 다른 사람들과 함께 앉아 더 적게 일하는 것이 어떻게 더 많은 돈을 벌어주는지 의논하라. 나는 〈E〉와 〈S〉 사분면의 사람들과 사업가들이 속한 〈B〉와 투자가들이 속한 〈I〉 사분면의 사람들이 다른 점은 〈E〉와 〈S〉 사분면은 종종 너무 〈당면적〉이라는 점을 알게 되었다. 부자 아버지는 곧잘 이렇게 얘기했다.「성공의 열쇠는 게으름에 있다. 당면한 문제에 더 몰두할수록 돈은 더 적게 번다」그렇게도 많은 사람들이 〈90 : 10〉 클럽에 속하지 못하는 한 가지 이유는 그들이 너무 〈당면적〉이면서, 점점 더 적은 수고로 더 많은 것을 하는 새 방법들을 찾지 않기 때문이다. 당신이 다른 자산들을 사는 자산을 만드는 그런 사람이 되고자 한다면, 점점 더 적은 일을 함으로써 점점 더 많은 돈을 버는 방법들을 찾을 필요가 있다. 부자 아버지는 이렇게 얘기했다.「성공의 열쇠는 게으름에 있다」그래서 그분은 다른 자산들을 사는 자산을 그렇게도 많이 만들 수 있었다. 그분이 아주 열심히 일하는 내 진짜 아버지 같은 사람이었다면 그렇게 하지 못했을 것이다.

시스템들이 합쳐진 강력한 시스템

〈B-I 삼각형〉은 시스템들의 강력한 시스템을 보여준다. 그것은 리더가 있는 팀이 지탱하며, 그 모든 것이 공동의 사명을 향해서 함께 일한다. 팀의 한 구성원이 약하거나 일을 그르치면, 사업의 전체적인 성공은 위험에 처할 수 있다. 나는 〈B-I 삼각형〉을 요약하면서 세 가지 중요한 요점을 강조하고 싶다.

첫째, 돈은 늘 전체 시스템을 좇는다. 앞에서 살펴본 다섯 단계 즉, 현금흐름, 의사소통, 시스템, 법적 관리, 제품 관리 중 어느 하나의 기능이라도 취약하면, 그 회사는 취약해질 것이다. 당신이 개인적으로 경제적 어려움을 겪고 있거나 당신이 바라는 충분한 현금을 갖고 있지 않다면, 당신은 종종 각각의 단계를 분석함으로써 그 약점(들)을 찾아낼 수 있다. 일단 당신의 약점들을 찾아내면, 그때는 그것을 강점으로 바꾸고 싶어하거나 그런 강점이 있는 누군가를 고용하고 싶어할 수도 있다.

둘째, 최고의 투자와 사업의 일부는 아마도 당신이 회피하는 것들일 것이다. 그 다섯 단계의 어느 하나라도 약하고 경영자가 그것들을 강화시킬 준비가 되어 있지 않다면, 그때는 그 투자를 회피하는 것이 최상이다. 나는 내가 투자를 고려하는 관리팀과 〈B-I 삼각형〉의 다섯 단계들을 의논하다가 그것이 논쟁으로 변하는 경우를 너무도 많이 보았다. 사업 소유주나 사업팀들이 그 다섯 단계의 어느 하나에서건 약할 때, 그들은 질문에 수용적이지 않고 방어적이 된다. 그들이 약점을 찾아내고 수정하는 데 열심이지 않고 방어적이 될 때, 그러면 나는 대개 그 투자를 회피한다. 나는 우리집 벽에 내가 피지에서 찍은 돼지의 사진을 걸어놓고 있다. 그 사진 밑에는 이런 문구가 적혀 있다. 〈돼지에게 노래를 가르치지 말라. 그것은 시간 낭비이며 오히려 돼지를 화나게 한다.〉 훌륭한 투자 대상들이 너무 많기 때문에 돼지에게 노래를 가르치느라고 시간을 낭비할 필요는 없다.

셋째, 개인용 컴퓨터와 인터넷은 〈B-I 삼각형〉을 모두에게 더 가능하고 수월한 것으로 만들고 있다. 나는 지금처럼 큰 부자가 될 수 있는 더 좋은 기회는 없다고 얘기한다. 산업 시대에는 수백만 달러가 있어야 자동차 공장을 세울 수 있었다. 오늘날에는 1천 달러짜리 중고 컴퓨터와 약간의 두뇌력, 전화 회선, 그리고 〈B-I 삼각형〉의 다섯 단계에 대한 약간의 교육만 있으면 세상은 당신 것이 될 수 있다.

당신이 아직도 직접 사업을 키울 소망을 갖고 있다면, 지금보다 더 좋은 성공의 기회는 한 번도 없었다. 내가 최근에 만난 어떤 젊은 남자는 자신의 작은 인터넷 회사를 주요 컴퓨터 소프트웨어 회사에 2천8백만 달러를 받고 팔았다. 그 사람은 나에게 이렇게만 얘기했다. 「나는 스물여덟의 나이에 2천8백만 달러를 벌었습니다. 나는 마흔여덟 살이 되면 얼마를 벌까요?」

● 샤론의 주석

당신이 창업가가 되어 성공적인 사업을 만들거나 사업에 투자하고 싶다면, 그 모든 〈B-I 삼각형〉의 구성 요소들은 강력하고 상호의존적이 되어야만 한다. 그럴 때 사업은 성장하고 번창할 것이다. 좋은 소식은 당신이 팀의 한 일원이라면 〈B-I 삼각형〉의 모든 측면에서 전문가가 될 필요는 없다는 것이다. 그냥 팀의 일부가 되어 분명한 비전과 강력한 사명감, 그리고 튼튼한 위장만 있으면 된다.

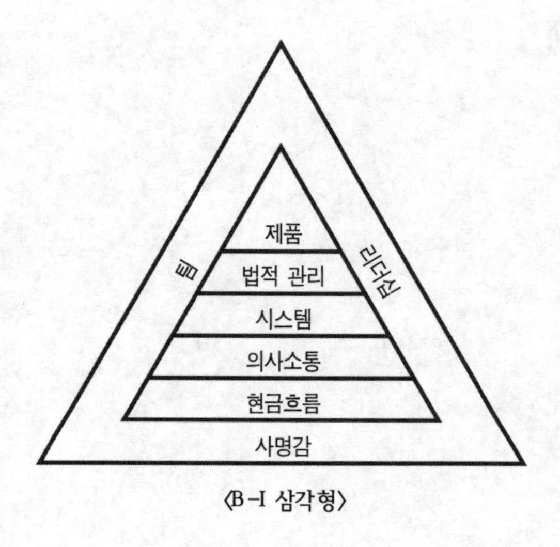

〈B-I 삼각형〉

〈B-I 삼각형〉에서 사업 사면체로

명확한 사명감, 결연한 리더, 그리고 자격 있고 통일화된 팀이 있는 사업은 〈B-I 삼각형〉의 다섯 단계들이 합쳐지면서 모양을 갖추기 시작한다. 이럴 때 〈B-I 삼각형〉은 3차원적인 사면체로 변하게 된다.

완성의 시점은 성실함의 등장이다. 성실함의 뜻은 온전함, 완전함, 그리고 완벽한 조건과 건전함이다. 성실함의 더 일반적인 뜻은 정직 내지 신실함이다. 그 뜻은 서로 다른 것 같지만 사실은 같은 것이다.

〈B-I 삼각형〉의 원칙들에 바탕을 둔 사업을 정직과 신실함으로 운영할 때, 그것은 완전하고 온전한 사업이 될 것이다.

제5부

부자 아빠의 투자 가이드 4단계

—궁극적인 투자가가 되어야 한다

제37장

투자가들이 지켜야 할 열 가지 기본 사항

투자가로서 가져야 할 가장 중요한 사항은 자기 자신에 대한 통제다.
능숙한 투자가는 답이 여럿 있을 수 있음을 알며,
최상의 배움은 실수를 통해서 얻어진다는 것을 알고,
금융 지식은 성공에 필수적인 것임을 안다.
그들은 자신들의 재무제표를 알며, 각각의 금융상의 결정이
어떻게 궁극적으로 자신들의 재무제표에 영향을 주는지 이해한다.
부자가 되려면 부자처럼 생각하는 법을 배워야 한다.

「이제 너는 〈B-I 삼각형〉을 이해했으니 사업을 일으킬 준비가 되었느냐?」 부자 아버지가 나에게 물었다.

「예, 물론입니다. 비록 그것이 약간 위압적이기는 해도 말입니다」 내가 대답했다. 「제가 기억할 것이 너무도 많습니다」

「그것이 요점이다, 로버트야. 일단 성공적인 사업을 일으키면, 그때는 원하는 만큼 많은 사업을 일으킬 기술을 갖게 된다. 너는 또다른 사업에 투자하기 전에 외부에서 그 사업을 분석할 수 있는 기술도 갖게 된다」

「그래도 그것은 여전히 불가능한 일인 것 같습니다」 내가 대답했다.

「아마 그것은 네가 거대한 사업들을 일으킬 생각을 하기 때문일 게다」 부자 아버지가 다시 말했다.

「사실 저는 그렇습니다. 저는 부자가 될 겁니다」 내가 단호하게 대답했다.

「〈B-I 삼각형〉에 필요한 기술들을 배우려면 작게 시작할 필요가 있다. 핫도그 손수레나 작은 임대 주택조차 나름대로 〈B-I 삼각형〉을 필요로 한다. 〈B-I 삼각형〉의 모든 요소들은 가장 작은 사업에도 적용된다. 작은 사업이라도 하다 보면 너는 실수를 하게 될 것이다. 네가 그런 실수들에서 교훈을 얻을 때 점점 더 큰 사업들을 일으킬 수 있다. 그 과정에서 너는 또 능숙한 투자가가 될 것이다」

「사업을 일으키는 법을 배우면 능숙한 투자가가 될 수 있다는 말인가요?」 내가 물었다. 「그것만 알면 되는 건가요?」

「그렇게 하면서 배움을 얻고 성공적인 사업을 일으키면 능숙한 투자가가 될 수 있다」 부자 아버지가 그렇게 말하면서 예의 그 노란색 메모지를 꺼냈다. 「처음의 백만 달러는 버는 것이 어렵다. 하지만 처음의 백만 달러를 벌면 다음의 천만 달러는 쉽다. 자, 무엇이 성공적인 사업가와 투자가를 능숙한 투자가로 만드는지 보기로 하자」

능숙한 투자가는 누구인가

「능숙한 투자가는 투자가들이 지켜야 할 열 가지 기본 통제 사항 각각을 이해하는 투자가이다. 능숙한 투자가는 사분면의 오른쪽 면(사업가들이 속한 〈B〉와 투자가들이 속한 〈I〉 사분면 쪽)을 이해하고 그 장점들에서 이득을 본다. 투자가들이 지켜야 할 기본 사항을 각각 검토해 보자. 그러면 능숙한 투자가가 어떻게 생각하는지 더 잘 이해할 수 있을 거다」 부자 아버지가 설명했다.

투자가들이 지켜야 할 열 가지 기본 사항

1 자기 자신에 대한 통제
2 수입/지출과 자산/부채 비율에 대한 통제
3 투자 운영에 대한 통제
4 세금에 대한 통제
5 살 때와 팔 때에 대한 통제
6 중개인을 통한 거래에 대한 통제
7 E-T-C(단위, 시점, 그리고 특성)에 대한 통제
8 계약 내용과 조건들에 대한 통제
9 정보 접근에 대한 통제
10 사회 환원, 자선 사업, 재산의 재분배에 대한 통제

「우리가 알아야 할 점은, 능숙한 투자가는 내부 투자가나 궁극적인 투자가가 되는 것을 선택하지 않을 수도 있다는 것이다. 대신에 그들은 각각의 통제 사항들이 갖는 이점들을 이해한다」 부자 아버지가 계속해서 말했다. 「이런 투자가들은 더 많은 사항들을 잘 관리하고 통제할수록 자신들은 투자에서 더 적은 위험만을 안는다」

——투자가들이 지켜야 할 첫번째 사항 : 자기 자신에 대한 통제

「네가 투자가로서 가져야 할 가장 중요한 사항은 자기 자신에 대한 통제다」 자기 자신에 대한 통제가 투자가로서의 성공을 결정할 수 있다. 그렇기 때문에 이 책의 첫번째 단계는 자기 자신에 대한 정신적 준비 및 훈련을 설명하는 데 집중했다. 부자 아버지는 또 종종 이렇게 얘기했다. 「투자가 위험한 것이 아니라 투자가가 위험한 것이다!」

대부분의 우리는 학교에서 직원이 되는 교육만을 받는다. 또한 학교에서는 오직 하나의 올바른 답만 있다. 따라서 실수를 하는 것은 끔찍한 일로 치부된다. 우리는 학교에서 금융 지식을 배우지 않았다. 따라서 당신의 생각을 바꾸고 금융 지식을 얻으려면 많은 노력과 시간이 필요하다.

능숙한 투자가는 올바른 답이 여럿 있을 수 있음을 알며, 최상의 배움은 실수를 통해서 얻어진다는 것을 알고, 금융 지식은 성공에 필수적인 것임을 안다. 그들은 자신들의 재무제표를 알며, 각각의 금융상의 결정이 어떻게 궁극적으로 자신들의 재무제표에 영향을 주는지 이해한다.

부자가 되려면 부자처럼 생각하는 법을 배워야 한다.

——투자가들이 지켜야 할 두번째 사항 : 수입/지출과 자산/부채 비율에 대한 통제

이 사항은 금융 지식을 통해 개발된다. 부자 아버지는 나에게 가난한 사람, 중산층, 그리고 부자들의 세 가지 현금흐름 패턴을 가

르쳤다. 나는 일찍부터 부자들의 현금흐름 패턴을 갖고 싶다고 결정했다.

가난한 사람들의 현금흐름 패턴은 다음과 같다.

가난한 사람들은 버는 만큼 소비한다. 그들에게는 자산도 없고 부채도 없다.

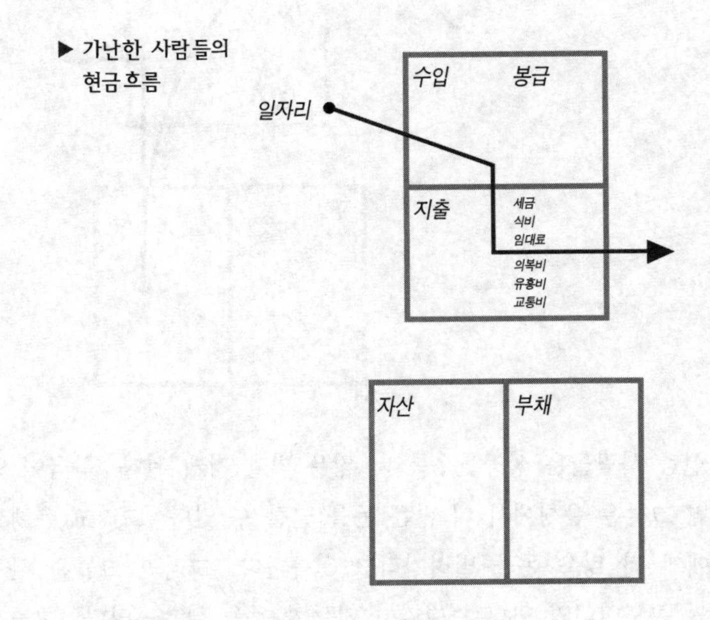

▶ 가난한 사람들의 현금흐름

중산층의 현금흐름 패턴은 다음과 같다.

▶ 중산층의 현금흐름

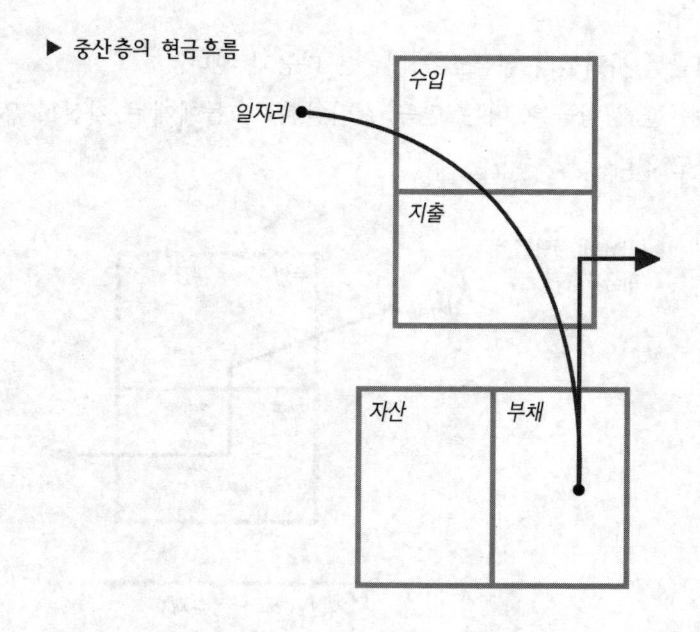

중산층 사람들은 성공할수록 더 많은 빚을 지게 된다. 봉급이 인상되면 그들은 은행에서 더 많은 돈을 빌릴 수 있다. 그리고 은행도 그들에게 더 많은 돈을 빌려가라고 권유한다. 그러면 그들은 사치품목인 콘도미니엄, 보트, 그리고 자동차 등을 살 수 있다. 그들은 월급이 들어오면 그것을 당면한 지출에 소비하고 이어서 개인적인 빚을 갚는 데 소비한다.

그들의 소득이 증가하면서 그들의 개인적인 빚도 증가한다. 이것이 우리가 흔히 말하는 〈쥐 경주〉이다.

부자들의 현금흐름 패턴은 다음과 같다.

▶ 부자들의 현금흐름

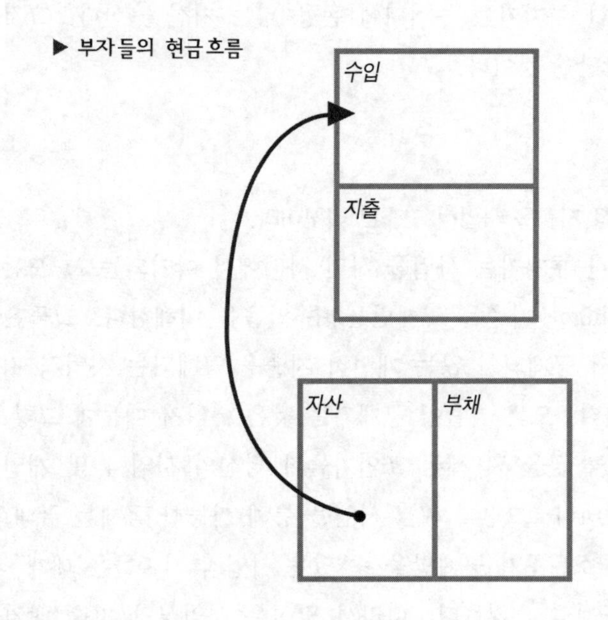

부자들은 자산이 그들을 위해 일하게 만든다. 그들은 지출에 대한 통제권을 얻었으며 자산을 획득하거나 만드는 데 집중한다. 그들의 사업이 대부분의 지출에 대한 비용을 지불하며, 그들에게는 개인적인 부채가 있다 해도 사실상 거의 없는 셈이다.

당신은 앞에서 살펴본 가난한 사람, 중산층, 부자들의 세 가지 현금흐름 패턴을 결합한 새로운 현금흐름 패턴을 갖고 있을 수도 있다. 당신의 재무제표는 어떤 이야기를 하는가? 당신은 당신의 지출을 통제하고 있는가?

부채가 아닌 자산을 사라.

능숙한 투자가는 주머니에 돈을 넣는 자산을 산다. 그것은 그렇게도 간단한 것이다.

개인적 지출을 사업적 지출로 바꾸어라.

능숙한 투자가는 사업을 하면 사업에서 야기되는 그 모든 일상적이고 필요한 지출을 공제받을 수 있음을 이해한다. 그들은 비용을 분석해서 공제되지 않는 개인적 지출을 공제되는 사업적 지출로 바꾸려 한다. 모든 지출이 공제되는 것은 아니기 때문에 그렇게 한다.

당신의 금융 및 세금 조언가들과 당신의 사업적 및 개인적 지출을 검토하라. 그렇게 해서 사업을 통해 가능한 공제를 극대화하라.

사업 소유주가 공제받을 수 있는 사업적 지출들은 대개 직원들에게는 공제되지 않는다. 따라서 당신은 사업상의 지출 내역을 명확히 기록해야 하고 적법한 사업적 목적이 있어야만 한다. 당신이 지금 개인적으로 사용하는 비용들은 사업을 소유하면 사업상의 지출로 공제받을 수 있음을 생각해 보라.

―투자가들이 지켜야 할 세번째 사항 : 투자 운영에 대한 통제

어떤 내부 투자가가 그 투자에 충분한 지분을 갖고 있어서 사업체의 경영 사항들을 통제할 수 있을 때, 그 사람은 투자가들이 지켜야 할 세번째 사항을 갖고 있는 것이다. 이때는 투자가가 유일한 소유주일 수도 있고, 충분한 지분을 갖고 있어서 의사 결정 과정에

참여하는 상황일 수도 있다.

이 투자가에게는 〈B-I 삼각형〉을 이용해 성공적인 사업을 일으키면서 배우는 기술들이 필수적이다.

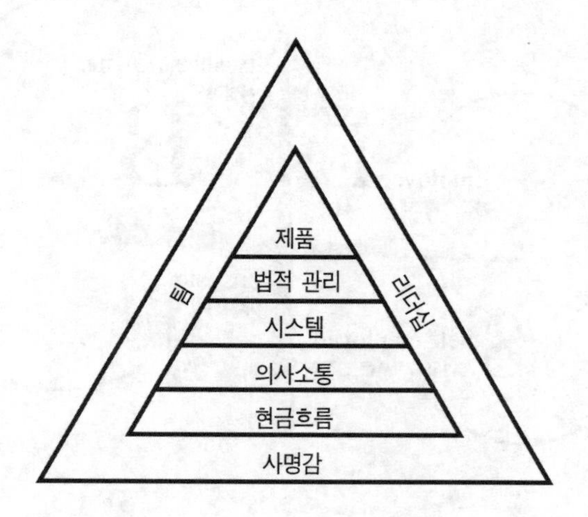

일단 그 투자가가 그런 기술들을 보유하면, 그 사람은 다른 투자들의 잠재 수익성을 더 잘 분석할 수 있다. 관리 및 경영 시스템이 효율적이고 성공적으로 보이면, 그 투자가는 자금을 투자하는 데 더 편안함을 느낀다.

—투자가들이 지켜야 할 네번째 사항 : 세금에 대한 통제

능숙한 투자가는 세법에 대해서 배운 바가 있다. 그것은 공식적인 공부를 통해서일 수도 있고, 좋은 조언가들에게 질문하고 경청함으로써 얻을 수도 있다. 현금흐름 사분면의 오른쪽 편에서는 일부 세금 혜택들을 제공하는데, 능숙한 투자가는 이것을 철저하게

이용해 자신이 납부해야 할 세금을 합법적으로 극소화하고 세금 이연(移延)을 최대한 증가시킨다.

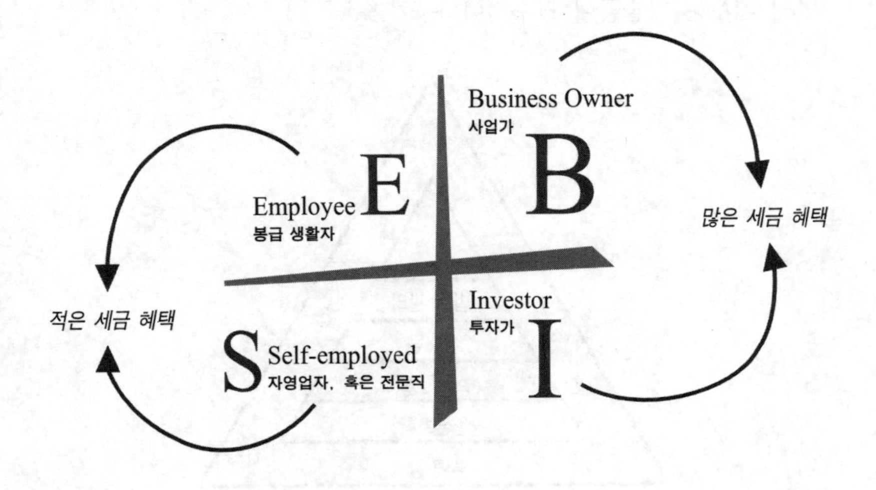

능숙한 투자가는 각각의 국가, 주, 그리고 지방 정부에 서로 다른 세법이 있음을 알고 있다. 그래서 그들은 종종 가장 유리한 지역으로 사업체를 옮기곤 한다.

세금이 〈E〉와 〈S〉 사분면에서는 가장 큰 지출임을 아는 능숙한 투자가들은 소득을 줄여 소득세를 줄이고 동시에 투자 자금은 늘린다. 이와 관련한 예는 〈투자가들이 지켜야 할 일곱번째 사항〉에 나와 있다.

―투자가들이 지켜야 할 다섯번째 사항 : 살 때와 팔 때에 대한 통제

능숙한 투자가는 올라가는 시장에서뿐 아니라 내려가는 시장에서

도 어떻게 돈을 버는지 알고 있다.

사업체를 만들 때 능숙한 투자가는 큰 인내심을 발휘한다. 나는 때로 이런 인내심을 〈연기된 만족〉이라고 얘기한다. 능숙한 투자가는 진정한 경제적 보상이 투자나 사업이 수익을 내서 팔 수 있거나 공개할 수 있은 후에 나온다는 점을 이해한다.

—투자가들이 지켜야 할 여섯번째 사항 : 중개인을 통한 거래에 대한 통제

내부 투자가로 활동하는 능숙한 투자가는 투자를 어떻게 팔거나 확대시킬 것인지 방향을 정할 수 있다.

반면 다른 기업의 외부 투자가로 활동하는 능숙한 투자가는 자신의 투자 실적을 세심하게 추적하며 자신의 중개인이 사거나 팔도록 지시한다.

오늘날 많은 투자가들은 자신들의 중개인들이 언제 사고 팔지 정확히 안다고 믿는다. 하지만 이런 투자가들은 능숙한 투자가가 아니다.

—투자가들이 지켜야 할 일곱번째 사항 : E-T-C(단위, 시점, 그리고 특성)에 대한 통제

「자기 자신에 대한 통제 다음으로는 〈E-T-C에 대한 통제〉가 가장 중요한 통제다」 부자 아버지는 종종 그렇게 얘기했다. 당신의 소득에 대한 단위(Entity), 시점(Timing), 그리고 특성(Characteristics)

에 대한 통제를 얻으려면 회사법, 증권법, 그리고 세법을 이해할 필요가 있다.

부자 아버지는 소득의 올바른 단위를 선택하고 가능한 한 많은 근로 소득을 비활성 소득 및 투자 소득으로 바꿈으로써 얻어지는 혜택을 정말로 이해했다. 이것과 더불어 〈재무제표를 읽는 능력〉과 〈재무제표의 관점에서 생각하는〉 능력이 결합해 부자 아버지는 더 빨리 자신의 금융 제국을 건설할 수 있었다.

〈더 적은〉이 아닌 〈더 많은〉 통제

부자 아버지는 이렇게 얘기했다. 「일단 네가 재무제표의 관점에서 자동적으로 생각할 수 있게 되면, 그때 너는 다수의 사업들을 운영할 수 있을 뿐 아니라 다른 투자들을 빠르게 평가할 수도 있게 된다. 그러나 가장 중요한 것은, 일단 네가 재무제표의 관점에서 생각할 수 있게 되면, 너는 너의 경제적 삶에 대한 한층 더 큰 지배권을 얻게 되고 한층 더 많은 돈을 벌게 된다. 일반 투자가는 그렇게 많은 돈을 벌 수 있다고 생각하지 않는다」

이어서 그분은 다음의 그림을 그렸다.

부자 아빠의 개인 재무제표

수입
지출

자산	*부채*
아내가 운영하는 식당 *나의 부동산 회사*	

부자 아빠의 아내가 운영하는 식당 재무제표　　*부자 아빠가 운영하는 부동산 회사 재무제표*

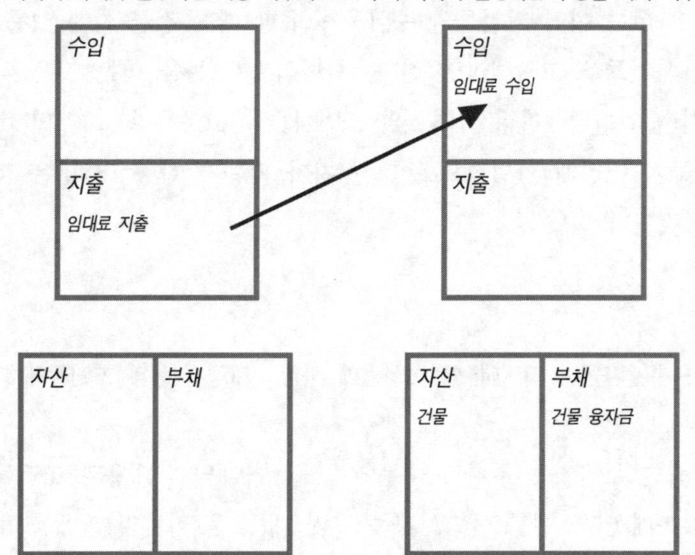

나는 그 그림을 보면서 이렇게 얘기했다. 이 경우에 식당 임대료는 아버님의 부동산 투자 회사의 수입이 되는군요」

부자 아버지가 고개를 끄덕이면서 이렇게 얘기했다. 「그리고 기술적으로, 나는 무엇을 하고 있느냐?」

「아버님은 식당 사업에서 나오는 근로 소득을 부동산 회사를 위한 비활성 소득으로 바꾸고 있습니다. 다시 말해, 아버님은 자신에게 지불하고 있습니다」

「그리고 그것은 시작에 불과하다」 부자 아버지가 말했다. 「하지만 나는 너에게 경고하고 싶다. 이제부터 너는 최고의 회계 및 법률 조언을 필요로 할 것이다. 이것은 능숙한 투자가들이 곤경에 처하기 시작하는 곳이다. 그들이 곤경에 처하는 이유는 내가 너에게 보여준 이 그림이 합법적으로도 될 수 있고 불법적으로도 될 수 있기 때문이다. 기업들 간의 거래에는 늘 사업적인 목적이 있어야 한다. 그리고 너는 여러 기업들의 주식을 소유할 때 특정한 지배 그룹 소유권 사안들을 고려해야만 한다. 합법적으로 돈을 버는 것은 너무도 쉬운 일이다. 따라서 최고의 조언가들을 고용해라. 그러면 너는 부자들이 어떻게 합법적으로 더 부자가 되는지 한층 더 많은 것을 배울 것이다」

—투자가들이 지켜야 할 여덟번째 사항 : 계약 내용과 조건들에 대한 통제

능숙한 투자가는 투자의 내부에 있을 때 계약의 내용과 조건들에 대해 통제한다. 예를 들면, 나는 몇몇 내 작은 집들의 판매를 하나

의 작은 아파트 건물로 이월시킬 때 (미국 법률의) 1031조를 이용했다. 그 조항은 내가 그 소득을 이월하도록 허용했다. 나는 그 판매에서 어떤 세금도 낼 필요가 없었다. 왜냐하면 나는 법률상으로 계약의 내용과 조건들을 잘 알았기 때문이다.

──투자가들이 지켜야 할 아홉번째 사항 : 정보 접근에 대한 통제

내부 투자가로서 능숙한 투자가는 다시 정보 접근에 대한 통제를 보유한다. 이것은 투자가들이 미국 증권 거래 위원회가 부과하는 합법적 내부자 요건들을 이해할 필요가 있는 분야이다. (다른 나라들도 비슷한 감독 기구들을 갖고 있다.)

──투자가들이 지켜야 할 열번째 사항 : 사회 환원, 자선 사업, 재산의 재분배에 대한 통제

능숙한 투자가는 재산과 함께 오는 사회적 책임감을 인식하며 재산을 사회에 환원한다. 이것은 자선 사업 같은 것을 통해 일어날 수 있다. 어떤 경우에는 자본주의를 통한 것이 되는데, 예를 들면 일자리를 창출하고 경제를 발전시키는 것이다.

제38장

투자를 분석할 줄 알아야 한다

사람들이 나에게 어떻게 좋은 투자 대상을
찾느냐고 물을 때, 나는 이렇게 대답한다.
「나는 기업 실사 평가 과정을 통해 찾습니다」

「숫자들이 이야기를 한다」 부자 아버지는 그렇게 얘기했다. 「재무제표를 읽는 법을 배우면 어떤 회사나 투자 안에서 무슨 일이 일어나는지 알 수 있다」

부자 아버지는 나에게 자신이 어떻게 재무 비율을 적용해 사업을 관리했는지 가르쳤다. 어떤 회사의 주식에 투자할 때나 혹은 부동산을 구입할 때나, 나는 늘 재무제표를 분석한다. 나는 어떤 사업의 재무제표를 읽고 재무 비율을 계산함으로써 그 사업이 얼마나 수익성이 있는지 혹은 얼마나 레버리지(Leverage, 자산 또는 운용 자산에 대한 부채 비율)가 높은지 알 수 있다.

부동산 투자의 경우에 나는 내가 보증금으로 지불해야 할 금액에 기반해 현금 대 현금 수익이 얼마가 될 것인지 계산한다.

이 장에서는 모든 능숙한 투자가들이 자신들의 금융 계획을 위해 투자를 선택할 때 거쳐야 할 일부 중요한 사고 과정을 다루게 된다. 그것들은 다음과 같다.

——기업의 재무 비율

——부동산 투자의 재무 비율

——천연자원

——좋은 빚인가, 나쁜 빚인가?

기업의 재무 비율

$$\text{영업 이익률} = \frac{\text{매출} - \text{팔린 상품의 비용}}{\text{매출}}$$

영업 이익률은 총 이윤을 매출로 나눈 것이다. 이것은 팔린 상품에 들어간 비용을 공제한 후 남는 매출의 비율을 보여준다. 매출에서 팔린 상품의 비용을 빼면 총 이윤이 된다. 나는 부자 아버지가 이렇게 말한 것을 기억한다. 「총(gross)이 없으면 순(net)수입도 없다」

영업 이익률이 얼마나 높아야 하는지는 그 사업이 조직된 방식과 그 사업을 지탱하는 데 필요한 비용들에 따라 다르다. 그 비용들로는 건물의 임대료, 직원들의 봉급, 사무용품, 세금과 사회 간접 시설 이용료, 낭비되거나 손상된 상품 가치, 그 밖에도 많은 비용들이 있으며, 그 비용들을 지불한 후에도 원래의 투자에서 상당한 수익을 올릴 수 있을 만큼 충분히 남아야만 한다.

오늘날 인터넷 전자 상거래 사이트를 운영하는 회사들에서는 이런 추가 비용들이 훨씬 더 적게 든다. 그래서 그런 사업들은 더 낮은 영업 이익률로도 매출에서 수익을 올릴 수 있다.

따라서 총 이윤은 높을수록 더 좋다.

$$\text{경상 이익률} = \frac{\text{EBIT}}{\text{매출}}$$

경상 이익률은 세금과 자금 비용을 고려하기 전의 사업 운영에서 비롯되는 순수익성을 보여준다. EBIT는 이자와 세금 이전의 수입(Earnigs Before Interest and Taxes)을 가리키는데, 이것은 매출에서 그 사업의 모든 비용을 뺀 것과 같으며, 그 비용에 (이자, 세금, 배당금 같은) 자본 비용은 포함되지 않는다.

EBIT 대 매출의 비율은 경상 이익률로 불린다. 경상 이익률이 높은 사업은 대개 그것이 낮은 사업보다 더 튼튼하다.

따라서 경상 이익이 많을수록 더 좋다.

$$\text{운영 레버리지} = \frac{\text{공헌 이익}}{\text{고정 비용}}$$

공헌 이익은 경상 이익에서 변동 비용을 제외한 것을 가리킨다. (고정비가 아닌 모든 비용은 변동 비용이며 매출에 따라 변한다.) 고정

비에 포함되는 것은 매출에 따라 변하지 않는 모든 비용, 그리고 일반 관리 비용이다. 예를 들어, 전일제 직원과 관련된 노동 비용과 시설에 관련된 대부분의 비용은 일반적으로 고정비로 간주된다. 어떤 사람들은 이것을 〈일반 관리비〉라고 부른다.

어떤 사업의 운영 레버리지(Operating Leverage)가 〈1〉이라면, 그 사업이 고정비를 지불할 만큼의 매출만 발생시킨다는 뜻이다. 그러니까 소유주들에게 투자 수익은 제공하지 못한다는 뜻이 된다.

따라서 운영 레버리지는 높을수록 더 좋다.

$$\text{재무 레버리지} = \frac{\text{총투하 자본}}{\text{주주들의 자본금}}$$

총투하 자본은 모든 이자 부담 부채의 장부 내지 회계 가치에 모든 소유주의 자본금을 더한 것이다. 따라서 당신이 5만 달러의 부채와 5만 달러의 주주 자본금을 갖고 있다면, 당신의 재무 레버리지(Financial Leverage)는 (10만 달러를 5만 달러로 나눈) 2가 된다.

$$\text{레버리지 합계} = \text{운영 레버리지} \times \text{재무 레버리지}$$

어떤 회사가 현재의 사업에서 안는 총 위험도는 운영 레버리지와 재무 레버리지를 곱한 것이다. 레버리지 합계는 그 사업에서 주어진 변화가 자본금 소유주들에게 어떤 효과를 가져야만 하는지 얘기한다. 당신이 사업 소유주라면, 그래서 내부에 있다면, 당신 회사의 레버리지 합계는 적어도 부분적으로 당신의 통제하에 있다.

당신이 주식 시장을 본다면, 레버리지 합계는 당신이 투자하고 싶은지 아닌지 결정하는 데 도움을 줄 것이다. 잘 운영되고 보수적으로 관리되는 (공개적으로 거래되는) 미국의 기업들은 대개 레버리지 합계 숫자를 5 밑에서 유지한다.

$$\text{부채 비율} = \frac{\text{부채 합계}}{\text{자본금 합계}}$$

부채 비율은 외부에서 조달한 전체 자금(부채 합계)이 내부에서 조달한 전체 자금(Total Equity: 자본금 합계)과 관련해 얼마만큼의 비중을 차지하는지 측정하는 것이다. 대부분의 사업들은 100%나 그 밑의 비율을 유지하려고 애쓴다. 일반적으로 말해서, 부채 비율이 낮을수록 그 회사의 재무 구조는 더 보수적이다.

$$\text{초단기 부채 비율} = \frac{\text{유동 자산}}{\text{단기 부채}}$$

$$\text{단기 부채 비율} = \frac{\text{단기 자산}}{\text{단기 부채}}$$

초단기 부채 비율과 단기 부채 비율의 중요성은, 그것들이 그 회사가 다가오는 연도에 부채를 지불할 충분한 유동 자산이 있는지 말해 주는 것이다. 어떤 회사가 단기 부채를 갚을 충분한 단기 자산을 갖고 있지 못할 때, 그것은 대개 곤란이 임박했다는 징후이다. 반면에 단기 부채 비율과 초단기 부채 비율이 2 대 1이면 상당히 좋은 것이다.

$$\text{자본 회수율} = \frac{\text{순수입}}{\text{주주들의 평균 자본금}}$$

자본 회수율(Return on Equity)은 종종 가장 중요한 비율로 취급된다. 이것은 그 회사가 다른 투자들과 비교할 때 주주들의 투자에 돌려주는 수익 비율을 보여주는 것이다.

그 비율들은 나에게 무엇을 얘기하는가

부자 아버지는 나에게 늘 그런 숫자들의 향방을 적어도 3년은 고려하라고 가르쳤다. 영업 이익률, 공헌 이익률, 레버리지, 그리고 자본 회수율을 해당 기업과 그 회사의 경영, 나아가 경쟁자들에게까지 나에 대해 많은 것을 얘기한다.

많은 기업 보고서들에는 이런 비율들과 지표들이 들어 있지 않다. 능숙한 투자가는 이런 수치들이 제공되지 않을 때 그것들을 계산하는 법을 배운다. (혹은 그렇게 하는 법을 아는 사람을 고용한다.)

능숙한 투자가는 그 비율의 뜻을 이해하며 그것들을 사용해 투자를 평가한다. 그렇지만 그 비율들은 진공 속에서는 사용할 수 없다. 그것들은 해당 기업의 실적을 나타내는 지표이다. 그것들은 전반적인 사업과 업계의 분석과 관련해서 고려해야 한다. 그 비율들을 적어도 3년의 기간에 걸쳐 비교하고 같은 업계의 다른 기업들과 비교함으로써, 당신은 그 기업의 상대적인 힘을 빠르게 알아낼 수 있다.

예를 들어, 어떤 회사가 지난 3년에 걸쳐 우수한 수치 결과를 보이면서 많은 수익을 올렸다면, 그 회사는 좋은 투자 대상인 것처럼 보일 수도 있다. 그렇지만 업계를 면밀히 분석해 보면 당신은 그 회사의 주요 제품이 경쟁사의 신제품 때문에 낡은 것이 되었음을 알게 된다. 이 경우에는 좋은 실적을 유지하고 있는 회사도 시장 점유율의 잠재적인 감소 때문에 좋은 투자 대상이 아닐 수 있다.

그 비율들은 처음에는 복잡한 것처럼 보일 수도 있지만, 당신은 어떤 회사를 분석하는 법을 얼마나 빨리 배울 수 있는지 놀랄 것이다. 이런 비율들은 능숙한 투자가의 언어임을 기억하라. 스스로 금융 지식을 배움으로써 당신도 〈비율들로 얘기하는〉 법을 배울 수 있다.

부동산 투자의 재무 비율

부동산과 관련해서 부자 아버지는 두 가지 질문을 갖고 있었다.

——그 부동산은 긍정적인 현금흐름을 발생시키는가?

——그렇다면 당신은 적절한 노력을 했는가?

부동산 투자에서 가장 중요한 재무 비율은 부자 아버지가 보기에 〈현금 수익률〉이었다.

$$\text{현금 수익률} = \frac{\text{긍정적인 순현금 흐름}}{\text{보증금}}$$

가령, 당신이 50만 달러짜리 연립 주택 건물을 산다고 하자. 당신은 보증금으로 10만 달러를 내고 나머지 40만 달러는 융자금으로 충당한다. 당신은 모든 비용과 융자금 상환을 지불한 후 매월 2천 달러의 현금흐름을 갖는다고 하자. 이때 당신의 현금 수익률은 2만 4천 달러(2천 달러×12개월)를 10만 달러로 나눈 24%가 된다.

그 아파트 건물을 사기 전에 당신은 그것을 어떻게 구입할 것인지 결정해야 한다. 또 당신의 법률 및 세금 조언가들과 상담해 최상의 법적 보호와 세금 혜택을 받을 수 있는 방법을 알아야 한다.

기업 실사 평가

내가 볼 때 기업 실사 평가는 금융 지식 분야에서 가장 중요한 부분이다. 능숙한 투자가는 기업 실사 평가 과정을 통해 동전의 다른쪽 면을 본다. 사람들이 나에게 어떻게 좋은 투자 대상을 찾느냐고 물을 때, 나는 이렇게 대답한다. 「나는 기업 실사 평가 과정을 통해 찾습니다」 부자 아버지는 이렇게 얘기했다. 「그것이 사업이건 부동산이건 주식이건 뮤추얼 펀드건 혹은 채권이건, 그런 투자에 대한 적절한 노력을 더 빨리 할 수 있을 때 현금흐름이나 자본 소득이 가장 클 가능성이 있는 안전한 투자를 잘 찾을 수 있다」

기업 실사 평가는 당신을 더 능숙한 투자가로 만드는 힘을 갖고 있을 뿐 아니라, 당신에게 투자를 분석하는 데 필요한 많은 시간을 절약해 준다. 그것들은 또 당신이 찾고 있는 높은 수익의 투자 대상을 찾도록 도울 수도 있다.

예를 들어, 일단 당신이 어떤 부동산이 당신에게 긍정적인 현금 흐름을 발생시킬 것이라고 결정하면, 당신은 그 부동산에 대한 실사 평가를 실천할 필요가 있다.

천연자원

많은 능숙한 투자가들은 지구의 천연자원에 대한 투자를 자신들의 포트폴리오의 일부로 포함시킨다. 그들은 석유, 가스, 석탄, 귀금속 등에 투자한다.

부자 아버지는 금의 힘에 대해 강한 믿음을 갖고 있었다. 하나의 천연자원으로서 금은 공급이 유한하다. 부자 아버지가 나에게 말했듯이, 사람들은 오랜 세기 동안 금을 소중하게 여겼다. 부자 아버지는 또 금을 소유하면 다른 재산도 들어온다고 믿었다.

좋은 빚인가, 나쁜 빚인가

능숙한 투자가는 좋은 빚, 좋은 비용, 그리고 좋은 부채를 인식한다. 나는 부자 아버지가 나에게 이렇게 질문한 것을 기억한다. 「네가 만약 매월 100달러를 손해본다면 너는 얼마나 많은 임대 주택을 소유할 수 있겠느냐?」 물론 나는 이렇게 대답했다. 「별로 많지 않을 겁니다」 이어서 부자 아버지는 이렇게 물었다. 「네가 만약 매월 100달러의 수익을 낸다면 너는 얼마나 많은 임대 주택을 소유할 수 있겠느냐?」 그 질문에 나는 이렇게 대답했다. 「찾을 수 있을 만큼 많이입니다!」

당신의 지출, 부채, 그리고 빚을 모두 분석하라. 각각의 특정한 지출, 부채, 혹은 빚은 그에 상응하는 소득이나 자산에 적용되는가? 그렇다면, 그런 소득이나 자산에서 결과적으로 들어오는 현금흐름은 지출/부채/빚 때문에 나가는 현금흐름보다 더 큰가?

예를 들어, 내 친구인 짐은 60만 달러짜리 아파트 건물에 융자금을 갖고 있다. 그는 매월 융자금 상환과 이자 지급으로 5,500달러를 지불한다. 그리고 매월 임대인들로부터 8,000달러의 수입을 얻는다. 그 친구는 그 모든 비용을 제하고 그 아파트 건물에서 매달 1,500달러의 긍정적 현금흐름을 얻는다. 나는 이때 짐의 융자금은 〈좋은 빚〉이라고 생각하고 싶다.

제39장

새로운 수업이 시작되었다

부자 아버지는 맨손으로 회사를 만들어 그것을
공개시키는 사람을 궁극적인 투자가라고 불렀다.
부자 아버지는 그런 투자가가 되지 못했다.
그분의 아들인 마이크도 회사를 만들어
기업을 공개시키지는 못했다.
따라서 내가 궁극적인 투자가가 된다는 것은
부자 아버지의 훈련 과정을 완성시킨다는 뜻이 된다.

따라서 이제 남은 문제는, 빌 게이츠 같은 사람이 어떻게 30대에 세상에서 가장 부유한 사업가가 되었는가, 혹은 워렌 버펫이 어떻게 미국에서 가장 부유한 투자가가 되었는가 하는 것이다. 두 사람 모두 중산층 가족 출신이며, 그래서 그들은 많은 재산을 물려받지 못했다. 그렇다. 그들은 많은 재산을 물려받지 않고도 불과 몇 년 만에 엄청난 재산을 모았다. 그들은 어떻게 했길래 그렇게 빨리 부자가 되었을까? 그들은 엄청난 부자들이 과거에 했고 앞으로도 하게 될 방식을 따라서 했다. 그들은 수십억 달러에 달하는 자산을 만들어 궁극적인 투자가가 되었다.

1999년 9월 27일자 《포춘 *Fortune*》은 표지 기사로 다음과 같은 제목의 기사를 실었다. 〈젊은 부자, 40세 이하의 가장 부유한 미국인 40명.〉 이들 젊은 억만장자들 가운데 상위 10위까지의 젊은 부자들은 컴퓨터 내지 인터넷 회사의 경영자들이다.

흥미로운 점은, 비(非)인터넷 관련 부자들은 피자 회사, 랩 음악 사업, 그리고 스포츠 같은 사업에서 나왔다. 나머지 모두는 컴퓨터 내지 인터넷 분야에 있다.

빌 게이츠와 워렌 버펫은 명단에 오르지 못했다. 그들은 40세가 넘었기 때문이다. 1999년에 빌 게이츠는 43세였고 재산은 850억 달러였다. 워렌 버펫은 69세였고 재산은 310억 달러였다.

그들은 과거의 방식으로 해냈다

그렇다면 그 순위에 오른 대부분의 사람들은 어떻게 그렇게도 젊은 나이에 엄청난 부자 대열에 올랐을까? 그들은 그것을 과거의 방식으로 해냈다. 그러니까 록펠러, 카네기, 포드가 과거에 엄청난 부자가 되었던 방식이나 미래의 엄청난 부자들이 할 방식 말이다. 그들은 회사를 만들어 그 회사의 주식을 대중에게 팔았다. 그들은 사는 주주가 아닌 파는 주주가 되기 위해 열심히 일했다. 다시 말해, 그들은 파는 주주가 됨으로써 자신들의 돈을 찍어냈다고 할 수 있다. 물론 합법적으로 했다. 그들은 소중한 사업을 일으켰고, 그런 후에 그 사업체의 주식을 다른 사람들, 즉 사는 주주들에게 팔았다.

『부자 아빠 가난한 아빠 1』에서 나는 내가 어떻게 아홉 살의 나이에 치약 튜브들을 녹여서 납으로 된 동전들을 만들어 스스로 돈을 만들기 시작했는지 얘기했다. 그때 내 가난한 아버지는 〈위조〉라는 말의 뜻이 무엇인지 나에게 알려주었다. 내 첫번째 사업이었던 그것은 같은 날 시작되고 끝났다.

반면에 부자 아버지는 나에게 내가 큰 돈을 벌 수 있는 궁극적 공식에 아주 근접했다고 얘기했다. 그러니까 자신의 돈을 찍어내거나 발명하는 것이다. 물론 합법적으로 말이다. 그리고 그것은 궁극적인 투자가가 하는 일이다. 다시 말해, 자신의 돈을 찍어낼 수 있는데 왜 돈을 위해 열심히 일하는가?『부자 아빠 가난한 아빠 1』에서 부자 아버지의 다섯번째 교훈은 다음과 같은 것이다. 〈부자들은 자신들의 돈을 만든다.〉 부자 아버지는 나에게 부동산이나 작은 기업들로 내 자신의 돈을 발명하도록 가르쳤다. 그 기술은 내부 투자가와 궁극적인 투자가의 영역이다.

어떻게 10%의 사람이 주식의 90%를 소유하는가

가장 부유한 10%의 사람이 모든 주식의 90%를 소유하는 한 가지 이유는, 《월 스트리트 저널》이 보도한 대로, 가장 부유한 10% 사람에는 궁극적인 투자가들, 즉 주식을 만드는 사람들이 들어 있기 때문이다. 또다른 이유는 그 10%의 사람들만이 어떤 회사가 기업 공개를 통해 대중에게 소개되기 전에 그 회사에 투자할 자격이 있기 때문이다. 이 엘리트 그룹에 속하는 사람들은 기업의 창업주들(그러니까 창업 주주들), 그런 창업주들의 친구들, 혹은 선택된 투자가들이다. 이런 사람들은 점점 더 부자가 되고, 나머지 다른 사람들은 종종 수지를 맞추기 위해 기를 쓰면서 혹시라도 남는 돈으로 사는 주주들이 되는 것이다.

파는 주주와 사는 주주들의 차이

다시 말해, 궁극적인 투자가는 회사를 만들어 자기 회사의 주식을 파는 사람이다. 당신이 기업 공개 설명서를 읽을 때, 궁극적인 투자가는 파는 주주들로 기재되어 있다. 그들은 사는 주주들이 아니다. 그리고 당신이 그런 사람들의 순재산에서 알 수 있듯이, 파는 사람들과 사는 사람들 간의 재산 차이는 엄청난 것 같다.

마지막 다리

1994년에 이르러 나는 부자 아버지와 내가 1974년에 세웠던 계획의 상당 부분을 성공적으로 완수했다고 느꼈다. 나는 〈B-I 삼각형〉의 대부분 요소들을 관리하는 내 능력에 비교적 편안함을 느꼈다. 나는 회사법을 충분히 이해해서 변호사나 회계사와 얘기할 수 있었다. 나는 다양한 사업 단위들의 차이를 알고 있었으며, 언제 어느 것을 사용해야 할지 알고 있었다. 나는 부동산을 성공적으로 구입해 관리하는 내 능력에 상당히 편안함을 느꼈다. 1994년에 이르러 우리의 지출은 통제되고 있었고, 가능한 한 많은 것이 세전 사업 비용이 되고 있었다. 대부분의 우리 소득은 비활성 소득이었으며, 주로 뮤추얼 펀드에서 나오는 약간의 투자 소득도 있었다. 우리는 다른 사람들의 사업에 대한 투자에서도 일부 소득을 올리고 있었다.

그러나 어느 날, 내가 내 사면체를 평가하고 있을 때, 내 사면체의 한쪽 다리가 정말로 너무도 약하다는 점이 분명히 드러났다. 그 다리는 종이 자산에 관련된 다리였다.

내 사면체는 이런 모양을 하고 있었다.

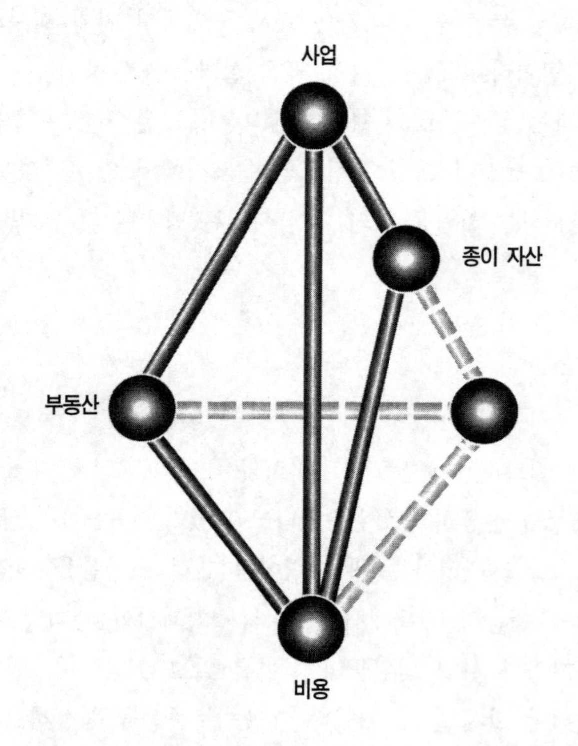

1994년에 나는 내 성공에 대해 기뻐하고 있었다. 아내와 나는 경제적으로 자유로웠고, 금융 재앙이 없다면 한평생 일하지 않고도

살 수 있었다. 그렇지만 내 사면체의 한쪽 다리가 다른쪽 다리보다 더 약함은 분명했다. 내 금융 제국은 균형이 맞지 않았던 것이다.

나는 1994년부터 1995년까지 일년 동안 산에서 시간을 보냈다. 그러면서 나는 마지막 다리인 종이 자산을 강화시키는 데 많은 생각을 했다. 나는 그것을 강화시키는 데 필요한 그 모든 일을 정말로 하고 싶은지 알아야만 했다. 그때까지 나는 경제적으로 잘 꾸려가고 있었으며, 마음속으로 경제적 안정을 위해 종이 자산을 힘들게 얻을 필요는 없다고 생각했다. 나는 있는 그대로의 상태에서 잘 지내고 있었다. 그리고 나는 종이 자산이 없어도 점점 더 부자가 될 수 있었다.

하지만 일년 동안 정신적으로 방황하고 혼란을 겪은 후에, 나는 내 포트폴리오의 종이 자산 다리를 강화시킬 필요가 있다고 결정했다. 그렇게 하지 않으면 나는 스스로 자신을 작게 만드는 것이었다. 그리고 그것은 받아들이기 어려운 생각이었다.

나는 또 기업의 주식을 살 때 대부분의 사람들이 그러는 것처럼 외부에서 투자하고 싶은지도 알아야만 했다. 다시 말해, 나는 사는 주주로서 외부에서 투자하고 싶은지, 아니면 내부에서 투자하는 법을 배우고 싶은지 알아야만 했다. 둘 모두 배움의 과정으로써 거의 새로 시작하는 것이나 다름없었다.

부동산 거래나 작은 사업체의 인수에서는 내부로 들어가는 것이 비교적 쉽다. 그런 이유로 나는 투자가들이 지켜야 할 열 가지 기본 사항을 얻고자 하는 진지한 사람들에게 작은 거래부터 시작할 것을 권유한다. 그렇지만 어떤 회사가 기업을 공개하기 전에 그 내부로 들어가는 것은 이야기가 다르다. 일반적으로, 어떤 회사가 기업을 공개하기 전의 상장 전 공모주 투자에 초대받는 것은 일부 엘리트 그룹의 사람들에게만 해당된다. 그런데 나는 그런 엘리트 그룹에 속해 있지 않았다. 나는 부자가 아니었고, 돈을 번 지도 오래되지 않아 그런 엘리트 그룹에 속할 수 없었다. 게다가 나는 가문이나 학벌이 대단하지도 않았다. 내 피는 파란색이 아닌 빨간색이었고, 내 피부는 흰색이 아니었다. 그리고 하버드는 나 같은 사람을 받아들인 적이 없었다. 따라서 나는 최고의 기업들이 기업을 공개하기 전에 그곳에 투자하도록 초대받는 엘리트 그룹의 일부가 되는 법부터 배워야만 했다.

나는 잠시 나 자신을 불쌍하게 생각하면서 자기 차별, 자신감 부족, 그리고 자기 동정의 순간을 만끽했다. 그때는 이미 부자 아버지는 돌아가신 후였다. 그래서 나에게는 조언을 구할 사람이 없었다. 잠시 동안의 비통함이 끝난 후에, 나는 이 나라가 자유 국가임을 인식했다. 빌 게이츠가 대학을 중퇴하고 회사를 만들어 기업을 공개할 수 있다면, 나는 왜 할 수 없는가? 그래서 우리는 자유 국가에서 살고 싶은 것이 아닌가? 우리는 우리가 원하는 만큼 부자가 될 수 없는가? 1994년에 나는 누구도 나에게 내부자 클럽에 동참할 것을 부탁하지 않을 것이기 때문에, 어쩌면 내가 그런 클럽을 찾아 그곳에 동참할 수 있도록 초대해 달라고 부탁해야 할지도 모른다고 생각했다. 아니면 내가 직접 그런 클럽을 만들든지. 문제는 나는 어디서 시작해야 할지 알지 못한다는 것이었다. 더구나 나는 월가에서 2천 마일이나 떨어진 애리조나 피닉스에 살고 있었다.

1995년 새해 첫날에 나는 가장 친한 친구인 래리 클라크와 함께 우리집 근처에 있는 산 꼭대기에 올라갔다. 우리는 지난해를 돌아

보고, 새해를 계획하고, 향후의 목표들을 적었다. 우리는 그 산 꼭대기에서 세 시간 가량을 보내며 우리의 삶과 우리의 희망, 꿈, 그리고 미래의 계획들을 의논했다. 래리와 나는 25년 동안 가장 친한 친구로 지냈다. (우리는 1974년에 하와이에서 함께 제록스의 사원으로 일하기 시작했다.) 래리와 나는 마이크와 내가 내 삶의 그 단계에서 공유했던 것보다 더 많은 것을 공유하고 있었기 때문에 새로 가장 친한 친구가 되었다. 마이크는 이미 아주 큰 부자가 되어 있었고, 래리와 나는 사실상 아무것도 없는 상태에서 아주 큰 부자가 되고 싶다는 강렬한 욕망만으로 시작을 하고 있었다.

래리와 나는 여러 해 동안 동업자로 일하며 몇몇 사업들을 시작했다. 그런 사업들 중에서 많은 것들은 계획 단계에서부터 실패하기도 했다. 래리와 나는 그런 사업들 중에서 일부를 회상할 때 우리가 얼마나 순진했는지 얘기하며 웃곤 한다. 하지만 그런 사업들 중에서 일부는 아주 잘되었다. 우리는 1977년에 함께 나일론 지갑 사업을 시작했고 그것을 세계적인 사업체로 발전시켰다. 우리는 함께 사업을 시작함으로써 가장 친한 친구가 되었고 그 후 쭉 친한 친구로 남았다.

그 나일론 지갑 사업이 1979년에 실패하기 시작한 후에, 래리는 애리조나로 돌아가 부동산 개발자로서 명성과 재산을 쌓기 시작했다. 1995년에 《*Inc.*》 잡지는 그를 미국에서 가장 빠르게 성장하는 주택 건설업자로 소개했다. 그리고 래리는 그 잡지의 〈가장 빠르게 성장하는 창업가〉 명단에 올랐다. 1991년에 아내와 나는 날씨와 골프 때문에 피닉스로 이사했다. 하지만 그곳으로 이사한 더 중요한 이유는 연방 정부가 거저이다시피 나눠주던 수백만 달러어치의 부동산 때문이었다. 오늘날 아내와 나는 래리 부부의 이웃에 살고 있다.

1995년 새해 첫날에, 나는 래리에게 내 사면체 그림을 보여주고 종이 자산 다리를 늘리려는 내 의도를 설명했다. 나는 어떤 회사가 기업을 공개하기 전에 그곳에 투자하거나, 아니면 직접 회사를 만들어 기업을 공개하려는 내 욕망을 얘기했다. 내 설명이 끝난 후에 래리는 이렇게만 얘기했다. 「행운을 빈다」 우리는 그날 헤어지면서 우리의 목표들을 카드에 적고 악수를 했다. 우리가 목표들을 적은 이유는 부자 아버지가 늘 이렇게 얘기했기 때문이다. 「목표는 분명하고, 간단하고, 글로 적어야 한다. 그렇게 적어 매일 검토하지 않는 목표는 사실 목표라고 할 수도 없다. 그것은 단지 소망에 불과할 뿐이다」 우리는 그 쌀쌀한 산 꼭대기에 앉아서 자신의 사업체를 팔고 은퇴를 하려는 래리의 목표를 검토했다. 래리의 설명이 끝났을 때, 나는 악수를 하면서 이렇게 얘기했다. 「행운을 빈다」 그리고 우리는 그 산에서 내려왔다.

나는 주기적으로 그 카드에 적었던 것을 검토하곤 했다. 내 목표는 간단한 것이었다. 그것은 이런 내용이었다. 〈어떤 회사가 기업을 공개하기 전에 그곳에 투자하고 10만 주 가량의 주식을 주당 1달러 이하에 획득한다.〉 하지만 1995년 말까지 어떤 일도 일어나지 않았다. 나는 내 목표를 달성하지 못했다.

1996년 새해 첫날에, 래리와 나는 다시 그 산 꼭대기에 앉아서 지난해의 결과들을 점검했다. 래리의 회사는 거의 팔릴 상황에 있었지만 아직까지는 팔리지 않았다. 그래서 우리는 1995년의 목표들을 달성하지 못했다. 래리는 자신의 목표 달성에 근접해 있었지만, 나는 내 목표 달성에서 아주 멀리 있는 것 같았다. 래리는 내가 그 목표를 버리고 새로운 목표를 선택하고 싶은지 물었다. 우리가 그 목표를 의논하는 동안에, 나는 비록 그 목표를 적었지만 그것이 가능하다고 믿지는 않았음을 알게 되었다. 나는 마음속에서 내가 충분히 영리하거나, 충분한 자격이 있거나, 혹은 어떤 사람이 그 엘리트 그룹에 나를 동참시켜 줄 것이라고는 믿지 않았다. 우리가 내 목표에 대해 더 많이 얘기할수록 나는 자신을 의심하고 자신을 그렇게 실망시킨 데 대해서 점점 더 화가 났다. 「어쨌든 너는 나름의 노력은 했다」 래리가 말했다. 「너는 이제 수익을 내는 비공개 기업을 어떻게 만들어 운영하는지 알고 있다. 그러니까 이제 너는 기업을 공개시키는 팀에 소중한 자산이 될 수 있다」 우리의 목표들을 다시 적고 헤어지면서 악수를 한 후에, 나는 많은 불안감과 자기 의심에 찬 상태로 산에서 내려왔다. 내가 그랬던 이유는 이제는 전보다도 더 내 목표를 원했기 때문이다. 나는 또 내 목표를 실현시키겠다는 더 많은 결심도 갖고 내려왔다.

하지만 그 후 거의 6개월 동안 어떤 일도 일어나지 않았다. 나는 아침에 내 목표들을 읽고 내 일상적인 활동을 시작하곤 했다. 당시의 내 목표는 내 보드 게임인 캐시플로를 만드는 것이었다. 어느 날 내 이웃인 메리가 우리집 문을 두드리며 이렇게 얘기했다. 「당신이 만나야 할 친구가 있습니다」 나는 그녀에게 그 이유를 물었다. 하지만 그녀는 이렇게만 얘기했다. 「그건 나도 모르겠습니다. 나는 그냥 당신들 두 사람이 잘 어울릴 거라는 생각이 들어요. 그 사람도 당신처럼 투자가예요」 나는 메리를 신뢰했기 때문에 그녀의 친구를 점심 때 만나기로 동의했다.

그로부터 일주일 내지 이주일 후에, 나는 점심 때 그녀의 친구인 피터를 골프 클럽에서 만났다. 피터는 키가 큰 사람으로 평판이 좋았고, 나이는 내 진짜 아버지가 살아 있다면 그분의 나이와 거의 비슷할 정도다. 점심을 먹으면서 나는 피터가 월가에서 많은 세월을 보냈음을 알게 되었다. 그는 자신의 증권사를 갖고 있었고 수시로 회사들을 만들어 기업을 공개시켰다. 그는 자신이 만든 회사들을 미국 거래소, 캐나다 거래소, 나스닥, 그리고 뉴욕 증권 거래소 등에 상장시켰다. 그는 자산을 만드는 사람이었을 뿐 아니라, 주식 시장의 다른쪽 면에서 투자하는 사람이기도 했다. 나는 그가 나를 새로운 투자 세계로 안내할 수 있다고 생각했다. 그는 나를 내가 모르는 주식 시장의 새로운 세계로 안내할 수 있었다.

피터는 은퇴 후에 아내와 함께 애리조나로 이사해 사막에 있는 자신의 영지에서 일종의 은둔 생활을 하고 있다. 피터가 나에게 자신이 그 동안 거의 100개의 회사를 공개시키는 데 참여했다고 말했을 때, 나는 왜 내가 피터와 점심을 먹고 있는 것인지 알 수 있었다.

나는 너무 흥분하고 지나치게 공격적인 모습을 보이지 않기 위해 애를 썼다. 피터는 비사교적인 사람으로 좀처럼 사람들에게 시간을 내주지 않는다. (그렇기 때문에 나는 피터라는 가명으로 그를 소개하고 있다. 그는 아직도 이름을 밝히기를 좋아하지 않는다.) 나는 내가 그에게 의논하고자 했던 것을 꺼내지도 못했지만 어쨌든 그 점심 시간은 유쾌하게 끝이 났다. 이미 얘기했듯이, 나는 너무 적극적이고 순진하게 보이고 싶지 않았다.

다음 2개월 동안 나는 또다른 만남을 전화로 요청했다. 마침내 그가 시간을 허락하면서 나에게 사막에 있는 그의 집으로 오는 길을 알려주었다. 우리는 날짜를 정했고, 나는 내가 말하고 싶은 것을 연습하기 시작했다.

그렇게 일주일을 기다린 후에 나는 자동차를 몰고 그의 집으로 가고 있었다. 맨 처음에 나를 맞이한 것은 〈개조심〉이라는 표시였다. 나는 가슴이 두근거린 채로 긴 진입로를 따라 운전을 했다. 그리고 길 한가운데 커다란 검은 물체가 웅크리고 있는 것을 보았다. 그것은 내가 조심해야 할 바로 그 개였다. 그리고 그것은 아주 큰 개였다. 나는 그 개 바로 앞에 차를 주차시켰다. 그 개가 움직이려 하지 않았기 때문이었다. 내 자동차와 그 집의 정문까지의 거리는 6미터 가량 되었다. 그리고 그 개가 중간에 앉아 있었다. 나는 자동차 문을 조심스럽게 열었다. 알고 보니 개는 잠들어 있었다. 나는 천천히 자동차에서 내렸다. 내가 발을 그 자갈길에 내려놓자마자 개가 갑자기 잠에서 깨었다. 그 큰 검은 개가 자리에서 일어나 나를 보고 있었다. 그리고 나도 개를 보고 있었다. 나는 다시 자동차로 올라갈 준비를 하고 있었다. 그런데 갑자기 개가 꼬리를 흔들기 시작했다. 그러고는 엉덩이까지 흔들면서 반갑게 나를 향해 걸어왔다. 나는 5분 정도 그 개를 어루만졌고, 그 큰 검은 개는 나를 사정없이 핥았다.

아내와 나는 사업을 할 때 인간 관계와 관련된 규칙을 갖고 있다. 그중에서 하나는 다음과 같은 것이다. 〈믿음이 가지 않는 애완동물과는 사업을 하지 말라.〉 지난 몇 년 동안 우리는 사람들과 그들이 키우는 애완동물은 아주 비슷하다는 것을 발견했다. 한번은 우리가 애완동물이 많은 어떤 부부와 부동산 거래를 했다. 남편은 〈퍼그〉라고 알려진 작은 개들을 사랑했고, 부인은 화려하고 이국적인 새들을 좋아했다. 아내와 내가 그들의 집에 갔을 때, 그들의 작고 귀여운 개들과 새들은 친근하게 보였다. 하지만 가까이 접근했을 때 녀석들은 무척 사나웠다. 우리가 녀석들에게 다가가기가 무섭게, 녀석들은 우리에게 덤벼들면서 큰 소리로 요란스럽게 짖거나 짹짹거렸다. 거래가 성사된 지 일주일 후에, 아내와 나는 그 주인들이 그들의 애완동물들과 아주 비슷하다는 것을 알게 되었다. 그러니까 겉으로는 귀엽지만 안으로는 사나운 사람들이었다. 우리는 계약서상으로 심하게 물어뜯겼다. 우리의 변호사조차 그 미묘한 내용을 확인하지 못했다. 그 투자는 결국 괜찮은 것이었지만, 그 후 아내와 나는 이런 새로운 방침을 개발했다. 즉, 우리와 함께 사업을 하는 사람에 대해 의심이 드는데 그 사람에게 애완동물이 있으면, 그 사람의 애완동물에 대해 확인할 필요가 있다는 것이다. 인간은 좋은 인상을 내보이면서 미소를 지으며 거짓말을 할 수 있지만, 그들이 키우는 애완동물은 거짓말을 하지 않는다. 지난 몇 년 동안 우리는 이 간단한 지침이 꽤 정확함을 알게 되었다. 우리는 인간의 내면이 그 사람이 키우는 애완동물의 외면에 나타남을 알게 되었다. 따라서 피터와의 만남은 출발이 좋았다. 게다가 그 큰 검은 개는 이름이 〈캔디(사탕)〉였다.

피터와의 만남은 처음에는 잘되지 않았다. 나는 피터에게 내가 그 사람의 도제가 되어 그 사람과 함께 내부 투자가가 될 수 있는지 물었다. 나는 피터에게 기업을 공개하는 과정에 대해 그가 알고 있는 것을 나에게 가르쳐주면 공짜로 일을 하겠다고 얘기했다. 또 나는 경제적으로 자유로우며 그와 함께 일하는 데 돈은 필요하지 않다고도 설명했다. 피터는 한 시간 정도 의심스런 표정을 지었다. 나는 피터와 함께 그의 시간이 갖는 가치를 얘기하고 빨리 배울 수 있는 내 능력과 그 과정을 고수하겠다는 의사를 피력하면서 시간을 보냈다. 피터는 내가 그것이 얼마나 어려운지 알게 되면 그만둘까봐 걱정했다. 월가 같은 자본 시장과 금융에 대한 내 배경이 약했기 때문이다. 그는 또 이렇게 얘기했다. 「지금까지 어떤 사람도 나한테서 배우기 위해 공짜로 일하겠다고 제의한 적은 없었습니다. 사람들이 나에게 어떤 것을 부탁할 때는 오직 돈을 빌리고 싶거나 일자리를 원할 때뿐이었지요」 나는 피터에게 내가 원하는 것은 그와 함께 일하고 배울 수 있는 기회뿐이라는 점을 확인시켰다. 나는 피터에게 부자 아버지가 오랫동안 나를 안내했다는 것과 그 동안에 나는 공짜로 일한 적이 많았다는 것을 얘기했다. 마침내 그가 물었다. 「당신은 이 사업을 배우고 싶은 욕망이 얼마나 강합니까?」 나는 그의 눈을 똑바로 쳐다보면서 이렇게 얘기했다. 「아주 강합니다」

「좋습니다」 그가 말했다. 「나는 현재 페루의 안데스 산맥에 있는 폐허가 된 금광을 보고 있습니다. 당신이 정말로 내게서 배우고 싶다면 이번 목요일에 페루로 가십시오. 가서 내 팀과 함께 그 금광을 조사하고, 은행가들을 만나고, 그들이 그것에 대해 무엇을 원하는지 알아보고 돌아와 나에게 보고서를 제출하세요. 그리고 참, 이번 여행 비용은 모두 당신 부담입니다」

나는 놀란 표정을 지으면서 그곳에 앉아 있었다. 「이번 목요일에 페루에 가라구요?」 내가 그 말을 반복했다.

피터가 미소를 지었다. 「아직도 내 팀에 합류하고 기업을 공개시키는 사업을 배우고 싶습니까?」 나는 위장이 뒤틀리면서 식은땀이 흐르는 것을 느꼈다. 나는 내 성실성이 시험받고 있음을 알았다. 그날은 화요일이었고, 나는 이미 목요일에 약속이 있었다. 피터가 대답을 기다리는 가운데 나는 대안들을 생각했다. 마침내 그가 아주 유쾌한 목소리와 미소로 이렇게 물었다. 「아직도 내 사업을 배우고 싶습니까?」

나는 중요한 순간에 처해 있음을 알 수 있었다. 나는 이제 결정을 해야만 했다. 나는 자신을 시험하고 있었다. 내 선택은 피터와는 아무 상관이 없었다. 그것은 전적으로 내 자신의 인성 개발과 관련이 있었다. 그 순간 나는 내가 늘 도움을 받는 시 한 편이 생각났다. 그것은 W. N. 머레이의 시로서 제목은 「결심에 관해」이다. 머레이가 그 시를 쓴 때는 그가 히말라야 산맥으로 원정을 떠날 때였다. 그 시는 내 냉장고 문에 붙어 있으며, 나는 무언가 결심을 해야 할 때 영감이 필요하면 늘 그것을 보곤 한다. 그 순간에 내가 기억할 수 있었던 그 시의 일부분은 다음과 같았다.

> 우리는 결심하기 전까지 망설인다.
> 그것은 발을 뺄 수 있는 기회이기도 하며,
> 때로는 비효율적이기도 하다.
> 솔선과 창조의 모든 행동과 관련해
> 하나의 기본적인 진실이 있다.
> 그것을 무시하면
> 수많은 꿈과 멋진 계획들은 죽는다.
> 우리가 결연하게 결심할 때
> 하늘의 섭리도 함께 움직인다.

마지막 구절에 있는 〈하늘의 섭리도 함께 움직인다〉는 여러 해 동안 내가 발을 빼려 할 때 나를 앞으로 나아가게 한 문구이다. 내가 말하려는 것은 다만 내가 세상의 끝에 도달하거나 미지의 세상으로 걸음을 내딛으려 할 때, 그 순간에 나에게 있는 것은 내 자신보다 훨씬 더 큰 힘에 대한 믿음뿐이라는 점이다. 바로 그런 순간에, 내가 세상의 끝 너머로 걸음을 내디뎌야만 할 때, 나는 깊이 숨을 쉬고 걸음을 내딛는다. 그것은 믿음의 도약이라고 할 수도 있다. 나는 그것을 나보다 훨씬 더 큰 힘에 대한 내 신뢰의 시험이라고 말하고 싶다. 내가 볼 때 바로 그런 첫걸음들이 내 삶에서 그 모든 차이를 만들어냈다. 처음의 결과들은 내가 바라던 그런 것만은 아니었다. 하지만 내 삶은 늘 장기적으로 더 좋게 바뀌곤 했다. 그 시는 늘 그런 순간에 나를 엄청나게 도왔다.

그 시는 다음과 같이 끝이 난다.

> 나는 괴테의 이런 글귀를 깊이 존경하게 되었다.
> 〈할 수 있거나 할 수 있다고 생각하는 무엇이든
> 그것을 시작하라.
> 용기는 그 안에 천재성, 힘, 그리고 마술을 갖고 있다.〉

그 시의 단어들이 멀어지는 가운데 나는 고개를 들고 이렇게 얘기했다. 「이번 주말에 페루에 가 있겠습니다」

피터가 조용히 활짝 웃었다. 「여기 당신이 만나야 할 사람들의 명단과 만날 장소가 있소. 돌아오는 대로 전화해 주기 바라오」

나는 이 방법을 권유하지는 않는다

이 방법이 기업 공개를 배우고자 하는 사람들에게 내가 권유하는 길은 절대로 아니다. 이보다 더 영리하고 쉬운 길들이 있다. 그렇지만 나는 그 길을 밟을 수밖에 없었다. 그래서 나는 내가 목표를 달성하게 된 그 과정을 당신에게 신실하게 설명한다. 내가 볼 때 모든 사람들은 자신의 감정적 및 정신적 강점과 약점들에 진실해야 한다. 내가 설명하는 이 과정은 내가 삶의 다음번 방향을 알게 된 후 거쳤던 것이다. 그것은 정신적으로는 어렵지 않았지만 감정적으로는 도전적인 것이었다. 대부분의 중요한 삶의 변화들이 그러하듯이 말이다.

부자 아버지는 종종 이렇게 얘기했다.「어떤 사람이 처한 현실은 믿음과 자신감 사이의 경계이다」

그분은 또 이렇게 얘기했다.「어떤 사람의 현실의 경계는 종종 그 사람이 자신감을 갖는 것을 포기하고 그런 후에 무조건 믿음을 갖게 될 때까지 절대로 변하지 않는다. 그렇게도 많은 사람들이 부자가 되지 못하는 이유는 스스로 자신감을 느끼는 것만 하려 하기 때문이다」

1996년 여름의 그 목요일에 나는 안데스 산맥으로 날아가고 있었다. 나는 그곳에 가서 잉카인들에 이어 스페인 사람들이 채굴했던 금광을 조사할 예정이었다. 나는 전혀 모르는 세상 속으로 믿음의 과감한 발걸음을 내딛고 있었다. 하지만 그 발걸음 때문에 나는 전혀 새로운 투자 세상을 알게 되었다. 내 삶은 내가 그 발걸음을 내딛기로 결심한 이후 변했다. 사람들이 어떻게 부자가 될 수 있는지에 대한 내 현실은 확대되었다. 내가 피터와 그의 팀과 더 많이 일할수록 부자가 되는 그 한계들은 한층 더 확대되었다.

나는 지금도 계속해서 내 한계들을 확대시키고 있다. 그리고 나는 부자 아버지가 이렇게 말하는 것을 들을 수 있다.「그 사람의 현실이 변할 때까지는 어떤 것도 변하지 않는다. 그리고 경제적 현실은 그 사람이 자기 자신에게 부과한 한계에 대한 두려움과 의심들을 기꺼이 넘어설 때까지는 변하지 않는다」

새로운 수업이 시작되었다

나는 그 여행에서 돌아와 피터에게 결과를 보고했다. 그 금광은 매장된 금이 많은 아주 좋은 금광이었다. 하지만 그 금광을 채굴하는 데는 많은 경제적 문제들과 운영상의 문제들이 있었다. 나는 그것을 인수하지 말라고 권유했다. 그 금광에는 심각한 사회적 문제와 환경적 문제들이 얽혀 있어서 그 문제를 해결하는 데만 수백만 달러가 들 것이기 때문이었다. 새로운 소유주가 그 금광을 제대로 운영하려면 직원들을 적어도 40% 이상 해고해야만 할 판이었다. 그렇게 되면 그 마을의 경제는 무너질 것이다. 나는 피터에게 이렇게 얘기했다.「그 사람들은 수세기 동안 해발 4,800미터에 있는 그곳에서 삶을 영위해 왔습니다. 그들 가족 여러 세대가 그곳에 묻혀 있습니다. 제가 볼 때 그들을 고향에서 내몰아 산 기슭에 있는 도시에서 일자리를 찾도록 강요하는 것은 현명한 일이 아닙니다. 그것을 인수하면 우리는 다루기 힘든 많은 문제들을 갖게 될 것입니다」

피터는 내 보고서에 동의했고 (더 중요한 것은) 나를 가르치기로 했다. 우리는 곧 세상의 다른 지역들에서 광산과 유정들을 찾기 시작했다. 그리고 내 교육 과정에서 새로운 장이 열리기 시작했다.

1996년 여름부터 1997년 가을까지 나는 피터의 도제로 일했다. 피터는 자신의 회사인 EZ 에너지(가명)를 개발하는 데 바쁜 시간을 보냈다. 그 회사는 내가 피터에게 합류했을 때 앨버타 주식 거래소에 막 상장되려 하고 있었다. 나는 그의 팀에 늦게 합류했기 때문에 내부자 가격으로 상장 전 공모주를 매입할 수 없었다. 나는 아직도 신참으로서 입증되지 않았기 때문에 창업자들과 함께 투자할 수 없었다. 그렇지만 나는 주당 공모가 0.5달러에 다량의 주식을 매입할 수 있었다.

콜롬비아에서 석유를 발견한 후에, 그리고 포르투갈에서 큰 유정과 가스정으로 보이는 것을 발견한 것 같은 후에, EZ 에너지의 주식은 주당 2달러 내지 2.35달러에 거래되고 있다. 포르투갈에서의 발견이 시험 결과만큼 그렇게 큰 것임이 입증되면, 그 주식의 주당 가격은 5달러까지 오를지도 모른다. 포르투갈 유정이 우리가 바라는 만큼 그렇게 큰 것임이 입증되면, EZ 에너지의 주가는 향후 2, 3년 동안 15달러에서 25달러까지 올라갈 수도 있다. 그것은 낙관적인 전망이다. 이 극소형 주식에는 비관적인 측면도 있다. 그 주식은 향후 2, 3년 동안 0달러까지 내려갈 수도 있다. 기업들이 이 단계에 있을 때는 아주 많은 것이 일어날 수 있다.

EZ 에너지는 비록 아주 작은 회사지만, 피터가 얘기하는 〈개미 투자가들〉에게 EZ 에너지의 투자 가치 증가는 지금까지 아주 좋은 것이다. 상황이 바라는 대로 간다면, 이들 투자가들은 많은 돈을 벌 것이다. 종자돈 투자가들(공모전의 인정받는 투자가들)은 2만5천 달러를 투자해서 10만 주의 주식을 얻었다. 그러니까 주당 25센트에 얻은 것이다. 그들은 피터의 명성과 이사회의 구성, 그리고 그 석유 탐사팀의 전문성을 보고 그 돈을 투자했다. 사모를 할 때, 그리고 공모를 할 때도, 투자에 대한 보장이나 분명한 가치는 전혀 없었다. 다시 말해, 그 투자는 초창기에 가격만 있고 수익은 없었다. 그 투자는 처음에 피터의 친구들과 그가 아는 투자가들에게만 제공되었다.

투자 사이클의 이 단계에서 투자가들은 팀에 속한 사람들을 보고 투자를 하는 것이다. 사람들이 다른 어떤 요인보다 훨씬 더 중요하다. 사람들은 제품보다 훨씬 더 중요하다. 그것이 석유이건 금이건 인터넷 제품이건 혹은 그 밖의 무엇이건 마찬가지이다. 〈돈은 경영 시스템을 따라간다〉는 황금률은 기업 발전의 이 단계에서는 너무도 중요한 것이다.

EZ 에너지의 경영진은 지금까지 아주 잘했다. 하지만 나는 이 회사의 꿈과 희망, 그리고 선전보다는 공개적으로 거래되는 회사의 사실들만 소개하는 것이 가장 좋다고 생각한다.

이 회사의 창업가들은 시간과 전문성을 투입하고 대신에 주식을 받는다. 다시 말해, 대부분의 창업가들은 공짜로 일하면서, 자신들의 시간과 전문성을 투자하고 그 대가로 스톡 옵션을 받는다. 이들의 주식 가치는 아주 작기 때문에, 그들은 있다 해도 아주 적은 수입만을 벌어들인다. 이들은 보수를 받지 않고 일하면서 자신들 회사의 주식 가치를 높이려 한다. 따라서 이들은 근로 소득보다 투자 소득을 갖게 된다. 몇몇 창업가들은 서비스 제공의 대가로 약간의 봉급을 받는다. 이들은 더 큰 보수를 위해 일하는데, 그것은 회사를 키워 더 가치 있는 것으로 만들 때 실현된다.

대부분의 이사들은 봉급을 받지 않기 때문에, 그들은 회사의 가치를 계속해서 높여야만 한다. 이들의 개인적인 관심은 주주들의 관심과 같은 것이다. 즉, 자신들 회사의 주가를 계속해서 높이는 것이다. 그리고 이 회사의 많은 간부들도 그러하다. 그들은 약간의 봉급을 받기도 하지만 그보다는 주가가 오르는 데 더 관심이 있다.

창업가는 신생 기업의 성공에 너무나도 중요하다. 왜냐하면 창업가의 명성과 전문성이 종종 서류상으로만 존재하는 어떤 사업에 신뢰성과 확신감, 추진력을 부여하기 때문이다. 일단 회사가 공개되고 성공하면, 일부 창업가들은 사직하고 주식만 보유할 수도 있다. 새로운 경영진이 그들을 대신하며, 원래의 창업가들은 다른 신생 기업으로 이동해 그런 과정을 반복한다.

늘 홈런을 칠 수는 없다

모든 신생 기업들이 EZ 에너지처럼 잘하는 것은 아니다. 어떤 기업들은 기업을 공개한 후에도 좀처럼 뜨지 않는다. 그래서 투자가들은 전부는 아니어도 대부분의 종자돈을 잃게 된다. 따라서 투자가들은 자격 있는 사람이 될 필요가 있다. 그리고 그들은 우리가 시장에 내놓은 〈모 아니면 도〉 식의 투자들에 대해 경고를 듣는다.

피터의 파트너들 가운데 한 사람으로서, 나는 이제 잠재적인 투자가들에게 새로운 회사의 개미 투자가가 되는 것에 대해 얘기한다. 나는 관련 사업과 그곳에 참여한 사람들, 그리고 투자 수익 등에 대해서 설명하기 전에 잠재적인 투자가들에게 위험을 알려준다. 나는 종종 다음과 같은 말로 설명을 시작한다. 「내가 지금 얘기하려는 투자는 위험이 아주 높은 투기적 투자입니다. 이것은 대개 인정받는 투자가의 자격이 있는 사람들에게만 제시됩니다」 나는 또 그들이 투자한 돈 모두를 잃을 수도 있음을 강조하면서, 그런 내용을 몇 번이나 반복한다. 그래도 그들이 흥미를 느끼면, 나는 계속해서 우리에게 투자하는 돈은 그들의 전체 투자 자금에서 10%를 넘지 말아야 한다고 설명한다. 그런 설명을 한 후에도 그들이 관심을 보일 때만 나는 계속해서 그 투자의 내용, 위험, 팀, 그리고 가능한 보상을 설명한다.

나는 설명이 끝난 후에 질문을 한다. 그 모든 질문에 대한 답을 들은 후에 나는 다시 위험을 반복해서 설명한다. 나는 이렇게 말하면서 끝을 맺는다. 「당신이 돈을 잃게 되었을 때 내가 당신에게 제시할 수 있는 것은 우리의 다음번 사업에 가장 먼저 투자할 수 있는 기회를 드릴 수 있다는 것뿐입니다」 이때쯤에는 대부분의 사람들이 위험을 충분히 알게 된다. 그리고 그중에서 90% 가량은 우리에게 투자하지 않기로 결정한다. 우리는 아직도 관심이 있는 10%의 사람들에게 더 많은 정보와 생각할 더 많은 시간을 준다.

내가 볼 때 지금 잘 나가는 많은 인터넷 공개 기업들은 향후 몇 년 안에 망할 수도 있다. 그리고 투자가들은 수십억 달러는 아니어도 수백만 달러를 잃게 될 수도 있다. 물론 인터넷은 엄청난 미래의 가능성을 제시한다. 하지만 경제 논리에 따라 몇몇 선구적 기업들만이 승자가 될 것이다. 따라서 공개 대상 기업이 금광 회사이건 배관 회사이건 혹은 인터넷 회사이건, 공개 시장의 힘은 여전히 많은 지배력을 행사할 것이다.

멋진 교육

내가 페루에 가기로 한 결정은 알고 보니 멋진 결정이었다. 나는 부자 아버지에게서 배운 것만큼이나 많은 것을 피터에게서 배울 수 있었다. 내가 일 년 반 가량을 피터의 도제로서 그의 팀과 함께 일한 후에, 피터는 나에게 자신의 비공개 벤처 자본 회사에 파트너로 참여하는 것을 허락했다.

나는 1996년 이후 EZ 에너지가 기업을 공개하고 언젠가는 주요 석유 회사가 될 수도 있는 좋은 회사로 발전하는 것을 지켜보면서 너무나도 소중한 경험을 얻었다. 나는 그 사업에 참여함으로써 더 현명한 사업가가 되었을 뿐 아니라, 주식 시장이 움직이는 방식에 대해서도 많은 것을 배웠다. 내 방침 가운데 하나는 배우는 과정에 5년을 투자하는 것이다. 그리고 나는 지금까지 이 단계에서 4년을 보냈다. 현재까지 나는 실제로 돈을 벌지는 못했다. 적어도 내가 주머니에 넣을 수 있는 돈은 벌지 못했다. 내 소득은 지금까지 모두가 종이 소득이었다. 하지만 내가 얻은 사업 및 투자 교육은 너무도 소중한 것이었다. 어쩌면 앞으로 언젠가 나는 회사를 만들어 미국의 어떤 거래소에 상장시킬 수도 있다.

다음 장에서는 아이디어를 갖고 회사를 만드는, 나아가 결국에는 그 회사를 공개할 수도 있는 기본적 단계들을 간략하게 소개한다.

나에게는 그것이 쉬운 과정은 아니었지만 아주 흥미로운 과정이었다고 얘기할 수 있다.

통과 의례

기업을 공개하는 것은 모든 창업가들에게 일종의 통과 의례다. 그것은 대학 스포츠 스타가 프로팀에서 뛰기 위해 선발되는 것과 비슷하다. 1999년 9월 27일자 《포춘》은 이렇게 적고 있다. 〈당신이 회사에 입사하면 그 회사가 당신을 인정하는 것이다. 당신이 기업을 공개하면 시장이 당신을 인정하는 것이다.〉

그래서 부자 아버지는 맨손으로 회사를 만들어 그것을 공개시키는 사람을 궁극적인 투자가라고 불렀다. 부자 아버지는 그런 투자가가 되지 못했다. 물론 그분이 투자한 몇몇 회사는 궁극적으로 기업을 공개시켰다. 그렇지만 그분이 시작한 회사들 중에서는 기업을 공개시킨 회사가 하나도 없었다. 그분의 아들인 마이크는 자기 아버지의 사업을 물려받아 계속해서 성장시켰다. 하지만 마이크도 회사를 만들어 기업을 공개시키지는 못했다. 따라서 내가 궁극적인 투자가가 된다는 것은 부자 아버지의 훈련 과정을 완성시킨다는 뜻이 된다.

제40장

당신이 부자가 되는 것이 가능한 이유

나는 서른일곱 살의 나이에 구식이 되어 시대에 뒤떨어진 기분을 느꼈다.
나는 내 아버지가 쉰 살의 나이에 자신은 구식이라고 말했던 기억이 난다.
그런데 나는 서른일곱 살의 나이에 구식이 되었다.
나는 시대가 얼마나 빨리 변하고 있는지 분명하게 인식했다.
나는 또 내가 빨리 변하지 않으면 점점 더 시대에 뒤떨어질 것임도 인식했다.

최고 부자 400인을 다룬 《포브스》에 〈부자의 세기〉라는 기사가 실렸는데 그 소제목은 〈부자는 어떻게 탄생하는가?〉였다. 전에는 석유와 철강이 부자들의 기반이었다. 그 기사는 이렇게 적고 있다.

부자의 개념을 더 높일 필요가 있다. 이제는 백만장자가 아닌 억만장자를 부자로 보아야 하며, 그들은 전보다 더 빠르게 부자가 되면서 희한한 제품들로 돈을 벌고 있다. 록펠러는 25년 동안 석유를 찾고, 시추하고, 판매해서 처음 10억 달러를 벌었다. 게리 위닉은 글로벌 크로싱이라는 회사에 투자한 지 18개월 만에 억만장자가 되었다. 그 회사는 글로벌 광통신망을 개발하는, 하지만 아직까지 개발하지는 못한 회사이다.

그러면 오늘날 엄청난 부자가 되는 데는 얼마가 걸리는가? 그 답은 〈오래 걸리지 않는다〉이다. 그런 현실은 나 같은 사람, 그러니까 전후 세대의 사람에게는 한층 더 분명해 보인다. 요즘에는 억만장자의 나이가 아주 젊기 때문이다. 예를 들어, 억만장자인 제리 양은 (내가 대학을 졸업하기 일년 전인) 1968년에 태어났고, 그의 동업자인 데이비드 파일로는 (내가 대학에 입학한 지 일년 후인) 1966년에 태어났다. 두 사람은 함께 〈야후!〉를 창업했고 이제는 각각 30억 달러 이상의 재산이 점점 더 늘고 있다. 이들 젊은이들은 엄청난 부자인 반면, 어떤 사람들은 10년 후에 퇴직할 때 퇴직금이라도 넉넉할지 걱정한다. 말하자면 가진 자들과 못 가진 자들 간의 격차라고 할 수 있다.

나는 내 회사를 공개할 것이다

1999년에 나는 온통 기업 공개(IPO)에 대해 듣고 읽었다. 이것은 열풍 혹은 광풍이라 할 수 있다. 나는 종종 다른 사람들의 사업에 투자하도록 요청받으면서 다음과 같은 판매 선전을 듣는다. 「제 회사에 투자하세요. 우리는 2년 후에 기업을 공개할 것입니다」 어느 날인가 잘 나가는 미래의 억만장자 CEO가 나에게 전화를 걸었다. 그 사람은 자신의 사업 계획을 보여줄 기회를 요청하면서, 나에게 그 미래의 인터넷 기업에 투자할 기회를 제공하겠다고 했다. 설명이 끝난 후에 그 사람은 득의만면한 목소리로 이렇게 얘기했다. 「그리고 기업을 공개하면 주가가 어떻게 될지는 당연히 아시죠?」 나는 마치 자동차 판매원과 얘기하는 기분이었다. 그 판매원은 내가 원하는 자동차가 그런 종류로는 마지막이라고 말하면서, 정찰 가격에 그것을 살 수 있는 특별한 호의를 베풀고 있는 것처럼 말했다.

〈신주 발행〉 광풍으로도 불리는 기업 공개 광풍이 다시 찾아왔다. 불과 얼마 전에 마사 스튜어트마저도 자신의 기업을 공개해 억만장자가 되었다. 그녀는 더 세련되고 더 우아할 필요가 있는 대중에게 세련되고 상식적인 사회적 우아함을 가르치기 때문에 억만장자가 되었다. 나는 그녀의 서비스가 소중하다고 생각하지만 그것이 수십억 달러의 가치가 있는지는 모르겠다. 그렇지만 그녀는《포브스》가 정의하는 부자 대열에 충분히 속할 자격이 있다.

이 모든 신기술 주식 IPO와 인터넷 IPO에 대해 내가 걱정하는 것은 여기에서도 돈의 〈90 : 10〉 원칙이 여전히 적용된다는 점이다. 이들 새로운 신생 기업들은 사업 경험이 거의 없는 사람들이 시작했다. 나는 나중에 이 새로운 IPO들 가운데 90%는 실패할 것이고 10%만이 살아남을 것이라고 생각한다. 소규모 사업과 관련된 통계에 따르면, 5년 후에 10개의 소규모 사업체들 중에서 9개는 실패할 것이라 한다. 이런 통계가 이들 새로운 IPO들에도 적용된다면, 이 광풍은 결국 또 한번의 불황과 공황으로 이어질 것이다. 왜 그럴까? 왜냐하면 수백만의 일반 투자가들이 공황을 경험할 것이기 때문이다. 수백만의 개인들이 투자 자금을 잃는 것은 물론이고, 그 파급효과가 경제 전반으로 퍼져 사람들이 새로운 집과 자동차, 보트와 비행기를 살 수 없게 만들 것이다. 그렇게 되면 전반적인 경제 불황을 겪을 수밖에 없다.

〈이 달의 맛〉에 해당되는 사업을……

내가 처음으로 IPO 관련 일을 한 것은 1978년에 하와이에서였다. 부자 아버지는 내가 나일론 지갑 회사를 일으키는 동안 기업을 일으켜 대중에게 파는 과정을 배우기를 원했다. 그분은 이렇게 얘기했다. 「나는 한 번도 회사를 공개시켜 본 적이 없다. 하지만 나는 기업을 공개한 몇몇 사업들에 투자했다. 나는 네가 내가 투자하고 있는 그 사람에게서 그 과정을 배웠으면 좋겠다」 그분이 내게 소개시켜 준 사람은 마크였다. 그 사람은 내 동업자인 피터와 비슷했다. 차이가 있다면 마크는 벤처 자본가였다.

작은 사업체들이 마크를 찾아올 때는 벤처 자본, 그러니까 사업을 확장할 자본이 필요할 때였다. 당시 나에게는 사업을 확장할 많은 돈이 필요했다. 그래서 부자 아버지는 내가 그를 만나 그의 관점을 배우라고 촉구했다. 하지만 그것은 유쾌한 만남이 아니었다. 마크는 부자 아버지보다 훨씬 더 엄격했다. 그는 내 사업 계획과 실질적인 재무제표를 보았고, 약 23초 동안 내 멋진 미래의 계획들에 대해 들었다. 그런 후에 그는 나를 밟기 시작했다. 그는 내가 왜 바보인지, 천치인지, 그리고 무능한지 얘기했다. 그는 내가 낮시간의 일자리를 그만두지 말았어야 한다고 얘기하면서, 부자 아버지가 자신의 의뢰인인 것은 내 행운이라고 말했다. 그렇지 않다면 나처럼 무능한 사람에게 시간을 허비하지는 않았을 것이라고 얘기했다. 이어서 그는 내 사업체의 가치가 얼마인지, 그 사업체를 위해 얼마의 돈을 모을 수 있는지, 그 돈의 내용과 조건들은 어떠한지, 그리고 자신이 그 회사의 지배적인 지분을 확보함으로써 내 파트너가 될 수 있다고 얘기했다.

IPO, 투자 은행가, 그리고 벤처 자본가들의 분야에서는 〈부속 합의서〉라고 불리는 종이가 있다. 그것은 부동산 중개인들이 〈등록 합의서〉라고 부르는 것과 비슷한 종이이다. 간단하게 말해서, 부속 합의서는 사업체 매각의 내용과 조건들을 설명한다. 마치 등록 합의서가 부동산 매각의 내용과 조건들을 설명하는 것과 비슷하다.

부동산 거래에서 등록 합의서가 그러는 것처럼, 부속 합의서는 사람이 다르면 다르다. 부동산의 경우에, 당신이 나쁜 동네에 있는 작은 집 한 채만을 팔려는데 높은 가격을 원한다면, 등록 합의서에 있는 조건들은 엄격하고 비탄력적일 것이다. 그렇지만, 당신이 부동산 개발업자로서 수천 채의 집을 팔고자 한다면, 그리고 그 집들이 좋은 집이고, 팔기에도 쉽고, 가격마저 낮다면, 부동산 중개인은 당신의 사업을 얻기 위해 자신의 조건들을 완화시킬 가능성이 높다. 이와 같은 상황은 벤처 자본가들의 세계에서도 같다. 당신이 더 성공적일수록 당신이 받는 조건은 더 좋으며, 그 역도 성립한다.

나는 마크의 부속 합의서를 보고 나서 그의 조건들이 너무 심하다고 생각했다. 나는 그에게 내 회사 지분의 52%를 주어 결국에는 내가 시작한 회사에서 그를 위해 일하고 싶은 생각은 전혀 없었다. 그의 조건들은 그러했다. 내가 지금 마크를 탓하는 것은 아니며, 돌이켜보면 그때 내가 그의 조건들을 받아들여야 했을지도 모른다. 오늘날 내가 아는 것을 감안할 때, 그리고 내가 그때 얼마나 몰랐는지 생각할 때, 내가 마크의 입장이었다면 역시 같은 조건들을 제시했을 것이다. 내가 볼 때 그가 나에게 무언가를 제시한 이유는 순전히 부자 아버지에 대한 존경심 때문이었다. 나는 신출내기 사업가였고 성공은 했지만 무능했다. 내가 무능했다고 얘기하는 이유는 내 회사는 성장하고 있었지만 나는 그것을 관리할 수 없었기 때문이다.

비록 마크는 엄격했지만, 나는 그를 좋아했고 그도 나를 좋아하는 것 같았다. 우리는 정기적으로 만나기로 합의했고, 마크는 나에게 수시로 공짜 조언을 주기로 동의했다. 그의 조언은 공짜였을 수도 있지만 그것은 늘 엄격했다. 마크는 마침내 사업에 대한 내 지식과 이해가 자라면서 나를 더 신뢰하기 시작했다. 나는 심지어 그가 시장에 공개하고 있는 석유 회사에서 잠시 그와 함께 일하기도 했다. 그것은 내가 지금 일하고 있는 석유 회사와 비슷했다. 나는 1978년에 그 석유 회사에서 마크와 함께 일하며 기업 공개에 따르는 재미의 첫번째 맛을 보았다.

마크가 나와 함께 점심을 하면서 기업 공개에 대해 얘기했던 것을 나는 절대로 잊을 수가 없다. 그는 이렇게 얘기했다. 「새로운 주식 발행과 기업 공개 시장은 다른 여느 사업과 너무도 비슷하다. 시장은 늘 〈이 달의 맛〉을 찾고 있다」

마크의 얘기는 특정 시점에서 주식 시장은 다른 것보다 특정한 사업을 더 좋아한다는 것이었다. 그는 계속해서 이렇게 얘기했다. 「네가 정말로 부자가 되고 싶다면, 사업가로서 네 전략의 일부는 시장이 원하는 회사를 시장이 그것을 원하기 전에 만드는 것이다」

마크는 나아가 이렇게 설명했다. 역사는 〈이 달의 맛〉에 해당하는 사업체를 갖고 있는 선구자를 유명하게 만든다고. TV를 발명한 사람은 새로 백만장자가 되었고, 석유와 자동차를 발명한 사람들은 금세기 초에 억만장자가 되었다.

서른일곱 살에 구식이 되다

나는 1978년 이후로 마크와 일하지 않았다. 그가 예상했던 대로, 내 사업적 성공은 시들기 시작했고 나는 내 회사에서 많은 내부 문제들을 갖게 되었다. 그래서 나는 내 모든 관심을 내 사업에만 쏟으며 다른 사람의 사업을 공개시키는 데 시간을 소비할 수가 없었다. 그렇지만 나는 자신의 사업체가 〈이 달의 맛〉이 되어야 한다는 그의 교훈은 잊은 적이 없었다. 나는 계속해서 내 기본적 사업 경험을 얻어가는 과정에서 종종 다음번의 이 달의 사업적 맛은 무엇이 될지 궁금하게 생각했다.

나는 1985년에 내가 베트남에 가기 직전인 1971년에 근무했던 캘리포니아 펜들턴 캠프의 해병대 기지에 들렀다. 내 친구이자 동료 조종사였던 제임스 트레드웰은 이제 그 기지에서 편대장으로 일하고 있었다. 아내와 나는 제임스와 내가 14년 전에 신참 조종사로 일했던 편대 주위를 구경했다. 활주로로 걸어가면서 제임스가 아내에게 우리가 베트남에서 조종했던 것과 비슷한 비행기를 보여주었다. 그는 조종실 문을 열면서 이렇게 얘기했다.「자네와 나는 이제 구식이야. 우리는 이제 이런 비행기를 조종할 수가 없다구」

그는 비행기 내의 기기들과 통제 장치들이 이제는 완전히 자동화되어 있고 비디오 방식이기 때문에 그렇다고 얘기했다. 제임스는 계속해서 이렇게 얘기했다.「요즘 새로운 조종사들은 비디오 게임을 하며 자라지. 그런데 자네와 나는 핀볼 게임을 하며 자랐지. 우리의 두뇌는 그들의 두뇌와 같지 않다구. 그래서 그들은 조종하고 나는 책상에 앉아 있지. 나는 조종사로는 구식이 됐다구」

내가 그날을 분명하게 기억하는 이유는 나도 그때 나 자신을 구식이라고 느꼈기 때문이다. 나는 서른일곱 살의 나이에 구식이 되어 시대에 뒤떨어진 기분을 느꼈다. 나는 내 아버지가 쉰 살의 나이에 자신은 구식이라고 말했던 기억이 난다. 그런데 나는 서른일곱 살의 나이에 구식이 되었다. 그날 나는 시대가 얼마나 빨리 변하고 있는지 분명하게 인식했다. 나는 또 내가 빨리 변하지 않으면 점점 더 시대에 뒤떨어질 것임도 인식했다.

현재 나는 피터와 함께 일하며 IPO와 벤처 자본에 대한 공부를 계속하고 있다. 나는 종이 자산을 얻고 있기 때문에 종이 돈을 벌고 있다. 그렇지만 내가 얻고 있는 가장 중요한 것은 자본 시장에서의 경험이다. 비록 나는 20 내지 30년 전에 이 달의 맛이었던 석유, 가스, 그리고 귀금속 회사들에서 일하고 있지만, 내 마음은 계속해서 앞으로 달려가며 다음번의 선구적인 사업은 무엇이 될지 궁금하게 생각한다. 나는 다음번의 〈이 달의 맛〉은 무엇이 될지, 그리고 내가 그 다음번의 금맥에서 그 일부가 될 것인지 궁금하게 생각한다. 누가 알겠는가? 나는 지금 쉰두 살인데, 샌더즈 대령은 KFC를 시작했을 때 예순여섯 살이었다. 내 목표는 아직도 살아 생전에 억만장자가 되는 것이다. 나는 그 목표를 달성할 수도 있고 달성하지 못할 수도 있다. 하지만 나는 매일같이 그 목표를 위해 일하고 있다. 오늘날 억만장자가 되는 것은 가능성이 꽤 높다. 당신에게 올바른 계획이 있다면 말이다. 그래서 나는 포기하지 않으며, 가난해지거나 더 구식이 되려는 계획을 갖고 있지 않다. 부자 아버지는 이렇게 얘기했다. 「첫번째 백만 달러가 가장 어렵다」 그렇다면 첫번째 10억 달러는 내가 해야 할 두번째로 힘든 일일 것이다.

비슷한 꿈과 야망을 갖고 있을지도 모르는 당신에게 나는 당신의 기업을 공개시키는 다음의 지침들을 제시한다. 이 정보는 내 파트너인 피터가 친절하게 제공한 것이다. 그 사람은 지금까지 거의 1백 개의 기업을 공개시켰다.

물론 배워야 할 것은 엄청 많지만, 이 지침들은 당신이 시작하는 데 도움을 줄 것이다.

왜 기업을 공개하는가

피터는 기업을 공개해야 하는 여섯 가지 주요 이유들을 다음과 같이 말했다.

——첫째, 당신에게는 더 많은 돈이 필요하다. 이것은 당신이 기업을 공개하는 한 가지 주요 이유이다. 이 경우에 당신은 이미 수익이 좋은 회사를 갖고 있는데 성장을 위한 자본이 필요할 수도 있다. 당신은 이미 은행가와 만났으며 사모와 벤처 투자 자본을 통해 일부 자금을 보았다. 하지만 당신은 이제 투자 은행가로부터 정말로 큰 돈을 모을 필요가 있다.

——둘째, 당신의 회사(이를테면 인터넷 회사)는 새로운 회사이고, 당신은 시장 점유율을 높이기 위해 엄청난 양의 돈을 필요로 하고 있다. 시장은 당신에게 그 돈을 준다. 비록 당신의 회사가 지금 수익을 못 내더라도, 시장은 당신의 미래 수익을 보고 투자한다.

—셋째, 많은 경우에 기업은 자신들의 회사 주식을 이용해 다른 회사들을 인수한다. 이것은 부자 아버지가 얘기하는 〈자신의 돈을 찍어낸다〉에 해당한다. 기업 세상에서 그것은 〈합병과 인수〉라고 불린다.

—넷째, 당신은 지배권을 포기하지 않으면서 회사를 팔고 싶어한다. 비공개 기업에서 소유주는 종종 지배권을 포기하거나, 혹은 자본을 대는 대신 기업 운영에 간섭하고 싶은 새로운 파트너를 얻게 된다. 자금을 시장에서 얻으면, 사업 소유주는 매각을 통해 현금을 얻으면서도 지배권을 유지할 수 있다. 대부분의 주주들은 자신들이 투자하는 회사의 운영에 영향력을 행사할 수 있는 경우가 거의 없다.

—다섯째, 상속을 이유로 기업을 공개한다. 포드 자동차 회사가 기업을 공개한 이유는 그 가문에 상속자는 많았지만 유동성은 없었기 때문이다. 회사의 일부를 공개 시장에 팔아, 그 회사는 상속자들에게 필요한 돈을 모을 수 있었다. 흥미롭게도 비공개 기업들은 종종 이런 전략을 사용한다.

—여섯째, 부자가 되기 위해, 그리고 다른 곳에 투자할 현금을 얻기 위해 기업을 공개한다. 사업체를 만드는 것은 임대 주택을 만들어 파는 것과 아주 비슷하다. 그러나 사채를 만들어 공모를 통해 그것을 팔 때는 그 자산의 일부만을 쪼개 매각한다. 그것을 수백만의 조각들로 쪼개 수백만의 사람들에게 파는 것이다. 그래서 그것을 만든 사람은 여전히 그 자산의 대부분을 소유하고, 여전히 지배권을 유지하고, 그것을 (하나가 아닌) 수백만의 구매자들에게 팔아 여전히 많은 현금을 발생시

킬 수도 있다. 말하자면 좋은 것은 잘게 쪼갤 때 나타나는 것이다.

● 샤론의 주석

기업을 공개하는 회사의 주요 주주들과 간부들에게 적용되는 규제 사항들이 있다. 기업을 공개하면 그들이 보유하는 회사의 지분은 가치가 극적으로 늘 수도 있지만, 그들은 자신들이 소유한 주식을 팔 때 엄격한 규제를 받는다는 것이다. 그 이유는 그들이 미리 정해진 기간 동안 그것을 팔지 않겠다고 약속했기 때문이다.

그냥 현금만을 얻고자 하는 주주는 회사를 팔거나, 아니면 IPO가 아닌 자유 거래 주식들로 다른 회사와 합병하는 것이 더 나을 것이다.

추가적인 고려 사항

피터는 기업 공개 전에 염두에 두어야 할 다음과 같은 추가적 고려 사항들을 제시한다.

첫째, 팀에 있는 누가 사업을 운영한 적이 있는가? 사업을 운영하는 것과 새로운 제품 내지 새로운 사업에 대해 꿈을 꾸는 것 사이에는 큰 차이가 있다. 그 사람은 봉급, 직원, 세금 문제, 법률 문제, 계약, 협상, 제품 개발, 현금흐름 관리, 자본 모으기 등등을 다룬 적이 있는가?

당신은 피터가 중요하게 생각하는 것의 많은 부분이 부자 아버지의 〈B-I 삼각형〉에 나타나는 것임을 눈치챘을 것이다. 따라서 핵심적인 질문은 다음과 같은 것이 된다. 즉, 당신이나 그 팀에 있는 누군가가 그 모든 〈B-I 삼각형〉을 성공적으로 관리하고 있는가?

둘째, 당신은 회사의 얼마를 팔고 싶은가? 바로 이 부분에서 부속 합의서가 등장한다.

내가 피터에게 제기한 또다른 요점은, 나는 3년 동안 그와 함께 일하면서 그가 늘 회사를 시작하기 전에 그 회사에 대한 자신의 목표를 알고 있음을 인식했다. 그는 회사를 시작하기 전에 자신의 목표가 공개 시장에서 그 회사를 파는 것임을 알고 있다. 그는 어떻게 그런 목표를 달성할 것인지는 모를 수도 있지만, 그의 목표만큼은 분명하다. 내가 이 말을 하는 이유는 너무도 많은 사업 소유주들이 사업적인 측면에서 구체적인 계획도 없이 사업을 시작하기 때문이다. 많은 사업 소유주들은 그 사업이 좋은 아이디어라고 생각하기 때문에 사업을 시작한다. 하지만 그들은 그 사업에서 어떻게 빠져나올 것인지에 대한 계획은 전혀 없다. 모든 투자가에게 보다 중요한 것은 시장에서의 〈퇴장 전략〉이다. 그리고 사업체를 만들려는 창업가에게도 마찬가지다. 사업체를 만들기 전에 어떻게 그곳에서 빠져나올 것인지 분명한 계획을 세워야 한다.

당신은 사업체를 만들기 전에 다음과 같은 사항들을 고려해야 할 것이다.

—당신은 그것을 팔 것인가, 유지할 것인가, 아니면 상속자들에게 물려줄 것인가?

—그것을 팔 것이라면, 당신은 그것을 사적으로 팔 것인가 공적으로 팔 것인가? 기업을 사적으로 파는 것은 공적으로 파는 것만큼이나 어려울 수 있다.

—자격 있는 구매자를 찾는 것은 어려울 수 있다.

—사업 자금을 조달하는 것도 어려운 일일 수 있다.

—새로운 소유주가 대금을 지불할 수 없거나 사업을 경영할 수 없으면 당신은 그것을 돌려받아야 할지도 모른다.

셋째, 그 잠재적인 공개 기업은 잘 짜여진 사업 계획을 갖고 있는가? 이런 계획에는 다음과 같은 내용들이 들어가야 한다.

—팀과 팀의 경험

—재무제표

—현금흐름 예측

—3년치의 아주 보수적인 현금흐름 예측

피터는 투자 은행가들이 미래 수익 예측을 부풀리는 CEO나 창업가들을 좋아하지 않는다고 얘기한다. 피터는 또 마이크로소프트의 빌 게이츠는 종종 자기 회사의 수익 예측을 적게 잡는다고 얘기한다. 이것은 주식 가격을 강하게 유지하는 아주 좋은 전략이다. CEO들이 과장해서 수익 예측을 발표하고 그것을 달성하지 못할 때, 그 회사의 주가는 떨어지고 투자가들은 신뢰를 잃게 된다.

넷째, 시장은 누구인가, 시장은 얼마나 큰가, 그리고 그 회사의 제품은 시장에서 어느 정도의 성장을 할 수 있는가?

당신의 제품들을 위한 시장이 있는 반면, 당신 사업의 주식들을 위한 시장도 있다. 각각의 시기마다 특정한 유형의 기업들은 다른 유형의 기업들보다 주식 매수자들에게 더 매력적이다. 이미 얘기했듯이, 신기술과 인터넷 회사들은 〈이 달의 맛〉 기업들이다.

어떤 사람이 공개된 기업을 갖고 있을 때, 그것은 하나가 아닌 두 회사를 갖고 있는 것이라고 얘기된다. 한 회사는 정기적인 고객들을 위한 것이고, 다른 한 회사는 투자가들을 위한 것이다.

다섯째, 당신의 이사회나 자문 위원회에 누가 있는가? 시장은 신뢰를 통해 움직인다. 어떤 회사가 강력하고 존경받는 이사 혹은 전문가로 구성된 위원회를 갖고 있다면, 시장은 그 회사의 미래 성공에 더 많은 확신을 갖는다.

여섯째, 그 회사는 자기만의 독특한 재산을 갖고 있는가? 사업체는 다른 회사가 하지 못하는 무언가를 소유하거나 지배할 수 있어야 한다. 그것은 새로운 제품에 대한 특허일 수도 있고, 유정에 대한 탐사권일 수도 있고, 혹은 스타벅스나 맥도널드 같은 상표권일 수도 있다. 해당 분야에서 존경받는 전문가인 소유주조차 자산으로 생각될 수 있다. 사람이 자산인 예는 마사 스튜어트, 스티븐 잡스, 스티븐 스필버그 등이다. 사람들은 그런 사람들의 과거 성공과 미래 가능성 때문에 그들에게 투자한다.

일곱째, 그 회사는 들려줄 멋진 이야기를 갖고 있는가? 나는 크리스토퍼 콜롬버스가 자신의 후원자인 스페인의 왕과 여왕에게 틀림없이 멋진 이야기를 들려주었을 거라고 믿는다. 그렇게 해서 그는 지구의 끝까지 항해할 수 있는 자본을 모을 수 있었다. 멋진 이야기는 사람들을 자극하고, 기쁘게 하고, 재미있게 만들어서 미래에 대한 꿈을 갖도록 만들어야 한다. 아울러 그런 이야기에는 성실성도 있어야만 한다.

여덟째, 그 회사에 참여한 사람들에게 열정이 있는가? 이것은 피터가 보고자 하는 가장 중요한 것이다. 그는 자신이 어떤 사업에서 가장 중요하게 보는 것이 사업 소유주, 리더, 그리고 팀의 열정이라고 말한다. 피터는 이렇게 얘기한다. 열정이 없으면 아무리 좋은 사업 계획이 있어도, 그리고 아무리 좋은 사람들이 있어도 성공할 수가 없다.

어떻게 자금을 조달하는가

피터는 자금을 조달하는 네 가지 경로를 다음과 같이 말한다.

첫째, 친구들과 가족들을 통해 모은다.

이들은 당신을 사랑하며 종종 당신에게 맹목적으로 돈을 준다. 피터는 이런 방식으로 돈을 모으는 것은 권하지 않는다. 피터도 그렇고 내 부자 아버지도 이렇게 얘기했다. 「아이들에게 돈을 주지 말아라. 그것은 아이들을 약하고 의존적인 사람으로 만든다. 대신에 아이들에게 돈을 모으는 법을 가르쳐라」

부자 아버지는 그것을 한 단계 더 앞서 나갔다. 아마도 기억하겠지만, 그분은 자기 아들과 나에게 자신을 위해 일하는 대가로 봉급을 주지 않았다. 그분은 이렇게 얘기했다. 「일의 대가를 지급하는 것은 사람들이 자신을 직원처럼 생각하게 만드는 것이다」 대신에 그분은 우리가 사업 기회를 찾고 그런 기회에서 사업을 만들도록 훈련시켰다. 나는 주위에서 사업을 시작할 기회들을 찾고 있다. 반면에 다른 사람들은 보수가 높은 일자리를 찾고 있다.

부자 아버지는 자기 아들과 내가 다르게 생각하고 사업 소유주와 다른 사람들 간의 차이를 알도록 훈련시켰다. 그분은 우리가 자라면서 더 많은 선택을 갖기를 원했다.

둘째, 엔젤 투자를 통해 모은다.

엔젤 투자가들은 새로운 창업가들을 도울 열정이 있는 부자들을 가리킨다. 대부분의 주요 도시에는 엔젤 그룹이 있어서, 그들이 새로운 창업가들의 활동을 경제적으로 지원하고 젊은 창업가로서 부자가 되는 법에 관한 조언도 한다.

젊은 사업체들이 있고 엔젤 투자가들이 있는 도시는 그 도시 자체가 빠르게 성장하고 있음을 알 수 있다. 번창하는 창업가적 정신이 있는 도시는 도시 자체도 번창한다. 이들 엔젤 투자가들은 그 어떤 도시에도 필수적인 서비스를 제공한다. 이제는 컴퓨터와 인터넷이 있어서 아주 먼 곳에 있는 도시에도 창업가적 정신을 삶에 불어넣을 수 있다.

많은 젊은이들이 작은 마을을 떠나 더 큰 도시에서 멋진 일자리 기회들을 찾으려 한다. 내가 볼 때 영리하고 젊은 이런 인재들의 손실은 우리의 학교들이 젊은 사람들에게 일자리를 찾도록 가르치고 있기 때문에 일어난다. 우리의 젊은이들이 사업을 일으키는 법을 배운다면, 많은 소규모 도시들도 계속해서 번창할 수 있을 것이다. 왜냐하면 그들도 이제는 세상의 다른 지역들과 네트워크로 연결될 수 있기 때문이다. 엔젤 투자가로 활동하는 사람들은 도처에 있는 작은 마을에 활기를 불어넣는 데 놀라운 일들을 할 수 있다.

빌 게이츠가 시애틀을 위해 무슨 일을 했는지, 혹은 마이클 델이 텍사스 오스틴을 위해 무슨 일을 했는지 본다면, 당신은 창업가 정신의 힘을 알 수 있을 것이다. 창업가들과 엔젤 투자가들 모두 도시의 활력에서 중요한 역할을 한다.

셋째, 개인 투자가를 통해 모은다.

비공개 기업들에 투자하는 사람들은 개인 투자가라고 불린다. 이들 자격 있는 투자가들은 일반 투자가들보다 더 능숙하다. 그들은 가장 많은 이득을 올릴 (그리고 손실도 초래할) 입장에 서 있다. 따라서 금융 교육과 사업 경험까지 얻은 후에 많은 돈을 비공개 회사들에 투자해야 할 것이다.

넷째, 공공 투자가를 통해 모은다.

공개된 기업들의 주식을 통해 투자하는 사람들은 공공 투자가라고 불린다. 이것은 증권을 거래하는 대중적 시장이다. 이런 투자들은 대중들에게 팔리기 때문에, 그들은 대개 증권 거래 위원회 같은 기관들로부터 엄격한 감독을 받는다. 여기서 거래되는 증권은 대체적으로 개인으로 이뤄지는 투자들보다 덜 위험하다. 하지만 투자에는 늘 위험이 따르기 마련이다. 이것은 내가 앞서 얘기했던, 내부자로서 더 많은 지분을 갖고 그럼으로써 위험을 줄이라는 내용과 모순되는 것처럼 보일 수도 있다. 그러나 개인 투자가 역시 늘 지배권을 갖는 것은 아님을 기억하기 바란다.

자금을 모을 수 있는 방법

나는 기업 공개의 주요 사항들에 관해 피터와 얘기할 때 그에게 이런 질문을 했다. 즉, 상당한 액수의 자본을 모으는 법을 배우고자 하는 사람에게 무엇을 권유하겠는가? 그는 이렇게 얘기했다. 「나는 그들이 기업을 공개하고 싶다면 다음의 자금 원천들을 잘 알아야 한다고 권유한다」 피터가 말한 것은 다음과 같다.

첫째, 사모 양해각서(PPM＝Private Placement Memorandum)를 활용한다.

이것은 당신의 공식적인 자본 조달 활동에서 시작되어야 한다. 이것은 자금을 모으는 일종의 스스로 하기(do-it-yourself) 방식이다. PPM은 당신이 원하는 조건들을 당신이 지정하는 방식이며, 그렇게 해서 투자가들의 관심을 촉발시키려 하는 것이다.

피터는 당신이 증권을 전문으로 다루는 기업 변호사를 고용해 이 과정을 시작하도록 강력하게 권유한다. 이것은 당신이 작게 시작해서 크게 얻으려는 것을 진지하게 생각한다면 당신의 공식적인 교육이 시작되는 곳이다. 이것은 변호사의 조언에 대가를 지불하고 그런 조언을 따르는 데서부터 시작된다. 그런 조언이 마음에 들지 않으면 새로운 변호사를 찾는 것이 가장 좋다.

대부분의 변호사들은 당신에게 공짜 상담을 해줄 것이다. 혹은 당신이 그들을 점심에 초대할 수도 있다. 이런 유형의 전문적인 조언가는 초창기에, 그리고 당신이 더 커지면서 당신 팀에 필수적인 것이다. 나는 개인적으로 몇 달러를 절약하려고 그런 일을 직접 하려다가 힘든 방식으로 배움을 얻었다. 그렇게 절약한 몇 달러는 장기적으로 나에게 큰 비용을 초래했다.

둘째, 벤처 자본가를 이용한다.

그들은 내 친구인 마크처럼 자본을 제공하는 사업을 한다. 사람들은 대개 개인적인 자금, 가족과 친구들의 돈, 그리고 거래 은행의 돈이 떨어진 후에 벤처 자본가에게 간다. 피터는 이렇게 얘기한다. 「벤처 자본가들은 종종 엄격한 조건을 제시한다. 하지만 그들이 그 조건들을 잘 활용하여 투자를 하면 그들은 돈을 벌게 된다」

벤처 자본가는 종종 파트너가 되고 당신이 회사의 모양새를 갖춰 다음번 단계의 자금 조달로 이동하는 데 도움을 준다. 그들은 당신의 개인적인 조언가로 활동하면서 당신의 사업을 멋지게 만들어 다른 투자가들이 보기에 매력적인 것으로 바꾼다.

셋째, 투자 은행가를 이용한다.

이들은 대개 당신이 회사를 공공 시장에 팔 준비가 되어 있을 때 찾아가는 사람이다. 투자 은행가는 종종 초기 공모(IPO)와 2차 공모를 위한 자금을 모은다. 2차 공모는 일반 대중에게 초기 공모를 해서 이미 자금을 조달한 회사의 주식들을 재차 공모하는 것이다.

중요한 첫걸음

당신이 사업을 위한 자금 모으기를 할 준비가 되어 있다면 PPM부터 시작하는 것이 좋을 것이다. 피터가 이것부터 시작하라고 권유하는 데는 다음과 같은 이유들이 있다.

첫째, 당신은 이 분야를 전문으로 다루는 기업 변호사들과 만나 얘기하기 시작한다. 그들 몇 사람과 만나 얘기하라. 당신이 그들을 만날 때마다 당신의 교육과 지식 수준은 높아질 것이다. 그들에게 그들의 성공뿐 아니라 실패에 대해서도 물어보라.

둘째, 당신은 당신이 할 수 있는 다양한 자금 조달 방식과 그것을 법적으로 구조화하는 방법에 대해 배우기 시작한다. 다시 말해, 모든 자금 조달 방식이 똑같은 것은 아니다. 다양한 방식들이 다양한 욕구들을 충족시키기 위해 만들어져 있다.

셋째, 당신은 당신의 사업에 가치를 부여하기 시작하며 당신이 사업을 팔 때 원하는 조건들을 개발하기 시작한다.

넷째, 당신은 자금을 모으는 기술과 방법을 연습하기 시작할 뿐 아니라 잠재적인 투자가들에게 공식적으로 얘기하기 시작한다.

피터는 이런 조언을 제시한다. 「나는 사람들이 최선을 다해 투자 제안을 하고는 막판에 결실을 거두지 못하는 것을 보곤 한다. 창업가가 해야 할 일은 무엇보다 결실을 거두는 법을 배우는 것이다. 자신이 그렇게 할 수 없을 때는 그렇게 할 수 있는 파트너를 구해야 한다」

피터는 또 부자 아버지와 같은 얘기를 했다. 「이 분야에서 사업을 하려면 파는 법을 배워야만 한다. 팔기는 우리가 배울 수 있고 계속해서 개선할 수 있는 가장 중요한 기술이다. 자본을 모으는 것은 다양한 청중들에게 다양한 제품을 파는 것이다」

사람들이 경제적으로 성공하지 못하는 주된 이유는 팔지 못하기 때문이다. 그들이 팔지 못하는 이유는 자신감이 부족하고, 거절을 두려워하고, 주문을 요구하지 못하기 때문이다.

나는 지금도 계속해서 거절에 대한 내 두려움을 극복하고, 실망을 다루는 내 능력을 개선하고, 수시로 반복되는 가라앉은 자부심을 개선하는 방법을 찾기 위해 애쓰고 있다. 나는 삶에서 그런 장애들을 다루는 내 능력과 내 재산 사이에 직접적인 상관이 있음을 발견했다. 다시 말해, 그런 장애들이 압도적일 때는 내 수입이 떨어진다. 그러나 그런 장애들을 극복할 때는 내 수입도 올라간다.

당신은 다음번 부자인가?

오직 한 사람만이 이 질문에 답할 수 있다. 바로 당신이다. 올바른 팀, 올바른 리더, 과감하고 혁신적인 새 제품만 있으면 무엇이든지 가능하다. 관련 기술은 이미 나와 있거나 곧 개발될 것이다.

나는 1백만 달러를 만든다는 내 첫번째 목표가 달성 가능한 것임을 안 직후에 다음번 목표를 설정하는 것에 대해 생각하기 시작했다. 나는 아주 비슷한 방식으로 일을 계속하면 1천만 달러를 만드는 것도 가능함을 알고 있었다. 그렇지만 10억 달러를 만들려면 새로운 기술과 전혀 새로운 사고 방식이 필요할 것이다. 그래서 나는 나 자신에 대한 의심과 계속 싸우면서도 그런 목표를 설정했다. 나는 일단 과감하게 그런 목표를 설정한 후에 남들은 그것을 어떻게 달성했는지 배우기 시작했다. 그런 목표를 세우지 않았다면 나는 그것을 가능하다고는 생각하지 않았을 것이다. 그리고 나는 그렇게도 많은 사람들이 어떻게 그런 목표를 달성하고 있는지에 관한 책들과 글들을 써내지 못했을 것이다.

나는 억만장자가 된다는 목표를 정한 후에 내 스스로에 대한 자기 의심으로 고통받았다. 그렇지만 내 마음은 그것이 가능한 길들을 나에게 보여주기 시작했다. 나는 그 목표에 초점을 맞추면서, 억만장자가 되는 것이 어떻게 나에게 가능한지 계속해서 보고 있다. 나는 종종 다음과 같은 말을 혼자서 반복한다. 「할 수 있다고 생각하면 할 수 있다. 할 수 없다고 생각하면 할 수 없다. 어느 쪽이든 그것은 맞는 생각이다」 나는 그 말을 한 사람이 누군지는 모르지만, 그 사람이 그렇게 생각한 것에 감사한다.

억만장자가 되는 것이 가능한 이유

나는 일단 억만장자가 된다는 목표를 정한 후에 이제는 그 어느 때보다 더 쉽게 억만장자가 될 수 있는 이유들을 찾기 시작했다. 그 이유는 다음과 같다.

첫째, 대부분의 우리는 전화 회선만 있으면 인터넷으로 엄청난 수의 고객들에게 접근할 수 있다.

둘째, 인터넷은 인터넷을 넘어 더 많은 사업을 창출하고 있다. 헨리 포드가 자동차의 대량 생산으로 인한 파급 효과로 더 많은 사업을 만들었듯이, 인터넷은 그 효과를 확대시킬 것이다. 인터넷은 60억 명의 우리가 각자 헨리 포드나 빌 게이츠가 되는 것을 가능하게 만든다.

셋째, 과거에는 부자들과 힘 있는 사람들이 미디어를 통제했다. 하지만 신기술 변화로 인해, 인터넷은 각각의 우리가 우리 자신의 미디어를 소유하는 힘을 갖게 한다.

넷째, 새로운 발명들이 더 새로운 발명들을 낳는다. 새로운 첨단기술의 폭발은 우리 삶의 다른 분야들을 더 좋게 만들 것이다. 각각의 새로운 첨단기술 변화는 더 많은 사람들이 새롭고 혁신적인 제품을 더 많이 만들도록 허용할 것이다.

다섯째, 더 많은 사람들이 더 번창하게 되면서, 그들은 점점 더 많은 돈을 새로운 신생 기업들에 투자하고 싶어할 것이다. 비단 새로운 사업을 돕기 위해서뿐 아니라 그 수익을 공유하기 위해서이다. 오늘날 대부분의 사람들은 말 그대로 매년 수백억 달러의 돈이 투자할 만한 새롭고 혁신적인 기업들을 찾는다는 현실을 제대로 파악하지 못한다.

여섯째, 새로운 제품이 반드시 첨단기술일 필요는 없다. 스타벅스는 단지 커피만을 팔아 수많은 사람들을 부자로 만들었고, 맥도널드는 단지 햄버거와 감자튀김만으로 부동산의 가장 큰 보유자가 되었다.

일곱째, 핵심 단어는 〈단명(短命)하는〉이다. 내가 볼 때 이 단어는 부자나 엄청난 부자가 되고자 하는 모든 사람들에게 가장 중요한 단어이다. 그 말의 사전적 의미는 겨우 하루만 지속되거나 아주 짧은 시간만 지속된다는 뜻이다.

내 교사 가운데 한 사람인 R. 벅민스터 풀러 박사는 종종 〈단명화(ephemeralization)〉라는 단어를 사용한다. 내가 볼 때 그분이 사용하는 그 단어의 맥락은 다음과 같은 것이다. 〈그렇게도 짧은 시간에 그렇게도 많은 것을 할 수 있는 능력.〉 더 일반적인 단어는 〈지렛대 효과(leverage)〉, 즉 극히 적은 것으로 많은 것을 하는 능력이다. 풀러 박사는 인간들이 점점 더 적게 사용해 점점 더 많은 사람들에게 점점 더 많은 재산을 제공할 수 있다고 얘기한다.

다시 말해, 그 모든 새로운 기술적 발명(정말로 아주 적은 원자재만을 사용하는 발명)으로, 각각의 우리는 이제 아주 적은 시간과 노력만으로 아주 많은 돈을 만들 수 있다.

제41장

부자들이 파산하는 이유

〈왜 부자들도 파산하는가?〉 그 이유는 가난한 사람들이
여전히 가난하고 중산층이 경제적으로 계속 고생하는 이유와 같다.
부자, 가난한 사람, 그리고 중산층 사람들이 빈털터리가
되는 이유는 그들이 지출을 통제하지 못하기 때문이다.
그들은 지출을 이용해 부자가 되지 못하고,
대신에 지출을 이용해 가난해진다.

나는 사람들이 이렇게 말하는 것을 듣는다. 「내가 많은 돈을 벌면 돈 때문에 고생하는 일은 끝날 것이다」 이 말은 사실이 아니다. 실제로는 그들의 새로운 돈 문제들이 막 시작되고 있는 것이다. 그렇게도 많은 신흥 부자들이 갑자기 빈털터리가 되는 한 가지 이유는 그들이 과거의 돈 습관을 사용해 새로운 돈 문제들을 야기시키기 때문이다.

1977년에 나는 내 첫번째 큰 사업을 시작했다. 그러니까 나일론 지갑 사업이었다. 내가 앞에서도 얘기했듯이, 그렇게 만들어진 자산은 그것을 만든 사람들보다 더 컸다. 그로부터 몇 년 후에 나는 빠르게 자라는 또다른 자산을 만들었다. 그리고 이번에도 그 자산

은 그것을 만든 사람들보다 더 컸다. 나는 다시 또 그 자산을 잃었다. 나는 세번째 사업을 하고 나서야 부자 아버지가 나에게 배우도록 안내했던 그것을 배울 수 있었다.

내 가난한 아버지는 내 금융적 부침을 보고 경악했다. 그분은 사랑의 아버지였지만, 내가 한때는 세상 꼭대기에 있다가 다음에는 도랑 속에 있는 것을 보고 마음 아파했다. 하지만 부자 아버지는 그런 나를 보고 오히려 기뻐했다. 그분은 내가 만든 두 번의 큰 자산과 재앙을 보고 나서 이렇게 얘기했다. 「대부분의 백만장자들은 세 개의 회사를 잃고 나서야 크게 이긴다. 그런데 너는 두 회사밖에 잃지 않았다. 일반 사람은 어떤 사업도 잃은 적이 없으며, 그렇기 때문에 10%의 사람들이 90%의 돈을 통제하는 것이다」

수백만 달러를 벌었다가 수백만 달러를 잃은 내 이야기를 들은 후에, 사람들은 다음과 같은 중요한 질문을 했다. 「왜 부자들이 파산하는 겁니까?」 그 답으로 나는 다음과 같은 일부 가능성을 제시하는데, 이것들 모두 내 개인적 경험에서 나온 것이다.

부자들이 파산하는 여섯 가지 이유

——부자들이 파산하는 첫번째 이유

갑자기 부자가 된 사람들은 많은 돈을 어떻게 다루는지 전혀 알지 못한다. 앞에서도 얘기했듯이, 너무 많은 돈은 종종 충분치 못한 돈만큼이나 큰 문제다. 어떤 사람이 많은 돈을 다루는 훈련을 받지 않았거나 적절한 금융 조언가들을 갖고 있지 못하다면, 그들은 그 돈을 은행에 묻어두거나 그냥 잃고 말 가능성이 꽤 높다.

부자 아버지는 이렇게 얘기했다.「돈이 너를 부자로 만들지는 않는다. 사실 돈에는 너를 부자와 가난한 사람 모두로 만드는 힘이 있다. 매일같이 수십억 명의 사람들이 그런 사실을 증명한다. 대부분은 나름의 돈이 있지만 더 가난해지거나 더 많은 빚을 지게끔 그 돈을 사용한다. 그래서 오늘날 역사상 가장 좋은 경제 상황에서 그렇게도 많은 파산 신청이 나오는 것이다. 이번에도 문제의 근원은 돈을 받은 후에 자신들이 자산이라고 생각하는 부채를 사는 사람들이다. 앞으로 몇 년만 있으면 지금의 젊은 갑부 혹은 졸부들 가운데 많은 사람들은 돈 관리 기술의 부족 때문에 경제적으로 고생할 거다」

——부자들이 파산하는 두번째 이유

사람들이 돈더미에 앉을 때, 그 감정적 환희는 사람들의 기분을 고양시키는 마약과 같다. 부자 아버지는 이렇게 얘기했다.「돈더미에 앉을 때 사람들은 더 지적이라고 느끼지만, 사실 그들은 더 멍청해지고 있다. 그들은 세상을 얻었다고 생각하면서 즉시 밖에 나가 물 쓰듯이 돈을 쓴다」

공인 회계사인 다이언 케네디는 언젠가 나에게 이렇게 얘기했다.「나는 많은 부자들의 금융 컨설턴트로 일을 했습니다. 그들은 엄청난 돈을 번 후에 빈털터리가 되기 직전에 세 가지를 하는 경향이 있습니다. 첫째, 그들은 제트기나 큰 보트를 삽니다. 둘째, 그들은 사파리 여행을 갑니다. 셋째, 그들은 조강지처와 이혼하고 훨씬 더 젊은 여자와 결혼합니다. 나는 그런 일이 일어나는 것을 볼 때 그들이 망하는 것에 대비하기 시작합니다」 이번에도, 첫번째 이유와 아주 비슷하게, 그들은 부채를 사거나 자산과 이혼하며, 그럼으로써 부채를 만들고, 그런 후에 새로운 부채와 결혼한다. 그들은 이제 둘 혹은 그 이상의 부채를 갖고 있다.

——부자들이 파산하는 세번째 이유

당신에게 돈이 있을 때 일부 친구들과 친척들은 더 가까워지려는 경향이 있다. 많은 사람들에게 가장 힘든 것은 그들이 사랑하는 사람들이 돈을 빌려달라고 얘기할 때 그들에게 〈노〉라고 말하는 것이다.

부자 아버지는 이렇게 얘기했다. 「부자가 되는 데 있어 아주 중요한 기술은 자신과 자신이 사랑하는 사람들에게 〈노〉라고 얘기하는 능력을 개발하는 것이다」 돈더미에 앉아 보트와 큰 집을 사기 시작하는 사람들은 자신들에게 〈노〉라고 말할 수 없으며, 가족들에게는 더더욱 그럴 수 없다. 그들은 결국 더 많은 빚을 지게 되는데, 그 이유는 갑자기 많은 돈을 갖게 되었기 때문이다.

당신에게 돈이 있으면 사람들은 당신에게서 돈을 빌리려 할 뿐 아니라, 은행은 당신에게 더 많은 돈을 빌려주려 한다. 그렇기 때문에 사람들은 이렇게 얘기한다. 「은행은 우리에게 돈이 필요하지 않을 때 돈을 빌려준다」 상황이 잘못되면, 당신이 친구들과 친척들에게 빌려준 돈을 회수하는 데 어려움을 겪을 뿐 아니라, 은행도 당신에게서 돈을 회수하는 데 어려움을 겪게 된다.

——부자들이 파산하는 네번째 이유

갑자기 돈이 생긴 사람은 돈은 있지만 교육과 경험은 없는 〈투자가〉가 된다. 이번에도 부자 아버지의 말을 경청할 필요가 있다. 즉, 사람들은 갑자기 돈이 생길 때 자신들의 금융 IQ도 높아졌다고 생각하지만, 사실 그때의 금융 IQ는 낮아진 것이다. 어떤 사람에게 갑자기 많은 돈이 생기게 되면, 그 사람은 주식 중개인, 부동산 중개인, 그리고 투자 중개인들로부터 전화를 받기 시작한다. 하지만 사실 그들이 당신에게 돈을 벌어주는 경우는 그렇게 많지 않다.

내 친구는 35만 달러의 유산을 상속받게 되었다. 그런데 6개월도 못돼 그 모든 돈을 주식 시장에서 잃고 말았다. 그 돈을 시장에 빼앗긴 것이 아니라, 돈이 자신을 더 지적으로 만들었다고 생각한 졸부를 중개인이 속였기 때문이다. 다시 말해, 그 중개인은 그 사람에게 자주 사고 팔도록 조언함으로써 수수료 수입을 왕창 높였다. 이런 일은 좋지 않은 것이고, 증권사들은 자기 회사의 중개인들이 그런 일을 하는 것을 발견하면 중징계를 내린다. 하지만 그래도 그런 일은 일어난다.

이 책의 서두에서 얘기했듯이, 당신이 〈인정받는 투자가〉, 즉 그냥 돈이 있는 사람의 자격 요건을 충족한다 해서 투자에 관해 무언가를 안다는 뜻은 아니다.

작금의 과열된 주식 시장에서, 많은 회사들은 개인들만큼이나 어리석게 투자한다. 그렇게도 많은 돈이 시장에 있기 때문에, 많은 회사들은 다른 회사들을 사들여 그것이 자산이 되기를 바란다. 업계에서 이것은 종종 M&A, 그러니까 합병 및 인수라고 불린다. 문제는 이렇게 인수한 많은 새 회사들이 부채가 될 수 있다는 것이다. 작은 회사를 사들인 큰 회사는 종종 재정상 곤경에 처하곤 한다.

—부자들이 파산하는 다섯번째 이유

돈을 잃는다는 두려움이 증가한다. 많은 경우에 돈에 대해 가난한 사람의 관점을 갖고 있는 사람은 가난해진다는 두려움 속에서 살아왔다. 그래서 갑자기 큰 돈을 만지게 되면 가난해진다는 두려움은 줄지 않고 오히려 증가한다.

심리학자인 내 친구는 직업적인 초단타 매매자들에게 이렇게 얘기한다. 「우리는 우리가 두려워하는 것을 얻는다」 그렇기 때문에 그렇게도 많은 직업적 투자가들은 자신들의 팀에 심리학자를 참여시킨다. 적어도 나는 그래서 심리학자를 팀에 참여시키고 있다. 나 역시 다른 모든 사람들처럼 두려움을 갖고 있다. 앞에서도 얘기했듯이, 투자 시장을 통하지 않고도 돈을 잃는 많은 길이 있다.

—부자들이 파산하는 여섯번째 이유

이런 사람은 좋은 비용과 나쁜 비용의 차이를 알지 못한다. 나는 내 회계사나 세금 조언가가 이렇게 얘기하는 전화를 받곤 한다. 「당신은 또 하나의 부동산을 사야 합니다」 다시 말해, 나에게는 돈을 너무 많이 버는 문제가 있으며, 따라서 나는 부동산 같은 것에 더 많은 돈을 투자할 필요가 있다. 왜냐하면 내 은퇴 계획은 그 이상의 돈을 받아들일 수 없기 때문이다. 부자들이 더 부자가 되는 한 가지 이유는 그들이 세법을 활용해 더 많은 투자들을 사기 때문이다. 요컨대, 세금으로 납부했을 돈을 사용해 추가로 자산을 사며, 그 자산은 소득 공제를 제공해서 합법적으로 세금을 줄여준다.

앞에서 소개했던 그 사면체는 나에게 있어서 재산을 창출하고 그렇게 창출한 재산을 유지 및 증대시키는 가장 중요한 그림들 가운데 하나이다. 나는 그 그림을 사람들에게 보여줄 때 왜 지출이 그 구조의 일부냐는 질문을 받는다. 그 이유는 우리가 얼마의 돈을 벌건 지출을 통해 더 부자가 되거나 더 가난해지기 때문이다. 부자 아버지는 이렇게 얘기했다. 「어떤 사람이 앞으로 더 부자가 될지 더 가난해질지 알고 싶다면 그들의 금융상의 지출 내용을 보면 된다」 지출은 부자 아버지에게 아주 중요한 것이었다. 그분은 이렇게 얘기했다. 「너를 부자로 만드는 지출이 있고 가난한 사람으로 만드는 지출이 있다. 영리한 사업가와 투자가는 그들이 어떤 종류의 지출을 원하고 그런 지출을 어떻게 통제하는지 알고 있다」

「내가 자산을 만드는 주된 이유는 나의 좋은 지출을 늘릴 수 있기 때문이다」 부자 아버지는 어느 날 나에게 그렇게 얘기했다. 「일반 사람은 주로 나쁜 지출을 갖고 있다」 좋은 지출과 나쁜 지출의 이런 차이는 부자 아버지가 자산을 만드는 가장 중요한 이유들 가운데 하나였다. 그분이 그렇게 한 이유는 그렇게 만든 자산으로 다른 자산을 살 수 있기 때문이었다. 그분은 내가 어렸을 때 해변을 거닐며 그분이 막 구입했던 아주 비싼 부동산을 보고 있을 때 이렇게 얘기했다. 「나도 이 땅을 살 수가 없다. 하지만 내 사업은 그것을 살 수 있다」

당신은 사업가들이 속한 〈B〉 사분면에 가용한 세법들을 이해한다면, 부자들이 더 부자가 되는 한 가지 이유는 세법들이 다른 어떤 사분면보다 〈B〉 사분면의 사람들에게 세전 수입을 갖고 다른 자산들을 만들거나 사도록 허용하기 때문임을 알게 된다. 사실 그런 세법들은 거의 당신에게 세전 수입으로 더 많은 투자들을 사도록 요구하며, 그래서 나는 더 많은 부동산을 사거나 또다른 회사를 사라고 얘기하는 그런 전화들을 받는다. 반면에 봉급 생활자들이 속한 〈E〉 사분면의 사람들은 종종 세후 수입을 갖고 다른 자산들을 만들거나 구입한다.

돈이 너무 많으면

「부자가 되고 싶다면 어떻게 많은 돈을 벌지에 대한 계획이 있어야 하고, 그 돈을 벌기 전에 그것으로 무엇을 할지에 대한 계획도 있어야 한다. 돈을 벌기 전에 그것으로 무엇을 할지에 대한 계획이 없으면 번 것보다 더 빠르게 돈을 잃게 된다」 그분이 나에게 부동산 투자를 공부하도록 권유한 한 가지 이유는 많은 돈이 생기기 전에 부동산에 투자하는 법을 이해하라는 것이었다. 오늘날 내 회계사가 전화를 걸어 〈당신에게는 돈이 너무 많아요. 당신은 더 많은 투자들을 살 필요가 있어요〉라고 말할 때, 나는 이미 내 돈을 이동시켜야 할 곳과 내가 사용할 기업 구조, 그리고 그 돈으로 무엇을 살 것인지 알고 있다. 나는 내 중개인에게 전화를 걸어 더 많은 부동산을 산다. 나는 종이 자산을 살 때 내 금융 컨설턴트에게 전화를 걸어 보험 상품을 산다. 그리고 그것은 내 주식, 채권, 혹은 뮤추얼 펀드를 산다. 다시 말해, 보험 사업은 사업가인 부자들을 위한 특별한 보험 상품을 개발한다. 어떤 사업체가 보험 상품을 사게 되면 회사에게는 지출이 되고, 많은 세금 혜택과 함께 그 사업가에게는 자산이 된다. 다시 말해, 내 회계사가 전화를 걸 때, 그 돈의 상당 부분은 이미 미리 정해진 계획에 따라 지출된다. 그것은 나를 더 부자로 만들고 더 안정되게 만드는 지출이다. 그래서 부자들을 위한 금융 컨설턴트와 보험 중개인은 그 팀의 아주 중요한 구성원들이다.

지난 몇 년 동안 나는 많은 사람들이 꽤 수익성이 높은 사업을 시작하고도 나중에는 빈털터리가 되는 것을 보았다. 왜 그럴까? 왜냐하면 그들은 자신들의 지출을 통제하지 않았기 때문이다. 그들은 더 큰 집, 멋진 보트, 빠른 자동차, 그리고 새 가구들을 샀다. 그들은 경제적으로 더 강해지지 않고, 대신에 번 후에 쓴 그 모든 돈 때문에 경제적으로 더 약해졌다.

부자가 되고 부자로 남고 싶다면 지출을 통제해야 한다

부자 아버지는 이렇게 얘기했다. 「그와 같은 지출을 통해서 부자들은 동전의 다른쪽 면을 본다. 대부분의 사람들은 지출을 나쁜 것, 자신을 가난하게 만드는 것으로만 본다. 하지만 그런 지출이 자신을 더 부자로 만들 수 있음을 볼 수 있을 때, 동전의 다른쪽 면은 너에게 나타나기 시작한다」 동전의 양쪽 면 모두는 사실 나에게 큰 의미를 주지 않았지만 부자 아버지는 이렇게 애기했다. 「부자가 되고 싶다면 동전의 양쪽 면 모두에서 희망과 두려움, 그리고 환상을 보아야만 한다」

부자 아버지는 나에게 이렇게 얘기했다. 「나에게는 부자가 되려는 계획이 있었고 세법과 회사법을 이해하게 되면서 나는 내 자산 부분을 사용해 부자가 될 수 있었다. 일반 사람들은 지출 부분을 사용해 가난해진다. 이것은 왜 어떤 사람들은 부자가 되고 어떤 사람들은 가난해지는지에 대한 가장 크고 가장 중요한 이유 가운데 하나이다. 부자가 되고 부자로 남고 싶다면 지출을 통제해야만 한다」 당신은 이 말을 이해할 때 왜 부자 아버지가 낮은 소득과 높은 지출을 원했는지 이해하게 된다. 이것은 그분이 생각하는 부자가 되는 방식이었다. 그분은 이렇게 얘기했다. 「대부분의 사람들이 결국에는 돈을 잃고 빈털터리가 되는 이유는 그들이 계속해서 가난한 사람처럼 생각하고, 또 가난한 사람들은 높은 소득과 적은 지출을 원하기 때문이다. 네가 머릿속에서 이런 전환을 하지 않는다면 늘 돈을 잃는다는 두려움 속에 살면서 알뜰하게만 살려고 한다. 그러면서 너는 경제적으로 똑똑해지지 않고 점점 더 부자가 되지 않는다. 너는 일단 부자들이 왜 지출은 많이 하고 소득은 적기를 원하는지 이해할 수 있을 때 동전의 다른쪽 면을 보기 시작할 것이다」

돈이 너무 적은 세상 vs. 돈이 너무 많은 세상

이 마지막 단락은 이 책에서 가장 중요한 단락 가운데 하나이다. 사실 이 책은 이 하나의 단락을 중심으로 씌어졌다. 이것을 이해하지 못한다면, 역시 이 책을 읽은 친구와 함께 앉아 토론을 시작해서 그 내용에 대한 이해를 깊게 하길 바란다. 나는 당신이 반드시 이것에 동의할 것으로는 기대하지 않는다. 그냥 이것을 이해하기 시작하기만 해도 충분하다. 당신은 돈이 너무 많은 세상이 있음을 이해하기 시작할 수도 있고, 당신이 어떻게 그 세상의 일부가 될 수 있는지 이해할 수도 있다. 부자 아버지는 이렇게 얘기했다. 「머릿속에서 돈에 관한 관점을 바꾸지 않는 사람들은 동전의 한쪽 면만을 볼 것이다. 즉 그들은 돈이 충분치 않은 세상만을 보게 될 것이다. 그들은 동전의 다른쪽 면, 즉 돈이 너무 많은 세상은 절대로 보지 못할 수도 있다. 그들이 아무리 많은 돈을 번다 해도 말이다」

돈이 너무 많은 세상도 존재할 수 있음을 이해하고, 세법과 회사법에 대해 조금이라도 이해하고, 지출의 통제가 왜 그렇게 중요한 것인지 이해하면, 당신은 전혀 다른 세상, 일부 극소수만이 보는 세상을 보기 시작할 수 있다. 그리고 그런 세상을 보는 것은 당신의 머리에서 시작된다. 당신의 정신적 시야가 변할 수 있다면, 그때 당신은 왜 부자 아버지가 늘 이렇게 얘기했는지 이해하기 시작할 것이다. 「나는 내 지출을 사용해 점점 더 부자가 되고, 일반 사람은 자신들의 지출을 사용해 점점 더 가난해진다」

소득은 적고 지출은 많은 것이 어떻게 좋을 수 있을까

그래서 부자 아버지는 이렇게 얘기했다. 「돈은 아이디어에 불과하다」 그리고 이 마지막 몇몇 단락에는 일부 아주 중요한 아이디어들이 담겨 있다. 낮은 소득과 높은 지출이 왜 좋은지 충분히 이해한다면 앞으로 나아가라. 그렇지 않다면 역시 이 책을 읽은 누군가와 이 점에 대해 잠시 의논하라. 이 아이디어는 이 책의 중요한 요점이다. 그것은 또 왜 많은 부자들이 빈털터리가 되는지도 설명한다. 따라서 최선을 다해 이 점을 이해하기 바란다. 왜냐하면 창조적이 되고, 자산을 만들고, 많은 돈을 버는 것이 별 의미가 없기 때문이다. 결국에는 그 모든 것을 잃게 된다. 내가 그 〈90 : 10〉 원칙을 연구하면서 발견한 한 가지는 10%를 버는 90%의 사람들은 높은 소득과 낮은 지출을 원하는 사람들이다. 그래서 그들은 아직도 그 자리에 머물고 있다.

따라서 내 질문은 이것이다. 「낮은 소득과 높은 지출이 어떻게 당신을 부자로 만들 수 있을까?」 그리고 그 답은 능숙한 투자가가 세법과 회사법을 활용해 그런 지출을 다시 소득 부분으로 돌리는 방식에서 발견된다.

예를 들면, 다음의 그림은 능숙한 투자가가 하려고 하는 것의 그림이다.

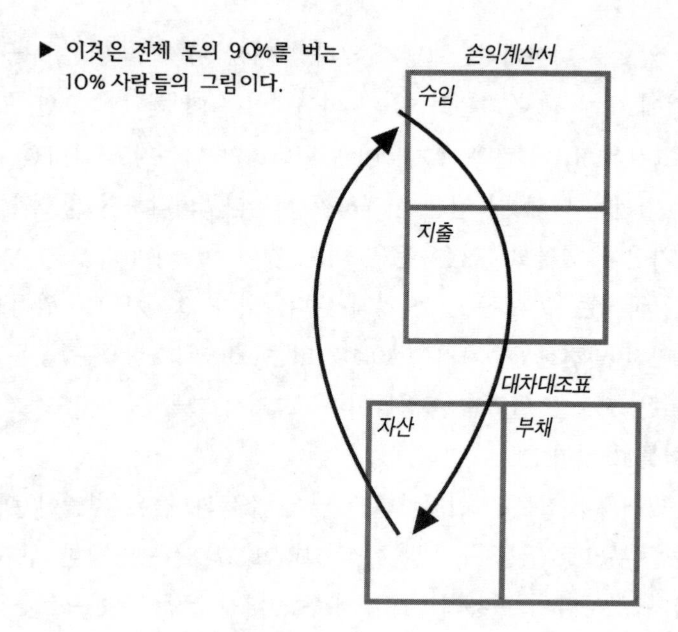

이번에도 내 질문은 이것이다. 「낮은 소득과 높은 지출이 어떻게 당신을 부자로 만들 수 있을까?」

당신은 이렇게 하는 이유와 방법을 이해하기 시작할 수 있을 때 점점 더 큰 경제적 풍요의 세상을 보기 시작할 것이다.

앞의 그림을 다음의 그림과 비교하라.

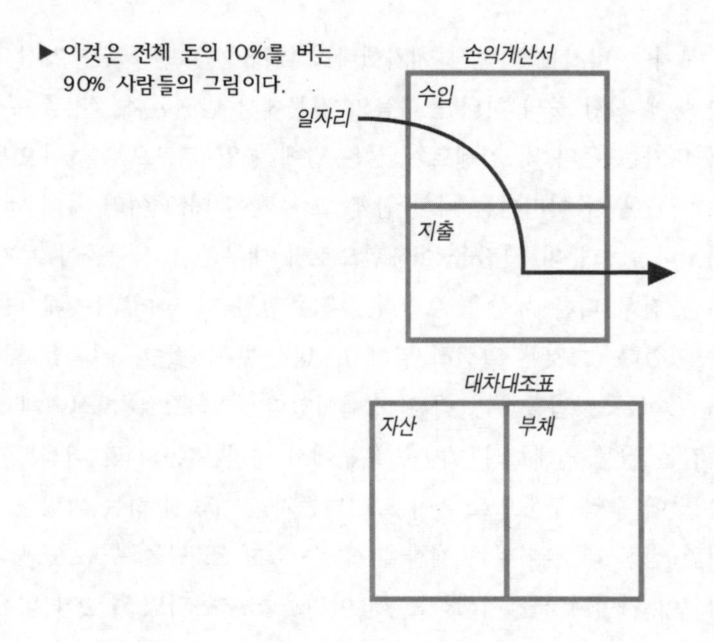

이것은 세상 사람들 대부분의 모습이다. 다시 말해, 돈은 지출 부분으로 들어왔다가 그곳에서 나간 후 다시는 돌아오지 않는다. 그래서 그렇게도 많은 사람들은 돈을 모으고(저축하고), 알뜰하게 살고, 지출을 줄이려 애를 쓴다. 이 그림은 또 다음과 같이 힘주어 말하는 사람의 모습이기도 하다. 「내 집은 자산이다」 돈이 지출 부분에서 나가 적어도 당장에는 돌아오지 않음에도 불구하고 말이다. 혹은 이렇게 말하는 사람의 그림도 된다. 「나는 매달 돈을 잃고 있지만 정부는 나에게 돈을 잃는 데 대해 세금 혜택을 준다」 그들은 그렇게 말하면서 다음과 같이는 말하지 않는다. 「나는 내 투자에서 돈을 벌고 있고 정부는 나에게 돈을 버는 데 대해 세금 혜택을 준다」

부자 아버지는 이렇게 얘기했다. 「네가 가질 수 있는 가장 중요한 통제 사항 중의 하나는 다음의 질문에서 발견된다. 〈지출 부분에서 나가는 돈의 몇 퍼센트가 같은 달에 수입 부분으로 돌아오게 되는가?〉」 부자 아버지는 나와 함께 그 주제에 대해 여러 차례 얘기했다. 나는 그분의 관점을 이해함으로써 대부분의 사람들이 보지 못하는 전혀 다른 세상을 보았다. 나는 점점 더 늘어나는 재산을 볼 수 있었다. 그것은 열심히 일하고, 많은 돈을 벌고, 지출을 계속해서 줄이는 사람들과는 다른 경험이었다. 그러므로 자신에게 그와 똑같은 질문을 해보라. 〈지출 부분에서 나가는 돈의 몇 퍼센트가 같은 달에 수입 부분으로 돌아오게 되는가?〉 이렇게 하는 방법을 이해하면 점점 더 늘어나는 재산을 볼 수 있고 또 만들 수도 있을 것이다. 이 아이디어를 이해하는 데 어려움을 겪는다면 누군가 다른 사람을 찾아 그것을 어떻게 할 수 있는지 의논하라. 이것을 이해하기 시작하면 능숙한 투자가가 하고 있는 것을 이해하기 시작할 것이다. 나는 그것이 의논할 가치가 있고 당신이 이 책을 자주 읽고 의논하고 싶을 수도 있는 이유라고 생각한다. 그것은 사실 돈이 충분치 않은 세상의 관점에서 돈이 너무 많은 세상을 만드는 관점으로 사람들의 관점을 바꾸기 위해 씌어졌다.

사업체를 만드는 이유는 그 사업이 사주는 자산 때문이다

내가 아는 몇몇 창업가들은 사업을 만드는 것은 잘하면서도 그 사업의 진정한 가치는 인식하지 못한다. 이런 현상이 일어나는 이유는 사업체는 단지 팔기 위해서 만드는 것이라는 일반적인 아이디어가 널리 퍼져 있기 때문이다. 그래서 그들은 자산을 사기 위해 사업을 만들지 않고, 대신에 종종 그냥 사업을 만들고, 그것을 팔고, 세금을 내고, 현금을 은행에 넣고, 처음부터 다시 시작한다.

내가 아는 몇몇 친구는 팔기 위한 목적으로 사업을 만들었다. 내 두 친구는 현금을 받고 자신들의 회사를 팔았으며, 그런 후에 다음번 사업 과정에서 그 모든 현금을 잃고 말았다. 그들이 돈을 잃은 이유는 사업 생존에도 〈90 : 10〉 원칙이 여전히 유효하기 때문이다. 그들 두 사람은 봉급 생활자들이 속한 〈E〉 사분면 사람들로 사업가들이 속한 〈B〉 사분면 사업을 만들었다. 그런 후에 그들은 그 사업을 〈B〉 사분면의 사람들에게 팔았다. 구매자들은 그 〈B〉 사분면 사업의 숨은 가치를 인식했다. 그래서 사업을 판 친구들은 수백만 달러를 모았음에도 결국 빈털터리가 되었다. 그들이 판 사업들은 새로운 주인들을 한층 더 부자로 만들었다.

능숙한 투자가와 사업가는 가능한 한 오랫동안 사업을 유지하고, 그것이 가능한 한 많은 안정적 자산들을 얻게 하고, 그런 후에 가능한 한 적은 세금만 내면서 사업을 처분하고, 그러면서 가능한 한 많은 자산을 유지하려 애쓸 것이다. 부자 아버지는 이렇게 얘기했다. 「내가 사업을 만드는 주된 이유는 그 사업이 나에게 사주는 자산 때문이다」 많은 창업가들의 경우, 그들이 만드는 사업은 그들의 유일한 자산이다. 왜냐하면 그들은 단일 기업 전략을 채택하면서 다수 기업 투자 전략의 힘은 활용하지 못하기 때문이다.

부자는 쓰레기를 현금으로 만들 줄 안다

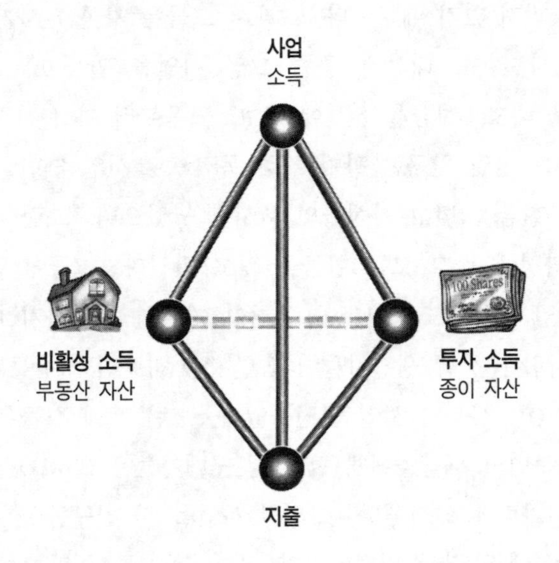

따라서 그렇기 때문에 지출은 당신이 얼마를 벌건 자산이나 부채가 될 수 있다. 전체 90% 사람들이 10%의 돈만을 갖고 있는 한 가지 이유는 그들이 번 돈을 어떻게 써야 하는지 모르기 때문이다. 부자 아버지는 이렇게 얘기했다.「부자는 쓰레기를 현금으로 바꿀 줄 안다. 하지만 나머지 사람들은 현금을 쓰레기로 바꾼다」

그러면 다음과 같은 질문의 답은 무엇인가? 〈왜 부자들도 파산하는가?〉 그 이유는 가난한 사람들이 여전히 가난하고 중산층이 경제적으로 계속 고생하는 이유와 같다. 부자, 가난한 사람, 그리고 중산층 사람들이 빈털터리가 되는 이유는 그들이 지출을 통제하지 못하기 때문이다. 그들은 지출을 이용해 부자가 되지 못하고, 대신에 지출을 이용해 가난해진다.

제6부

부자 아빠의 투자 가이드 5단계

—용기 있는 자만이 부자가 될 수 있다

제42장

부자가 될 수 있는 기회를 놓치지 말라

이제는 돈이 없어도 돈을 벌 수가 있다.
이제는 광대한 토지나 자원이 없어도 부자가 될 수 있다.
이제는 높은 지위의 친구들이 없어도 부자가 될 수 있다.
이제는 당신이 어떤 대학을 나왔건, 성별, 인종
혹은 종교가 무엇이건 문제가 되지 않는다.
이제는 아이디어만 있으면 되고, 부자 아버지가
늘 얘기했던 것처럼, 〈돈은 아이디어에 불과하다〉.

왜 이제는 돈이 없어도 돈을 벌 수 있나

최근에 나는 투자 강의를 하다가 이런 질문을 받았다. 「제가 투자할 만한 인터넷 관련 회사를 좀 추천해 주실 수 있나요?」

나는 이렇게 대답했다. 「왜 다른 사람의 회사에 투자합니까? 자신이 직접 인터넷 회사를 차리고 사람들에게 투자하도록 요구하는 게 더 낫지 않을까요?」

이 책의 서두에서 밝혔듯이, 자산을 사는 법에 관한 투자 책들은 많이 있다. 이 책은 자산을 살 수 있는 자산을 어떻게 만드는지 배우는 데 관한 책이다. 따라서 그냥 자산을 사는 대신 왜 시간을 내서 자산을 만들 생각을 하지 않는가? 내가 이 말을 하는 이유는 지금보다 자산을 만들기가 더 쉬운 때는 일찍이 없었기 때문이다.

세상의 나이는 열 살이다

1998년 10월 11일에 메릴 린치는 몇몇 미국의 유명 신문들에 전면 광고를 실으면서 세상의 나이는 열 살에 불과하다고 얘기했다. 왜 열 살에 불과할까? 왜냐하면 베를린 장벽이 무너진 지 대략 10년이 지났기 때문이다. 베를린 장벽의 붕괴는 일부 경제학자들이 산업 시대의 종말과 정보 시대의 개막을 알리는 사건으로 거명한다.

정보 시대 전까지는 대부분의 사람들이 외부에서 투자가가 될 수밖에 없었다. 이제 세상의 나이는 불과 열 살 남짓이기 때문에, 점점 더 많은 사람들이 외부에서가 아닌 내부에서 투자할 수 있다. 나는 이렇게 대답했다. 「왜 다른 사람의 회사에 투자합니까? 왜 자신이 직접 인터넷 회사를 차리고 사람들에게 투자하도록 요구하지는 않습니까?」 그때 그 말의 뜻은 이런 것이었다. 「이제는 정보 시대입니다. 그런데 왜 내부자가 되려고 하지 않습니까?」

농경 시대에서 산업 시대로, 그리고 정보 시대로

농경 시대에는 비옥한 농토를 굽어보는 성을 소유한 사람들이 부자였다. 이런 사람들은 군주 혹은 귀족으로 알려져 있었다. 당신은 이 그룹에서 출생하지 않는 한 내부자가 될 가능성이 거의 없는 외부자에 불과했다. 여기에도 〈90 : 10〉 규칙이 삶을 통제했다. 그래서 힘을 갖고 있던 그 10%의 군주나 귀족은 결혼이나 출생, 혹은 정복 때문에 그곳에 있었다. 그리고 나머지 90%는 농노나 농부로서 일을 했지만 아무것도 소유하지 못했다.

농경 시대에는 착하고 열심히 일하는 사람이 존경받았다. 부지런해야 한다는 개념은 부모에게서 아이에게로 전해졌다. 그때는 또 한가한 부자들이 미움을 받기 시작했다. 사람들의 90%가 일을 해 나머지 10%를 지원했기 때문이다. 그런데 그들은 일을 하는 것 같지 않았다. 이런 개념도 부모에게서 아이에게로 전해졌다. 이런 개념들은 계속해서 퍼졌고 아직도 세대에서 세대로 전해지고 있다.

이어서 산업 시대가 찾아왔다. 이제 재산은 농토에서 부동산으로 바뀌었다. 건물, 공장, 창고, 광산, 그리고 근로자 주거용 주택 같은 것들이 토지 위에 설치되었다. 갑자기 비옥한 농토는 가치가 급격하게 떨어졌다. 토지 위에 세운 건물의 주인에게로 재산이 이전됐기 때문이다. 그러면서 보다 더 흥미로운 일이 일어났다. 갑자기 비옥한 토지는 농사를 짓기 어려운 거친 토지보다 가치가 더 적어졌다. 거친 토지는 비옥한 토지보다 쌌기 때문에 갑자기 더 많은 가치를 갖게 되었다. 그런 곳에는 또 마천루 같은 더 높은 건물이나 공장을 지을 수도 있었다. 그리고 그런 곳에는 종종 산업 시대의 연료인 석유, 철, 그리고 구리 등의 자원이 매장되어 있었다. 시대가 바뀌면서 많은 농부들의 순재산은 줄어들었다. 그들은 삶의 질을 유지하기 위해 전보다 더 열심히 일하고 더 많은 토지를 경작해야만 했다.

바로 이와 같은 산업 시대에 〈학교에 가야 좋은 일자리를 얻을 수 있다〉는 개념이 널리 퍼졌다. 농경 시대에는 직업이 대대로 이어지는 것이기 때문에 공식적인 교육이 필요하지 않았다. 가령 아버지가 빵을 구우면 그 아이들도 빵을 구웠다. 이 시대의 끝 무렵에 〈하나의〉 일자리, 혹은 평생 하나의 일자리라는 개념이 널리 퍼졌다. 사람들은 학교에 가고, 평생 하나의 일자리를 얻고, 열심히 일하다가 은퇴하면 회사와 정부가 그들의 욕구를 해결해 주었다.

산업 시대에는 귀족 집안 출신이 아닌 사람도 부자가 될 수 있었고 힘을 얻을 수 있었다. 자수성가한 사람들의 이야기가 젊은이들의 야망을 자극했다. 창업가들이 무일푼으로 시작해 억만장자가 되었다. 헨리 포드가 자동차의 대량 생산을 결심했을 때, 그는 농부들이 원하지 않는 일부 싸고 거친 토지를 발견했다. 그렇게 해서 디트로이트라는 작은 마을은 자동차 산업의 요람이 되었다. 포드 가문은 요컨대 새로운 귀족 가문이 되었고, 그들 주위에서 그들과 사업을 하던 사람들도 새로운 부자 귀족들이 되었다. 새로운 이름들이 왕이나 여왕의 이름만큼 권위를 갖게 되었다. 이를테면 록펠러, 스탠포드, 그리고 카네기 등이 그런 권위를 가졌다. 사람들은 종종 그들의 엄청난 재산과 힘을 보며 그들을 존경하고 또 경멸했다.

그렇지만 산업 시대에도 농경 시대처럼 일부 소수가 대부분의 재산을 통제했다. 그 〈90 : 10〉 원칙은 여전히 적용되었고, 다만 이번에는 그 10%가 출생이 아닌 의지력으로 결정되었다. 그 〈90 : 10〉 원칙이 여전히 적용된 이유는 간단했다. 엄청난 노력과 협력은 물론이고 많은 돈과 사람, 토지, 그리고 힘이 있어야만 재산을 만들고 통제할 수 있기 때문이었다. 예를 들어, 자동차 회사나 석유 회사

혹은 광산 회사를 시작하려면 아직도 상당한 자본과 엄청난 액수의 돈, 넓은 토지, 그리고 잘 교육받고 똑똑한 많은 사람들이 있어야만 한다. 뿐만 아니라, 수년 동안의 관료주의적 규제(이를테면 무역협정, 노동법 등)를 거쳐야만 그런 사업을 시작할 수 있을 때가 많다. 산업 시대에는 대다수 사람들의 삶의 질은 높아졌지만, 진짜 재산에 대한 통제는 여전히 몇몇 소수가 행사했다. 하지만 이제는 원칙이 변했다.

이제 〈90 : 10〉의 원칙은 변했다

베를린 장벽이 무너지고 인터넷이 등장했을 때, 많은 원칙들이 변했다. 그중에서 한 가지 가장 중요한 원칙은 〈90 : 10〉 원칙이다. 물론 인구의 10%가 돈의 90%를 여전히 통제할 가능성은 있다. 그렇지만 그 10%에 동참할 수 있는 기회는 크게 늘었다. 이제는 예전에 농경 시대에 그랬던 것처럼 왕족이나 귀족 가문에서 태어나지 않아도 된다. 이제는 엄청난 돈과 토지 그리고 사람들이 없어도 그 10%에 동참할 수 있다. 이제는 아이디어만 있으면 그곳에 입장할 수 있고, 아이디어에는 돈이 들지 않는다.

정보 시대에는 정보 혹은 아이디어만 있으면 엄청난 부자가 될 수 있다. 따라서 경제적으로 고생하는 사람들이 순식간에 큰 부자가 되는 것도 가능하다. 그런 사람들은 이전 시대에서 돈을 번 사람들을 앞지를 때가 많다. 한 번도 일자리를 가져보지 못한 대학생들이 억만장자가 된다. 그리고 앞으로는 고등학생들이 그들마저 앞지르게 될 것이다. 1990년대 초에 내가 읽었던 어떤 신문 기사는 이렇게 적고 있었다.

> 많은 러시아 사람들은 공산 치하에서 자신들의 창의성이 억압당한다고 불평했다. 이제 공산주의가 끝난 상황에서, 많은 러시아 사람들은 자신들에게 창의성이 없었음을 발견하고 있다.

개인적으로 나는 우리 모두에게 우리에게만 있는 명석한 창의적 아이디어가 있다고 생각한다. 우리는 그런 아이디어를 자산으로 바꿀 수 있다. 러시아 사람들의 문제는, 전세계의 많은 사람들이 그러는 것처럼, 〈B-I 삼각형〉의 힘을 이해하도록 가르치는 부자 아버지의 안내를 받지 못했다는 것이다. 내가 볼 때 아주 중요한 것은, 우리가 더 많은 사람들을 가르쳐 창업가로 만들고 그들의 독특한 아이디어를 사업으로 발전시키도록 하는 것이다. 그렇게 한다면 우리의 번영은 정보 시대의 확대와 함께 늘어날 것이다.

이제 세계 역사상 처음으로 돈에 대한 그 〈90 : 10〉 원칙은 더 이상 적용되지 않을 수도 있다. 이제는 돈이 없어도 돈을 벌 수가 있다. 이제는 광대한 토지나 자원이 없어도 부자가 될 수 있다. 이제는 높은 지위의 친구들이 없어도 부자가 될 수 있다. 이제는 당신이 어떤 대학을 나왔건, 성별, 인종 혹은 종교가 무엇이건 문제가 되지 않는다. 이제는 아이디어만 있으면 되고, 부자 아버지가 늘 얘기했던 것처럼, 〈돈은 아이디어에 불과하다〉.

그렇지만 일부 사람들에게는 가장 바꾸기 힘든 것이 낡은 생각이다. 다음과 같은 속담에는 오래된 진실이 있다. 〈늙은 개에게 새로운 기술을 가르칠 수는 없다.〉 내가 볼 때 더 정확한 속담은 이런 것이다. 〈낡은 생각에 집착하는 사람에게 새로운 기술을 가르칠 수는 없다. 그들이 젊었건 늙었건 상관없이 말이다.〉

그래서 나는 〈당신은 어떤 인터넷 회사에 투자하겠습니까?〉라는 질문을 받을 때 여전히 이렇게 대답한다. 「왜 자신이 직접 인터넷 회사를 차려 투자를 유도하지는 않습니까?」 그렇다고 내가 반드시 그 사람에게 인터넷 회사를 시작하라고 얘기하는 것은 아니다. 다만 나는 그들에게 아이디어에 대해, 직접 회사를 시작하는 가능성에 대해 생각해 보라고 얘기할 뿐이다. 일단 사람들이 직접 〈B〉 사분면의 사업을 시작하는 아이디어에 대해 생각해 보면, 그들의 마음은 힘든 일과 육체적인 한계에서, 한계가 없는 무한의 재산을 만들 수 있는 가능성으로 이동한다. 필요한 것은 아이디어일 뿐이며, 우리는 지금 〈아이디어의 시대〉에 살고 있다. 그렇다고 당장 일자리를 그만두고 창업에 나서라는 말은 아니다. 다만 나는 지금의 일자리를 유지하면서 시간제로 창업을 고려하라고 얘기하고 싶다.

낡은 생각에 도전하라

오늘날의 주식 시장에서 사람들이 이렇게 말하는 것을 듣는다. 〈과거의 경제 vs. 새로운 경제.〉 여러 면에서 뒤에 처져 있는 사람들은 지금도 새로운 경제의 아이디어가 아닌 낡은 경제의 아이디어 속에서 생각하고 있는 사람들이다.

부자 아버지는 자신의 아들과 나에게 돈은 아이디어에 불과하다고 끊임없이 상기시켰다. 그분은 또 우리에게 늘 조심하라고, 우리의 생각을 관찰하면서 그것에 도전해야 할 때는 도전하라고 경고했다. 당시만 해도 젊고 경험이 부족했던 나는 그분의 말을 충분히 이해하지 못했다. 하지만 이제는 더 나이가 들고 더 현명해졌기 때문에, 나는 우리의 낡은 생각에 도전하라는 그분의 경고에 무한한 존경심을 갖고 있다. 부자 아버지는 이렇게 얘기했다. 「오늘 너에게 옳은 것이 내일은 너에게 옳지 않은 것이 될 수도 있다」

상황이 변했다

이제는 돈이 없어도 돈을 벌 수가 있다. 따라서 왜 밖에 나가 많은 돈을 벌지 않는가? 왜 당신의 아이디어에 투자할 투자가들을 찾아 함께 부자가 되지 않는가? 그 답은 낡은 생각이 당신을 방해하기 때문이다.

메릴 린치가 얘기했던 대로, 〈세상의 나이는 열 살이다〉. 좋은 소식은, 지금이라도 생각을 바꾸고 지금부터 시작해도 늦지 않았다는 것이다. 나쁜 소식은, 때로 낡은 생각은 바꾸기가 아주 힘들다는 것이다. 당신이 도전할 필요가 있는 일부 낡은 생각은 여러 세대 동안 전해진 다음과 같은 것들이다.

──열심히 일해야 한다.

오늘날의 현실은, 육체적으로 가장 열심히 일하는 사람들이 가장 적게 받고 가장 많은 세금을 낸다는 것이다. 그렇다고 열심히 일하지 말라는 말은 아니다. 내 얘기는 다만 우리가 과거의 생각들에 끊임없이 도전하고 나아가 새로운 것들을 생각해 낼 필요가 있다는 것이다. 자신을 위한 시간제 사업에서 열심히 일하는 것을 고려하라.

오늘날 우리는 하나의 사분면에만 있지 않고 〈현금흐름 사분면〉의 네 사분면 모두에 아주 친숙해질 필요가 있다. 어쨌거나 우리는 정보 시대에 살고 있으며, 평생 동안 하나의 일자리에서 열심히 일하는 것은 낡은 생각이다.

——한가한 부자들은 게으르다.

실제로 우리가 육체적으로 덜 일할수록 부자가 될 가능성은 더 높다. 이번에도 나는 열심히 일하지 말라고 말하는 것이 아니다. 내 얘기는 오늘날 우리 모두 육체적으로뿐 아니라 정신적으로도 돈 버는 법을 배울 필요가 있다는 것이다. 가장 많은 돈을 버는 사람들은 육체적으로 가장 적게 일을 한다. 그들이 가장 적게 일하는 이유는 그들이 근로 소득보다 비활성 소득과 투자 소득을 위해 일하기 때문이다. 그리고 이제는 당신도 알게 되었듯이, 진정한 투자가가 하는 일은 결국 근로 소득을 비활성 및 투자 소득으로 바꾸는 것이다.

그래서 내가 볼 때 오늘날의 한가한 부자들은 게으른 것이 아니다. 다만 그들의 돈이 그들보다 더 열심히 일하고 있을 뿐이다. 당신이 〈90 : 10〉 그룹에 참여하고 싶다면 육체적으로보다는 정신적으로 돈 버는 법을 배워야만 한다.

—학교에 가서 일자리를 얻어라.

산업 시대에는 사람들이 65세의 나이에 은퇴를 했다. 왜냐하면 그 나이가 되면 종종 힘이 빠져서 타이어를 들거나 조립 라인에서 자동차에 엔진을 부착할 수 없었기 때문이다. 이제 우리는 18개월마다 기술적으로 퇴보해 은퇴할 단계에 처하게 된다. 왜냐하면 정보와 신기술의 속도가 그 시기마다 배가 되기 때문이다. 많은 사람들은 오늘날 학생들이 학교를 졸업하자마자 기술적으로 늙는다고 얘기한다. 이제는 그 어느 때보다 〈학교에서의 배움도 중요하지만 거리에서의 배움도 중요하다〉는 부자 아버지의 교훈이 한층 더 유효하다. 우리 사회는 스스로 배우는 사회로, 농경 시대처럼 부모에게서 배우거나 산업 시대처럼 학교에서 배우는 사회가 아니다. 아이들이 부모에게 컴퓨터 사용법을 가르치며, 회사는 대학을 졸업한 중년의 중역들보다 첨단 기술의 아이들을 더 원한다.

낡음의 곡선에서 앞서 나가려면 학교는 물론 거리의 지속적인 배움도 중요하다. 나는 젊은 사람들에게 얘기할 때 프로 선수처럼, 그리고 대학 교수처럼 생각해야 한다고 강조한다. 프로 선수들은 더 젊은 선수들이 그들을 이길 수 있을 때 즉시 선수 생활이 끝날 것임을 잘 알고 있다. 대학 교수들은 계속해서 공부하면 나이가 들수록 더 소중한 존재가 될 것임을 잘 알고 있다. 이제는 두 가지 관점 모두 중요한 것이다.

부자 아버지의 교훈은 이제 한층 더 유효하다

당신이 나의 처음 두 책을 읽었다면 내가 두 아버지의 얘기와 돈과 사업, 그리고 투자에 관한 그분들의 생각에 귀를 기울이면서 겪었던 어려움을 알고 있을 것이다. 내 가난한 아버지는 늘 이렇게 얘기했다. 「학교에 가서 좋은 점수를 얻어 안전하고 안정적인 일자리를 찾아라」 반면에 부자 아버지는 늘 이렇게 얘기했다. 「직접 네 사업을 해라」 내 가난한 아버지는 투자가 중요한 것이라고 생각하지 않았다. 내 가난한 아버지는 착하고 열심히 일하는 사람이 되어야 한다고 생각했다. 그분은 이렇게 얘기했다. 「일자리를 찾아 열심히 일하면서 승진을 해야 한다. 기업들은 자주 직장을 옮기는 사람을 좋아하지 않는다. 기업들은 연공과 충성심에 대해 사람들에게 보상한다」 부자 아버지는 이렇게 얘기했다. 「직접 네 사업을 해라」

부자 아버지는 우리가 끊임없이 우리의 생각들에 도전해야 한다고 믿었다. 내 가난한 아버지는 당신의 교육이 소중하고 가장 중요한 것이라고 굳게 믿었다. 그분은 맞는 답과 틀린 답이라는 이분법을 믿었다. 부자 아버지는 세상이 변하고 있으며 우리가 계속해서 배울 필요가 있다고 믿었다. 부자 아버지는 맞는 답이나 틀린 답을 믿지 않았다. 그분은 대신에 낡은 답과 새로운 답을 믿었다. 그분은 이렇게 얘기했다. 「너는 육체적으로 점점 더 늙을 수밖에 없다. 하지만 그렇다고 정신적으로도 더 늙는다는 뜻은 아니다. 네가 더 오래 더 젊게 살고 싶다면 더 젊은 아이디어들을 선택해야 한다. 사람들이 더 늙거나 더 낡게 되는 이유는 낡은 답들에 집착하기 때문이다」

나는 앞으로 어떻게 될지 알지 못한다. 그것은 누구도 알지 못한다. 그렇기 때문에 끊임없이 아이디어를 갱신하고 도전해야 한다는 부자 아버지의 생각은 그분이 나에게 전해 준 가장 중요한 교훈 중의 하나다.

오늘날 나는 그렇게도 많은 내 친구들이 자신들의 아이디어에 도전하지 않기 때문에 경제적으로뿐만 아니라 직업적으로도 뒤처지고 있음을 본다. 그들의 아이디어는 종종 여러 세대에 걸쳐, 하나의 경제적 시대에서 또 하나의 시대로 전해진 아주 낡은 답들이다. 일부 고등학교 학생들은 절대로 일자리를 갖지 않는다는 계획을 갖고 있다. 그들의 계획은 일자리 안정이라는 산업 시대의 생각을 넘어서서 경제적으로 자유로운 억만장자가 되겠다는 것이다. 이런 이유로 나는 사람들에게 스스로 인터넷 회사를 만드는 것에 대해 생각하도록 얘기한다. 오늘날의 사고 과정은 아주 다르며, 그것은 일부 아주 낡은 생각들에 도전할 수도 있다. 그런 낡은 생각들은 도전의 과정을 아주 어렵게 만들곤 한다.

아이디어는 새로울 필요가 없다, 그냥 더 좋기만 해도 된다

늘 기억할 것은, 일단 〈B-I 삼각형〉에서 보는 지침들을 숙지하면, 당신은 사실상 무에서 자산을 만들 수 있다. 나는 내 첫번째 성공적인 투자가 무엇이었느냐는 질문을 받을 때 〈내가 한 만화책 사업〉이라고 말한다. 다시 말해, 나는 버려질 만화책들을 갖고 그것들을 중심으로 자산을 만들었다. 내가 그렇게 한 원칙들은 〈B-I 삼각형〉에서 찾을 수 있다. 스타벅스는 한 잔의 커피를 갖고 똑같은 일을 했다. 따라서 아이디어는 새롭고 독특해야 하는 것은 아니다. 그것은 다만 더 좋기만 하면 된다. 이것은 수세기 동안 그래 왔다.

다시 말해, 반드시 첨단 기술만이 더 좋은 것은 아니다. 사실 우리가 지금 당연하게 여기는 많은 것들은 전에만 해도 최첨단 기술에 속했다.

많은 사람들이 평생 동안 자신의 아이디어를 만들기보다 다른 사람들의 아이디어를 흉내내며 보낸다. 내가 아는 두 지인은 툭하면 다른 사람들의 아이디어를 모방한다. 그렇게 하면 많은 돈을 벌 수도 있지만, 다른 사람들의 아이디어를 허가도 없이 모방하거나 그 출처를 밝히지 않으면 대가를 혹독히 치르게 된다.

부자 아버지는 종종 이렇게 얘기했다.「흉내내는 것과 도둑질하는 것 사이에는 분명한 차이가 있다. 창의적으로 되려는 사람은 아이디어를 도둑질하는 사람들을 조심해야 한다. 그런 사람들은 남의 집을 터는 사람들만큼이나 나쁘다」 창조적이기보다 도둑질을 하는 사람들이 더 많기 때문에, 지적 재산권 변호사를 팀에 참여시켜 창작물을 보호하는 것은 한층 더 중요해졌다.

성공한 많은 사람들이 반드시 창조적인 아이디어를 갖고 있었던 것은 아니다. 그들은 종종 다른 사람들의 아이디어를 모방해서 그것을 수백만 혹은 수십억 달러로 만들곤 한다. 패션 디자이너들은 젊은 사람들을 보면서 그들이 무엇을 입는지 관찰하고, 그런 후에 그런 패션을 대량으로 생산한다. 빌 게이츠는 자신을 세계 최고의 부자로 만든 DOS를 직접 개발하지 않았다. 그는 그냥 그것을 발명한 컴퓨터 프로그래머로부터 산 후에 그 제품을 IBM에 팔았다. 아마존은 샘 월튼의 월마트 아이디어를 모방해 그것을 인터넷에 소개했다. 그리고 제프 베조스는 샘 월튼보다 훨씬 더 빠르게 부자가 되었다. 다시 말해, 창의적인 아이디어가 있어야만 부자가 될 수 있다고 누가 말하는가? 그냥 〈B-I 삼각형〉을 활용하고 아이디어를 재산으로 만드는 데 더 나아가기만 하면 된다.

부모들의 생각에 집착하지 말라

유명한 경영 컨설턴트인 톰 피터즈는 다음과 같은 얘기를 했다. 〈일자리 안정은 이제 죽었다.〉 그런데도 많은 사람들은 자꾸만 아이들에게 이렇게 얘기하고 있다. 「학교에 가야 안정적인 일자리를 얻을 수 있다」 많은 사람들이 경제적으로 고생하는 이유는 간단하다. 그것은 그들이 돈에 대한 부모들의 생각을 갖고 있기 때문이다. 대부분의 우리 부모들은 자산을 사는 자산을 만들지 않고, 대신에 돈을 위해 일하면서 그 돈으로 부채를 산 후에 그것이 자산이라고 생각했다. 그렇기 때문에 많은 사람들은 학교에 가고 좋은 일자리를 얻는다. 왜냐하면 그것이 그들의 부모들이 했거나 그들에게 하도록 조언한 것이기 때문이다. 많은 사람들이 경제적으로 고생하는, 혹은 겨우 봉급으로 살아가는 것은 그들의 부모들도 그렇게 했기 때문이다. 이 시점에서 그들은 그들의 삶을 지배했던 그 낡은 생각들에 질문할 힘을 갖게 된다.

어떤 사람이 정말로 변하기를 원한다면, 더 좋은 아이디어를 채택하는 것은 좋은 생각이다. 부자 아버지는 늘 이렇게 얘기했다. 「네가 더 빨리 부자가 되고 싶다면 네가 지금 사용하고 있는 것보다 더 좋은 아이디어를 찾기만 하면 된다」 부자 아버지는 이렇게 얘기했다. 「아이디어는 새로운 것일 필요가 없다. 그것은 그냥 더 좋기만 하면 된다. 그리고 부자들은 늘 더 좋은 아이디어를 찾는다. 하지만 가난한 사람들은 자신들의 낡은 아이디어를 방어하거나 새로운 아이디어를 비판한다」

무한한 기회의 시대

좋은 소식은, 이제 역사상 처음으로 부자들의 〈90 : 10〉 원칙이 더 이상 적용될 필요가 없다는 것이다. 이제는 점점 더 많은 사람들이 무한한 정보에서 발견되는 멋진 세상에 접근하는 것이 가능하다. 그리고 정보는 예전에 토지와 자원이 그랬던 것처럼 제한적이지 않고 무한하다. 하지만 나쁜 소식은, 낡은 생각에 집착하는 사람들은 우리가 겪고 있는 변화들과 앞으로 다가올 변화들로 인해 비참한 현실을 맞을 수도 있다는 것이다.

부자 아버지가 살아 계신다면 그분은 이렇게 얘기할지도 모른다. 「이 인터넷 열풍은 1850년대의 캘리포니아 금광 열풍(골드러시)과 아주 비슷하다. 차이가 있다면 단지, 이제는 집을 떠나지 않아도 그것에 동참할 수 있다는 것이다. 그런데 왜 그것에 동참하지 않겠니?」 그분은 또 이렇게 얘기했을 것이다. 「모든 경제적 급변화의 시기에는 세 종류의 사람들만 있다. 즉, 무언가 일어나게 하는 사람들, 그것이 일어나는 것을 지켜보는 사람들, 그리고 〈무엇이 일어났지?〉라고 얘기하는 사람들이 있다」

정말로 좋은 소식은, 역사상 처음으로 인터넷이 점점 더 많은 사람들에게 그들이 열린 눈으로 그곳에 가기만 하면 동전의 다른쪽 면을 볼 수 있는 능력을 주고 있다는 것이다.

내 아이디어들을 갖고 그것들로 자산을 만든 것은 내가 경험한 가장 멋진 도전 가운데 하나였다. 비록 나는 늘 성공하지는 못했지만, 새로운 사업을 할 때마다 내 능력은 커졌고, 나는 남들이 보지 못하는 가능성의 세상을 볼 수 있었다. 따라서 좋은 소식은, 이제는 인터넷 때문에 더 많은 사람들이 수세기 동안 몇몇 사람들에게만 가능했던 풍요의 세상에 더 쉽게 접근할 수 있다는 것이다. 이제는 인터넷 때문에 더 많은 사람들이 자신들의 아이디어로 다른 자산을 사는 자산을 만들 수 있고 자신들의 경제적인 꿈을 실현시킬 수 있다.

우리는 이제 시작했을 뿐이다

너무 나이가 많아 시작할 수 없다고 생각하는 당신들에게, 나는 샌더즈 대령이 66세의 나이에 KFC를 시작했음을 기억하라고 얘기하고 싶다. 우리에게는 그 사람보다 더 유리한 점이 있다. 즉, 우리 모두는 정보 시대에 살고 있다. 이 시대에서는 우리가 육체적으로 얼마나 늙었는지가 아닌, 우리가 정신적으로 얼마나 젊은지가 중요하다. 어쨌거나 메릴 린치는 이렇게 선언했다. 〈세상의 나이는 열 살이다.〉

당신의 가장 중요한 투자

당신은 이 책을 읽음으로써 중요한 투자를 하고 있는 것이다. 당신이 이 책의 내용에 동의하건 안 하건, 당신이 그것을 이해하건 못하건, 혹은 당신이 그런 정보를 이용하건 안 하건 상관없이 말이다. 끊임없이 변하는 오늘날의 세상에서, 당신이 할 수 있는 가장 중요한 투자는 지속적인 교육과 새 아이디어의 탐구에 대한 투자이다. 따라서 늘 탐구하고 자신의 낡은 생각에 늘 도전하라.

이 책의 한 가지 중요한 요점은 당신에게는 돈이 충분치 못한 세상뿐 아니라 돈이 넉넉한 세상도 만들 힘이 있다는 것이다. 돈이 넉넉한 세상을 만들려면 나름의 창의력, 높은 수준의 금융 및 사업적 지식, 안정보다는 기회들을 찾는 자세, 그리고 경쟁적이기보다 협조적이 되려는 태도가 필요하다. 부자 아버지는 내가 내 생각들을 규정하도록 안내하면서 이렇게 얘기했다. 「너는 돈이 충분치 못한 세상이나 돈이 너무 많은 세상에서 살겠다고 선택할 수 있다. 하지만 그런 선택은 전적으로 너에게 달려 있다」

마지막으로 한마디

이 책의 서두에서 일반 투자가에게 한 부자 아버지의 조언은 이런 것이었다. 「일반적인 보통의 사람이 되지 말아라」 당신이 안정과 편안함, 혹은 부자가 되는 것 가운데 어느 것에 투자하건 각각의 단계를 위한 계획을 마련하라. 정보 시대는 더 빠른 변화, 더 많은 기회의 시대이다. 이 시대에서 당신의 금융 교육과 투자가 지식은 너무도 중요하다.

옮긴이 / 형선호

서울대학교 사회대학을 졸업했고 대우그룹과 현대그룹에서 근무했으며, 현재 전문 번역가로 활동하고 있다.
지금까지 20여 권의 책을 번역했으며, 대표작으로 『바이블 코드』, 『세계 자본주의의 위기』, 『인생과 자연을 바라보는 인디언의 지혜』, 『부자 아빠 가난한 아빠 1, 2』 등이 있다.

부자 아빠의 투자 가이드
— 부자 아빠 가난한 아빠 3

1판 1쇄 찍음 2000년 9월 5일
1판 1쇄 펴냄 2000년 9월 10일

지은이 로버트 기요사키 · 샤론 레흐트
옮긴이 형선호
펴낸이 박근섭
펴낸곳 (주)황금가지

출판등록 1996. 5. 3 (제16-1305호)
135-120 서울시 강남구 신사동 506 강남출판문화센터 6층
대표전화 3446-8773-4 / 팩시밀리 515-2007

ISBN 89-8273-264-0 03320

값 15,000원